シャルマの未来予測

これから成長する国 沈む国

The Rise and Fall of Nations:
Forces of Change in the Post-Crisis World

Ruchir Sharma
ルチル・シャルマ
モルガン・スタンレー・インベストメント・マネジメント チーフ・グローバル・ストラテジスト

Kawashima Mutsuho
川島睦保・訳

東洋経済新報社

THE RISE AND FALL OF NATIONS

プロローグ

Into the Wild

ジャングルの奥地へ

音無き音を聞き分ける

過去25年間、私は毎年欠かさずインドかアフリカへ狩猟旅行に出かけた。ある年、アフリカの王様の話を聞いた。その王様は息子にジャングルの息吹《いぶき》を学ばせるために旅を命じた。初めての遠出で王子がジャングルの道をしばらく歩いていると周囲の密林から、大きな昆虫が動くときのガサガサという音や、野鳥たちのけたたましい鳴き声が、次から次へと耳に飛び込んできた。はるか遠くの草原では、ライオンの唸り声やゾウのかん高い鳴き声が響いていた。王子は音のする方向に何度も振り向いて聞き耳を立てた。そのうちかすかな音を聞き取ることができるようになった。ヘビが地面をカサカサと移動する音や、チョウが空中で羽ばたく音まで聞き取れるようになった。王様は王子に対して、静けさには危険を、日の出には希望を感じることができるようになるまで戻ってくるなと申し渡していた。王位を継ぐためには、音無き音までも聞き取れなければならない。

ジャングルの息づかいは、私が生活するニューヨークのそれとは全く異なっている。しかしこのアフリカの寓話は、２００８年の世界金融危機（リーマン・ショック）によって世の中が一変した、現在の世界にも十分通じる。世界貿易や国際資金移動は大きく後退し、人々の政府への反発は強まる一方だ。世界経済は減速を余儀なくされている。世界経済を取り巻く環境が激変する中で、繁栄する国、衰退する国を識別するのはますます難しくなった。本書の狙いは、メディアの誇張や雑音を取り除き、来るべき国家の成長と衰退を予見するシグナルを発掘することだ。将来の世界経済の覇者を志す「王子」のために「帝王学」を一から書き換える試みと言ってよいかもしれない。

国際金融の世界に身を置く人々は、自らをビッグ・キャットにたとえることが多い。経済のジャングルに生息し、獲物を求めかすかな物音でも逃すまいと聞き耳を立てるライオンやトラなどの捕食動物に似ているというのだ。しかしアフリカでは、ビッグ・キャットとそれ以外の動物の違いなどほとんど意味をなさない。セレンゲティはケニアとタンザニアにまたがる大平原だが、毎年、１００万頭以上のヌーが約２０００マイルのループ状の周遊ルートを大集団で移動する。

その移動の道は太古の時代から、ヌーによって踏み固められてきた。ヌーははるか遠くの雨の匂いまで嗅ぎ取ることができる。そのためシマウマやガゼルも彼らの後を追って移動する。彼らを獲物とするライオンやヒョウ、チーターまでも、ヌーの後を追いかける。

しかし生存競争は単純ではない。ライオンは他の肉食獣に比べ走るのが遅い。すぐに息が切れる。ライオンの狩りは5回に1回の確率で成功すれば上出来だ。チーターの足は最速だが、体が小さく、狩りは単独で行う。せっかく獲物を仕留めても、その多くは集団で行動するハイエナやジャッカルに横取りされることが多い。1年以上生きながらえるチーターは10頭のうち1頭もいない。その点でライオンは少し恵まれているが、雄ライオンの多くはなわ張り争いで若いうちに命を落とす。生と死が残酷に入れ替わるのは、草食動物も肉食動物も変わらない。この事実を知っていれば、グローバル経済でライオンを志すことは考え直した方がよいかもしれない。

私もグローバル経済のジャングルにさまよい込んで以来、生死の恐怖に怯えながら日々を過ごしてきた。私が投資関連の仕事を始めたのは1990年代の半ば。まだ20歳代の青二才だった。当時、米国は好景気に沸き、新興国はまだ開発途上で、先進国からは別世界のように見られていた。金融危機がメキシコ、タイ、ロシアを襲い、深刻な景気後退の引き金となった。世界の主要国や新興国では、序列が大きく入れ替わった。金融危機の煽りを食って多くの投資家がグローバル市場から姿を消していった。もちろんその中には、多くの私の指導者や同僚、友人もいた。

いまから振り返ると、国家の指導者（そしてグローバル投資家）の没落は、一つのお定まりパターンに沿ったものだった。彼らは最初、経済的、金融的な成功の上昇気流に乗っていた。しかし気づかないうちに気流は変化し、最後は不安定な乱気流になっていた。1990年代の新興国世界の危機、2000〜2001年のドット・コム・バブル、そして2008年の金融危機で、それが生じた。どんな人間であれ成功体験に安住してしまえば、次の新たな地殻変動が足元を襲ったとき、地中深く呑み込まれてしまう。

市場のユーフォリアと絶望のサイクルは、しばしば「群衆行動」という決まり文句で理解されてきた。しかしジャングルの生命活動は、そうしたステレオタイプよりもはるかに複雑だ。ヌーはある種の「群知能」によって導かれる。たとえ先導する個体の多くが犠牲になっても、大集団の生存は保証されている。ヌーの周遊的な大移動は、「隣の芝生は青く見える」という古い諺で揶揄《やゆ》されてきた。しかし大集団はいつも青々とした草原がどこにあるか見失うことはない。大集団は雨を追って、春には北部のケニア、秋には再び南部のタンザニアへと移動を繰り返す。

ものぐさも美徳

1年に2回、ヌーの大集団は最大の危険に遭遇する。マラ川の渡河だ。ケニアとタンザニアを南北に往復するとき、このマラ川の浅瀬を歩いて渡らなければならない。ヌーの群れは古くから敵を避けるために、ヒヒのかん高い鳴き声やチメドリたちの耳障りな鳴き声を警報システムとして利用してきた。しかしマラ川の渡河ではそうした警報システムは使えない。大河の岸辺近くでは、数万頭単位に膨れ上がった群れは周囲の敵から丸見えだ。川の水面を遊弋《ゆうよく》するワニ、豪雨で増水した濁流、対岸の茂みで待ち伏せするライオンにとって、彼らは格好の餌食だ。

マラ川の波打ち際まで下りていくと、ヌーの群れは一斉に打ち合わせを始める。彼ら独特の鳴き声は、電話会議で〝次の一手〟について議論するウォール街のアナリストたちを彷彿とさせる。大集団は、先頭の一頭のヌーが動き出すのを静かに見守っている。このヌーが一歩踏み出した後、すぐに引き返しでもすれば、群れ全体が恐怖で凍り付く。しかし記憶は持続しない。数分以内には別の一頭が再び挑戦する。そしてこのヌーが引き返すことなくさらに勇敢に前に進みはじめると、大集団のヌーは堰を切ったように川へ飛び込んでいく。大きく顎を開けたワニや豪雨で増水した濁流が、彼らを待ちかまえる。決死の行軍だ。ヌーは毎年の大移動で総数の10％が死亡すると推定されている。その大部分がこのマラ川の渡河で命を落とすのだ。

ニューヨークや香港などのグローバル金融市場で働く人々は、ヌーのような群衆行動にどっぷり浸っている。絶えず動き回るようにプログラムされている。アナリストは毎日、なにがしかの調査レポートを発表している。一般の投資家に、将来の上昇に備えて金融商品の購入を勧め、大暴落に備えて早めの売却を推奨している。こうした行動への強迫観念が、毎シーズンあるいは毎四半期、新たな市場の共通テーマを生み出す。その傾向は２００８年の金融危機以降、いっそう顕著になった。たとえば２０１５年。当時の中国株はあきらかに上昇ムードだった。第１四半期は中国株をいつ買うべきか、あるいは買った後でいつ売るべきかで、市場は賑わった。第２四半期になるとギリシャ危機がグローバル経済にどのような悪影響を及ぼすかが、大きなテーマになった。第3四半期には中国の金融危機の話題で持ちきりだった。アナリストの予想は、的中することもある。外れることもある。いずれにしても、彼らはいつも前を向いて動いていなければならない。前日に喋った内容やその理由など、すぐに忘れてしまう。昨日と今日とで話の辻褄があっていないことも、たびたびだ。

ウォール街には、昔からの諺がある。偏執症と適応者だけが生存を許される、というのだ。私はこれをもう少し別の言葉で言い換えてみたい。成功の秘訣は、良い意味での偏執を生き残りのためにいかに活用できるかだ。危機は必ず新たな行動を呼び起こす。危機が大きくなればたしかに狂熱度が上がる。2008年の金融危機以降、ウォール街では損失の拡大を恐れて、大物投資家たちは投資収益を年単位よりも月単位でチェックするようになった。そのプレッシャーでファンドマネジャーはただの1ヵ月でもマイナスの月が出ぬようにと、頻繁に取引を行うようになった。取引回数の少ない投資家ほど投資収益が高くなることが明らかになっているにもかかわらずだ。おどけものが言うところの「ものぐさも美徳の一つ」であることを証明するものだ。

肉食動物の生き残り術

2014年夏のタンザニア。狩猟旅行の醍醐味を満喫した最後に、私は生まれて初めて肉食動物が獲物を捕らえるシーンを目撃した。ある日の午後、夕暮れ近くになって、私は友人と一頭のチーターに偶然出会った。激しくあえいでいた。ガイドによれば、そのチーターはその日その時刻までに狩りを2回も失敗した後で、懸命に獲物を探しているところだった。チーターはそれから2時間以上、小さな窪みにじっと身を潜めたまま、チャンスを窺っていた。次第に日が陰り、風向きが変わった。それがチーターの匂いを消した。チーターは満を持して、集団を離れた一頭の雄ガゼルに向かって動き始めた。背丈の低いサバンナの雑草の中で、地面を這うようにゆっくり、ゆっくりと進んだ。獲物から50ヤードまで接近したところで、突然、時速60マイルまで加速して、獲物に猛然と襲いかかった。最後のジグザグのダッシュでは、私たちは息を継ぐ間もなかった。ガゼルはついに倒れた。

この狩りで特に印象的だったのは、スピードの炸裂よりも、それに先立つ静けさだった。生き残るための肉食動物の本能は、絶えず動き回ってエネルギーを浪費することではない。緩急自在の変化をつけてエネルギーを節約することだ。ライオンで最もよく見かけるのは昼寝の姿だ。彼らは1日当たり18~20時間は眠る。肉食動物が狩りに成功した後は、その分け前を巡って仲間と激しく争うような無駄なことはしない。天候の季節的な変化に慌てることもない。ケニアのマサイマラ平原を午後の激しい豪雨が襲っている間、肉食動物は獲物がたとえ狩りの射程圏にいたとしても動くことはない。じっと我慢して雨雲が通り過ぎるのを待つだけだ。彼らは、突然の豪雨は日常の出来事の一コマにすぎず、慌てて動いても何の得にもならないことを本能的に理解しているようだ。

生き残りの術に長けた動物の多くは、ジャングルで生活している。すべてが肉食動物であるとはかぎらない。最も守りに強いのはゾウやサイのような巨大な草食動物だ。ライオンの群れでさえ、6フィートの牙を持つ7トンのゾウをしとめるのは至難の業だ。最も監視能力に長けているのは、ヒヒや野鳥の警戒ネットワークを持つヌーかもしれない。最も優れたハンターはハイエナだ。彼らは一般にコソ泥のような腐食動物として描かれるが、実は大型の捕食動物では最強だ。ネコ科とは違ってハイエナは忍耐強い。どんな動物でも追いかけ回して最後に仕留めることができる。また老齢化し、衰弱した獲物だけを狙うわけでもない。ハイエナは最大60頭の群れで移動し、彼らはいかなる獲物も恐れない。セレンゲティの平原では、一群のライオンが20頭近くの執拗なハイエナの群れに包囲され、獲物を横取りされるシーンを目撃した。

ジャングルの掟

駆け出しの頃、私は苦い経験を通じて次のことを学んだ。グローバル経済は5年周期の政治的、経済的なサイクルに翻弄されてきた。その呪縛から逃れるためには、ジャングルの掟を学ぶ必要がある。まず日々の、あるいは四半期ごとの一時的な数字の変化に無駄なエネルギーを消耗してはならない。意地を張ってトレンドと敵対するより、環境の変化に素直に順応する。大事なのは大きな変化に注目し、次の行動のチャンスを窺うことだ。周囲の人々が現状に満足しきっているときでも、重要な変化の兆しを見逃さないためのシステム作りに励む等々。過去の25年間、私は多くの時間を費やして、環境の重要な変化を見失わないための基準作りに取り組んできた。

大自然やウォール街で生き残る知恵は、世界経済で激しく競い合う国にも大いに役に立つ。そこではお手本になるモデルは存在しない。すべての国がひとしく激しい景気の上昇と落ち込みの荒波にさらされている。景気の乱高下が極まれば、経済発展の機会が損なわれる。全力疾走していたチーターも疲れ果てて狩りができなくなってしまう。２００８年の世界金融危機の後も経済危機が相次いだことで、高成長国、低成長国、あるいは先進国、新興国を問わず、多くの国が打撃を被った。経済発展のセオリーに従えば、新時代の新しいスターは、腐食動物あるいは歩みの鈍い草食動物のような、これまで歯牙にもかけられなかった国の中から頭角を現す。その駆け出しの期間は、メディアからも注目されない静かなものとなるだろう。グローバル経済は騒々しいジャングルも同然だが、景気の急激な上昇や落ち込み、その後の国民の抗議行動などはその日常的なリズムにすぎない。国家の興隆と衰退に関心のある人は、まずこのことをしっかり頭に叩き込む必要がある。次章以降では、経済が発展に向かっているのか、それとも衰退へ向かっているのか、それを判断する10の決定的な評価基準について詳細に解説する。その基準をしっかり身に付けておけば、たとえ物音一つしない静かな変化が生じていたとしてもすぐに察知することができるはずだ。

目次

本書に登場する人物の肩書きや年齢、また出来事の年号等は原書が執筆された当時のものです。

序　章

Impermanence

有為転変

――国家の盛衰を見抜く10の評価基準

「脱グローバル化」のつぶやき

ＢＣ（Before the Crisis of 2008）の時代――２００８年の金融危機以前の時代――、世界中は空前の経済ブームに沸き立っていた。その熱気は米国のシカゴから中国の重慶まで幅広く覆った。好景気が続いたのはわずか4年足らずで、その足取りも決して力強くなかったが、多くの経済評論家はグローバル化の黄金時代が到来したとはやしたてた。カネ、モノ、ヒトの交流が記録的なペースで拡大を続けるにつれて、多くの富が創出され、豊かさが世界中へ広がっていくと予想された。貧しい国の中から裕福な国の仲間入りをするケースも増えてくるだろう。貧しい国の人々は貧困を乗り越えて、快適な生活を送れるようになる。最富裕層の1％とそれ以外の人々の格差は縮小に向かう。世界の各地ではミドルクラス（中間層）が台頭し、彼らは新たに培った政治力によって、独裁者に対し言論規制の改善、公正な選挙の実施、機会均等な社会の実現を迫るだろう。豊かになれば政治的な自由や民主主義が実現し、それがさらなる繁栄への道を切り拓くと信じられた。

そして突然、2008年の世界金融危機がやってきた。時代の舞台は、危機以前（BC）から危機後（AC）へと暗転した。黄金の時代への期待は露と消えて、新しい現実が露わになった。グローバル化への誇大宣伝は、「脱グローバル化」のつぶやきに取って代わられた。これまでグローバル化の特徴だったすべての流れが渋滞し、逆流し始めたために、世界の全体像は複雑化し、矛盾に満ちたものになった。情報の流れ、たとえばインターネットの通信量は、依然として増加している。人々の移動でも、旅行者や航空便利用者は急拡大が続いている。しかし2015年にシリアやイラクからのイスラム難民受け入れを巡って激しい議論を巻き起こすこととなった。貧しい国から裕福な国への出稼ぎ労働者は全体として減少している。また、経済成長に直接影響する資金取引、とりわけ国家間の資本取引や財サービス取引は急激に収縮している。

貿易の障害を復活させ、近隣との間に壁を築いて国境を遮断するなど、国家は内向きになっている。2010年代には世界貿易の伸び率が、世界経済の成長率を大幅に下回った。これは1980年代以来初めてのことだ。世界的な大銀行は自国回帰を強め、海外への融資には慎重になった。資本取引はかつて30年以上も拡大を続け、２００７年には９兆ドル、世界経済全体に対する比率は史上最高の16％に達した。しかしその後は１・２兆ドル、同２％まで下落を続け、１９８０年と同じ水準に逆戻りしている。

資本取引が干上がり、貿易活動が下火になれば、経済成長も同じ運命をたどる。多くの国では、たびたび景気後退に見舞われるようになった。しかし世界を見渡すと、いつもどこかで高い成長を遂げている国が存在する。世界経済が全体としてマイナス成長に陥ることは滅多にない。国際通貨基金（ＩＭＦ）は世界的な景気後退を、国内総生産（ＧＤＰ）の収縮ではなく、所得の下落や失業の増大、そしてまた景気後退にはまり込んだことを実感しやすいその他の係数で定義する。ＩＭＦによれば、これまで景気後退は４回発生している。１９７０年代の半ば、１９８０年代の初め、１９９０年代の初め、それに２００８〜２００９年である。これら４回のケースのいずれでも、世界全体のＧＤＰ成長率はそれまでの長期的な平均値である３・５％から、２％以下に落ち込んだ。* そのほか、２００１年にも世界のＧＤＰ成長率は２％以下に落ち込んでいる。このときは米国のＩＴバブルの破裂が原因だった。こうした歴史的経緯からすると、次のように結論づけて問題ないだろう。１９７０年以降、世界経済は５回の景気後退を経験しているが、すべて米

＊　世界のＧＤＰ成長の計測は、実勢の為替レートに基づいている。

国発だった。

しかし将来、世界的な景気後退が起きるとすれば、「中国発」になる可能性が高い。中国の近年の経済躍進はめざましい。あれよあれよという間に世界第2位の経済大国にのしあがってしまった。世界のGDPの年間成長率を見ると、中国が最大の牽引役となっている。2015年には中国の減速によって世界経済の成長は年率2・5%ぎりぎりまでスローダウンし、年末には再びリセッションに陥るかという瀬戸際まで追い込まれた。中国の減速はとりわけ他の新興国を直撃した。中国を別にすれば、他の新興国の平均成長率はかろうじて2%を上回るにすぎない。この2%という水準は、はるかに豊かな米国経済の成長率にも届いていない。こうした開発途上国や中進国の平均所得は、先進国に決して追いつくことはないだろう。ブラジルから南アフリカにいたる新興国は、いまや経済開発の階段を昇るどころか、奈落へと転げ落ちている。世界的な経済発展の高まりによって開けた輝かしい可能性へのユーフォリアは、いまや一転、我先に自分のニッチ(=居場所)を探し求める熾烈なサバイバル競争へと様変わりした。

中国不滅神話の崩壊

これは、世界が一夜にしてひっくり返ったようなものだ。経済的な繁栄が自由や民主主義をもたらすという希望も同様にしぼんでしまった。米国に本部を置く国際NGO団体のフリーダム・ハウスによれば2006年以降、毎年、政治的な権利が制限された国が、権利が拡大した国の数を上回っている。結局、過去10年間を見ると、全世界の半数以上にあたる110ヵ国で、政治的な自由が何らかの形で規制されている。(1) 民主主義国の数に大きな変化はないが、ロシアのように形だけ自由選挙を実施していた国では政治的自由に対する締め付けが強まっている。中国の経済的な繁栄が同国に民主主義を招来すると主張する評論家は、いまや少数派になってしまった。民主主義に代わって、台頭しているのが自己主張をますます強める新しいタイプの権威主義である。その代表格がロシアと中国だ。彼らは普遍的な価値としての民主主義を拒否する一方で、国民の政治的な権利や自由に一定の制限を加えるのは自らの固有文化だと正当化している。

2010年前後には景気後退が米国や欧州から新興国へと伝播《でんぱ》し、世界的な繁栄や政治的な安定に大きな打撃となった。その前の10年間では、大きな社会混乱が毎年平均14件のペースで発生していたが、2010年以降は一気に同22件へと跳ね上がった。混乱に拍車をかけたのが、経済の格差や体制の硬直化に対する中間層の怒りだった。特権エリートたちは、金融危機以前のバブル期に堕落しきっており、世の中を良い方向へ変えていこうという意識など全く喪失していた。

最初の火の手はアラブの春だった。食料価格の高騰に憤った人々は、中東でも新しい民主主義が根づくのではないかと希望をかき立てた。しかしエジプトでの独裁政権の復活やリビア、シリアの内戦勃発によって、期待は見事に打ち砕かれた。2011年には、民衆の反乱は燎原の火のように主要な新興国に広がった。世界的な景気減速によって経済的な不満が鬱積《うっせき》し、それが抗議行動をさらに過激にした。たとえばインドではインフレ、ロシアでは政治的な縁故主義、そして南アフリカでは低賃金や悪質な労働条件に対して、国民の怒りが爆発した。こうした社会不安が最高潮に達したのが、２０１３年の夏だった。つい数年前まで輝ける希望の星だったブラジルやトルコまでも、全国の都市で数百万の人々が街頭に繰り出して抗議活動に参加した。

米国の劇作家アーサー・ミラーは、かつて次のように述べた。一つの時代が終焉を迎えるのは「その時代の基本幻想が枯渇してしまったときだ」[2]。金融危機以前の繁栄の拡大という幻想は、今日では跡形もなく消え失せてしまった。最後まで残ったのは、中国の高度成長の神話と、その恩恵を強く受けるのがロシア、ブラジル、ベネズエラ、ナイジェリアといった国々だという強い思い込みだった。中国への農産物や天然資源の輸出が増えることで、ロシアやブラジルなどの国が繁盛するというのが理由だった。中国の旺盛な需要によって国際商品市況の〝スーパー・サイクル〟が生まれ、モスクワやラゴスに大きな富がもたらされるに違いないと、誰もが信じた。ところが２０１１年になると、こうした筋書きが揺らぎ始めた。銅や鉄の市況が下落に転じたのだ。そして２０１４年末には原油価格が数ヵ月の間に半値以下に急落した。中国の不滅神話と資源バブルは完全に崩壊した。

成長よりも停滞が当たり前

２０００年代に鳴り物入りで登場した新興国だが、ブラジル、ロシア、インド、中国がたどった運命ほど、時代の有為転変を雄弁に物語るものはない。市場参加者たちはこの４ヵ国を一括りにしてＢＲＩＣｓ（ブリックス）と呼んだ。ＢＲＩＣｓとは、４ヵ国の名前の頭文字をとって順に並べたものだ。この呼び名は、これら４ヵ国が世界経済の支配者になるという時代の空気を見事にとらえていた。ところが今日では、この頭字語《とうじご》は「いかれた」とか「ボロボロの」、あるいは「全くバカげた投資コンセプト」といった意味で使われることが多い。あるいは新しい頭字語ＣＲａＢｓ（クラッブス）への組み替えも行われた。中国、ロシア、ブラジルが現在いかに危うい状況であるかを意味したものだ。金融危機以降では、中国のＧＤＰの年間成長率はかつての14％から民間推計では５％以下に落ち込んでしまった。(3) ロシアでは７％からマイナス２％、ブラジルでは４％からマイナス３％へという具合だ。元祖ＢＲＩＣｓの中で唯一気を吐いているのがインドだ。インドは２０１０年代に入っても２０００年代と同じ成長率を維持すると期待されている。

過去の好景気の影響できわめて楽観的な予測が優勢となり、危機を予想する専門家はごく少数に止まっていた。そのため金融危機後の不安感はそれだけ強くなった。世界は永遠の繁栄を夢見たが、結果的に得たものは怒りと失望だった。人々は中間層の台頭と需要の盛り上がりに期待したが、実際には中間層は失望し需要は収縮していった。こうした緊迫した中で、物価下落の恐怖がインフレの恐怖に取って代わった。デフレは状況によってはインフレよりも有害であった。

金融危機以前のキーワードは時代遅れとなった。先進国からの資金の流れが先細りとなり、逆流し始めると、新興国の通貨は暴落した。データ収集を開始した１９７８年以降、新興国の資本収支は一貫して黒字だったが、2014年に初めて赤字へ転落した。2015年にはダムが決壊したように7000億ドルの資金が新興国から流出した。その結果、対外債務の返済が困難になる国が増えた。多くの新興国は借金返済に努めたが、情況は改善せず苦しい債務国へと逆戻りした。金融危機以前の好景気が最高潮に達した2005年、IMFの緊急融資を受けた事例はゼロであり、IMFの支援事業もそろそろ店仕舞いかと思われた。しかし2009年から再び忙しくなった。ギリシャやジャマイカなど、毎年10～15の新規案件が持ち込まれるようになった。

2008年の金融危機以降、成長の限界が幅広く認識されるようになった。2009年の世界経済の成長は、第二次世界大戦後で最も低い水準に止まった。金融危機直前の2007年、新興国で成長率が鈍化したのは20ヵ国に1ヵ国の割合にすぎなかった。ところが2013年にはその割合が5ヵ国に4ヵ国の割合となり、この「景気後退の同期化」は3年目に突入した。最近では最長の記録である。新興国を襲った「景気後退の同期化」の代表例としては、1994年のメキシコ・ペソ危機、1998年のアジア通貨危機、2001年のITバブル破裂、それに2008年の金融危機（リーマン・ショック）が挙げられるが、それらを上回る長さだ(4)。経済停滞が世界に広がるにつれて人々は過去の夢から目覚め、新興国の新たなスターを追い求めることはなくなった。経済成長は神から授かった権利ではない。産業革命以前のビザンチン帝国や欧州を含めた世界の主要地域は、経済がほとんど成長しない時代を数百年も経験している。

ゴールドマン・サックスでは、過去150年間の、経済成長率が長い間基準を下回り、所得が他国に比べ相対的に低下した国を調べた。それによると、経済の停滞が少なくとも6年続いたケースが90事例あり、その中には10年以上続いたケースが26事例もあった。代表例は、1860年代と1870年代のドイツ、1990年代の日本、2000年代のフランスだ。経済停滞の最長記録はインドの23年であり、それは1930年に始まった。その次は1982年から始まった南アフリカの22年だった。一方、第二次世界大戦後のアジアの「成長の奇跡」は数十年間も続き、日本（1990年以前の）やその近隣国を先進国の地位にまで押し上げた。それに比べると、経済停滞の事例は誰も知らないし、精緻な学問研究もなされていない。しかし、金融危機以降は成長の奇跡より経済の停滞が現実的な重要性を持ってくる。

10の評価基準で変化を先取り

かつてなら景気が一時的な不況に陥っても循環によって再び回復に向かうことが期待できたが、こうした循環論が通用しない時代になった。この点を理解するのはとても重要だ。経済の収縮がある点を超えてしまうと、自律反転の能力が損なわれてしまう。たとえば通常の景気後退では失業者が増えて賃金は低下する。その賃金低下によって雇用は再び増加し、景気は回復へ向かう。しかし景気後退が長期化し不況の谷が深まれば、労働者の技能が破壊され、企業は連鎖倒産に追い込まれる。製造業の生産能力には、大きな損失が発生する。それが景気後退をさらに深刻にする。こうした悪循環の脅威は、専門用語で「履歴現象」と呼ばれる、景気停滞とマイナス成長が、景気回復どころか、経済成長のいっそうの減速をもたらす。２００８年金融危機後の経済停滞では、こうした負のスパイラルが新たな脅威となっている。

現在では高度成長がいかに持続困難なものであるかは、広く知られている。そうすると、次のような単純な疑問が湧く。有為転変の世界で、繁栄する国や没落する国を予想するには、どうしたらよいのか。一国の経済に変調が生じようとしているとき、どうすればその前兆を感知できるのか。急激な景気の上昇と落ち込み、そして国民の反発が、今後の世界では一般的になると予想される。そうした世界への航海に役立ててもらうために、本書では10の評価基準を取り上げ、その概略が述べられている。読者はその基準をうまく活用することで、ある国が上昇気流に乗っているのか、それとも落ちこぼれつつあるのか、あるいはなんとか危機を切り抜けつつあるのか、といったことが把握できる。こうした基準を総合的に運用することで、将来の進路を特定する一つのシステムができあがる。新興国には、こうしたシステムが最もうまく適応できる。新興国の経済や政治の制度にはまだまだ不備な点が多く、政治的、金融的な危機の影響を強く受けやすいからだ。しかし本書でこれから述べるように、先進国の評価においてもこれらの評価基準が大きな力を発揮することは言うまでもない。

パターン認識――評価基準の原理

すべての評価基準の背景には、いくつかの基本原理が存在する。第一は有為転変である。２０

００年代の好景気がピークに達した時、新興国の成長率は一気に2倍へ跳ね上がった。それをもたらしたのは、先進国の銀行から吐き出された大量の緩和マネー、国際商品市況の急騰、世界貿易の急拡大などグローバルな諸要因だった。好景気のスケールは史上空前だった。２００７年に５％の成長率を達成した国は実に１００ヵ国に達した。戦後の平均の5倍の水準だった。しかし経済予測の専門家たちは、この異常な出来事を時代の転換点だと見なした。もし現状の好景気がしばらく続けば、多くの新興国の平均所得はすぐに先進国に追いついてしまうと予想した。

こうした過去のトレンドをそのまま未来に投射する推計手法は、別に目新しいものではない。１９６０年代に、フィリピンの首都マニラは、アジア開発銀行（ＡＤＢ）本部の招致に成功した。その理由の一つが、当時のフィリピン経済の急成長がアジア諸国の希望の星になるという議論だった。しかしその後の10年間、フェルディナンド・マルコス大統領の独裁下でフィリピン経済は停滞を続けた。しかし、ＡＤＢの本部はいまでもマニラにある。１９７０年代にも同じ推計手法を使って、米国の一部の経済学者や情報機関アナリストはソビエト連邦が将来、世界最大の経済大国になると予言した。しかしソ連は１９８０年代末に崩壊してしまった。１９９０年前後になると、経済評論家は21世紀は日本の世紀になると盛んに持ち上げた。その日本も90年代のバブル崩壊で大きく失速してしまった。

こうした過去の失敗にも懲りず、２０００年代初めには再び新たな熱狂が世界を覆った。今度は、ＢＲＩＣｓあるいはＢＲＩＣＳ（南アフリカのＳを含む）の台頭と、国際商品市況のスーパー・サイクルの登場である。しかし飛ぶ鳥落とす勢いのBRICsにも、2010年には曲がり角がやってくる。国際商品市況の歴史的なパターンを見ると、10年間のブームの後に20年間の停滞が巡ってくる。まさに現在はその潮目が到来している。未来の経済覇権を巡る光と陰の例は枚挙にいとまがないが、現在ではいずれも遠い過去の話となってしまった。

世の中は有為転変だ。これが理解できれば、自然と第二の基本原理に行き当たる。それは、経済予測では遠い未来を対象にしてはならないということだ。チンギス・ハンが12世紀にシルク・ロードで交易を始めて以来、グローバル化の流れは潮の干満と同じで、押しては返しての繰り返しだ。経済成長に影響を及ぼす景気や技術、政治のサイクルはわりと短く、5年周期が一般的だ。選挙のサイクルも平均すれば5年の周期だ。選挙ごとに改革マインドの旺盛なリーダーが颯爽と登場した。彼らは停滞しきった経済に再び活力を蘇らせる能力に富んでいた。経済予測も次のサイクル、あるいは次の次のサイクル――すなわち5~10年――を超えたものになると、信頼性が大幅に低下する。最近の「アジアの世紀の到来」あるいは「アフリカの世紀の到来」といった遠い先々の話は、眉唾で聞いておく必要がある。

本書の目的の一つは、予測の照準を遠い未来から現実味のある5~10年先にシフトさせることだ。20~100年先の予測が的中することなどありえない。なぜなら、予測してから5年以内に想像を超えた競争者がどこかから現れて、過去のトレンドをひっくり返してしまうからだ。1980年代の中国、1990年代の東欧、2000年代のアフリカ諸国が、まさにそうだった。ところが5年のタームであれば、1990年代のインターネットや、現在進行中の3Dプリンターのような革新的なデジタル製造技術が新たに出現することはまず考えられない。第二次大戦後、1人当たりGDPの年間伸び率が6%を上回った「超高速」の成長が長く続いた事例が28ある。それを見ると、持続期間は平均で10年未満だった。[5] 全力疾走の期間が長くなれば長くなるほど、全力疾走をさらに続けることは難しくなる。日本や中国、あるいはインドのような国で高成長が通算で10年間も続いた場合、アナリストが追究すべきは高成長がさらに持続する理由ではなく、現下の高成長にいつ転換点が到来するのかという点である。

バイアスは恐ろしい

良き時代は誰もが永遠に続いて欲しいと思う。この気持ちは、「アンカーリング・バイアス」によってさらに強められる。人々は現状（あるいは直前の状況）を前提に議論をする傾向がある。2000年代に入ると、グローバルな経済競争の勝者を予想する人々は、中国の年率2桁のGDP成長率や新興国の7%以上の超高成長を当たり前のように考えるようになった。こうした超高成長は過去に例がなかったが、それでも議論の大前提（アンカー）になった。2010年には新興国の平均成長率が4%にまで落ち込むという予測が出されたが、当時のアンカーから大きく逸脱していたために、多くの人に信じてもらえなかった。第二次世界大戦後、新興国の平均成長率は4%であったにもかかわらず……だ。結局、どのような予測でも、前提をどこに求めるかで内容が大きく変わってくる。正しい前提を得るには、過去に遡って、信頼できるデータや歴史的に確立された法則を見つけ出さなければならない。本書における好況と不況の法則は、私自身の調査に基づいている。戦後10年間以上にわたり6％の成長率を維持した新興国は56ヵ国あるが、それらのデータベースを徹底的に調べ上げたものだ。

アンカーの根拠となるデータの信頼性が低く、また内容自体も現実離れしているにもかかわらず、それにしがみつこうとする行動は「確証バイアス」によってさらに増幅される。この確証バイアスとは、自分自身の仮説や信念を支持するデータばかりを集め、都合の悪いデータや情報は無視する傾向のことだ。２０００年代には先行きへの楽観論が急速に勢いを増していた。ＢＲＩＣＳの過剰な報道は確証バイアスで満ちていた。一方、知識層はいつでも悲観論が大勢である。今日では、それが大きなリスクになっている。現在のような不安定な世の中では、どの国にもまだまだ成長のチャンスがあると主張しても、誰も信じてくれない。いつの時代でも問われるべきは、「現在のトレンドが続けば、どうなるか？」といったありきたりの質問ではない。せめて、次のような気の利いた問いかけをして欲しいものだ。「もし世の中が通常の5年程度のサイクルを持続するとすれば何が起こるか？」と。本書で取り上げた基準は、有為転変の世界で見つけた循環サイクルを基本に将来を正しく予測するためのものだ。

5〜10年の時間軸と言っても、ウォール街の視野狭窄的で、短期的な思考方法と大差ないのではないか。そう思われる読者がいるとすれば、ちょっと待って欲しい。本書の各章では、高い成長が長期間続くとすれば、それはリーダーが債務や投資のバブル、通貨や銀行の危機、そして「成長の奇跡」を終息させる様々な種類の破綻をもたらすハイパー・インフレを回避できた場合であることを示している。この10の評価基準は、そうした長期的な経済的成功へ導くラフなガイドを兼ねたものでもある。

ブラジルやインドのような国では、次のような議論を耳にすることが多い。政府が経済成長に集中しすぎると、公衆衛生や教育、その他の人間開発の政策がおろそかになってしまうのではないか、と。しかし、この議論は間違っている。1人当たり国民所得が最も低い国では、人間開発の実績も最低だ。毎年、国連では人間開発指数（ＨＤＩ）を発表している。それは学校教育期間などの文教政策、平均寿命のような公衆衛生政策、水道電気などインフラ政策といった基準で、国別にランキングしたものだ。それによると、各国の順位は1人当たり国民所得と密接に連動している。1人当たり国民所得が長期間の経済成長の結果であることは言うまでもない。たとえばインドは最新のランキングでは１８７ヵ国中１３５位である。1人当たり国民所得が低い国の中で、ＨＤＩランキングの順位が1人当たり国民所得ランキングの順位を上回っているのは、わずか10ヵ国にすぎない。1人当たり国民所得が高い国で、ＨＤＩランキングの順位が1人当たり国民所得のランキングの順位を下回っているのは、わずか5ヵ国である。

インドはＨＤＩランキングの順位を徐々に引き上げてきたが、ランクアップしたのは経済が成長した時期に限られていた。１９８０年のＨＤＩランキングには１２４ヵ国が掲載されているが、インドは100位だった。その後の数十年間で、インド経済は650％、世界経済は200％弱の成長を遂げた。その結果、インドのＨＤＩランキングは上昇した。現在は当初掲載の124ヵ国の中では、11ランクアップの89位につけている。しかし、さらに高い成長を実現した国では、ランクアップの幅がさらに大きくなっている。中国経済は2300％も成長し、ＨＤＩランキングでは92位から62位へ順位が30ランクも跳ね上がった。こうした順位変動は貧困国だけではない。韓国経済は700％の成長を果たし、順位は45位から15位へ30ランクもアップした。もちろん例外はある。南アフリカは1人当たり平均所得が6500ドルに達しているにもかかわらず、平均寿命が異常に短い。高い殺人発生率とエイズの蔓延によるものだ。個別の指標で同じ経済水準の仲間に後れをとっている場合、その要因を議論するのは意味がある。しかし一般的には経済の成長につれて人間開発も改善に向かう。

現実離れした科学

経済学は2008年の金融危機だけでなく、その前後に世界を震撼させた多くの危機も予見できなかった。それ以来、経済学に対する一般の人々の幻滅は深まる一方である。エコノミストは仲間内からも次のような批判にさらされている。あまりに学問的すぎる。高度に数学的なモデルを追求しすぎる。人間はいつも合理的であるとする理論に依拠しすぎる。変化が緩慢な過去データを重視しすぎて先々の予測ができない等々。政治、外交、ビジネスで活躍する人、あるいは多忙な一般人でもそうだが、実務家がプランを立てようとする場合、経験に基づいた将来予測が不可欠だ。本書はこうした実務家のために書かれている。実務家が占いの水晶玉に懐疑的になるのはもっともだが、将来を展望しないわけにもいくまい。そのときは、たとえミスリードな経済的な予測であっても受け入れないわけにはいかない。

最近、経済学はますます現実離れした科学だと見なされつつある。一部の経済学者にとって、予測は知的な訓練にすぎず、アイデアが大袈裟であればあるほど見返りも大きくなる。その結果、予測は表面的なものになるか、イデオロギー的な世界観に陥ってしまうことが多い。ある欧米の知識人は、イスラム文化は時代遅れで高い成長を実現できないとほのめかす。一部の超保守派は政府のあらゆる行動が誤りであると信じている。リベラル派は高い成長は民主主義的な制度のおかげだと主張するが、それでは1980～2010年のアジアの長期の高成長をうまく説明できない。なぜならその当時、多くのアジア諸国は反リベラルの体制だったからだ。

エコノミストや評論家は国の盛衰を議論する場合、その要因を地政学的な弱点を乗り越える努力、リベラルな制度、年齢が若くて成長に適した人口動態など一つに絞り込みすぎる。こうした要因は、最近のベストセラー本のテーマであり、長期的な成長を実現するうえで不可欠である。しかし著者の経験では、一つの要素だけである国の今後5年間の変化を探ろうとしてもうまくいかない。たとえば「原油の呪い」は現実問題である。ある貧しい開発途上国が、何の準備もできていないまま、大油田を発見したとしよう。その国では腐敗がはびこり、経済開発がかえって遅れてしまう可能性が高い。しかし一方で、腐敗を嫌悪するあまり、予測の目が曇ってしまうケースもある。原油相場が10年間の上昇局面に入ったことで多くの産油国が好景気を迎えることを、見逃すことにもなりかねない。

経済理論をたくさん知っておくことは重要である。しかし同じくらい大切なことは、それらの理論をどのように組み合わせ、どのような状況に適用したらよいかを知っておくことだ。経済成長率は複数の要素で決まる。経済が発展し、グローバル環境が変化すれば、要素間のバランスも変化する。正統派の経済予測家はこうした変化をよく知っているが、そのメカニズムはきわめて複雑だ。世界銀行やＩＭＦの国際機関では、経済成長に対して統計的に有意な影響を及ぼす数十から数百の要因を抽出している。それらの中には、法律を学ぶ大学生の比率、「民族言語学的な分別化」、はては過去にスペインの植民地であったかどうか、といったことまで含まれている。

未来も過去も不確実だらけ

実践的な予測を心がけるなら、次のようなデータは取り除く必要がある。時間がたって古くなったデータ、未来予見的でないデータ、信頼性に欠けるデータなどである。情報過多の先進国で暮らす人には信じがたいことだが、新興国では経済規模など基本統計でさえ信頼のおける最新データを取得することが難しい。せっかく入手できても、ある日突然改訂されたりする。２０１４年の初め、ナイジェリアでは一夜にしてＧＤＰの公式数字が５０００億ドルへ倍増された。この突然の変更は、ほとんど注目されなかった。新興国市場のウォッチャーは、こうした統計数字の変更劇に慣れっこになっているからだ。そのちょうど1年前、ガーナが同様にGDP数字の大幅修正を行って、自動的に低所得国から中所得国へ昇格した。インドのY・V・レディ元中央銀行総裁は、インド統計局が頻繁に公式の経済統計を修正することに対して、「インドでは、未来だけでなく過去も不確実性に満ちている」と冗談交じりに語ったことがある。

新興国の統計数字がめまぐるしく変更されるのは、主要な関係者の利害が絡むためだ。中国では公式のGDP成長率を信用していないアナリストは、貨物輸送量や電力消費量などの指標を併用している。こうした二重チェックは、比較的信頼できる。だが2015年からは情況が変わった。政府が開発業者に対しマンションの空き室でも夜間灯りをつけておくよう指導していることが明らかになった。政府の指導の狙いは、電力消費量を少しでも増やすことで、政府発表の成長率の信憑性を高めるためだった。これはグッドハートの法則の古典的な例だ。この法則は、ある数字が目標になると、その数字はもはや信頼できなくなる、というものだ。多くの人が目標を達成しようとして数字の改竄《かいざん》を行うためだ。(6)

使い勝手が良くてタイムリーな情報源の一つが、世界の金融市場で形成される価格だ。金融価格は、平時では、将来の経済見通しに対する世界全体のコンセンサスを最も正確に反映したものだ。作家のジェイムズ・スロウィッキーが「群衆の智慧」と呼んだものには実質があり、時々刻々と相場に映し出される。市場は参加者の気分に支配されながら価格を形成していくが、実勢から大きく逸れることはほとんどない(7)。銅価格の急落は世界経済にとっていつも不吉な前兆だった。金融界では、基礎メタルを名医になぞらえて「ドクター・コッパー」と呼んでいる。米国は資金調達の大半が銀行経由ではなく、債券やその他の金融商品で行われる数少ない国だ。1990年、2001年、2007年の過去3回のリセッションでは、景気後退が始まるずっと前から、金融市場は不況を察知していた。ときには金融市場が間違ったシグナルを発することもあるが、多くの場合は十分信頼に足る風見鶏となっている。

株式市場では熱狂と暴落を周期的に繰り返しているにもかかわらず、将来予測では優れた実績がある。1970年のノーベル賞受賞経済学者のポール・サミュエルソンは、株式市場は「最近の5回の景気後退を9回も予測していた」と皮肉った。市場の予測能力をけなす評論家は、サミュエルソンのこの言葉を引用することが多い。しかしサミュエルソンは経済学者としては押しも押されもせぬ権威だが、将来予測の点では株式市場に後れをとっている。ネッド・デイビス・リサーチは2014年のレポートで、株式市場が景気後退の予測でいくつかの大きな失敗を冒したにもかかわらず、一貫して好況、不況の優れた予言者だったことを記している。1948年まで遡ると、S&P500指数は平均で景気拡大がピークをつける7ヵ月前には下落、不況がボトムをつける4ヵ月前には上昇に転じている。一方、ネッド・デイビス・リサーチは、米国連邦準備のフィラデルフィア連銀が定期的にサーベイしているプロの予測家の実績を調査した。それによると、1970年から現在まで7回の景気後退を経験しているが、全体としてこれらの正統派エコノミストが「正確に予想できたのは一つもなかった」[8]。米国では正式に不況を特定するのはNBER（全米経済研究所）の役目だ。NBERが不況の開始を宣言するのは、実際に不況が始まってから平均で8ヵ月経過した後のことだ。

マーケット指標を例外とすれば、数字だけで国の将来を占うのは無理がある。エコノミストの大半は、政治のような重要な要素であっても、数量化が難しく予測モデルに組み込めないものは無視する傾向が強い。彼らが「政治」分析に用いるのは、政府支出や金利などのハードな数字だ。新しい指導者が登場して従来の独占利権や買収行為、役人の秘密主義の取り締まりや打破に乗り出しても、数字ではソフト面の質的変化まで捉えることができない。どの国も経済的な繁栄が約束されているわけではない。経済発展のためには、政治家がリーダーシップを絶えず発揮する必要がある。私の基準では、債務、価格、マネー・フローなどのハード面のデータと並んで、こうした政治や政策などソフト面の変化も組み入れている。

以下に述べることは、私の基本原則である。過去を直線的に延長した予測や、来るべき世紀はどうなるかといった漠然とした議論は避ける。単一の要素に依拠した大雑把な理論も疑ってかかる。政治、文化、あるいは議論の大前提（アンカー）に関するバイアスはすべて除去する。近い過去は遠い未来の先触れだという誤謬に陥ってはならない。乱高下と危機こそが世の中の常態だと心得ておく。現在、経済がいかに活況であっても、あるいは不況のどん底であっても、その異常な熱狂（冷却）が永遠に続くわけではない。やがて長期のその所得階層にとっての平均的な成長率に復帰する可能性が高いことを忘れてはいけない。注目すべきはバランスの良い成長だ。管理することが可能な動的な指標に着目すれば景気循環の屈曲点を予想できる。

実践的なアート

過去25年の証券調査活動において、私は経済理論ばかりでなく現実世界において変化をもたらす要因は何かを探究してきた。その研究から得られたのが、これらの評価基準である。評価基準を開発した狙いは、私自身やチームのメンバーが些末なことに注意を逸らされないためだ。外国を訪問する場合、事前の調査として、その国に関する一般的な印象や将来の見通し、現状に関する情報、統計データなどを収集する。あらゆる情報には、それなりの洞察が埋め込まれている。その国の未来に関する重要ポイントを理解するためには、そのどれかを知っておく必要がある。評価基準によって、私たちは自分たちの考えを体系化することができる。評価基準は何が有効で何がそうでないか、過去の事例で検証されてきている。本質から外れたものを取り除くことによって、その国が勃興期にあるのか、それとも衰退期にあるのかの議論が深まる。

成長の要因を一つひとつ列挙すると膨大なリストになるが、その中から一定数を厳選した。その数は、データ処理が困難になるほど大きくはなく、かといって絞り込みすぎて重要な変化を見落としてしまうほど小さくもなかった。経済成長を理論的に要因分解する方法は複数ある。使い勝手が良いものもあれば、そうでないものもある。経済成長は、政府や個人による消費、工場や住宅、コンピュータやその他設備への投資、公共事業などに要因分解できる。投資の経済全体に占めるシェアは消費よりはるかに小さく20％程度が一般的だ。しかし変動要因としては投資が最も重要だ。投資の増減が景気の循環を引き起こすからだ。たとえば米国では、投資の変動幅は消費の6倍に達する。典型的な景気後退局面では、投資は10％以上も減少する。消費がそれだけ減少することはめったになく、せいぜい伸び率が1％程度に減速するだけだ。

経済成長は、農業、サービス業、製造業など様々な生産活動にも要因分解できる。趨勢的には、製造業が世界的にシェアを落としている。世界のＧＤＰに対する比率では、１９８０年の24％強から現在は18％弱まで低下している。しかし製造業は依然、変化の要因としては最も重要だ。製造業は伝統的に雇用、イノベーション、生産性向上の大きな源泉となってきた。私の評価基準でも投資や工場について多くを議論しているが、消費者や農民はほとんど触れられていない。人間の作業が機械に大幅に置き換わるにつれて、製造業も農業が歩んだ道をたどっているという議論がある。私の評価基準でもこうした変化が織り込めるように工夫がなされている。しかし経済的な変化を読み解くうえで、製造業がいまでも中心的存在であることに変わりはない。

これは教科書なんか役に立たないから、捨ててしまえと言っているのでない。最も優れた予見力を持つ変化の源泉に意識を集中せよと説いているのだ。ここに分かりやすい事例がある。教科書では、投資や成長の牽引車として貯蓄の重要性が強調されている。それは銀行が家計や企業の貯蓄を道路や工場、技術への投資に振り向けているからだ。しかし貯蓄には「鶏が先か、卵が先か」という議論がある。まず高い成長ありきなのか、それとも高い貯蓄ありきなのか。全くはっきりしない。同様に本書では、過剰投資や過剰債務の悪影響、インフレや格差の弊害、政治サイクルの想定外の変化などについても詳しく解説している。こうした要因を詳しく調べて数値化する方法は数限りなくあるが、特に私が取り組んだのは、どのようにしたら国の債務問題を要因分解して分析できるか、あるいは債務問題が改善や悪化に転じる変化のシグナルはどうしたら捕捉できるか、という課題だった。

ランキングを過信するな!

長期的な経済成長に重要な影響を与える要素はたくさんある。本書ではそれらに言及するのはあえて避けた。変化のサインとしてうまく機能しないからだ。たとえば教育は労働力の質を高める点で重要なテーマだが、私の評価基準ではほとんど触れていない。教育投資の効果が目に見えて現れるには長い時間がかかり、かつその内容も画一的でないからだ。5〜10年の期間が対象の経済変化の先行指標としては、ほとんど役に立たない。多くの研究では、第二次世界大戦後の米国や英国の好景気を大衆の公教育の普及と結びつけているが、そうした変化は第一次世界大戦の前から始まっていた。シンクタンクの都市センターが行った最新の研究では、2000年代の英国で急成長した都市は、教育投資に熱心で最も多くの資金を投じた都市だった——ただしそれが起きたのは1900年代初期のことだったが。エコノミストのエリック・ハナシェックは201

0年のレポートの中で次のように指摘している。20年間の教育改革によって経済は3分の1も拡大したが、その効果が発現したのは改革が始まってから75年後のことだった。

多くの第二次世界大戦後のケースでは、経済的な「離陸」を果たしたのは教育的には開発途上の台湾や韓国などだった。アジア専門家のジョー・スタッドウェルによれば、1945年の台湾では人口の55%が文字を読めず、1960年になっても非識字率は45%と高い水準だった。1950年の韓国でも識字率の割合はエチオピアと大差なかった。1980年代に経済が「離陸」した中国では、地方政府は経済成長に即効性のある道路や工場、その他の投資に重点的に資金を投入した。政府高官の出世は、高い成長率をいかに早く達成できるかにかかっていた。学校教育は後回しにされた。

教育への投資は母性の保護と同様に神聖な義務と見なされることが多いが、その義務が忠実に果たされているかを問う声は少なかった。ある国では大学機関に莫大な資金を投入したが、短期的、長期的にもほとんど効果がなかった。新興国で学校教育の平均期間が最も長く（11・5年）、大卒比率が最も高い（6・4%）のはロシアである。しかし旧ソ連時代に培われた優秀な科学技術教育の遺産がロシア経済に好影響を与えているとはとうてい言えない。ロシアは依然として天然資源の国だ。元気なインターネット企業もいくつか存在するが、取り立てて紹介すべき最先端のハイテク分野は見あたらない。2010年代の時点でも経済成長の足取りが最も鈍い国の一つである。

生産性の向上をもたらす要因を科学的に計測しようという試みは数多く存在するが、いずれも有用性はそれほど高くない。世界経済フォーラムの競争力レポートは12の基本的な分野に焦点を当てているが、多くは制度や教育のような即効性に欠けるものばかりだ。たとえばフィンランドは、世界経済フォーラムのランキングで長い間トップ級の地位を維持してきた。２０１５年の調査では世界で4位、初等教育から独占禁止政策までの数十に及ぶサブ・カテゴリーでは堂々1位に選ばれていた。ＥＵ諸国の中ではもちろん最上位だった。しかし２００８年の金融危機後の景気回復で最も後れをとったのが、フィンランドだった。米国、ドイツ、スウェーデンからは大きく差をつけられ、経済危機が深刻な南欧諸国と最後尾を競っていた。フィンランドは材木やその他原材料の輸出に依存する割合が高い。債務や賃金が急速に上昇する中で、国際商品市況の暴落に直撃された。経済変化の激しい荒波を前にして、世界に冠たるフィンランドの初等教育も為すすべがなかった。

世界銀行もまた道路の質から事業の立ち上げにかかる日数まで森羅万象を基にした国別ランキングを発表し、世の中でも広く活用されている。しかし困ったことが生じた。一部の国ではコンサルタントを雇ってまでして、自分たちのランキングの順位の引き上げにかかったのだ（グッドハート法則が実行されたもう一つの事例）。２０１2年にロシアのウラジーミル・プーチン大統領は部下に対して、「ビジネス環境」のランキングで、ロシアの順位を6年以内に現状の１２０位から上位20位以内に引き上げるよう指示を出した。その目標は実際に達成された。２０１５年にはロシアの順位は51位まで駆け上がり、中国とは30位以上、ブラジルやインドとは60位も序列で差をつけた。その結果、皆が疑問を抱くようになった。ロシアがそんなにビジネスがやりやすい場所なら、どうしてロシアへ行って仕事をしようという人が増えないのか。実は2015年頃のロシアは、世界的な大企業に対して冷淡になり、彼らを国内から排除しようとしていたのだ。その点では、中国やブラジル、インドの方がはるかにましだった。ランキングの数字は政治的改竄や市場戦略の標的にされることが多い。数字に頼ることは可能なかぎり避けている。

人間を抜きにして成長は語れない

経済の変化をもたらす最大の要因は、年や国によって変化する。2008年金融危機以降、経済記事の主役は債務だった。たとえば2008年までに積み上がった借金を最も多く削減できたのはどの国か、過剰債務国ではその後の景気後退と闘ってより深みにはまる国の驚異的な増加、といった内容が注目を集めた。しかし全体としては2008年当時よりも現在の方が債務残高は増大しており、問題は深刻だ。しかし本書の第1章では債務ではなく、人間や人口動態に関する評価基準に焦点を当てている。人間ほど経済の発展に大きな影響を及ぼすものはない。

経済成長にはもう一つ別の定義がある。成長は人々の総労働時間と、時間当たりの生産量つまり生産性を掛け合わせたものという考えだ。しかし生産性は計測が難しい。計測の結果が得られても、それは常に修正が加えられ、異論も絶えない。一方、人々の総労働時間には労働人口の伸びが反映される。全体の人口が増えれば労働者の数も増える。計測は比較的簡単だ。経済予測と違って、人口の推計は出生率や平均寿命などの限られた要素だけで行うことができる。その予測の正確性は過去の実績で証明済みだ。国連は新たなミレニアムを迎えるにあたり、２０００年の世界人口を何度も予測してきた。１９５０年代から通算で12回も行われた。一つの例外を除き他はすべて誤差が４％以内に収まっている。第一の評価基準は人口の伸びと経済的な影響に関するものだ。その他の評価基準は概ね生産性と関連している。しかし生産性の伸び率のデータは信頼性に欠ける。本書では直接引用することは避けている。

しかし人口予測だけですべてを語ることはできない。１９６０年以降、先進国、発展途上国を含む世界経済は約３・５％[*]の年平均成長率を達成してきた。この成長率の半分は人口の伸び、より詳しく言えば労働力人口の伸び、あるいは労働時間の増加によるものだ。残りの半分は生産性の向上によるものだ。現在は悩ましいことに人口や生産性の伸びはともに低下をたどっているが、この50対50という成長率への貢献度の割合に変化は見られない。

人口の影響はきわめて明快である。労働力人口の伸び率が１％ポイント下落すれば成長率も１％ポイント低下する。これは過去10年間に生じてきたことだ。世界のＧＤＰ成長率は低下傾向にあり、現在は２００８年金融危機以前の平均に比べて１％ポイント以上も下回っている。一方、15～64歳の世界の労働人口の伸び率は１９５５～２００５年の50年間の平均１・８％から、２００５年以降は１・１％へ減速している。これは偶然ではない。この新しい人口の趨勢が世界経済に及ぼす影響は深刻だが、その度合いは国によって異なる。ドイツと中国の生産年齢人口はすでに減少に転じている。米国は拡大を続けるが、伸び率は大幅に減速している。ナイジェリア、フィリピンなどでは依然大幅な伸び率が続く。世界人口の伸び率の減速によって、国家の盛衰のスピードが少しは緩やかになるかもしれないが、全く中断してしまうことはない。

残りの評価基準では、世界の成長のもう一つの側面、つまり生産性を様々な観点から取り扱っている。ここでも、国によって状況はばらばらだ。生産性の伸び率の年間平均は１９６０〜２００５年の間は約２％で推移したが、最近10年間は１％ポイント低下している。人口の伸び率と同じように、政府から発表される生産性の伸びは低下しているが、その下落幅は国によって異なる。米国では１％ポイント未満に止まるが、韓国では２％ポイント以上、ギリシャにいたっては４％ポイント近くも下落している。人口の減少は反論の余地がないが、生産性の下落はその真偽について激しい議論が展開されている。

生産性の伸びは、労働者の技術、彼らが使用する機械の数量と性能、そして労働者がこうした機械をいかに効率良く使いこなせるかを計る全要素生産性（訳者注＝労働と資本の伸びでは説明できない、技術上の進歩を表す数値）の伸びを合計したものだ。しかし、こうした各要素の伸び

＊ ３・５％という数字は潜在成長率を意味する。コンファレンス・ボード・トータル・エコノミー・データベースから得た生産性の伸び率、雇用の伸び率の合計から計算した。

を数値化するのは困難を伴う。* 特に全要素生産性は、コンピュータの利用経験、優れた企業経営、通勤で使用する道路事情など森羅万象の影響をうけるため、どうしても曖昧さが残る。そのため、生産性の伸び率の計算はより難しくなる。技術懐疑主義者は、最近の技術革新は通信や娯楽といった相対的に重要性の低い分野――ツイッターやスナップチャットのような――に偏っているため、最近10年間では生産性が低下していると主張する。過去の電気、蒸気機関、自動車、エアコンなどの技術革新は、風通しの悪い職場環境の中で働く労働者の生産性を飛躍的に高めた。しかし、最近の技術革新は、労働者の生産性向上に多くの貢献ができるとは思えない。

一方、楽観主義者は反論する。最新の技術革新、たとえば人工知能（ＡＩ）や大容量通信を可能にしたブロードバンド接続、生まれたばかりのＩｏＴ（物とインターネットの接続）などはコストや時間の節約で大きな効果を発揮している。しかし現在の生産性を計るモノサシでは、そうした恩恵をきちんと捉え切れていない、という。たとえば米国では、ブロードバンド・インターネットへのアクセスコストは長い間横ばいだったが、接続スピードは格段に速くなり、どこからでも接続が可能になった。これは大変なコストの節約だが、生産性の伸びのデータではきちんと捕捉できなかった。(9) もし楽観主義者が正しければ、生産性の伸びは現在の数値よりもはるかに大きい。成長率もその分だけ上方修正される。悲観派、楽観派のいずれに軍配があがるにしても、次の点では両者とも意見が一致する。人口の伸びは計測が簡単で、経済への影響は疑いの余地はない。働く人が少なくなれば、経済の成長も鈍化する。こうした現象は最近の5年間を振り返ると、世界のどこでも目にすることができた。

実践的な人文科学をめざして

評価基準を総体として見た場合、負債、投資など景気の維持に必要な要素がバランス良く配置されている。本書を読み進むにつれて、読者は10の評価基準が一つの体系としてうまく機能していることに気づくだろう。結論を簡単に先取りすれば、次のようになる。まず経済危機の最悪期を脱し、国際的な金融市場やメディアの要警戒リストからも外れ、政治面では改革意識に燃えた民主的リーダーが登場すると、経済の持続的な成長が始まる。改革派リーダーによってビジネス環境が整備され、工場設備や道路、科学技術などへの生産的な投資が拡大すれば、供給サイドが強化されインフレも押さえ込まれる。しかし経済が豊かになると、民間の企業や個人が、高級品、特に海外の高級奢侈《しゃし》品を求めて借金を無秩序に拡大させるようになる。そうなると好景気もいよいよ終盤に近づく。こうしたバブル期を経て、海外からの借金の返済が徐々に滞るようになり、一部の大金持ちと一般の人々、中央と地方の経済格差が拡大する。その結果、政治的な不満が高じて、硬直化した旧体制が打倒され、再び新しいサイクルに向けた動きが始まる。

＊　テクニカルには、生産性の伸びは労働の質の向上、資本の深化、それに全要素生産性の伸びの3つを足し合わせたものである。

本書の最終章では、現時点で10の評価基準でもって新興国や先進国をランキングしたらどうなるかについて簡単に紹介している。ランキングの順位は絶えず変動する。最終章は10の評価基準が一つの体系としてどのように機能しているかを理解するスナップ・ショットである。このアプローチによれば、有為転変の世界で不変なものなど存在しない。私たちにできることは、せいぜい国家の将来の盛衰において、次の新たな変化を見つけ出す蓋然性を高めることだ。これは非実践的な自然科学よりも実践的な人文科学として、グローバルな経済競争の勝者を予想するための体系である。2050年という遠い未来について、完全な予測などありえない。客観性を損なわない範囲でできることは、せいぜい今後5~10年先の将来について最も可能性の高い見通しをすることだ。本書の狙いは、実務家が国家の盛衰をリアルタイムで見抜くための手引書になることだ。

第１章

People Matter

【人口構成】生産年齢人口が増えているか

——ロボットは人口減少への救世主になる

予想外の〝犯人〟

はじめのうち、グローバル経済の実感なき景気回復について私は何の違和感も感じていなかった。２００８年に米国が深刻な景気後退に陥り、世界経済も後を追うように不況に突入した。それ以降、景気回復がひどく緩慢になるだろうと予言するエコノミストが増えた。今回の危機が、従来型の危機ではなく「システミック・リスク」（訳者注＝特定の金融機関や市場が機能不全に陥った場合、他の金融機関や市場だけでなく、金融システム全体にまで金融危機が波及する現象）だったことが、その根拠だ。私もなるほどと思った。彼らの研究では、金融システムの破綻が生じた場合、景気後退終了後の4〜5年は回復の足取りがきわめて鈍くなる。確かに金融危機以降、5、6、7年が経過しても、世界経済のパフォーマンスは元に戻らなかった。2015年の時点でも、経済成長が危機以前の平均水準に戻った地域は、世界中どこにも見あたらなかった。私は、これは尋常じゃないと確信した。これはミステリーだった。経済の成長はいったいどこに消えてしまったのか。

世界経済が戦後最弱の景気回復を続けている理由について、エコノミストは多くの説明を行っている。その大半は、深刻な信用収縮が経済の需要サイドを直撃したからという一点に絞り込まれる。消費者や企業が借金の返済を優先するあまり、お金を消費や投資に回す余裕がなくなったというのだ。その他の理由では、所得格差の拡大、銀行の融資規制、危機後のストレス障害なども挙がっている。こうした議論にはいずれも傾聴に値する部分もあるが、その具体的な根拠となるとはなはだ心許ない。米国では2015年には、消費需要が完全に回復したことを示す兆候が目に付くようになった。自動車の販売は史上最高を更新し、雇用の伸びも高水準となった。しかしGDPの成長率は依然、危機以前の水準を大きく下回っていた。優れたミステリー小説ではよくあることだが、私たちは真犯人を求めて、おそらく的外れな場所をあれこれ探し回っていたに違いない。

私と私のチームは発想を転換して、経済の需要面から供給面へと調査の対象をシフトさせた。私たちは、労働、資本、土地など成長の基本的な投入要素を供給する側に注目したのだ。そこで、私たちは予想外の「犯人」を発見することができた。経済成長が「消えた」大きな原因の一つは、現場の労働者の供給が減少したことだった。最初はこの発見を受け入れるのが難しかった。最近は、ロボットや人工知能の発達によって、どのくらい人間の雇用が失われるか、科学技術が人間の仕事を奪うことになれば、失業者が巷にあふれるのではないか。こうした失業への懸念と、人手不足とが全く相容れなかったからだ。しかしこのケースでは、データはウソをついていない。

２００８年の金融危機が始まる前から、生産年齢人口の成長はマイナスに転じていた。その後の実感なき景気回復は、これでかなりの部分が説明できる。前に説明したように、経済の潜在成長率は、生産性の伸び率と労働力人口の伸び率を足し合わせることで計算できる。この両方が世界的に停滞する中で、前者の生産性の伸び率の鈍化だけが広く議論された。多くの専門家は、デジタル技術が生産性に及ぼす影響が公式データでは過小評価されていると主張した。米国の公式データによれば、１９６０〜２００５年に米国の生産性は平均２・２％で伸びたが、その後の10年間は１・３％に減速してしまった。人口伸び率の鈍化はそれ以上に大きかったが、いまのところ議論の対象にはなっていない。１９５５〜２００５年の50年間に米国の労働力人口は年間平均１・７％で増加してきたが、最近の10年間では０・５％へ低下している。米国の経済成長の大幅減速は、労働者の伸び率が約１％ポイント下落したことによって明快に説明できる。この労働力人口の伸びは、15〜65歳の生産年齢人口の伸びとほぼ同じ動きをしている。

2050年に総人口100億人

世の中では依然として人口爆発への不安が繰り返し議論されている。人口爆発とは、世界人口の増加が、食糧やその他資源の供給上限を超えてしまい悲惨な結果を招くことを言う。このシナリオが依拠するのが、有名な国連の2050年の世界人口予測だ。それによると、世界の人口は現在の73億人から2050年には97億人へ、24億人も増加する。世界人口が100億人近くに達すると聞くだけでぞっとするが、実のところ国連予測には人口成長率の大幅な鈍化も記されている。新生児や、勤労者世代に新たに参加する若年世代の数が減少する一方で、世界の総人口は長寿化によって増大が続く。この組み合わせは、経済成長にとって最悪である。

第二次世界大戦後は、世界人口の増加率が年平均で約2%だったため、世界経済もまた年平均2%前後の成長軌道をたどることが期待できた。実際の経済成長率には、これに労働者1人当たりの生産性伸び率の数%ポイントが上乗せされた。しかし1990年頃から世界人口の増加率が急落し、それ以降は1%に半減した。1%と2%の違いは見た目にはそれほど大きくないが、もし1990年以降も人口が年率2%で増加し続けていたとしたら、現在の世界人口は73億人を通り越して87億人に達していたはずだ。そうなれば世界の人口が急速に高齢化することもなく、人口変動の経済成長への影響を議論することもなかっただろう。

人口増加率下落の影響が現実化するには、時間がかかる。赤ん坊が生まれて生産年齢人口に到達するまでには、15年の年月を要する。国や地域によって教育期間の長さに違いがあるが、一般に人々が働き始めるのは20〜25歳からである。出生率の急落の影響が表面化するのは15年以上先のことだ。最近5年間を振り返ると、出生率急落の陰が日増しに濃くなっている。

世界人口の増加率の鈍化には、1970年代に新興国で実施された強制的な産児制限、特に中国で1978年に採られたひとりっ子政策が影響している。新興国や先進国では、人口増加率の鈍化は経済的な繁栄や女性の教育水準の向上によって加速された。教育を受けた女性はキャリアを求めるようになり、生涯に生む子供の数はゼロ近くまで減っていった。

人口変動の原因は、過去50年間の死亡率と出生率の変化に求めることができる。1960年以来、科学の進歩と健康管理の向上によって人間は長生きが可能になった。世界的に見ても人間の平均寿命は1960年の50歳から69歳にまで伸び、現在も長命化が続いている。世界人口が増加した理由は、50歳以上が増えたためだ。増加数が最も著しいのは80歳以上だ。経済成長を牽引する階層、つまり生産年齢人口の縮小が続いたとしても、世界の総人口は増加し続けるだろう。ただしその伸び率は大きく鈍化することになるが。

世界的に出生率の急落が起きたのは、1960年以降のことだ。女性1人が生涯に生む子供の数は、世界平均で4・9人から2・5人に低下した。新興国では強制的な産児制限のために落ち込みが激しくなった。インドとメキシコはかつて人口爆発の台風の目と呼ばれたが、1960年以降この2ヵ国の出生率は6強から2・5以下へ急低下した。現在では両国とも人口置換水準が

2・1まで近づいており、この水準以下になると人口が減少し始めるといわれている。世界全体の出生率もこの危機ラインに向かって低下しており、人口減少に直面する国がますます増えることだろう。中国、ロシア、イラン、ブラジル、ドイツ、日本、米国など83ヵ国では、女性の平均出産人数が2人以下になっている。世界人口のほぼ2人に1人がこれらの国で生活している[1]。日本、イタリア、ドイツのような一部の先進国では、生産年齢人口の減少がすでに現実になっている。先進国では生産年齢人口の縮小は珍しくなくなったが、中国、インドのような人口の多い新興国でもすでに人口減少が始まっている。状況によっては、その縮小ピッチが加速する可能性が出てきた。世界人口の増加率は今後10年先、あるいはそれ以降も低下していくことが予想されている。このため世界経済の見通しは、根底から見直さざるをえなくなっている。

若年人口の減少が脅威に

人口増加率の低下によって、経済的な衝撃波が社会全体を覆い、世代間、男女間、民族間の関係、さらには人間と機械の競合関係に影響を及ぼし始めた。国連が最近、2050年まで世界人口が100億人近くに達するという予測を発表したとき、悲観論者が当然ながら人口過剰問題に警鐘を鳴らした。その一部は、新マルサス派と呼ばれる人たちだ。人口増加が食糧供給を上回ると、地球全体が飢えてしまうと恐れている。また新ラッダイト派と呼ばれる別のグループは「ロボットの台頭」によって労働者が職場から締め出されてしまうと心配している。人口爆発が本当に起きれば、こうした懸念はさらに現実味を増す。欧州や米国には反移民勢力が存在する。彼らは国境の壁の建設を支持する。英国政府の大臣によれば「略奪を繰り返す危険な移民」が「満ち潮」のように殺到してきているが、こうした大波を国境の壁でくい止めることができると信じているのだ。

こうした警鐘はすべて、一つの大事な点を見落としている。総人口100億人というのは確かに大変な数であるが、経済にとって重要なのは人口増加率の減速だ。人口増加率が低下すれば、多くの衣料や住宅、食糧を供給しなくてすむようになり、生産チェーン全体にかかる負荷が軽減される。農家は人々を飢えさせないために、かつてのような猛スピードで生産を拡大する必要がなくなる。これから彼らがやるべきことは、高齢者のニーズにあった農産物の生産を増やすことだ。高齢者が消費するカロリーは、若年世代の3分の2ですむ。多くの国々で現実に存在する飢餓の問題を、過小評価する気などさらさらない。飢餓を実際に引き起こしている経済的要因は、人口とは別の問題だ。多くの国で現在大きな脅威になっているのは、人口の過剰ではなく、若年人口の減少だ。ロボットの登場は、こうした切迫した労働力不足の緩和に役立つかもしれない。農業ロボットは農業従事者の高齢化問題を解決するカギになるかもしれない。

労働力不足に直面する国が増えていく中で、現在の移民議論は、他国から労働者や有能人材をいかに引き抜くかという議論に取って代わられることだろう。急速な高齢化と労働力の減少に苦しむ国にとって、職を求める「経済的な移民」か戦争や迫害を逃れる「政治的な難民」であるかはどうでもよい。両方とも潜在的な労働人口の拡大につながる点では、同じだからだ。労働者を確保したいプレッシャーは、特に新興国で強まるだろう。新興国では出生率が急落する一方で、平均寿命の長寿化が急速に進んでいる。それらのスピードは、経済発展の初期段階にあったかつての英米をはるかに凌ぐものだ。

経済の先行きを予測するうえで人口統計上重要になるのは、有能な人材が増えているかである。その答えを見つける方法の第一は、今後5年間の生産年齢人口の成長率予想に注目することだ。成長の牽引役を果たすのは、退職者や子供ではなく労働者である。方法の第二は、人口増加の減速に対して政府が採っている対策を調べることだ。まず考えられるのは、女性に多くの子供を産んでもらうことだが、このアプローチでは安定的な成果があがっていない。もう一つ別の対策は、退職者、女性、経済的な移民などを積極的に雇用して、再びフルに働いてもらうことだ。生産年齢人口の増加率を高く維持できた国、あるいは優秀で活力にあふれた人材の取り込みに成功した国の中から、最終的な勝者が誕生する。

人口伸び率2％のハードル

将来、人口問題は経済成長にどのような制約をもたらすのだろうか。その手がかりを得るために、第二次世界大戦後、「成長の奇跡」を実現した国の人口トレンドを調べてみることにした。調査対象は56ヵ国で、少なくとも10年間、平均6％以上の経済成長率を実現した国だ。その高成長の間、これら諸国の生産年齢人口の平均増加率は2・7％だった。言い換えると「成長の奇跡」の要因の大部分は、多くの若年層が生産年齢層に達したことで説明できる。この人口の急増と成長の奇跡の二人三脚は、1960年代、1970年代のブラジル、1960〜1990年代のマレーシアなどの国ではっきり観察できた。

経済が高成長を実現するために、生産年齢人口はどのくらいのペースで増加しなければならないか。これについては、2％の増加が一つの目安だ。「成長の奇跡」を実現した国々の4分の3は、10年間を通じた生産年齢人口の年平均の増加率が2％以上だった。生産年齢人口の増加率が2％を下回るようだと、10年単位での高成長を実現することはかなり難しくなる。2008年の金融危機以降、一つの際立った変化は生産年齢人口が年2％で増加している国がきわめて少なくなったことだ。1980年代には新興国20ヵ国のうち17ヵ国で、生産年齢人口の増加率が2％を上回っていた。その後、一貫して低下を続け、2010年代には生産年齢人口の増加率が2％を上回っている国はナイジェリアとサウジアラビアの2ヵ国だけになってしまった。しかも2020〜2030年には、ナイジェリアの1ヵ国だけになってしまうという予測もある。生産年齢人口が急拡大する国の数が少なくなれば、「成長の奇跡」の可能性も小さくなる。

経済の高成長には、人口の増加が不可欠というわけではない。生産年齢人口の2％の増加がなくても高い成長率を実現できた国もある。先に紹介した調査の4分の1のケースが、そうだ。しかし、それらは異例の状況下で生じたことだった。1990年代のチリやアイルランドはどちらかと言えばすでに豊かな国になっていたが、経済改革と新規投資で生産性が大きく向上して、生産年齢人口の伸びの低迷を相殺することができた。１９６０年代の日本、ポルトガル、スペインは戦後の復興需要、旧ソ連崩壊後の10年間のロシアは原油価格の高騰によって高成長を実現できた。現在では、同じような起爆剤を期待するのは無理だ。国際商品市況が低迷し、政治不安が広がる状況では、いわずもがなである。

新興国の中で生産年齢人口の増加率が低下、あるいはマイナスに陥る国が増えている。これは新興国全体にとっても良い話ではない。２０１０年代中に、インド、ブラジル、メキシコ、インドネシア、タイなどの新興国で生産年齢人口の増加率が２％を下回ると予想されている。三大新興国といわれるポーランド、ロシア、そして最も重要な国、中国においても、生産年齢人口の急速な収縮が始まっている。これらの地域では２００３年の時点で生産年齢人口の増加率は２％を割り込み、２０１５年には初めてマイナス成長に突入した。

中国はやがて高成長率を維持できなくなると不安視する声が高まっている。その理由として挙げられるのが、過剰債務、過剰投資、それに人口減少だ。中国では２０１０年以降、信用バブルによって全体の債務がＧＤＰの３００％まで拡大し、大きな問題になっている。中国に高成長をもたらした投資ブームには急ブレーキがかかり、全国の都市の開発地域には入居者がいないゴースト・タウンが広がっている。人口減少の悪影響が尾を引けば、成長にプラスになることは何もない。

人口が減少している国で、高成長率を実現するのは不可能に近い。2005年にEC（欧州委員会）が警鐘を鳴らしたように、「人口の成長なくして経済の成長なし」である。[2] 1960年以降の約200ヵ国を対象にした調査では、特定の10年間について人口成長とGDP成長のデータが揃っているケースが698件あった。そのうち生産年齢人口が期間中に減少したケースは38件で、そのGDPの平均成長率は1・5％だった。生産年齢人口が減少した698件の中で、GDPの平均成長率が6％以上だったのは、わずか3件にすぎない。いずれも小さな国で、1960年代のポルトガル、2000～2010年のジョージア（グルジア）、ベラルーシだった。政治的な騒動、終戦直後の無秩序、旧ソ連崩壊後の大混乱の後の自律的な復興が、その原因だった。こうした過去のデータが示唆するのは、たとえ中国政府が成長率6％以上を公式目標に掲げたとしても、それを達成するのはきわめて困難を伴うということだ。

その他の人口の多い国を見ると、フィリピン、ケニア、ナイジェリア、パキスタン、バングラデシュなどの新興国では生産年齢人口の増加率が2％近いかそれ以上となっている。ただしフィリピン以外の国は経済規模が小さすぎて生産年齢人口増加率のトップ20位にランクインできていない。こうした生産年齢人口の増加率が高い国は、これから10年間、足どりの確かな成長を持続できると予想されている。つまり人口面で、競争上の優位性を持っている。彼らにとって要注意は「人口の配当」の落とし穴だ。「人口の配当」とは、人口の増加は自動的にしっかりした成長につながるという考えだが、それには前提がある。生産年齢人口増加を高成長に結びつけるには、政治リーダーが投資を国内に呼び込み、雇用を創出するなどの環境を整備する必要がある。1960年代、1970年代には、アフリカ、中国、インドでは人口が急増したが、その結末は飢餓、高失業、内戦だった。人口の急増は堅固な成長の前提条件であるが、だからといってそれを保証するものではない。

「人口増加＝奇跡の成長」ではない

2000年代以前には、生産年齢人口の増加は一般的であり、必ずしも経済の奇跡をもたらすとは限らなかった。私の調査では、前述の698ケースのうち60％以上は生産年齢人口の増加率が2％を上回っているが、奇跡の経済成長あるいは6％以上の平均成長率を達成できたのは4分の1にすぎない。人口の増加が奇跡の成長に結びつかなかったのは、1960年から2000年までの各10年間のトルコと、1960年から2010年までの各10年のフィリピンだった。現在のケニアでは2015〜2020年の人口の伸び率予想が3％と世界最高だが、だからといって自動的に世界最高の経済成長を達成できるとはかぎらない。

アラブ世界を議論する場合は、注意が必要だ。1985〜2005年には、この地域の生産年齢人口の年平均増加率は3％以上で、それ以外の地域のほぼ2倍の早さだった。しかし人口の配当はもたらされなかった。2010年代の初め頃、多くのアラブ諸国は若年層の失業率が危機的な水準に達し、その対応に追われた。若年層の失業率はイラクでは40％、サウジアラビア、エジプト、チュニジアではいずれも30％を突破し、アラブの春が始まる下地となった。インドでも今後10年の間に毎年1000万人の若者が労働市場に参加すると予想され、人口の配当への期待が沸騰した。しかしその後の結果を見ると、インドは毎年、年間500万人以下の雇用しか生み出すことができなかった。

人口急増の議論は人口の大きな新興国に集中しがちだが、先進国の経済成長にとっても労働者数の増加は重要である。最近の数十年間、米国経済は先進国で最も活気と柔軟性にあふれていた。欧州よりも革新的で、日本ほど停滞していなかった。しかし何といっても最近の躍進の理由は、多くの若い世代が労働市場に参入したことに尽きる。過去30年間、米国の生産年齢人口の増加率は、フランスや英国の2倍、ドイツの5倍、日本の10倍という具合に他の先進国を大きく引き離していた。この生産年齢人口の圧倒的な増加率が、米国のしっかりした成長率の原因だった。たとえばドイツや英国は、生産年齢人口増加率の低さを差し引くと、1人当たり所得の伸び率は米国と同じである。過去30年間を見ると、米国の平均成長率はドイツを0・9％ポイント上回っていたが、生産年齢人口の増加率も0・9％ポイント上回っていた。これは、生産年齢人口以外の側面では全く互角だったということだ。

2015～2020年の先進国の人口増加率予想を見ると、気が滅入ってくる。先進10ヵ国では、フランスでは生産年齢人口が横ばい、スペインは微減、イタリア、ドイツ、日本では年率0・4％以上の減少が見込まれている。米国はそれほど悲観的ではなく0・2％の増加予想、英国やカナダもほぼ同様である。先進国の明るい展望はシンガポールやオーストラリアのような人口の小さな国に限られる。これらの国では人口の増加率は高水準を維持するが、世界経済から見れば人口の大きな国の増加率の落ち込みを埋め合わせることはできない。

「ベビー・ボーナス」は効率が悪い

人口減少との戦いという点で、国家間の競争はすでに始まっている。最近の10年間、多くの国では人口減少を経済的な脅威と認識し、対抗措置をとってきた。デンマークでは2014年に高校の性教育のカリキュラムを改訂し、高年齢出産のリスクについて警告を発した。国連によれば、先進国で現在、出生率を高める政策を実施している国は全体の70%に達し、1996年の30%から大幅に上昇している。一方、新興国では人口の抑制策を採用している国の割合は1990年代の60%から横ばいが続いている。

出生率が人口の現状維持に必要な水準の2・1を割り込む国が増える中で、出産補助金によって女性に2人以上の子供を生むよう促す事例が増えている。中には第3子、第4子、第5子と増えるにつれて、段階的に補助金の額が増えるようにしているところもある。大半の国では子供の数を増やすために、女性に対して「ベビー・ボーナス」を現金給付し、特別な奨励措置を設けているが、出産という個人的な領域に国が直接関与することは非効率な面が多く、異論も多く出されている。

1987年、シンガポールは「できれば、子供は3人以上がいいね」というスローガンのもとに、他に先駆けて少子化対策に乗り出した。出産入院補助など様々な奨励策を打ち出したが、出生率にはほとんど影響がなかった。当時、私はシンガポールで調査を行っていたが、人々が次のような冗談を交わしていたのを覚えている。補助金は、「1988年8月8日」の縁起の良い日に帝王切開の予約をする中国人妊婦の行列を増やすだけだ、と。カナダも縁起を担いだのか、1988年に「ベビー・ボーナス」制度を導入したが、数年後には撤回に追い込まれた。その理由は、その他の国でも明らかになっていることだが、現金の直接給付にすぐに反応するのは貧しい女性であり、彼らの子供は社会福祉費を大幅に増やすだけだったからだ[3]。

オーストラリアの財務大臣ピーター・コステロが2005年に初めてベビー・ボーナスを発表したとき、女性たちに「高齢化社会のためにとベッドに仰向けになって頑張って欲しい」と訴えた。少なからぬオーストラリア女性は、しらけてしまったはずだ。6年後、オーストラリアはベビー・ボーナスを削減してしまった。出産補助金は出生率の上昇にほとんど効果がなく、他の政策補助金と比べても費用対効果が良くなかったからだ。先進国では、働く女性が自分のキャリアを優先して出産時期を30歳代まで先送りするケースが増え、結果的に生まれる子供の総数も少なくなっている。

フランスでは、リオネル・ジョスパン首相率いる左翼連合政権が働く女性に受けようとベビー・ボーナスの大盤振る舞いをした。2005年に公表された拡充策は、保守陣営からはすでに破綻状態にある財政をさらに悪化させるのかと、左翼陣営からも金持ち優遇策だと厳しく非難された。それにもかかわらず、「黄金の第3子」を持つ夫婦だけを対象にした住宅特別補助、減税、年金10％割増、鉄道料金75％割引などの手厚い優遇策が議会で承認された。このほか、夫婦には第3子に対して月額400ドル以上の手当も支給された。さらに重要なのは、夫婦の一人が第3子の育児のために仕事を辞めた場合、月当たり1200ドルの給付を得ることが可能になった。こうした特別手当は、将来の労働力を増やすために今日の労働力を犠牲にしている可能性が高い。こうした批判に対して、政策立案者の一人であるピーター・ブリンは「将来への投資」だと反論した。しかし2015年、フランスもまたベビー・ボーナスの大幅削減に踏み切った。

人口減少は新興国でも深刻に受け止められるようになった。チリは新興国として初めてベビー・ボーナスを給付する国になった。大家族主義で保守的なカトリック教文化のお国柄にもかかわらず、その出生率は人口の現状維持に必要な水準を大きく下回っていた。2013年に政府は人口減少への懸念に対応してベビー・ボーナス政策を発表した。2010年2月に発生した地震よりも、出生率の下落の方が心配だと宣言して、セバスティアン・ピニェラ大統領は、第3子には200ドル、第4子には300ドル、そして第5子には400ドルと段階的に一時金の支給を増額させる政策を打ち出した。「出生率の予想外の急落は、重大な危機であり脅威である。私たちの国づくりを大きく左右する問題だ」。ピニェラ大統領は警鐘を乱打した。

ちょうど同じ頃、産児制限の元祖である中国は、ひとりっ子政策の見直しに取りかかっていた。

ひとりっ子政策は中国の人口高齢化の元凶と見なされてきた。ひとりっ子政策によって、多くの若いカップルは男の子供を強く希望するため女の子は流産させた。その結果、中国社会の男女バランスが大きくゆがめられた。若い女性に対する若い男性の比率が大きく上回り、男性は将来の配偶者を見つけるのがますます難しくなっている。過激な人口抑制策は労働力にも悪影響を及ぼしている。今後10年間で、毎年１００万人の労働者が減少すると予想されている。２０１５年の年末になって、中国政府はひとりっ子政策の撤廃を発表した。

女性、退職者、経済移民

女性に2〜3人、あるいはそれ以上の子供を産むよう促す政策が、将来どのような副作用をもたらすのか。それを予想するのは困難である。出生率を目論見通りに変えられなかったことから分かるように、出生率の変化のプロセスはきわめて複雑だ。

人口統計学者ハンスペーター・コーラー、トーマス・アンダーソンの最近の論文には、欧州では少子化の進行度が国によって大きく異なっていることが詳述されている。産業革命の時代には、女性が労働市場に大量に参入したが、社会規範の変化は産業経済の変化よりも緩やかだった。男性は依然一家の稼ぎ手と見なされ、女性には育児や家事が期待された。こうした男女の基本的な役割分担が変化し始めたのが１９６０年代だった。文化の変化が経済にようやく追いついた。しかし、文化の変化の速度は国によって大きく違っていた。フランスや英国、スカンジナビア諸国では、子育て保育サービスの充実から、出産後の女性の職場復帰は比較的簡単だった。ドイツやイタリアなど伝統的な文化が残る国では、男女の役割分担の変化が緩やかだった。そのため女性が出産をあきらめざるをえなくなり、現在では出生率が危険水域に落ち込んでしまった。

このように、人間の再生産プロセスへ政府が関与する場合、その影響が発現するのは緩やかで予測が困難である。文化的な変化の時間や男女の役割への考え方が国によって異なるからだ。中国のひとりっ子政策では男の子を優先することはなかった。実際、政府は医者に対して胎児の性別を両親に明かすことを禁じた。しかし嫡男優遇の社会的伝統が、その結果を歪めてしまった。2014年には新生児の男女比率が女100に対して男は121となり、その不均衡は史上最悪となった。2010年代初頭に北京や上海を訪れた時、中国は19世紀に逆戻りしたという話をよく聞いた。19世紀当時は女児殺し（間引き）の慣習が社会的に広まっていたために、現在と同じような男女比率の不均衡が生じていた。太平天国の乱（1851〜1864年）では「テストステロン（男性ホルモンの一種）誘発」の大虐殺が発生したが、ある説によればこの男性多数社会が背景にあったという。こうした解説は話半分で聞いておくとしても、男女比率の不均衡は現実の問題だ。そのほかの国でも子供を増やすための補助金が設けられているが、意図せざる結果を生む可能性がある。少子化対策の整備は必ずしも、経済が好循環に向かう前向きのサインと見なすことはできない。

それよりもっと有効なのは、労働者の数をダイレクトに増やす方法である。肉体的、精神的な能力を有しているにもかかわらず、正規雇用されていない人々に門戸を開くことだ。人口の変化は緩慢だが、労働市場の再編は即効性がある。15～20年待たなくても、女性、退職者、経済移民はすぐに即戦力として期待できる。育児サービスを利用できれば、子育て中の女性は職場に復帰できる。経済移民にも国境の壁を開放すれば、一夜にして生産年齢人口を増加させることができる。20世紀には多くの先進国が退職年齢を50歳代まで引き下げた。それを元に戻せば、その「強制退職」の世代がただちに即戦力となる。これから労働人口の規模や能力がどう変化するか。それを詳しく見るためには、シニア、女性、移民、さらにはロボットの労働参加の実態に迫る必要がある。

「強制退職」者を解放せよ

最近の数十年間で、人口減少の衝撃が世界中に広がった。それを増幅したのが、労働参加率の低下だ。労働参加率とは、生産年齢人口の中で、すでに仕事に就いているか、あるいは求職中の人々の割合だ。国別に労働参加率を見てみると、ドイツ、フランス、日本、英国では上昇したが、低下が特に著しかったのが米国だ。最近の15年間では、米国の労働参加率は67％から62％へダウンし、特に金融危機以降の低下幅が大きかった。もし労働参加率の低下がなければ、２０１５年の米国の労働力は現状を１２００万人も上回っていたことだろう。この労働参加率の低下の原因は、数百万の失業者が金融危機のために職探しを断念したことを反映した一過性のものではあったが、いずれは人口の高齢化によって引き起こされることになっただろう。米国の労働参加率は45歳では80％強だが、65歳では30％弱まで低下する。どの国でも高齢化が進むにつれ労働参加率が低下し続けると予想される。

先見性のある国では、定年の再考を行っている。定年という考えは、1870年以前には存在しなかった。昔の人は心身とも疲れ果てるまで働いた。彼らにとって老後の備えは、子供をできるだけたくさん産むことだった。最悪でも、1人くらいは親の面倒を見る子供が出てくるだろうと考えたからだ。カナダ西部の鉄道会社は、従業員に一つの問いかけをした。「年をとりすぎて安全に電車を運転できなくなるのは何歳からですか」[4]。その質問は何の変哲もないように見えるが、よくよく考えると実に厄介な内容を含んでいた。回答は、65歳だった。この65歳は多くの国で正式な定年年齢として採用されている。70代、80代になっても元気な高齢者は多い。しかし彼らの前に、定年という年齢の壁が立ちはだかっている。

老後の財政的な不安を緩和するため、公的年金制度が世界で最初に導入されたのは、19世紀後半のビスマルク率いるドイツだった。当時の欧州の出生率は人口の現状維持に必要な水準を大きく上回り、平均寿命はいまよりもはるかに短かった。その結果、生産年齢人口は、絶対数においても、高齢者との対比においても急増していた。労働者数が増大する一方で年金の受給者数は限定されていたため、若い世代に課税してそれを年金として高齢者に支払うことができた。こうしてビスマルクの公的年金制度は見事に機能した。

ところが生産年齢人口の拡大が頭打ちになると、流れが逆転した。多くの評論家は、ビスマルク流の「賦課方式」は継続不可能なネズミ講になってしまったと批判した。しかし、その年金制度は世の中のスタンダードとしてそのまま現在まで受け継がれている。退職者はこうした年金制度に満足していたが、年金の原資をまかなう若い労働者を増やすのはたやすいことではない。2013年10月、私はオーストリアの首都ウィーンを訪れていた。ホテルの元気な女性マネジャーが挨拶代わりの会話の中で、一つのエピソードを披露してくれた。彼女は58歳で壮健、年齢よりもはるかに若々しく見えた。2年後の定年が待ち遠しくてならず、公的年金もすぐに受給できる、とのことだった。年金の受け取り金額は、現役最後の給料と同じだ。退職後の時間は、タンゴ・ダンス、自転車による田舎巡り旅行、雪山でのスキー・アドベンチャーなどを計画しているという。

先進国でさえ早期退職して老後の優雅な人生を楽しむことが遠い夢になりつつある。高齢化の弊害に一番先に直撃される国はどこか。それを知るには、15〜64歳の生産年齢人口と、65歳以上と15歳未満を足した非生産年齢人口を比較する必要がある。つまり依存比率を調べればよい。依存比率の変化は、経済の将来について多くを語ってくれる。総人口の中でどれくらいの人々が生産活動に従事し、彼らが貯蓄した資金が年金の財源ではなく、将来の投資にどのくらい向けられているのかが、明らかになる。第二次世界大戦後の高成長期の韓国では、毎年のGDP成長率がこの依存比率とほぼ連動していた。中国のGDP成長率は2010年にピーク・アウトしたが、ちょうど同じ年に依存比率は非生産年齢人口1人に対して生産年齢人口3人の割合で大底をつけ、その後は上昇に転じた。

高齢化が著しい地域ではこの依存比率をめぐって、多くのドラマが演じられている。特に欧州では1950年代以降、高齢者に対する生産年齢人口の比率は半減し、今後30年でさらに半減すると予想されている。高齢化の進行はすでに先進国の大半で観察されるが、新興国はその進行速度がさらに加速すると見込まれる。その理由は、繰り返しになるが、出生率の急落と平均寿命の急速な延伸である。世界的に見ると平均寿命は1960年に比べ、男女ともに19年も長くなっている。中国の場合は平均寿命が75歳まで伸びて、30年も長生きできるようになった。こうした長命化はたいへん喜ばしいことだが、コストが伴うことも忘れてはならない。今日では中国の総人口に占める65歳以上の比率は、2000〜2027年に7％から14％へ倍増すると予想されている。ちなみにこの比率が2倍になるのにかかった時間は、フランスでは115年、米国では69年だった。

定年年齢の引き上げ

人口の変化は、まず労働者数の増減を通じて経済に影響を及ぼすが、生産性への影響も無視できない。最近では人口の増加が著しい国ほど、生産性の伸び率が高くなる傾向がある。多くの人が労働市場に参加して自立すれば、依存比率が低下する。それにつれて国民の所得が増大し、資本の源泉が豊かになる。多くの資本が投資に振り向けられれば、生産性が一段と向上するからだ。人口統計学者のアンドリュー・メイソンによれば、この2番目の人口の配当は、東アジアおよび東南アジアの経済成長で重要な起爆剤となった。どちらも他の地域と比べて貯蓄率が高く、労働力も豊富だったからだ⑤。

熟練の労働者が増えれば生産性がさらに向上する。この点で優位になるのが、労働力からの中高年の退出を抑え、すでに退出してしまった中高年を呼び戻す対策をとっている国だ。2007年にドイツは男女を問わず定年年齢を65歳から67歳へ引き上げた。欧州ではポーランドなどもドイツに倣った。ポーランドでは、高齢者の人口が拡大を続けているため、次の5年間で総人口に占める生産年齢人口の比率は3%ポイント以上低下して66%になると予想されている。この下落幅は人口の大きな国の中では最大だった。ポーランドでは、定年年齢の引き上げなどシルバー社会に特有の問題が政策論争になる中で、起業家は高齢化にビジネス機会を見出そうとしている。ポーランドでは老人介護施設のことを「平和な老人たちの家」と呼ぶ。その施設がポーランドで急増している。イタリアやポルトガルなどでは、すでに平均寿命の伸びに連動して定年年齢が引き上げられている。それ以外の欧州の国では、定年年齢を70歳以上に引き上げる議論が始まっている。フランスのように断固拒否の国もあるが、高齢化社会では定年年齢の引き上げは大きな前進である。定年年齢を1歳引き上げるごとに数十億ドルの年金コストが節約できて、人口減少の衝撃を先送りすることができる。

しかし政府の裁量によって、労働者が高齢に達しても働き続けると考えるのは間違いである。メキシコでは公式の定年年齢は65歳だが、メキシコ人が仕事を辞めるのは平均72歳である。フランスでは公式の定年年齢は65歳だが、フランス人が実際に引退するのは平均60歳前である。公式の定年年齢や年金支給額を変更すれば仕事を続けようと思う人は増えるかもしれないが、勤労に対する意識はすぐには変わらない。多くの国では、人々の退職後の人生は長くなる一方であり、それが経済を圧迫し続けている。韓国、米国、英国など経済協力開発機構（ＯＥＣＤ）に加盟する35の先進工業国では人々が仕事を引退してから死亡するまでの期間は、１９７０年の平均２年から現在では15年に拡大している。

年金支給の財政負担はいまや限界に達している。ブラジルでは男性の平均的な引退年齢は54歳、女性では52歳となっている。ＯＥＣＤのどの加盟国よりも早い。一方で、平均的な年金支給額は退職時の給料の90％で、ＯＥＣＤ加盟国の平均である60％を大きく上回っている。ビスマルク型退職年金制度はすでに維持困難になっている。ブラジルでは労働者と退職者の不均衡拡大がさらに追い打ちとなっている。この面からもまた、政府は人口減少問題へのしっかりした対応が求められている。

働く女性に何が起きたか？

女性の労働市場への参入が広がることで、第二次世界大戦後の世界経済は活性化してきた。しかし、過去20年を見ると、女性の労働参加率の平均値は50％付近に張り付いたままだ。当然のことながら、貧しい農業国では女性の労働参加率がきわめて高い。家族を飢えさせないために、手の空いているものは誰でも田畑で働かなければならない。ところが経済の工業化が進み中産階級が増えてくると、女性の労働参加率は低下する。女性の一部は家事に専念し、正規の労働力から抜け落ちてしまうからだ。経済がさらに豊かになれば、家計にもゆとりができて、女子を大学に進学させる家庭が増えてくる。その結果、再び女性の労働市場への参加率が高まる。

女性労働力の増大によって、成長の機会を最も多く得ている国はどこか、あるいはその逆はどこか。その感触を得るには、所得が同水準の国同士を比較するとよい。シティ・リサーチの2015年の研究によると、先進国の女性の労働参加率は、スイスの約80％からドイツの70％、米国、日本の60％未満とかなり幅がある。幸運なことに、日本はこの事実に気づき始めた。2012年の政権復帰以来、安倍晋三首相は日本の深刻な高齢化に対処するため、女性が果たす役割を高く評価した。そして、「女性が輝く社会」を自らの経済復興戦略の中核に据えた。「女性が輝く社会」には、子育て支援や育児休暇の取得促進、税制面で共働きの女性が不利になっている「マリッジ・ペナルティ」の是正、企業管理職ポストへの積極的な女性登用などが盛り込まれた。政権発足後の3年間で約80万人の女性が労働市場に加わった。安倍首相は自分の政策で企業の女性役員の数も増えていると強調している。

カナダでは女性の労働参加政策がすぐに効果を現した。1990年にはカナダ人女性の労働参加率は68％にすぎなかったが、共働き世帯への減税、新たな子育て支援サービスなどによって20年後には74％へ上昇した。女性の労働参加率の上昇がさらに顕著だったのがオランダだ。１９８０年以降、同率が倍増し、今日では74％に達している。その急上昇の要因として、子育て休暇の拡充、ワーク・ライフ・バランスを重視した雇用形態などが挙げられている。女性の能力を活用する点で、オランダは比較的短期間で米国に追いつき、追い抜いてしまった。

男女の労働参加率の差は、国によって大きく異なる。女性活用政策をいかに積極的に展開したとしても、女性の労働参加率が男性を超えることはありえない。これはどの国でも同じだ。ノルウェー、スウェーデン、カナダ、ベトナムなどでは、男女の労働参加率の差が10％未満と最も小さい。ベトナムは少し意外に感じられるかもしれないが、こうした男女の格差は政治的文化と強く関連している。中国などの社会主義国、共産主義国は、女性の労働参加で共同歩調をとってきた。事情はロシアでも同じだ。ロシアでは旧ソ連時代の法律で４５０以上の職種が「負担が大きすぎる」ことで女性には参加が禁止されていたが、それでも女性の労働参加率は相対的に高かった。ウラジーミル・プーチンは２０００年の大統領就任時に、こうした法律の規制を廃止したが、２００９年になって裁判所は規制を復活させた。２０１４年に１４３の新興国を対象にした世銀の調査によれば、女性の経済的な機会を制限する法律が最低でも１つ存在する国が全体の90％に達していた。こうした法律には、財産の所有、銀行口座の開設、契約の締結、裁判所の提訴、単独の旅行、自動車の運転、家計の管理などについて女性の関与を禁止あるいは制限する内容が含まれていた[6]。

そうした女性差別の規制は中東や南アジアでは一般的であり、この地域の女性の労働参加率はそれぞれ26％と35％と世界で最低となっている。パキスタン、イラン、サウジアラビア、エジプトでは男女の労働参加率の開きは50％ポイント以上だ。明文化された法律と文化的な規範の両方が、働く女性にとって大きな障害となっている。『ニューヨーカー』誌の記事の中で、ピーター・ヘスラーが、1人の中国人起業家を紹介している。彼はエジプトで携帯電話の製造工場を立ち上げたが、1年もたたないうちに閉鎖に追い込まれた。その理由の一つが、女性従業員たちが、仕事への強い倫理観を持っているにもかかわらず、エジプトの文化規範によって夜間勤務ができず、結婚後はすぐに仕事を辞めざるをえなかったからだ[7]。インドでは女性の労働参加率は30％にも満たない。インドのような大国の中にはさらに信じられない後進地域が存在するが、全体の数字だけではそれが見えてこない。インドのビハール州では1億人の人々が生活しているが、労働力として計算されるような正規の仕事に従事しているのは、全女性のわずか2％にすぎない。

文化的な障害は克服できる

文化的な障害は動かし難い現実だが、決して克服できないことはない。中南米は世界でも名だたる「男意気の文化」地域だが、女性の労働参加が急ピッチで進んでいる。1990〜2013年の間に、女性の労働参加率を10％ポイント以上引き上げた国が5ヵ国あったが、いずれも中南米の国だった。筆頭はコロンビアで、成人女性の労働参加率は26％ポイント上昇した。２位以降はペルー、チリ、ブラジル、メキシコの順だった。

中南米諸国の女性労働参加率上昇の理由を、これだと特定するのは難しい。一つの可能性は、教育だ。コロンビアでは、１９７０年代に作られた裕福な女性の資金支援を受けた民間グループのプロファミリアが重要な役割を果たした。プロファミリアは大きな影響力を持つカトリック教会を敵に回しながらも、避妊教育の普及について積極的なロビー活動を展開した。女性は仕事を優先して子供づくりを先に延ばすことが可能になった。その結果、出生率は急低下し、一方で女性の労働参加率は急上昇した。働く女性を経済成長の起爆剤にしたいのなら、指導者がまずやるべきことは現状の規制を撤廃することだ。多額の資金を投じて新しい育児支援サービスや長期間の出産育児休暇を提供するより、規制撤廃の方がはるかに安上がりで効果的だ。

文化を変えるには時間がかかるが、法律は一夜にして変えることができる。ＩＭＦによれば、女性に銀行口座開設の権利を認めれば、女性の労働参加率はその後の7年間で見違えるほど上昇する。[8] しかし、それだけでは、まだまだ不十分だ。手付かずのまま放置されている女性の能力を十分汲み取ることはできない。多くの国では、女性への職場の門戸開放でいかに多くを得ることができるかを理解し始めた。日本や韓国のように高齢化の速度が速く、女性の労働参加率が最低水準の国ほど、得るものが大きい。第二次世界大戦後、米国では労働参加する女性の数が毎年記録を更新した。しかしそのトレンドは２００３年頃にピークに達し、それ以降は下降に転じた。

その理由は、共働き夫婦への税負担が重く、子育て支援サービスへの補助が異常に少なかったからだ。また先進国では第1子が生まれた時に政府が両親に対して何らかの有給休暇を付与するのが一般的だが、米国は唯一の例外だった。

最新のOECD推計によると、男女格差を取り除けば、つまり成人女性の労働参加率を男性と同じにすれば、2015〜2030年の間に加盟国全体のGDPを12%増加させることができる。GDPの増加幅は日本と韓国が20%近く、さらに正規労働力に占める女性の割合が40%に満たないイタリアは20%以上となっている。2010年にブーズ・アンド・カンパニーが実施した分析では、男女格差を縮めるだけで新興国のGDPを2020年までにさらに底上げできる。エジプトでは34%、インドでは27%、ブラジルでは9%の増加が見込まれていた。

移民を呼び込む戦い

移民は人口の増加に不可欠だが、最近の数十年間の動きは安定している。1960年以降、世界の出生率が低下し、平均寿命は50歳から69歳へ延びた後も上昇が続くが、移民の割合は全く変化がない。50年前、世界人口に占める移民の割合は3%だったが、2012年時点でもそれは変わらない。2015年、内戦が続くシリア、イラク、アフガニスタンから、100万人以上の難民が欧州へ押し寄せた。大量難民流入への恐怖が高まったが、こうした難民は内戦の沈静化とともに減少していく可能性が高い。しかし底流にある重要なトレンドは、新興国で生産年齢人口の増加にブレーキがかかり、先進国では経済移民の流入が細ってきたことだ。２００５〜２０１０年の間に、発展途上国から先進国への移民の数は差し引きで１６４０万人だったが、２０１０〜２０１５年には約５００万人に急落している。

実際のところ２０１５年に欧州と米国で反移民運動が活発化する以前は、外国人労働者を呼び込む競争が熱を帯びていた。国連によれば「移民による」人口増加の計画を正式表明していた国の数は、２０１３年には３年前の10ヵ国から22ヵ国へ２倍以上に増えた。どの国が移民の呼び込みに最も成功しているか。それを知るには、移民の結果、人口が最も増えた国、反対に最も減った国に注目すればよい。２０１１〜２０１５年の間に先進国で最も人口増加が大きかったのは、オーストラリア、カナダ、米国それにドイツだった。

おそらく最も移民の流入が大きかったのはドイツだろう。ドイツでは２０１５年、地域難民センターへの放火事件や、「ヒトラー総督、万歳」と声高に叫ぶネオ・ナチなど戦争難民への大衆の反発が広がり、世界から注目を浴びた。アンゲラ・メルケル首相の支持率は低下し、その理由として彼女の移民政策が挙げられた。しかし、もし移民の純増効果がなければ、ドイツの人口は２０１１年以降、減少をたどっていたはずだ。２０１１〜２０１５年の間に移民の純増によって、ドイツの人口は１・６％増えた。この数字は「移民の国」である米国に比肩する。

移民の呼び込みはドイツ経済に大きく貢献した。だが国内人口の減少の速度と比較した場合は、依然として力不足だ。２０１４〜２０１５年にかけて移民の新規流入数は一気に８倍増の１００

万人へ急上昇したが、現状の生産年齢人口対退職者の比率を維持するには、2015〜2030年の期間、毎年150万人の移民を受け入れる必要がある。これは、ドイツが現に大量の難民の流入を受け入れている状況を踏まえて、年間100万人以上の受け入れ余地があるとか、あるいは単にそうすべきだと言っているのではない。むしろ、ドイツの高齢化問題の深刻さを強調するためだ。高齢者と現役層の不均衡は、2015年に大量の難民が殺到するずっと以前から始まっている。こうした状況は、他の先進国にも共通している。大量の移民の受け入れは人口減少問題への解決策の一つにすぎない。

シリア難民の問題から話がそれるが、ドイツ以上に移民受け入れで人口増加を果たした国がある。カナダとオーストラリアだ。2011年以降の両国の人口増加率はそれぞれ3・3%、4・3%となっている。最近では計画的な移民政策の導入によって、オーストラリアの人口増加率は主要な先進国を上回っている。同国の人口増加のうち3分の2は移民で説明ができる。移民の出身国は大半がインドと中国だ。オーストラリアは人口の高齢化によって経済成長が鈍化してきた。移民への門戸開放は、反移民運動が勢力を増した2015年には大きく揺らいだが、何とか持ちこたえることができれば、経済成長の鈍化は他の先進国に比べはるかに小幅に止まることができるだろう。

変わり身の遅い日本

その対極に位置するのが日本だ。移民の受け入れに関しては、門戸を固く閉ざして先進国として最低限のことしかやってこなかった。外国生まれの国民は人口の2％未満、オーストラリアの30％とは対照的だ。最近まで、この島国性は競争の優位性と見なされてきた。1980年代の内外のアナリストたちは、この単一文化による「調和」や民族対立の不在を、経済的な台頭の理由の一つとして挙げていた。中曽根康弘元首相などの政治家は、同質な社会が日本のアイデンティティーや国力に不可欠だと公言して憚らなかった。2005年の時点で、麻生太郎総務大臣――後に首相へ就任――は、日本的なるものは「一民族、一文明、一言語、一文化」につきると称揚していた。

日本政府のある高官は、いまだに同じ言い回しを繰り返している。もし経済移民の受け入れを拒否すれば、日本は孤立したまま衰退の道をたどる。こうした理解が、安倍政権内で広がりつつあるが、先の麻生発言とは真っ向から対立する。安倍政権は経済移民へのビザの発給枠を拡大させ、その発給数は増えている。しかし現在の日本の年間移民受け入れ数はせいぜい5万人である。2030年までに予想される人口減少数を埋めるには、その数を約10倍に増やす必要がある。言い換えると、日本はもっとオーストラリア的になる必要がある。

韓国は単一民族、単一文化を国是としてきたもう一つの国だ。国民の同質性を、政治的な団結力や労働者の規律の源泉にしてきた。しかし、日本と同様の深刻な生産年齢人口の減少に直面してから、その変わり身の早さでは日本を圧倒している。1997～1998年のアジア通貨危機に直撃された後、韓国はその引きこもり的な国是の再考を迫られた。

金融危機以前、韓国には25万人の移民がいた。2000年以降は、移民の人口は400％増の130万人に達した。日本はその間、50％の増加にすぎなかった。韓国は現在、国策として多文化主義を促進している。移民サービス担当の役人は、有能な人材招致のための広範な施策について誇らしげに語る。韓国では人手不足に苦しむ業種の労働許可を外国人に交付しているが、こうした韓国の対応を国連は高く評価している。生産年齢人口はすでに減少に転じている。移民の流入がなければ、減少のスピードは現在の4倍に達していたことだろう。さらに朴槿恵《パククネ》大統領は政権発足の2013年に、人口の高齢化に対応するため、若い外国人労働者を韓国に呼び込む新たな取り組みに乗り出すことを公約した。

東南アジアの老人

韓国の積極的な移民政策と好対照なのが、タイの無手勝流の取り組みだ。タイはいまや「東南アジアの老人」と呼ばれる。その理由は、同地域では今後5年間で生産年齢人口の減少が予想される唯一の国だからだ。「ミスター・コンドーム」として有名な一人の伝道師的役人によって、1970年代のタイでは避妊政策が強力に推進された。当時を振り返り、ある論者は成功しすぎたと語る。警官は路上でコンドームを手渡し、僧侶は寺院でコンドームを祝福した。ミスター・コンドームは、実の名をメチャイ・ヴィラヴァイディアと言うが、彼のレストラン・チェーンであるキャビジーズ＆コンドームズでは、パイプ・カット手術を無料で提供した。彼は世銀主催の講演会で手のひらいっぱいのコンドームを配布し、世界的に名声をはせた。平均的な女性の出生率は急落し、1970年の6人から1990年代初めには現状の人口維持も不可能な水準以下に落ち込んだ。

タイにとって、女性は人口減少問題の解決の鍵にはならない。女性の労働参加率はリベラルなタイ文化を背景に、すでに70％を突破している。この数字は、タイと同等の所得水準国の中ではダントツである。その他の東南アジア諸国と比べると、仏教社会の大らかさを反映してか、外国人に対してもきわめて開放的である。移民数は約400万人に達し、人口に占める割合は5％を上回る。一方、フィリピンやインドネシアでは移民数は人口の1％にも満たない。タイでは大企業の経営者が海外出身であることはよくあるが、民族意識が強いお隣のインドネシアやマレーシアでは珍しい。移民労働者はミャンマー、ラオス、カンボジア出身で、同じ宗教の仏教徒が多い。タイの入出国では厳しい規制がなく、好きな時にいつでも出稼ぎにやってくることができる。事前に企業から採用の内定を得ておく必要もなく、あれこれ難癖をつけられて入国を拒否されることもない。「これが典型的なタイ方式。すべて成り行き任せ」。2013年10月、バンコクを訪問した時、在住のエコノミストが語ってくれた。「法律的に言えば、ここの移民は大半が不法移民だ。でも法律のことを気にする人間なんて誰もいない」。高齢化問題に対処するために、タイの移民政策はまだまだ工夫の余地がありそうだ。

新興国とりわけ経済規模の大きな国の中で、移民受け入れで成果をあげている国はトルコ、マレーシア、南アフリカである。これらの国は難民や経済移民にとっていまや憧れの地となっている。2011〜2015年の間に、移民の入国によって南アフリカの人口は1・1%、マレーシア1・5%、トルコにいたっては何と2・5%も増加した。2014年、西欧では右翼政党が移民や難民の急増にヒステリックな抗議の声をあげたが、トルコは粛々と100万人を超える難民を正式な移民として受け入れた。彼らの大半はシリア出身だ。少なくともトルコのリーダーたちは、難民に多くの医者や高学歴の専門家が含まれていること、さらには体力と才能に恵まれた労働者を受け入れるまたとない機会であることをよく知っていた。世銀のジム・ヨン・キム総裁によれば、2014年にトルコで新規に立ち上がった企業の4分の1はシリア人の手によるものだ。トルコ国内で成長率が最も高い地域は、難民キャンプが設置されている場所だ(9)。

頭脳流入の国、頭脳流出の国

労働者の呼び込み競争が熱を帯びる中で、最も熾烈を極めるのが熟練労働者の争奪戦だ。2014年時点でOECD諸国の3分の2がすでに実施したか、あるいは実施の準備に取りかかっているのが、高度の熟練技能の労働者を対象にした政策だ。こうした呼び込み政策によって200

０年代には、ＯＥＣＤ諸国で暮らす大卒資格の移民数は70％増加し、全体数は３５０万人に拡大した。２０１５年、反移民運動がエスカレートしたにもかかわらず、海外の有能な人材を呼び込む競争は一時も中断することはなかった。

過去何十年にもわたり、米国は頭脳流入の恩恵にあずかってきた。米国社会の起業エネルギーはいやが上にも高まった。現在、移民は米国の総人口の13％を占める。ベンチャー企業の経営者の割合では25％、シリコン・バレーで働く人の割合は30％に達している。２０１３年の米国ハイテク企業の上位25社を見ると、その60％は移民の第１世代、第２世代によって創業された企業だ。アップルのスティーブ・ジョブズはシリア系移民の第２世代、グーグルのセルゲイ・ブリンはロシア系移民の第１世代、オラクルのラリー・エリソンはロシア系移民の第２世代、アマゾンのジェフ・ベゾスはキューバ系移民の第２世代だ。移民をルーツに持つ多くの創業者たちは、戦争や経済破綻に陥った国々の出身者だが、旧東ドイツ（シマンテックのコンスタンティン・ギューリッケ）やフランス（イーベイのピエール・オミダイア）、イタリア（ＥＭＣのロジャー・マリーノ）など欧州の過剰な規制を嫌って米国へ移り住んだ家族の出身者も少なくない。

最近、シリコン・バレーの大物経営者たちは、米国が高い専門技能の外国人に対して門戸を閉ざし、人材獲得競争で不利な立場に陥っているのではないかとの懸念を深めている。２０００年以降、米国は仕事ではなく勉強や研究が目的の外国人を多く入国させるようになった。学生ビザの発行数は同期間に50万件まで増加したが、雇用ビザやＨ-１Ｂビザ（非移民就労ビザ）の発行数は15万件でほぼ横ばいが続いている。米国からは毎年、35万人の大学卒業生たちが出身国、主にインドや中国に帰国する。競争相手国はカリフォルニア中を必死にかけずり回って、有能な人材の卵をさらっていく。

カナダ政府はシリコン・バレーに通じる幹線道路の国道101号線に1枚の広告ボードを設置した。2013年、ハイテク・アナリストのメアリー・ミーカーがその写真を世の中に紹介して評判になった。その広告ポスターは、バラク・オバマ大統領の外交方針「アジア回帰」をもじったもので、そのキャッチ・コピーには次のようなシャレたせりふが記されていた。「米国のH-1Bビザが取得できなかったらカナダに来てね！」。2013年夏にこうしたサンフランシスコ湾岸地域を訪れる前に、カナダ政府のジェイソン・ケニー大臣と話す機会があった。彼は市民権、移民、多文化促進政策を担当していた。彼は、これからカナダは「海外に開かれた国」であることを積極的に広めていくつもりだと語ってくれた。このキャンペーンは、人材の引き抜きだと非難されても「謝罪するつもりはない」。「もし米国が良い移民政策を思いつかないなら、カナダはベスト・アンド・ブライテスト（最良の、最も聡明な人々）をどんどん呼び込んでいきますよ」と。

世界的な人材獲得競争に向けて、これほど歯切れの良い言葉はないだろう。人材獲得競争の勝者を見つけたいなら、大学卒業生に占める移民の比率が高く、しかもその比率が上昇傾向にある国を探せばよい。移民の比率の高い国は、高学歴の人材の呼び込みに成功しているからだ。その基準に最も合致するのが、英国、カナダ、とりわけオーストラリアだ。オーストラリアでは、総人口に占める移民の割合は30％だが、大卒に占める移民の割合は40％に達している。この10％ポイントの差が、頭脳流入を意味している。米国や日本では、総人口に占める移民の割合と大卒に占める移民の割合は同じで、頭脳流入はオーストラリアほど顕著でない。ドイツ、オランダ、および欧州の一部の国では、移民は地元の人々よりも大卒資格を取得する比率が低くなる傾向がある。

こうした差は決して無視できない。オーストラリアやカナダへ移住した中国人やインド人の家族は教育意識がとても高い。彼らの子供の成績は標準化された高校試験で地元の子供に決して引けをとらない。実際、オーストラリアでは移民の子供の方が成績は良いが、先進国では唯一の例外だ。米国や英国では移民の子供は成績で地元の子供を少し下回る程度だ。ところが多くの大陸ヨーロッパの国々、特に北欧では移民の子供は地元の子供を大きく下回っている。たとえばスウェーデンでは、成績が「社会へのフル参加に必要な水準を下回っている」のは、地元学生は20％だが、移民の第1世代の学生は60％に上昇する。ドイツ、フランス、スイス、その他の北欧諸国でも、格差は歴然だ。そうした国々では、移民によって社会の貧困層がさらに拡大し、すでに逼迫している福祉や年金財政にさらなる追い打ちをかけるのではないかとの懸念が強まっている。

誇張された恐怖

先進国経済への移民受け入れを複雑にしているのが文化的な障壁であることは、疑いの余地がない。しかし、これは女性や高齢者についても同じことだ。さらに言えば、単純労働しかできない移民への恐怖は、誇張されているきらいがある。多くの研究機関によれば、移民は熟練、未熟練を問わず生産性や経済成長を高める。移民は地元の人々から仕事を奪うという声をよく耳にするが、最近、世銀のエコノミストであるキャグラー・オズデンが行った調査では、そうした非難にはほとんど根拠がない(10)。

オズデンによれば、移民が「奪う」とされる仕事は、実は地元の人が嫌がる仕事や、地元民だけでは供給できない仕事が多い。2015年6月に私はギリシャを訪れたが、当時は債務危機のまっただ中で、若年層の2桁の失業率が大きな社会問題になっていた。それにもかかわらず、多くの企業経営者が若者の労働意識に不満を持っていることに、私は驚いた。経営者によれば、最近の若者たちは自宅にいて母親の多額の年金で暮らすことを好み、一方、母親は子供に単調でつまらない仕事などしなくてよいと甘やかす。経営者は1人残らず、仕事に意欲的な移民を雇いたがる。移民が仕事に前向きだという指摘は、データによっても裏付けられている。ギリシャでは労働参加率で見ると、移民が地元の人よりも10%ポイントほど高くなっている(11)。この格差は欧州で最大である。ギリシャは極端なケースかもしれないが、地元の人々が敬遠する仕事を移民が引き受けていることは、よくあることだ。

またオズデンによれば、未熟練な移民が地元の人々の賃金や雇用に与える影響は中立か、あるいはプラスだ。彼はマレーシアと同じ事例を引いている。外国人の大量流入によって高卒資格を持つ地元の人々の多くは労働者の地位から昇進して、移民労働者の直属の管理者になれる。この結果、経済成長が大きく促進される。もし熟練の移民の場合なら、その成長促進の効果はさらに大きくなる。

米国の生産性を牽引している職種は、科学者、ハイテク技術の専門家、エンジニア、数学者である。移民はこの分野ではすでに十分すぎるほどの存在感を発揮している。職種で言えば最下級のメイド、最上級の大学数学教授のように、地元の人が手を出さない、あるいは手を出せない仕事がある。移民はこうした仕事を充足してくれる。熟練の移民は、また技術革新を刺激する。半導体製造に関する詳細情報のように、現場の人々が経験を通じて学び世の中に伝えていくものは、なかなか文章に書き止めにくい。そうした情報を、彼らは国境を越えて伝達することができる。ハーバード大学のアトラス・オブ・エコノミック・コンプレキシティ（経済複雑系地図）によると、経済成長を促進するのは個々の専門家ではなく、複雑な製品を作る専門知識の組み合わせである。たとえばスマートフォンを製造するには、バッテリー、液晶、半導体、ソフトウェア、冶金、無駄のない製造方式の組み合わせが必要になるのと同じである。こうした専門知識を合体させる手っ取り早い方法は、それぞれの専門家を〝輸入〟することだ。こうした手法は多くの分野で実践されており、料理さえ科学と呼ばれる時代になった。2014年1月、ペルーを旅していた時、非常に驚いたことがある。「世界の最高級レストラン、ベスト20」というランキングがあり、ペルーの首都リマからは何と3つもランクインしていた。これはラテン文化とアジア文化が融合した結果である。その起源は19世紀にペルーへ移り住んだ中国や日本の労働者に遡る。

多くの新興国にとって「戦場」は有能な人材の呼び込みだけではない。つなぎ留めも同様だ。ある推計によると、2000〜2010年代に中国とインドから約9万人の最先端の研究者が母国を離れ、その大半が米国へ向かった。米国は莫大な利益を得る一方で、中国やインドは甚大な損失を被った。しかし、こうした人材移動を体系的に追跡する方法はまだ確立されていない。私は大地にしっかり耳をつけて、頭脳流出や頭脳流入の足音を聞き逃さないようにしているだけだ。

移民は減っていく

ニュースの見出しに登場する数字は、誤解を招きやすい。2011〜2015年の間に、大量の移民がロシアに流入した。ウクライナなど旧ソ連の衛星国から数十万の人々が仕事を求めて入国したのだ。その一方で、母国を離れる有能なロシア人もいた。その数は流入する移民をはるかに上回っていた。2013年に祖国を離れたロシア人は18万人以上に達した。この数字は2009年の5倍以上であり、1998年の銀行危機の時の記録に迫った。出国者は起業家、ライター、科学者、そして留学に送り出す余裕のある裕福な家庭の子女だった。彼らは将来をロシア以外の地で暮らすことを望んだ。ロシアのエリート家族が夕食時に交わす話題は、憧れの移住先のビザはどのようにしたら入手できるか、ロシア国内から安全に資産を持ち出すにはどうしたらよいか、が多いという。

中国の経済はロシアの危機的状況に比べると、はるかにうまくいっている。しかし現地の同僚からは、同じような国外脱出の話を聞くことが多い。2000〜2014年に、中国では9万人以上の大金持ちが国を離れた。これは粗々の数字だが、世界で最大級の脱出劇といっていいだろう。バークレイズ銀行が2014年にアジアの2000人の大金持ちを対象に行った調査によれば、移住を検討している中国人が断トツに多い。彼らの47％が5年以内の出国を計画している。4人に3人が、経済的な安全性、温暖な気候、子供の教育や就職の機会などを理由に挙げている。中国人の夕食時の会話では、米国、オーストラリア、カナダなどで、最も優れた移住先はどこかが定番のテーマだ。最近のニュース報道によれば、数万人の中国人がオーストラリアやカナダの入国ビザを取得しようとして投資機会を窺っている。大型投資を行えば自動的に入国ビザが交付され、合法的な入国が可能になるからだ。優秀な人々が国から逃げ出そうとしているのは、決して良い兆候と言えない。まして多額の資産を抱えての出国となれば、さらに深刻だ。

有能な人材を呼び込む政府間競争が激しさを増すにつれて、どの国でも同様に社会の反発が強まっている。それが自滅的行為だとしても、だ。鎖国同然の日本を別にすれば、先進国の移民は総人口の10〜15％というのが通り相場だ。英国の市場調査グループであるイプソス・モリの最新の世論調査によると、ドイツや英国の人々は、国内の移民社会は実際の倍近くあると信じ込んでいる。こうした認識のギャップは、フランスや米国ではさらに大きくなる。両国の世論調査では、人々は移民人口が実際の3倍もあると感じている。米国の総人口に対する移民の比率は、実際は13％だが、調査の回答者の推計では32％となっていた。

こうした移民に対する認識の誤りは部外者への恐怖心を反映したものであり、政策論議を移民規制へと導いてしまった。移民を健全な文化交流の使者として歓迎するどころの話ではなくなった。２０１５年、米国大統領選挙の最有力候補の一人であったドナルド・トランプ（現大統領）は、メキシコ国境に堅固な壁を作り、その資金はメキシコに支払わせると公約した。しかしメキシコの生産年齢人口は他国と同様、いつ下落に転じてもおかしくない状況だ。メキシコ人が米国に仕事を求める理由は、今後ますます少なくなっていく。トランプや彼の支持者はこの現実が全く分かっていない。２０１５年までの4年間で、メキシコからの純移民数はゼロになった。その理由は、米国での建設労働の仕事が見つかりにくくなったからだ。新興国の人口増加率の鈍化が先進国への移民流入を減少させる。こうした動きが今後ますます強まっていく可能性が高い。

ようこそ！　ロボット

将来のロボットに対する恐怖心は、移民や難民と同じくらい強い。それは想像力が不足しているからだ。19世紀の初頭、米国人の10人に9人が農業で生活していた。将来その数字が１００人に1人の割合まで低下するとは、誰も思いつかなかったはずだ。ましてや、それに代わる新しい仕事がいったいどこから生まれてくるのかなど、全く想像外だったに違いない。製造業やサービス業で、国民の大半が食べていくことなど予想できなかった。今日の悲観論者は製造業の仕事がすべてロボットに置き換わって人間は仕事がなくなってしまうと逆説を論じるが、それは繰り返しになるが、彼らが未来を正しく予想できていないからだ。

悲観論者によれば、最新の技術革新は従来とは性格を異にしている。これまでの機械は人間の道具として作られてきたが、最近の機械は人間のように考えることができる。これは、人間に代わって力仕事をする組立ラインのロボット・アームではなく、人工知能を持った自動ロボットのことを指している。この人工知能は「機械自身が学習する」機能を持ち、将来は組立ラインの設計までもやってのけるようになる。こうした機能は、クラウドやビッグデータのおそるべき電算処理能力を活用することによって初めて可能になる――と悲観論者は言うのだ。オックスフォード大学の研究者であるカール・ベネディクト・フレイとマイケル・オズボーンが２０１３年後半に行った予測は、世の中で最も頻繁に引用されている。それによると、今後10～20年の間に米国の雇用の約47％が人工知能の自動ロボットに置き換えられてしまう(12)。米国人の最も一般的な仕事は自動車の運転だが、ある推計によれば２０２０年までにすべて無人運転の自動車やトラックに置き換わってしまう。

こうした論理展開は、かつて聞いた多くの議論と全く同じだ。バークレーズ・マシーン・インテリジェンス・リサーチ・インスティチュートは、人工知能が世の中に本格登場するのはいつ頃かについての見通しを集計している。現時点での標準的な予測は20年後である。しかし、1955年時点での標準的な予測も20年後だった。ＡＩの業界で語られるジョークがある。もしＡＩが20年後に実用化されると言えば、研究に資金提供してくれる投資家を見つけることができる。もし5年後と言えば、彼らはその約束を覚えていて、その成果を要求してくる。もし100年後と言えば、彼らは全く興味を示してくれない。

ロボット革命が到来するのは、過去の技術革新のケースよりも早いかもしれない。しかしそれは漸進的であり、人間の労働力に対して破壊的というより補完的である可能性が高い。世界の工業用ロボット数は160万台、一方、世界の工業労働者は約3億2000万人である。大きな開きがある。こうした工業用ロボットの知能は現在、それほど高くない。ボルトの回転や、車のドアの塗装など単純な作業に従事しているにすぎない。実際、ロボットのおよそ半分は自動車業界で使用されている。この自動車業界は、いまでも米国最大の人間の労働者の雇い主である。

職場は進化を遂げ、機械が設置されるようになった。しかし人間は機械に適応する術を見つけた。米国の銀行は多くの行員を自動現金預払機に置き換えてきたが、それで浮いた人員で多くの支店の開設が可能になった。その結果、銀行全体の窓口人員は1980年の50万人から2010年には55万人へ増加した。雇用なき未来の予言への反論で、ハーバード大学の経済学者、ローレンス・カッツは次のように述べている。「雇用が枯渇することなどありえない。人間の仕事が縮小するという長期的なトレンドも存在しない[13]」。

マーチン・フォードの近著『ロボットの脅威――人の仕事がなくなる日（*Rise of the Robots*）』で指摘されているように、自動化が急速に人間の仕事を奪っていくのであれば、私たちはすでにマイナスの影響にさらされているはずだ。しかし、現実は反対だ。２００８年金融危機以降のもう一つの不思議は、経済成長の足取りが異常に弱々しいにもかかわらず、先進国（最も多くのロボットを利用している）の雇用の伸びが相対的に良好なことだ。米国をはじめとしたG７（主要先進7ヵ国）では経済成長の停滞にもかかわらず、失業率の低下は予想以上に速かった。１９７０年代以降の同様の景気回復局面よりも雇用の回復は速かった。そればかりではない。ドイツ、日本、英国など、米国を除くすべてのG７では生産年齢人口の労働参加率が上昇しているにもかかわらず、失業率は低下した。ドイツ、日本、韓国は先進国の中で最も多くのロボットを導入しているが、雇用改善が著しかった。

人口減少の救世主

確かに自動化の「侵略」はその初期段階にあり、やがてスピードを上げてくることは間違いない。過去および現時点での状況から判断すると、人類はどこかで自らが作り出した侵略者と何らかの合意に達するはずだ。新しい流れは、人間をサポートするためのコボット（cobot）だ。たとえば、回転アームを備えた工業用ロボットは十分な安全性を備え、人間と協調して仕事をし、人間の作業の手助けもできる。楽観主義者は、ロボットは人間の奉仕者になっても人間にとって代わることはない、ロボットは我々を仕事から解放し退職後の自由気ままな人生を約束してくれる、と信じている。確かにそうかもしれないが、ごく目先の議論をすれば、現実の少子化への対応はロボットを増やすことだろう。『ロボットの脅威』は中国のような工業大国におけるロボットの脅威について述べたものだが、ノーベル賞受賞経済学者で作家でもあるダニエル・カーネマンは最近のインタビューで次のように述べている。「心配する必要はない」、「中国にとってロボットの普及は絶妙のタイミング」であり、人口減少の救世主となるだろう[14]。

エコノミストは将来、現在の生産年齢人口の増加のように、作業用ロボットの増加を経済成長のプラス要因と見なすかもしれない。意図したことか、偶然かは分からないが、急速に高齢化が進む国ではロボットの導入比率も最高水準だ。国際ロボット連盟によると、ロボットの対労働者比率が最も高いのが韓国だ。2013年には1万人の雇用者に対し工業用ロボット数は437台だった。次は日本の323台、ドイツの282台と続く。中国は14台と大きく引き離されていた。しかし明るい面に目を向けると、中国のロボットの採用スピードは世界で最も速く、2013年の1年間だけで3万6000台も増加した。

私は職場の自動化について楽観的である。「何も増えも減りもしない。すべては変化するだけだ」という物理の法則があるが、経済の法則もそれと同じだと思っているからだ。マッキンゼー・コンサルティングが指摘しているように、米国で過去25年間に新しく作り出された仕事の約3分の1は、それ以前には全く存在していないか、かろうじて世の中に生まれたばかりだった。職場の次の変化では、ロボットや人工知能によって置き換えられた仕事が、今度は人間によって現在はまだ想像もつかないような仕事に置き換えられていく可能性が高い。

人間もロボットも総動員で！

人口減少の影響が波紋を広げる中で、賢明な対応は何もしないことだという意見がある。これは日本で論争になってきたテーマだ。日本で高齢化が視野に捉えられてきたのは、1960年代の初期だ。出生率が初めて人口の現状維持に必要な水準を大きく下回った時期だった。放置論者は、人口が減少しても1人当たり所得が低下しなければ、その影響は無視してよいと主張した。しかし、すべての国がこうした超然とした立場をとれるわけではない。世界的な競争の現実から逃れることはできない。2010年に中国は日本を抜いて世界第二の経済大国に躍進した。それ以降、日本は経済の再生ばかりでなく、アジアにおける政治的、軍事的な中国の脅威に積極的に向き合うようになった。若い世代が労働市場へ参加すれば、経済の活力が増し、生産性も向上する。その他にも、世界的な地位や経済力と表裏一体の軍事力の観点からも、人口増加の重要性は無視できない。

成長という点で、どの国がベストあるいはワーストの立ち位置にあるか。これを知るためにはまず、生産年齢人口の増減に関する将来予測を調べて、将来の成長に向けた地力がどれだけ涵養されているかを調べてみることだ。同様に重要なのが、生産年齢人口を増やすために最も努力した国はどこか、あるいは最も努力が足りなかった国はどこか。その足跡をたどってみることだ。たとえば、自国の労働市場を高齢者や女性、外国人に開放する努力をしているか。自国の労働力の能力向上に努めているか。とりわけ高い技能の移民の呼び込みに努力しているか。将来の労働力不足の拡大は必至であり、人間でもロボットでも総動員体制で立ち向かう必要がある。

第２章

The Circle of Life

【政治】政治サイクル
——改革者はいつ俗物に変わるのか

プラグマティストからポピュリストへ

いまから振り返ると、私はロシアの将来について「率直な意見」を聞きたいとの招待を額面通りに受け止めすぎていた。２０１０年10月、ロシアの大銀行が電話で、首相府がモスクワのワールド・トレード・センターでコンファレンスを開催する予定なので、講演して欲しいと依頼してきた。私が会場に到着すると、巨大なホールは多くの聴衆で埋め尽くされていた。ステージの上にはウラジーミル・プーチン大統領がすでに登壇し、その横にはフランスの財務大臣（当時）のクリスティーヌ・ラガルドなどの著名人が勢ぞろいしていた。私のスピーチの番が巡ってきた時、招待の要請通りできるだけ忌憚のない意見を述べようと心がけた。私は初めに、2000年にプーチンが政権に就いた時、ロシアは1990年代後半に相次いだ危機でいかに茫然自失の状態だったかを詳細に振り返った。一律13%の所得税率の導入など一連の積極的な経済改革で経済は落ち着きを取り戻し、ロシアの平均所得は2000ドルから1万2000ドルへ5倍以上急増したことを説明した。

その後、現在および将来の話へと向かった。ロシア経済の展望はそれほど明るくないと示唆したとき、ラガルドが横目で私をじろりと睨んだのが分かった。ロシアが中所得国に躍進した現在、経済政策も従来と同じままでは立ち行かなくなってしまう。実際、ロシアの経済は推進力を失いつつあった。まず原油や天然ガスに依存したままで、産業の多様化が全く進んでいない。ロシアは原油市況高騰によって過去の10年間に1・5兆ドルの「棚ぼた」的な利益を手中にしたが、そうした僥倖が今後も継続することは期待できない。そこで私は「豊かな国が豊かなモノを作る」という古い諺を引いて、ロシアは有望な新しい産業を必要としているが、現実は他の多くの新興国に比べその受け皿となる中小企業の数が少なすぎると指摘した。

私が話をしている間に、プーチンの表情はみるみる険しくなり、ついに下を向いてメモを取り始めた。私は彼が私の話を有益に感じてくれているに違いないと思って、内心嬉しくなった。しかし、私は大事なことを見落としていた。このコンファレンスがテレビでロシア全土に生中継されていることを知らなかったのだ。翌日の早朝、突然、私のニューヨーク事務所から至急の問い合わせが届いた。「いったい何をしでかしたのか」。ロシア政府傘下の放送局では、私を聴衆に不愉快な印象を与えた迷惑千万な招待客だと非難していた。私の発言はウォール街に特有の粗雑な議論であり、ロシアはウォール街の金など全く必要としていないと、こき下ろしたという。当日の夜遅くモスクワを離れるまで、私は生きた心地がしなかった。

数ヵ月後、米国の公開討論会で、私はジョージ・ブッシュ元大統領にインタビューする機会があった。ブッシュは2001年の首脳会談でプーチンと肝胆相照らす仲になり一緒に仕事をやっていける人物だとまで語ったことがあった。そのプーチンが2001年以降どのように変わったのか尋ねてみた。ブッシュによれば、プーチンは経済改革で成功を収めてからダメになった。ロシア経済の発展につれて、ますます傲慢になっていった。両首脳が最初に会談したとき、ロシアは1998年の深刻な金融危機を体験してきており、プーチンは債務削減など聖域なき構造改革に取り組んできていた。しかし2008年に世界中を金融危機に陥れた米国のサブプライム・ローン問題が発生すると、それをあざ笑うようになった。プラグマティストとしてのプーチンの姿はそこになかった。その代わりにポピュリストのプーチンがいて、緊急時用にせっかく蓄積してきた財政資金を年金給付の引き上げなどに大盤振る舞いしていた。ナショナリストのプーチンはロシアの栄光の復活を声高に叫び、冷戦の恐怖を蘇らせていた。

ブッシュの話を聞きながら、これまで何度も繰り返されるのを目撃してきたお定まりのパターンが具体的な形をとりはじめたのが分かった。それは、最も期待された有能な改革者が次第に生気を失い、傲慢になって、最後は国を滅ぼすという哀れなサイクルだ。アジアの奇跡の大功労者で、長期政権を維持してきた実力者でも、この堕落のプロセスから無縁でいることはできなかった。インドネシアのスハルト大統領は1970年代、1980年代の経済発展を演出したが、次第に側近や家族を特別扱いする傾向が強まり、ジャカルタを焼き政権に終わりをもたらした1998年の国民暴動へつながった。マレーシアではマハティール・モハマドが20年間も高成長を牽引してきたが、2003年には彼の政党内の反乱が原因で失脚した。ブッシュと私が話をしていたその時にも、この堕落のプロセスがトルコで進展していた。レジェップ・タイイップ・エルドアン首相（当時）がプラグマティックな改革者からポピュリスト的な国家主義者へと変身し、トルコ国内では「第2のプーチン」と批判されていた。

順風満帆から独りよがりへ

プーチンは極端なケースだが、彼の改革者から扇動政治家への転身は政治サイクルの自然な周期を忠実に歩んでいるだけだ。政治サイクルでは、危機が改革者を生み、改革者が経済発展の順風満帆をもたらす。しかしその順風満帆がやがて独りよがりや傲慢へ変わり、それが再び危機の温床になっていく。政権の1期目では、プーチンはゲルマン・グレフ経済相やアレクセイ・クドリン財務相といった改革志向派の側近の言葉に耳を傾け、税制改革を断行して、原油価格の値上がりという棚ぼた的な利益を新産業への投資に振り向けた。

最盛期には、ロシア経済に一点の曇りもなかった。ロシア経済は２０００～２０１０年で倍増した。それによってロシアの国民には慢心が、指導者には傲りが生じた。高い支持率に有頂天になったプーチンは改革路線を放棄し、権力の維持にだけ固執するようになった。２０１１年に改革派のクドリンを辞任させ、まさにその年からロシア経済の転落は始まった。こうした一連の出来事が原因と結果を示唆しているとは言わないが、改革の終焉が景気後退の幅を大きくし、かつ景気後退を長期化させている原因の一つであることは確かだ。

政治の経済発展に与える影響について議論する場合、重要な問いかけがある。それは、国は改革の姿勢に戻る覚悟ができているか、である。この問いに答えるための第1ステップは、その国が政治サイクルのどの段階にあるかをチェックすることだ。国が危機の克服に本気になっているときは、事態は改善に向かう可能性がある。どの国も窮地に陥ったときは、一般の国民や政治指導者は痛みを伴っても経済改革を受け入れようとする。しかし政治サイクルのもう一方の局面、つまり順風満帆であるときは事態が悪化に向かう可能性が高い。多くの国民は自己満足に陥り、目先の繁栄を謳歌することに夢中になってしまう。その結果、改革を怠ればグローバル競争からすぐに落ちこぼれてしまうことなど忘れてしまう。

第2のステップは、政治指導者が改革への国民の意志を喚起できているかどうかだ。政治サイクルの進展に従って、国民の意思は大幅な循環曲線を描く。改革への世論が最も高まるのは、新しく登場した指導者がカリスマ的で、国民の要求を具体的な改革政策に昇華できる優れた能力の持ち主であるときだ。その意味で指導者の資質が決定的に重要になる。その好例が、プーチンだ。彼は１９９９年にロシアの首相に就任し、その翌年の大統領選挙で圧倒的な勝利を収めた。危機においては、指導者の交代が頻繁に起きる。国民は新人の政治家の中から前途有望な改革者を絶えず探し求める。危機はそうした人々に改革への信任を託すことが多い。

その反対に将来への期待が萎むのが、マンネリ化で改革の意欲を失った指導者の場合だ。彼らはできるだけ長く権力の座にいたいために有力な支援者や既得権者に財政のバラマキを行う。順風満帆が続けば続くほど、純粋な改革者もいつの間にか傲慢になり権力の座にしがみつこうとする。したがって、政権に長居しすぎて嫌われ始めた指導者は、要警戒だ。彼らは事態悪化の先触れだ。実際、２００８年の金融危機以降、トルコやブラジル、そしてアラブ世界の全域で大規模な反政府運動が勃発している。これらは基本的に、賞味期限の過ぎた指導者への反発である。

成功する改革者の条件とは

こうした政治サイクルはあらゆる国で起きているが、そのスピードは同じではない。新興国の貧しい国は先進国の裕福な国に比べて、経済が不安定で先行きも不透明だ。成長率が急上昇したかと思えば、景気の失速が長期化したりする。特に新興国では景気の下落幅が大きく、好況時にせっかくため込んだ利益が帳消しになることも多い。長期的な発展にも限界がある。実際のところ、経済の発展どころか経済の縮小を繰り返している国も多い。ロシアの平均所得が２０００〜

2010年で5倍に成長したことは賞賛に値するが、ほどなく1990年水準へ逆戻りしてしまった。1990年の水準とは、1990年代の銀行危機で平均所得が急落する前のレベルである。現在では、平均所得の後退が再び始まっている。2014年には原油価格の崩壊に続く新たな危機に見舞われ、1人当たり平均所得は2008年の1万2000ドルのピークから8000ドルへ再下落した。

これが危機の廃墟から次の危機の廃墟へ向かう政治サイクルである。指導者は景気の悪いときは外国人や自分の力を超えた外の要因のせいにする。景気の良いときは、すべて自分の手柄にする。1998年以降、世界的な原油価格の上昇がロシアのような産油国の経済成長を大きく押し上げた。そうした外部要因で成長が促進されたとしても、指導者は好景気を自分自身の政策がうまくいっている証だとする。指導者は追従者とともに、自分たちの優れた政治指導で経済が繁栄する運命にあると信じ込むようになる。インドのマンモハン・シン率いる国民会議は、2000年代のほとんどの期間で政権を担ってきた。彼らはインドが新興国では1番になったと本気で信じていた。有権者もそう確信していた。国民的な関心は、高成長を維持するためにさらなる改革が必要だという議論から、経済成長で得た利益をどのように配分するかにシフトした。国民はその配分の原資が、年率8~9%の高成長を続ける経済から永遠に生まれてくるものと信じ込んでいた。こうした慢心は、明らかに2010年代の深刻な景気後退の前触れだった。

指導者は一般的に、成功が少なく失敗が多い。それが国家の盛衰にとって決定的に重要になる。

これからどの国が経済発展の時代に入ろうとしているか。どの国が成長軌道から転落しようとしているか。それを見分けるうえで、政治サイクルはいくつかの示唆を与えてくれる。

新聞の読者なら、特定の国に対して「構造改革」を勧める記事を何度も読まされたはずだ。構造改革の必要性はどの時代のどの国に対して指摘しても、的外れになることがない。その意味で、永遠の知恵である。「構造」とはあるときは企業や政府の運営方法などの「ミクロ」問題を指し、また別のときには高インフレや割高な為替レート、財政赤字や貿易赤字などの「マクロ」問題を意味する。どの国でもこうした「構造」問題はたえず改善する必要がある。多くの場合、最も有益な改善については国民の合意が得られている。現在、激しく対立する米国政治でも、世界的に割高な法人税率を引き下げることには合意形成がなされつつあるようだ。開発途上国では、反政府勢力との和平合意、道路の建設、貿易の自由化、不正を働く銀行員の取り締まりなど改革の項目は事欠かない。新しく選ばれた指導者が、どこから改革に着手してよいかで迷うことはない。

しかし改革の具体的な中身より、改革の厳しい試練に耐える準備が整うのはいつかを発見する方が重要である。一般的には国民が変革を支持するのは、危機が切迫しているときか、バブリーな生活が長く続いて、これではいけないと目覚めたときである。政治サイクルの循環において、国民のムードが果たす役割はきわめて重要だ。それが顕著に表れたのが、世界的な好景気に沸いた2000年代のロシアやインド、ブラジルである。多くの国は高成長が永遠に続くものと信じ込んで、「改革」といえば将来の成長の成果をいかに配分するかが議題になった。当時、リオやモスクワ、デリーを訪れた外国人なら、好景気のパーティーがエンドレスに続くのではないかという感覚をすぐに実感できたはずだ。多くの国民が未来の繁栄は間違いないと固く信じ込んでいた。したがって変革の可能性、つまり国をさらに良い方向へ変える厳しい改革は、政治サイクルが新たなステージに移行するまでお預けとなった。不幸なことだが、これらの国には「良い危機」の到来が必要だった。

良い危機は、国民が変革や新しい指導者を受け入れる可能性を高めてくれる。しかし新しい指導者の中で誰が真の改革者かを言い当てるのは難しい。真の改革者には滅多にお目にかかれない。彼らの前途には強固な既得権の抵抗や世界経済の低迷といった無数の試練が待ちかまえている。とはいえ私はこれまでの経験から、国民の変革気運を実行可能な政策へと結びつけることができる改革者を見分ける、いくつかの法則を持っている。簡単に言えば、次の3つだ。持続的な改革を成功させる可能性が高いのは、ベテランの指導者より新進気鋭の指導者、有能な官僚を従えた指導者より大衆の支持を得ている指導者、独裁的な指導者より民主的な指導者である。過去30年の中国の経済発展は官僚的で独裁的な経済指導者の名声を高めることになったが、他国の事例を見る限りではそうした考えを支持することはできない。

気鋭の自由市場改革者

かつてフランスのシャルル・ド・ゴール元大統領は、「偉大な指導者を生み出すのは、意志の力と時代の混迷である」と語った。これは、危機と新しい改革者との基本関係を暗示している。危機が拡大し生活への影響が深刻であるほど、国民は新しいリーダーを支持する。たとえその改革が旧秩序を破壊するものであったとしても、だ。

第二次世界大戦後の経済繁栄に最初の亀裂が走ったのは1970年代だった。スタグフレーションに遭遇して、世界の大半が指導者不在の状況に陥った。スタグフレーションとは高インフレと景気低迷が合わさったものだ。その原因は、福祉国家政策による過剰な財政支出と、OPEC(石油輸出国機構)や産油国による原油価格の大幅な引き上げだった。このままでは経済が破綻してしまうとの危機感が広がり、多くの国で抜本的な変革を受け入れる素地ができあがった。それが英国のマーガレット・サッチャー、米国のロナルド・レーガン、中国の鄧小平《ドンシャオピン》といった自由市場改革の先駆者を生んだ。危機の時代にはよくあることだが、こうした指導者の改革の公約は、時代の沈滞した空気で覆い隠されて世間から注目されることはなかった。初めの頃は、レーガンを元映画俳優、サッチャーは食料雑貨店の娘、鄧小平は集団指導体制の無名の政治家などと過小評価する評論家が多くいた。1978年前後の中国は文化大革命の混乱による精神的ショックがまだ強く尾を引いており、国民が指導者に高い期待を寄せることはなかった。

危機の苦しみによって多くの国では変化を求める声が高まる。しかし、いつも抜本的な変革が選択されるとは限らない。1990年代の中南米危機の後にベネズエラではウゴ・チャベス、アルゼンチンではネストル・キルチネルが選ばれたように、国によっては安直な経済繁栄や民族主義的な栄光の復活を公約するポピュリストが人気を博することもある。しかし別の国では、米国、英国、中国がレーガン、サッチャー、鄧小平を選んだように、真の改革者がトップに選出されることもある。

これら3人が政権の座に就いた時、米英中とも国際的な地位の低下に悩まされていた。それ以前の10年間を振り返ると、3ヵ国がライバルから大きく引き離されていると心配するに足る根拠があった。サッチャーとレーガンは選挙戦で、国内外の「社会主義」との決別を公約に掲げた。彼らは1970年代の汚名をそそぐことに専念した。1970年代と言えば、英国は外貨不足に陥り先進国ではIMFの緊急融資を求めた最初の国となった。英国の保守派は、福祉国家政策の過剰規制によってフランスよりもさらに社会主義の国になってしまったと大いに嘆いた。米国ではジミー・カーター時代に社会が「沈滞」し、このままではOPECの原油価格引き上げの恐喝に屈してしまうのではないかとの不安が広がっていた。鄧小平はシンガポールやニューヨークを歴訪し、資本主義国が中国よりもはるかに発展を遂げていることを痛感し、国内の現実的な改革に乗り出した。このままではライバルに打ち負かされてしまう。こうした国際的な地盤沈下への共通した危機感が、改革の気運を醸成した。

レーガン、サッチャー、鄧小平の世代で特筆すべきは、3人とも経済的な背景は全く異なっていたが、同じ内容の改革で危機に立ち向かったことだ。1970年代の景気低迷と高インフレは、程度の差はあっても、複雑でやっかいな政府の規制にその原因があった。この世代の指導者が採った対処法は、自由市場改革の基本的な原型となった。米国や英国では、中央政府による規制の緩和、減税や官僚組織のスリム化、国営企業の民営化、価格規制の撤廃、中央銀行のインフレ抑制政策などが実行された。中国では農民に土地の耕作権を認め、貿易や投資で対外開放することが政策に織り込まれた。こうした指導者の「遺産」についてはいまでも評価が分かれるが、彼らの改革が停滞した経済に新たな活力を吹き込んだことは疑う余地がない。1980年代に米国や英国で再生が始まり、中国では離陸が現実になった。こうした先輩の模範が改革の新世代を大いに勇気づけたことは言うまでもない。

「新興国の台頭」を牽引した指導者

1990年代には新自由主義の影響下で、多くの新興国が貿易や資本の自由化に乗り出した。しかし、外国からの借金を増やしすぎて、問題を抱える国も出てきた。対外債務が発火点となって通貨危機が最初に襲ったのは1994年のメキシコだった。1997~1998年には通貨危機が東アジア、東南アジア全域に広がり、その後の4年間でロシア、トルコ、ブラジルへ飛び火した。危機によって改革支持の上昇流が生まれたことで、政治サイクルの歯車がまた一つ動いた。1998年の企業破綻と経済混乱の中から、新世代の指導者やそれまで全く無名だった改革者の一群が頭角を現してきた。たとえば、韓国の金大中《キムデジュン》、ブラジルのルイス・イナシオ・ルーラ・ダ・シルヴァ、トルコのエルドアン、ロシアのプーチンなどである。

現在のプーチンやエルドアンの権力への執着ぶりからすれば、その名前を聞いて驚くのは当然だろう。しかし、財政や貿易の黒字拡大、債務の圧縮、インフレ率の低下などの基礎を築いたのは、この4人組だ。そうした政策によって、それぞれの国は史上最大級の好景気を実現し、新興国世界の発展に貢献した。2005〜2010年の好景気によって、発展途上国では不況期に積み上がった負の遺産をほとんど一掃することができた。新興国の97％、つまりデータが利用可能な110ヵ国のうち107ヵ国が、1人当たり平均所得で米国との格差を縮めた。過去50年間を振り返ると、5年ごとのキャッチ・アップ比率の平均値は42％であり、この97％がいかに大きな数字であるかが分かる。さらに同期間に米国との格差が開いた3ヵ国は、ジャマイカ、エリトリア、ニジェールといった小国だった。ある程度の経済規模を持つ新興国はほとんどすべて米国との差を縮めることができた。韓国、ロシア、トルコ、ブラジルの指導者は、他の指導者よりも「新興国の台頭」への貢献が大きかった。(1)

先輩のレーガン世代のように、金大中の世代も国民の危機感を巧みに利用して、政府の役割を縮小し改革を推進した。この世代に金大中の名前を付けたのは、彼が間違いなく同グループで最も印象的な改革者だからだ。金大中は職業訓練程度の教育しか受けておらず、韓国南部の貧困地域出身のたたき上げの政治家だ。南部の地域は、北部に位置する首都ソウルの権力者から長い間冷遇されてきた。1970年代、1980年代には何度も政治犯として投獄されるなど、カリスマ性に富んだポピュリスト政治家である彼は、独裁政権に対抗する反体制派のリーダーとして頭角を現した。金大中は1998年の大統領選挙で最終的な勝利を収めるが、それはアジア通貨危機のまっただ中だった。第二次世界大戦後の韓国で野党指導者が大統領に選ばれるのは、初めてだった。彼は不良債権問題の処理だけでなく、政治家・国営銀行・大財閥の癒着構造にもメスを入れた。韓国企業が過去に巨大な債務を積み上げてきたのは、こうした政治家と経済界の癒着が原因であり、それが危機の到来で一気に表面化した。金大中政権は強大な権限を持つ監督機関を新設して、問題銀行を閉鎖し、それ以外の銀行にも貸し出し引当金を十分に積むよう迫った。金大中世代で、彼ほど経済の構造改革に取り組んだ人間はいない。韓国が経済的なパフォーマンスで現在でもロシアやトルコ、ブラジルを上回っているのは、このためだ。

金大中と同世代の指導者が成し遂げた業績も、その時代や地域を考慮すれば、なかなか立派なものだ。1998年のルーブル危機直後にエリツィンの後継に指名された後、プーチンはロシアをしっかり立て直すとの公約で2000年の大統領選に勝利した。クドリンやグレフなど側近の助言によって、彼は正しい方向へ、大きな、そして建設的な一歩を踏み出した。プーチンは原油収入の大部分を緊急時に備える予備費に充て、ロシアの新興財閥の有力者と取引を結んだ。彼らが政治に口を出さないかぎり、政府も企業経営にいっさい関与しないことを約束した。複数の政府機関が税金を徴収するビザンチン式システムに腐敗はつきものだが、それを少しでも減らすために、税の種類を200から16に削減し、それと同時に複数の所得税率を低水準のフラット・レートに変更した。また徴税機関を一本化して、腐敗が蔓延していた税金警察を廃止した。税率の引き下げにもかかわらず税収入は増加し、財政の均衡化に寄与した。金大中とは異なり、プーチンは銀行や企業の競争力強化や、製造業の育成についてはほとんど何もしなかった。しかし国家財政が旧ソ連崩壊後初めて安定したのは、彼の貢献である。

それから3年後にトルコでエルドアン政権が誕生した。通貨危機の直後で、ハイパーインフレが猛威をふるっていた。プーチンと同様に、エルドアンはアリ・ババジャン経済相のような金融専門家のアドバイスに従って、経済の安定化を最優先した。エルドアンもまたすぐにロンドンやニューヨークに飛んで、トルコ経済を西側世界に融合させる意向を表明した。自由市場と民主主義の原理が「イスラム社会の基礎になる」ことを「証明」することが、政権与党の使命だと述べた。エルドアンは大いなる責任感で国家財政を運営した。無駄の多い年金制度の改革、問題を抱える国営銀行の民営化、企業破産を円滑に処理するための法案の成立、財政黒字維持の公約などを次々に実現していった。プーチンとエルドアンが後年になってどのような批判を招こうとも、彼らの初期の成果まで否定することはできない。こうした改革の後の10年間、トルコはロシアと同様に1人当たり平均所得が倍々ゲームとなり1万ドルに到達した。両国ともしばらくの間は、こうした改革の恩恵で低所得国から中所得国への移行期が続くことになろう。

危機こそ変革の引き金

危機は気鋭の指導者に躍進の途を開くと同時に、国民の意識も変える。1997〜1998年のアジア通貨危機が韓国、インドネシアなど多くの国で国民を改革へ駆り立てたように、変革の引き金になるのはパニックへの国民の反応だ。しかし、経済的地位の長期低落に対してフラストレーションが徐々につのることで、変革が生じる場合もある。１９８０年代のサッチャーからプーチンまでほとんどの改革者は、それ以前の10年間でライバルに大きく差をつけられた国、たとえばＧＤＰの世界シェアや地域シェアが大きく低下した国で登場した。唯一の例外が、トルコのエルドアンだった。トルコは周辺地域全体がひどい景気後退に陥っていたため、近隣国に比べて経済的に大きく立ち後れていたということはなかった。

こうした議論をすると、いくつかの反論が予想される。その一つは、ＩＭＦの緊急支援の条件に沿う必要があったから、プーチンやエルドアンはそうせざるをえなかっただけのことで、彼らを真の改革者扱いするのは間違っている、というものだ。しかしポイントは、指導者が改革の実現を信じていようがいまいが、危機が彼らに改革を迫ることだ。国民や債権者が、改革を無理に強いることもある。２０００年代初めにモスクワやイスタンブールを訪れた人や、トルコのババジャンやロシアのクドリンのような筋金入りの改革者から直接話を聞く機会のあった人ならすぐに分かるはずだが、実際にプーチンやエルドアンはＩＭＦからだけでなく国民、あるいは国家的危機の困難な後遺症から改革を迫られた。ロシアやトルコでは変革の機運が熟した時に、プーチンやエルドアンという改革を実行するに打ってつけの指導者が登場した。彼らは国民的な人気のあるカリスマ政治家であり、事態の切迫性を十分に理解していた。

もう一つの自然な反論は、次のようなものだ。２０００年代はロシアやトルコだけでなくどの新興国も好景気に沸いていた。その高成長をプーチンやエルドアンの特別な功績と決めつけるのは少しやりすぎではないか、と。確かに世界的な好景気という幸運に恵まれたことは大きいが、彼らの経済政策はベネズエラのチャベスやアルゼンチンのキルチネルの政策と比べると、明らかな違いがある。その当時のロシアやトルコは、成長率やインフレなどの経済パフォーマンスでベネズエラやアルゼンチンを大きく上回っていた。

幸運と賢明な政策が重なったのは、この世代の最後のメンバー、ルーラ・ダ・シルヴァのケースでも同じだ。ルーラは２００２年に大統領に選ばれたが、彼の前任者エンリケ・カルドーゾの時代からすでにハイパーインフレの撲滅に取りかかっていた。しかし、ブラジル人の世界観を変えたのは、カリスマ性があって国民の信認も厚いルーラだった。その後のブラジルの大躍進の功績も当然、彼のものになった。ルーラは労働者階級出身の初の大統領で、19歳の時に工場の事故で指を1本失った。政敵たちは「ブルーカラーで文字もろくに読めず、そのうえ指は1本足りない」と悪口を言った。国民の多くは彼が財政支出の再拡大に踏み切ることを期待した。財政支出は10年前のハイパーインフレの元凶だった。投資家の間では、ルーラへの懸念が強く、大統領選挙で彼の勝利の可能性が高まると、ブラジルの通貨や株式市場は急落した。この危機こそが、ルーラの初期の改革を加速させることになった。

ルーラは中央銀行総裁にフリートボストンのトップを経験したこともあるエンリケ・メイレレ

スを指名した。メイレレスはインフレ退治を公言し、実際に短期金利を25％以上に引き上げインフレを見事に収束させた。また国際商品市況の高騰によって、ブラジルの経済成長率は加速した。偉大な前任者たちの足跡を忠実にたどり、景気回復には何が必要かという基本政策から外れることなく、庶民的な個性をうまく発揮して、国民に厳しい改革を受け入れさせてしまった。こうしてルーラはブラジルをきわめて困難な状況から救出することに成功した。

次に激震が走ったのは、２００８年の世界的な金融危機だった。１９３０年代以来で最も深刻な大不況となった。大不況に直面すれば、変革を求める声がいやが上にも高まる。その結果、世界中で権力者に対する反発が強まり、選挙結果や街頭デモで露わになった。民主主義国では、有権者は政府に背を向けるようになった。２００５～２００７年には、世界の主要な民主主義国30ヵ国――主要な新興国20ヵ国を含む――で国民は国政選挙の３分の２で政権与党の続投を選択した。しかし２０１０～２０１２年になると世界的な景気後退が新興国世界に広がり、３分の２の国が政権交代を選んだ。チリ、メキシコ、フィリピン、欧州の多くの地域で反政府感情が高まり、与党は政権を追われた。その流れはその後も続き、インド、インドネシア、イタリアでも政権与党は敗北を喫した。新しい指導者を評価するのは時期尚早だが、選挙で選ばれた改革者の中から次の強力な個性の指導者が現れて、２００８年危機で露わになった諸問題を解決していくことになるはずだ。

「気が抜けた」指導者

危機後の推移はいずれも複雑で込み入っているが、一つの明確なパターンがある。改革は新しい大胆な指導者によって断行されるが、時間の経過とともに尻すぼみになってしまうことだ。指導者の関心は「壮大なレガシー」作りや家族や友人への利益供与に向かってしまう。この基準をさらにブレークダウンすると次のようになる。最も重要な改革が実現する可能性は1期目が一番高く、2期目は次第に低下し、それ以降になるとほとんど期待できなくなる。改革の達成に必要なアイデアまたは国民の支持、あるいはその両方が枯渇してしまうからだ。もちろん例外はある。リー・クアンユーは30年以上にわたりシンガポールを統治してきたが、改革のエネルギーが枯渇することはなかった。しかし彼は例外中の例外で、一般的なパターンは前述の通りである。

どのような高名な改革者であっても、「賞味期限」は避けて通れない。レーガン大統領も「2期目の呪い」の犠牲者になった。度重なるスキャンダル、支持率の低下、議会の反対などで、米国の大統領は2期目に入ると変革がますます難しくなる。もちろんそうした「呪い」は見当違いだと反論する評論家もいる。しかし著名な歴史家のマイケル・ベシュロスによれば、2世紀前のジェームズ・モンロー以降、どの大統領も2期目の政策目標はいずれも達成できていない。このことを踏まえると、2期目のジンクスにも重要な意味がある。

任期の制限や選挙の心配のなかった鄧小平でさえ、2期目を終えた後はその影響力が目に見えて薄れていった。彼は1980年にトップの座に就き、1989年の天安門事件まで共産党および軍の最高権力者として君臨した。鄧小平は国民に大幅な経済的裁量を認めたが、それに見合った政治的自由を求める声が次第にエスカレートして、その要求はついに1989年の天安門事件で爆発した。流血衝突の責任をとって鄧小平は軍と党の最高ポストを退き、その後は「最高指導者」という非公式の立場で従来と変わらない経済的なプラグマティズムと政治的な抑圧政策の両方を追い求め続けた。鄧小平のような20世紀でおそらく最も重要な改革者でさえ、絶大な公的権力を振るったのはわずか9年だった。いかに優れた指導者であっても、すぐに賞味期限切れになってしまう衝撃的な事例だ。それ以降、中国では10年ごとに指導者が完全に交代する制度を採用することになった。

ルーラや金大中は権力に固執しない立派な分別を持っていたが、そのルーラでさえ長期政権にありがちな傲慢さや危機感の欠如が見られた。2009年と言えば世界的な金融危機が西側世界を混乱に陥れ始めていた時期だが、新興国にはまだ影響が及んでいなかった。ルーラは政権2期目の終わりに近づいていたが、ブラジルが危機をうまく乗り切ることができたことを自慢げに語っていた。彼は世界に向けて次のように発信した。2008年の金融ショックを引き起こしたのは黒人や女性でも、先住民でもない。もちろん貧困層でもない。この危機を助長し加速させたのは、青い目をした白人の一部の不合理な行動である(2)。彼はブラジルの法律に従って2011年1月1日に予定通り政権の座を降りたが、その後に世界的な金融危機がブラジルやその他の新興国を襲う事態は想像さえしていなかった。

「第二のプーチン」

それに比べてプーチンやエルドアンは法律が定めた大統領の任期など歯牙にもかけなかった。両者とも現在、最高権力者として主要先進国では見られない4期目に入っている。堕落した指導者の典型例だ。2006年までのプーチンは、財政支出の抑制に強い意欲を見せ、経済発展を続けるには原油経済からの多様化を図る必要があるといった基本的な助言に熱心に耳を傾けていた。そうした姿がいまでも印象的である。しかしその後すぐに政策は変更された。政府は万一の事態に備えて蓄えておいた原油収入を取り崩して国民のご機嫌取りを始めた。そのバラマキには、急拡大する高齢者層への年金給付の増額も含まれていた。そうした政策は、苦労してようやく手に入れた財政の健全性を損なう恐れがあった。

一方、トルコでは批評家がエルドアンは「第二のプーチン」だと批判を強めていた。エルドアンはますます独裁的になり、改革への興味を失っていた。国民の自由化運動を厳しく取り締まり、反対勢力を徹底的に弾圧した。エルドアンは2002年にイスラム公正発展党のトップとして政権の座に就き、その滑り出しはしばらく順調だった。2007年の政権第1期が終了する頃には、トルコは新興国世界で主要な改革国の一つと数えられるようになった。それまで長い間、多数派の敬虔なイスラム教徒は権力から遠ざけられてきたが、エルドアンは彼らにも政権の門戸を開き、国民の幅広い層から支持を集めた。こうした多数派の権力への取り込みが経済発展の引き金となり、エルドアンの人気はイスラム宗教界だけでなく伝統的な世俗主義エリート層である「ホワイト・ターク」の一部でもさらに高まった。

国政選挙ごとにエルドアンの国会支配は強まり、彼の傲慢さは抑制がきかなくなった。2011年に政権3期目が始まる頃には、イスラムの社会道徳規範を前面に押し出して、ナイトクラブ、アルコール、喫煙、飲酒、人前でのキスなどを厳しく取り締まり、世俗的な多くの国民は彼から離れていった。プーチンのように、エルドアンは民族主義者の誇りに迎合するために多くのカネを使った。彼は世界最大のモスクを建設するなど、オスマントルコ朝のイスラムの栄光を復活させるプロジェクトを推進した。それによって世俗的な国民がさらに彼から遠のいていった。2年後には、エルドアンは庶民に人気のイスタンブール公園を廃止して、その跡地にオスマントルコ風のショッピングモールを建設する計画を立てたが、それが全土国民の激しい怒りを誘った。エジプト、ブラジルなどの新興国では長期政権に対して広範な中間層が反発を強める例が増えていたが、トルコも例外ではなかった。

ジャーナリズムはこぞって2013年夏の抗議行動を報道した。その関心は抗議する側の中間層に集中し、その対象である賞味期限切れの政権について触れることはなかった。『ワシントン・ポスト』紙は、抗議の背景には自己主張を強める社会の「中間層の怒り」があると断じた。『ニューヨーク・タイムズ』紙の記者は、イスタンブール郊外にある高級レストランの店内描写から記事を始めた。記者がそこで見たのは「新興階層」や「教育水準の高い富裕層」の反乱だった。彼らはエルドアン政権の最大の恩恵者だが、いまでは嫌悪感を隠そうとしない。スタンフォード大学の政治学者フランシス・フクヤマは「中間層の反抗」の主体はハイテク専門の若者たちだと記している。彼らの成功物語は有名だが、こうした中間層の増大は将来の反政府運動の先触れにはならない。もちろん抗議活動が頻発していようが、いまいが、中間層は着実に成長していく。主要な新興21ヵ国の過去15年を振り返ると、中間層の総人口に占めるシェアは平均18%ポイント上昇し50%を少し上回る水準まで拡大した[3]。

しかし政府への抗議活動は、ロシア（63%ポイント増）のような中間層の拡大ピッチが最も早い国でも、逆に南アフリカ（5%ポイント増）のような最も遅い国でも発生している。最大の抗議行動が起きた国は、中間層の拡大ペースが平均の18%ポイント増に近い国だ。14%ポイント増のエジプト、19%ポイント増のブラジル、22%ポイント増のトルコである。結局、中間層の拡大と中間層の抗議活動の増大との間には、明確な相関は見られなかった。

改革派をクビにし始めたら要注意

むしろ中間層の抗議活動と強い関連があるのは、抗議の対象の方だ。抗議の対象になったのは例外なく「気が抜けた」独りよがりの政権である。2000年代の好景気は新興国を大いに躍進させたが、それを自分の個人的な手柄だと思い込んでいる指導者は多い。その結果、彼らは任期制限ルールの変更や政府ポストの一時的交代などの奇策を弄していつまでも権力に居座ろうとする。主要な新興20ヵ国の２００３～２０１３年を見ると、政府与党の平均在職期間は４年から８年に倍増した。多くの新興国で国民の大多数が豊かになっているときはそれで全く問題なかったが、その10年間の終わりには経済成長が急減速してそうとは言えなくなった。

２０１１年に南アフリカで鉱山ストが急増し、それが抗議運動の幕開けとなった。その年の後半には、インドでシン政権、ロシアではプーチン政権に対する抗議運動が発生した。ロシアの抗議行動で掲げられたポスターは、プーチンをリビアのムアンマル・アル・カダフィや北朝鮮の金《キム》正日《ジョンイル》のような悪名高い終身独裁者になぞらえていた。２０１３年までに主要な新興20ヵ国の中でロシア、インド、南アフリカ、エジプト、トルコ、ブラジル、アルゼンチンの７ヵ国で政治暴動が発生した。これらの暴動はすべて８年以上も権力の座にあって、２００８年以降のポスト金融危機の課題に対応できていない政権に向けられたものだった。

現実的な仮説は、いかに有能な指導者であっても、政権が長期化すればするほど改革の勢いを失ってしまうということだ。改革のタイミングは少なくとも経済の状態次第である。２００３年半ばにネストル・キルチネルが大統領に就任したとき、アルゼンチンは４年間の厳しい不況からようやく立ち直りつつあった。キルチネルは根っからのポピュリストだが、改革志向の財務大臣ロベルト・ラヴァーニャを重用した。彼の緊縮政策によって、アルゼンチンは不況を何とか乗り切ることができた。しかし２００５年に景気回復の足取りがしっかりし始めると、キルチネルはラヴァーニャのクビを切り、左派寄りの政策へ回帰した。これは注目すべき瞬間だ。プーチンが2011年に改革派のクドリンを更迭したのと酷似している。大統領が改革派の側近のクビを切り始めたときこそ、要注意である。

市場が不信任を投じる瞬間

株式市場はこうした政権の腐敗プロセスを敏感に感じ取っている。1988年以降、主要な新興国では91回の国政選挙が実施され、合計67人の新しい指導者が選ばれた。そのうち政権が2期を満了したのは15人しかいない。2期連続で政権が続いた指導者を政治的な勝ち組と呼ぶことにしよう。その代表格がプーチンやエルドアン、ルーラ、シンだ。しかし在職期間が長くなるにつれて、各国の株式市場は政権の経済運営に次第に批判的になっていった。政権1期目の勝ち組のパフォーマンスは、他の新興国の世界平均を16％も上回っていた。しかし政権2期目になると、ほとんど世界平均と大差なくなってしまった。勝ち組の中で最もパフォーマンスが悪かったのはトルコのエルドアンである。政権2期目に当たる2007～2011年の株式市場のパフォーマンスは新興国平均を18％も下回っていた。ポーランドのドナルド・トゥスクの2期目（2011～2014年）、インドのシンの2期目（2009～2014年）は新興国平均をともに6％下回っていた。

政権が「年齢」を重ねるにつれて、市場は改革の余命が次第に尽きていくのを敏感に感じ取る。

指導者の任期は4年前後が一般的だが、在任期間には大きなばらつきがある。首相が議会を解散できる制度の国では、特にそうだ。市場が首相や大統領に不信任を投じる瞬間を特定するために、私は再び1988年以降の91回の国政選挙と、最低でも5年以上トップリーダーとして在任した33人の指導者を調べてみた。就任後の3年半では、株式上昇の中央値は新興国平均を上回っていた。正確に言うと、政権発足後の41ヵ月間の株式上昇は平均値を30％以上も上回っていた。さらに印象的なのは、平均値を上回った部分のほとんどすべて（90％）は新政権発足後の最初の24ヵ月間に達成されていた。しかし政権発足後3年半以降になると、市場は横ばい状態に入る。これによって、政治的なハネムーン期間をしっかり確認できる。つまり政権発足後の数年間は、新興国の指導者が改革を断行して、経済にプラスの影響が及ぶ可能性のある時期である。もちろん政権の長さにかかわりなく、投資家が将来の成長率が高まり、インフレ率が低下すると予想できる十分な確証を得たときは、市場が上昇することは言うまでもない。

先進国を対象に同じ分析を行った場合、株式市場のリターンと政治指導者の「老化」との間にはそれほど明確な関係が見られない。これは、留意する必要がある。先進国では指導者が重要でないと言っているのではない。新興国では政治や経済の制度が未整備であることが多く、そのため新人あるいはベテランといった指導者の個性が経済の方向性や市場のムードを大きく左右することがあるのだ。

英雄も最後は俗物になり果てる

政治家が歴史に名前を残したいなら、立派な業績を達成した後ですぐに引退することだ。これを理解している指導者はほとんどいない。多くの大統領は現役のまま人生の最後を迎えたいと願う。任期制限ルールを撤廃したり、最高指導者のポストを次々に渡り歩いたり、はたまた自分の後任に親族や側近を指名し、いつまでも権力にしがみつこうとする。ロシアではプーチンが側近との間で大統領職と首相職を交換し、一定の年月を経た後で再び元に戻ることで大統領の任期制限を回避した。エルドアンも同じ手法を使った。そして4期目でも首相に就任できるよう制度の変更を図ろうとしたが、それには失敗した。そうすると今度は大統領を直接選挙で選べるようにして、2014年の大統領選挙で当選を果たした。大統領に就任するやいなや、新しい首相官邸として建設した総工費6億ドル、部屋数1000の宮殿を、新大統領の官邸に変更することを表明した。エルドアンがもし2期目の後、国民に惜しまれながら引退していれば、戦後のトルコで最も偉大な指導者となっていたはずだ。これは、プーチンや他の多くの指導者についても同様である。しかしそうならずに評価が大いに分かれる人物となってしまった。結局、ラルフ・ワルド・エマーソンが言ったように、英雄も最後は俗物になり果てるのである。

指導者が権力の虚飾に捉われ、自らを国家そのものと見なし始めた場合、どの国であれそれは悪いサインである。

ボリビアの社会主義運動家で2005年に大統領になったエボ・モラレスは、政権を2期務める間に経済を大きく発展させた。最近では憲法の改正に成功して3期目を目指すことも可能となったが、これは歓迎すべきことではない。一方、ブラジル、マレーシア、南アフリカ、ベネズエラの現在の指導者はすべて前任者の指名で選ばれた人たちであり、前任者の政策を踏襲していることが多い。その他の国でも基本的には親族や配偶者が権力を継承している。そうした先例から、ペルーのオジャンタ・ウマラ大統領の野心的な妻は後継者として有力視され、アルゼンチンの前大統領の妻であったクリスティーナ・キルチネルは実際に大統領に当選した。

「老齢化」した政権が国民に経済改革の希望を与えることができないとすれば、それとは対照的に、若い政権はその可能性が高まる。2013年夏の抗議運動を振り返ってみよう。当時、新興21ヵ国の中で、政権与党の在任期間が8年未満の国は11ヵ国だった。これらの政府はいずれも大規模な抗議運動の標的にはならなかった。見方が分かれる一つのケースはエジプトだ。アラブの春によって2つの政権が立て続けに倒れた。2013年には抗議運動の矛先は元陸軍元帥のアブドルファッターフ・アッ=シーシー率いる軍事政権に向かった。この軍事政権はかつてのムバラク独裁政権の復活だと多くの人から見られていた。結局、世界中で繰り広げられた中間層の抗議運動では、死に体と判断された政権は激しく攻撃され、新しい政権には実績を示す時間的な猶予を与えることが多かった。そうした新政権の中から、数人の新鮮な指導者が誕生した。メキシコ、フィリピン、パキスタンなどでは、重要な経済改革の推進が試みられた。こうした国々では、若年層、教育水準が高い人々、そして経済的成功を収めた新興の中間層がわざわざ友人にツイートして抗議行動への参加を促す必要はなかった。彼らは新しい指導者の下で世の中が良くなると信じていた。こうした国々のウォッチャーもみな同様に感じたはずだ。

ポピュリストは人たらし

成功した指導者ほど、二つの主要な属性を備えている。国民の幅広い支持と、経済改革への確かな理解、あるいは改革の専門家に権限を委譲する強い意志である。それとは対照的に、ポピュリズムとナショナリズムを巧みに融合したポピュリスト煽動政治家は、政治的に成功することはあっても、国に災厄をもたらすことが多い。

ベネズエラとその隣国のコロンビアは1990年代の金融危機の後、全くタイプの異なるポピュリストの下で別々の道を歩むことになった。その軌跡を振り返ってみよう。2002年にベネズエラの人々はウゴ・チャベスを大統領に選んだ。彼は過激なポピュリストで経済界から恐れられたのも当然だった。ベネズエラの所得は実験的な社会主義の下で50年間下落を続けてきた。チャベスはそれをさらに加速させた。一方、コロンビアでは同じ年にアルバロ・ウリベを大統領に選んだ。彼は右翼ポピュリストで会計の適正処理ばかりでなく複数の反政府ゲリラの鎮圧に乗り出した。反政府ゲリラはこれまでコロンビアの経済発展の大きな障害だった。ウリベは国内外で絶大な支持を得ていた。実際、彼の政権1期目にはコロンビアの株式市場は1600％以上も上昇した。新興国の選挙と市場の反応に関する私の研究によれば、政権1期目の63人の指導者の中では最高の株価上昇率だった。しかし、そうしたコロンビアの将来に対する世界的な信任投票がウリベを慢心させたのかもしれない。彼は1度だけでなく2度も憲法改正を試み2期日の再選を果たしたが、3期目は失敗した。残念ながら輝かしいレガシーの一部に傷をつける結果になってしまった。

確かに、成功するポピュリストと失敗するポピュリストを見分けるのは難しい。どの国の指導者も世界的なジャーナリストや投資家からインタビューを受けるときは、最新の専門用語を駆使して賢く見せかけようとする。2005年にブラジルを訪問した時、私はアンソニー・ガロティンホ元リオ州知事と面会することができた。彼は、最初は福音主義者のラジオブロードキャスターとして名を成したが、当時は大統領選に立候補しており、反米的な選挙演説で波紋を呼んでいた。彼は私にオフレコだと断ったうえで選挙演説は額面通りに受け取らないで欲しいと語った。実際のところ、彼は米国が大好きだし、外国の投資家も大歓迎ということだった。しかし次の日には、私との会合がブラジルのメディアにリークされていた。彼には、考えが偏狭で、仲間も少なく国政は任せられないという批判が多く寄せられていたが、その批判を鎮めるのがリークの本当の狙いだった。結局、彼は選挙で敗れた。私がブラジルを去る時、人当たりの良いポピュリストが語ることは公的、私的な発言にかかわらず大幅に割り引いた方がよいという認識を新たにした。

ジャーナリストは取材対象に深入りすることのないよう戒められている。同じルールは、経済分野で仕事をする人間にも当てはまる。権力に近づきすぎると、判断力や懐疑心が曇ってしまうからだ。しかし長年、大統領や首相との面談を続けていると、一つ見えてくるものがある。成功したポピュリストはいずれも世界有数の人たらしであり、経済改革のために必要なことは何でも熟知しているように振る舞うことは朝飯前だ。10年前のプーチンやエルドアンが、まさにそうであった。

2013年3月のタイの指導者との面談では、もっと執拗に質問をたたみかけるべきだったかもしれない。1990年代後半のアジア危機から回復した後も、タイの経済見通しは必ずしも良好ではなかった。バンコク市民の間ではインラック・シナワトラ首相への不満が充満していた。特にバンコクのエリート階級は、彼女の実兄のタクシン前首相を汚職容疑で国外追放した前歴がある。そうした都市部エリートと彼女の農村部支持者とが再びバンコク市内で衝突事件を起こした直後でもあり、彼女は政情の安定化に懸命になっていた。ところが、そうした一時の平穏も、前首相が追放先からあれこれ指図しているとの噂が広まったことで雲行きが怪しくなっていた。バンコク繁華街にある首相官邸のピッサヌローク・マンションでインラック首相に会ったとき、私は彼女の兄について尋ねた。すると彼女は「あなたには妹さんがいますか」とはにかみながら返事を返した。私が「はい」と応えると、彼女は「あなたの妹さんはいつもお兄さんの言うことを聞いていますか」と続けた。私はその言葉に思わず賛同してしまい、彼女は決して操り人形ではない、タイの情勢はこれから良い方向へ向かうだろうと思ってしまった。しかし数ヵ月後に彼女は兄へ恩赦を与え、それが新たな反発とクーデターを引き起こした。2014年5月に彼女の政権は倒れた。新たな混乱によってタイ経済は深刻な打撃を受けた。成長率は2013年の5％から2015年には2％へ急落した。

過激なポピュリスト vs. 賢いポピュリスト

指導者の個性で望ましい組み合わせは、外に向けてのカリスマ性と内に秘めた熱意である。鄧小平は先見性のある改革者であり、公人として人を魅了するパーソナリティの持ち主だった。個人的な会話では冶金《やきん》学の蘊蓄《うんちく》をとうとうと語って、ヘンリー・キッシンジャーのような米訪者を驚かせたこともある。インドのナレンドラ・モディ首相も少し似たところがあり、実務的な事柄にも精通していることで有名だ。前フィリピン大統領のベニグノ・アキノ3世もそうだった。大衆的な魅力によって、フィリピンの有権者は彼が大土地所有の特権階級出身であることを忘れてしまうほどだ。アキノは観念的な議論を嫌い、私が2012年8月に彼に会ったときもマニラの水道計画や近海のイワシ漁について長々としゃべっていた。私は少しばかり当惑しながら面談を終えたことを覚えている。フェルディナンド・マルコス以降、目を覆いたくなるような腐敗と無能な指導者が続いたが、その後に登場したアキノは当時のフィリピンが最も必要としていた指導者、つまり打ってつけの改革者だった。彼は少しも話をはぐらかすことがなく、私にフィリピン経済がこれから改善に向かうことを納得させた。

グローバル市場は左翼のポピュリストの台頭に対して総じてネガティブに反応することが多い。チャベスのような向こう見ずなポピュリストと、初期のルーラやエルドアンのような賢いポピュリストを見分けることができない。市場は過激なポピュリストの選挙演説を額面通りに受け止めるだけで、正体を隠しているプラグマティストを見逃がしてしまうことが多い。あるいは、市場は親ビジネス的な改革者が選挙で勝利するという希望観測を抱きがちだ。経済危機のまっただ中で市場の多くの参加者が次期選挙で改革派が勝つと予想したにもかかわらず、最終的には左翼ポピュリストの勝利で終わったケースを何度も目にしてきた。2014年のブラジル大統領選で左翼候補のジルマ・ルセフが勝利したことに、市場は驚愕した。経済危機に直面する国は、経済改革のロジックではなく、ナショナリズムとポピュリズムのない交ぜになったものに反応することを、市場のアナリストは気づいていなかった。繰り返しになるが、危機は新しい指導者が登場して大胆な改革を実行する可能性を高めても、それを保証するものではない。経済の将来展望を左右する要因は一つではないが、政治サイクルが国家の盛衰を予測する有益な判断基準の一つであることは間違いない。

テクノクラートの嘆き

市場はテクノクラート（高級官僚）の登場を歓迎する傾向がある。財務省や世界銀行、あるいは有名大学の経済学部卒の経歴を持つ指導者なら改革や経済発展の必要性を十分理解できると信じている。しかしテクノクラートが最高指導者として成功した例はめったにない。改革の苦い薬を国民に受け入れさせ、権力を長期間保持する政治的な才覚に欠けることが多いからだ。「私たちは何をすべきかを知っている。ただしそれを実行した後で、再選される方法を知らないだけだ」。欧州委員会委員長のジャン＝クロード・ユンケルのこの発言は、世界中のテクノクラートの嘆きを見事に言い表している(4)。

2010年のユーロ危機では、テクノクラート出身の指導者に政権を委ねた国がいくつかあった。彼らはいずれも的確な政策を実行したが、政権を長く維持することはできなかった。2011年にギリシャ経済は崩壊した。議会は元中央銀行総裁のルーカス・パパデモスに暫定首相への就任を要請した。パパデモスは失業に関する重要な学術研究を行ってきた人物であり、労働者の4人に1人が失業しているギリシャには最適だと考えたからだ。パパデモスはギリシャが競争力を取り戻すために、なぜ賃金や年金給付の削減が必要かについて説得力のある演説を行った。しかし、彼はそのまま首相職にとどまる意図は全く持っておらず、1年後には職を辞した。彼の同僚ともいうべきチェコの暫定首相で、政府の首席統計学者だったヤン・フィシェルも1年しか政権を維持できなかった。同僚の政治家には好意的に受け止められたが、有権者にはそうはいかなかった。次の大統領選挙で彼に投票した有権者は全体の15％にすぎなかった。

ユーロ危機が猛威を振るっていた時期にテクノクラートとして最も期待を寄せられたのが、イタリアのマリオ・モンティだった。ベテランの経済学者で大学の学長や税制担当の欧州委員会の局長などを歴任していた。２０１１年にモンティが首相に就任するとのニュースでイタリアの株式市場は急騰した。彼は必要な緊縮政策を策定したが国民への売り込みには失敗した。１年が過ぎた後に、彼は選挙での得票率がわずか10％で首相を辞任せざるをえなくなった。イタリアで改革への期待が再び高まるには、39歳のカリスマ的な指導者メテオ・レンティが首相に選出される２０１４年の選挙まで待たなければならなかった。

テクノクラートの失敗は、権威主義的な国家でも枚挙に暇がない。権威主義的国家ほど、専門家に任せておけば間違いないという考えが支持されている。その顕著な例がソビエト連邦だった。ソビエト連邦で国の崩壊に最も大きく貢献したのが、疑似科学的な運営を誇っていた中央政府だった。ソビエトモデルの影響を強く受けていた他の国々も、同様に衰退の途をたどった。その中には、東ドイツのような独裁の衛星国だけでなく、国民会議政権下のインドや、制度的革命党（ＰＲＩ）が71年間も統治したメキシコのような民主主義の大国も含まれていた。

独裁政権とは相性が良い

一方、テクノクラートが正しい助言を行い、指導者がそれを聞き入れていたら、指導者の成功に大いに役に立ったことも多かったはずだ。元世界銀行エコノミストのビクラム・ネルーはバーナード・ベルの話を用いながら要点を分かりやすく解説している。１９６０年代といえば世銀がまだ全能の神のように信じられていた時代だ。ベルはそのアジア政策のキーマンだった。ベルは各国に対して様々な助言を行っていた。たとえば、景気刺激のためにどのような方法で改革をしたらよいか、貿易の対外開放による輸出主導の発展を目指すならどのような戦略メニューがあるか、等々。もちろん、すべての国が彼のアドバイスを聞く準備ができていたわけではない。インドでは国民の気分は反資本主義、反米国主義だった。１９６５年のデリー訪問では、ベルのコメントが全国紙にリークされた。翌日の新聞には「バーニー・ベルなんかくたばってしまえ」という趣旨の見出しの記事が掲載されていた。その後、インディラ・ガンディーはこうした民族主義的な雰囲気につけこんで首相の座を手に入れた。任期中に銀行や石炭など重要産業の国有化を行ったため、彼女の10年近くの統治は独立後のインドで最悪の低成長の時代となった。ロンドンの『タイムズ』紙記者のピーター・ヘーズルハーストはインディラ・ガンディーの不幸なポピュリズムを次のように皮肉った。「彼女にとっては自分の利益よりも、少しばかり左に寄りすぎただけだ[5]」。

デリー訪問のすぐ後、ベルは全く同じ助言をインドネシアのたたき上げの新しい指導者、スハルト将軍に提供して、インドとは全く正反対の反応を得た。ネルーによれば、スハルトはえらく感銘を受け、世銀トップのロバート・マクナマラに電話してベルを世銀のジャカルタ代表に任命してくれるよう懇願した。ベルは１９６８〜１９７２年のジャカルタ勤務の間、「バークレー・マフィア」と呼ばれる米国留学のテクノクラートと協力しながら、インドネシアがその後の20年間で低所得国から小粒ながらもアジアの奇跡へと変身する基礎を築いた。

テクノクラートが成功する最善の方法は、スハルトのような独裁政権のスタッフになることである。独裁政権では国民の支持を喚起する必要はなく、ただ命令を下すだけでよい。1970年代のチリは、テクノクラシー（官僚主導政治）が成功した例だ。独裁者のアウグスト・ピノチェト将軍は経済改革の任務を「シカゴ・ボーイズ」と呼ばれたシカゴ大学出身の8人のチリ人エコノミストに委ねた。ピノチェト政権は反体制勢力を厳しく弾圧したが、最小限の経済的な犠牲で、ハイパーインフレの撲滅、財政支出の抑制、政府債務の削減に成功した。韓国や台湾も独裁政権の初期段階には、テクノクラシーが成功を収めた。シンガポールや中国も同様である。

「危機慣れ」した国

しかし、テクノクラートが理論上は全く問題なくても国民感情を無視するような政策を実行すると、経済には恩恵よりも害悪が及ぶことがある。1990年代のアルゼンチンでは、カルロス・メネム大統領が「シカゴ・ボーイズ」の成功に倣って、米国留学経験のある専門家を経済担当者に指名した。彼らは先端的な通貨管理制度を導入し、しばらくの間はアルゼンチン・ペソが安定し成長率も上向いたが、最終的には政府債務が増加し、1998年からは厳しい不況が始まった。アルゼンチンはその後の4年間でGDPは30％近く収縮し、政府は2002年に820億ドルのデフォルト（債務不履行）を宣言せざるをえなくなった。公的債務のデフォルトとしては史上最悪だった。苦い経験によって、国民は改革派のテクノクラートに対して根深い猜疑心を抱くようになった。

こうしてアルゼンチンは、特異なグループの仲間入りを果たしたが、ここで言う特異なグループとは、経済の長期低落が続くが、過去の資産のおかげで最悪の事態にはまだいたっていないと装う国々のことだ。最近では、日本やイタリアもこのグループの一員となった。両国とも人口の高齢化が急速に進み、経済発展でもライバルに後れをとり続けているが、相対的に過去の資産が大きく、いまのところ海外から借金する必要もない。このため外部から構造改革を迫られることもない。2015年4月にブエノス・アイレスに到着したとき、アルゼンチンの経済は景気後退の最中で、公式発表では30％という主要国では最悪のインフレ率に悩まされていた。少しは危機の雰囲気でも味わえるかと思って街中に出てみると、水曜日の夜遅くだというのにホテルやレストランからは騒々しいパーティーの歓声が聞こえてきた。現地の人によれば、国民は危機感が乏しく、改革を受け入れる気運も高まっていない。多くの人々は1990年代末の苦しい不況の記憶が鮮明だが、それは前回の大改革のせいだとしている。

中央銀行の高官も、直近のアルゼンチンの不況や、先進国グループからの脱落が長期間続いていることにはいっさい触れず、直近の不況の底である2002年に比べて現状がいかに改善しているかを語るだけだった。こうした「危機慣れ」した国では、国際的な地位が長期低落傾向にあっても別に国民が発奮することはないようだ。かつてアルゼンチンの人々は首都ブエノス・アイレスを南アメリカのパリと呼んだが、現在ではパラグアイなど小さな隣国との比較で自国を自慢げに語る人を見かける。しかしさすがのアルゼンチンにも変化の兆しが出てきた。２０１５年末には、改革志向派のマウリシオ・マクリが大統領選で予想外の当選を果たした。アルゼンチン人もようやく長期の経済停滞に飽きてきたのかもしれない。

誰も信じていない中国のGDP

テクノクラートが成功を収めたといっても、中国の場合は全く異例だ。中国の経済官僚は自信過剰に陥り、経済成長のコントロールさえ怪しくなっている。中国政府が公表する経済成長率は、他の新興国に比べて長い間その変動がきわめて小幅に止まっていることで有名だった。その結果、数字の操作疑惑が強まっている。中国では数字の操作によって、経済の運営が円滑に行われ、社会的な調和が促進されているように見せかけているというのだ。長い間、私はそうした疑念は的外れだと思ってきた。鄧小平が１９７９年に権力の座に就いた時まず部下に語ったのは、毛沢《マオツォー》東《トン》の歓心を買うような水膨れした数字ではなく、実情を反映した正確な数字を報告せよということだった。天安門事件の余波がくすぶる１９９０年に鄧小平政権が発表した成長率は、８％の公式目標を大幅に下回る４％未満の数字だった。２００３年の時点でも、鄧小平から直接指名され、同様にプラグマティストであった江沢民《ジャンズーミン》や胡錦濤《フーチンタオ》は、地方指導者を自らの昇進のために成長率を過大に報告しているとおおっぴらに批判していた。これが客観的に見たテクノクラシーの実体である。

しかし中国では政府が目標を達成したと見せかけるために非現実的な数字を捻出するケースが増えている。ウィキリークスが2010年に暴露した外電によれば、李克強《リークーチアン》首相は公式のGDP値を「人為的」だと認め、実際の成長率を知るために銀行融資、鉄道貨物輸送、消費電力など信頼性の高い統計数字を見ていると語った。独立系エコノミストはこうした統計数字を「LKQ（李克強）指数」としてフォローするようになった。それによると、最近の実際の成長率は政府の公式目標をはるかに下回っている。しかし2012年半ば以降も、年間あるいは四半期ベースの政府発表の成長率は、公式目標7％の上下小数点以下数％ポイントの小幅な変動に止まっている。

中国の経済官僚に勝るとも劣らぬパフォーマンスをあげてきた他国の経済専門家によれば、こうした目標と実績の寸分違わぬ正確さは実にマユツバものだ。中国は平均所得が1万ドルに達したが、この段階になると東アジアの「奇跡の経済」の先輩国でも、成長率は2桁近いレベルから5〜6％へと減速を始めている。中所得国の中国にはもはや非現実となった成長目標の達成に、政府はこだわりすぎている。2013年7月、中国の最高首脳は成長率が7％の「下限」を下回ることは容認できないと宣言した。それは、あたかもGDP8兆ドルの経済大国では景気後退など簡単に克服できるかのような言いぶりだった。景気の自然な減速を回避しようとして、北京の中央政府はますます関与を強めている。最も懸念されるのは、2008年以降、政府が20兆ドルを上回る大量の資金供給に乗り出し、いまやそのマネーの大洪水が経済全体を水浸しにしていることだ。

金融緩和の背景にあるのは、もはや意味をなさなくなった成長目標の達成という官僚的で政治的なこだわりである。その目標は、中国が2020年までにGDPを倍増させるためには毎年その程度の成長率が必要だという、大ざっぱな逆計算から来ている。それは経済学的な根拠を全く欠いた野心であり、旧ソ連が西側にキャッチ・アップするために掲げた人為的な目標と大差ない。私たちは、そうした政治的な野心がどのような結末を迎えたかを知っている。高成長を永遠に続けることは不可能だ。景気循環から下降局面を除去することもできない。こうした教訓は、北京のテクノクラートといえども避けて通ることはできない。

弾丸か、投票か

中国が目覚ましい30年間の経済発展を達成した後、長期の発展を実現する点で独裁主義は民主主義よりも優れていると考える傾向が強まった。しかしそれは神話にすぎず、その基になっているのは中国の躍進そのものよりも中国の躍進に関する報道である。ニューヨーク大学の経済開発論の専門家であるウィリアム・イースターリー教授は、1960～2008年の『ニューヨーク・タイムズ』紙の報道を分析し、独裁政権に関する記事は約6万3000本、彼らの成功物語の記事が何と4万本、失敗物語の記事はたった6000本だったことを発見した。これらの数字には中国以外の記事も含まれている。しかし独裁政権のサクセス・ストーリーに関する過剰な報道は、中国の権威主義的な資本主義を発展途上国は見習う価値がある、特に開発の初期段階ではそうだ、といった一般的な印象を強めた可能性がある。

独裁者も時には成功する。独裁的な権力者は議会、裁判所、私的なロビー活動による反対や抵抗を簡単に払い除け、踏みにじることができる。強権発動によって賢明な独裁者は、民主的な指導者よりも多くを成し遂げる。１９６０年代、１９７０年代の韓国を支配した朴正熙《パクチョンヒ》、１９４９～１９７８年の台湾を支配した蔣介石《チャンジェシー》と彼の息子の蔣経国《チャンチングオ》のような独裁的指導者は、経済発展を長期間持続できた。独裁者は特別権益のロビー活動や急激な開発への反発を押さえ込むことができる。弾丸で行儀よくさせることができるからだ。彼らには国民の貯蓄を成長産業へ振り向けることも、国民の賃上げ要求を無視することも簡単だ。その結果、独裁国家の産業の国際競争力は高まり、維持することもできる。とりわけ重要なのは独裁国家では、民主国家がとても真似できない手法で土地を強制収用し、その上に高速道路や港湾、それに現代の経済にとって不可欠の基本設備を建設することができる。

しかし、独裁者には権力のチェック・アンド・バランスが働かない。議会で野党の厳しい批判にさらされることもない。別の選択肢を提示するものは、誰もいない。そのため、政策を誤ることがある。独裁者はやがて権力に居座ることが自己目的化し、経済にとって良いことはほとんどなくなる。堕落した政権の被害は民主主義国よりも独裁主義国の方が大きくなる。民主主義国の国民は４～６年ごとに公正な選挙で新しい指導者を選ぶことができる。イースターリーによれば、鄧小平のような独裁者が10％の長期成長を次々と実現する一方で、キューバのカストロ政権、北朝鮮の金政権、ジンバブエのムガベ政権は長期の深刻な経済停滞を招来した。独裁国家の堕落した指導者は最悪の経済損害を長期間もたらす傾向がある。独裁国家では国民の間から変革や新しい指導者を求める声があがっても、それに応える柔軟な制度が整備されていない(6)。独裁体制が自由選挙の実施に踏み切らざるをえなくなった場合、急成長を推進する権力が失われる代わりに、所有権の尊重や国営独占企業の民営化など自律的な成長へのインセンティブを得ることができる。

独裁主義の悪夢のシナリオ

経済発展を実現する点では、民主主義制度、独裁主義制度ともに長所と短所がある。どちらが優れているとは、一概に言えない。私の過去30年間の調査では、10年間で平均５％以上のＧＤＰ成長率を実現したケースが１２４例あった。その中で64例が民主主義国、60例が独裁主義国だった。中国型の国家統制資本主義が広く評価されるようになってきたが、独裁主義国ならすべて強気の経済見通しを持つことができるわけではない。

さらに、こうした平均値だけを見ていると、独裁主義体制に潜む重要な欠陥を見落としてしまう。その欠陥とは、高成長を達成したかと思えば、その次の年には成長率が急落してしまうなど、経済パフォーマンスが極端に振れてしまうことだ。戦後の期間、超高成長、超低成長の両極端のケースが生じたのはいずれも独裁主義政権下だった。[*] 150ヵ国の1950年以降の記録は信頼性が高いと言われているが、それによると10年間の年率平均が7％を上回る超高成長を実現したケースが43例あった。そのうち35例は独裁政権下だった。それらの中には韓国、台湾、中国のような「奇跡の経済」の一部も含まれている。奇跡の経済ではその急成長の勢いを数十年も継続することに成功した。しかし一方で、10年間の高成長を達成した後、リストから忽然《こつぜん》と姿を消した国もあった。ベネズエラは1960年代、イランは1970年代、シリア、イラクは1980年代に高成長の軌道から脱落していった。

独裁者が支配する国は長期の景気後退に陥りやすい。先ほどサンプルに抽出した1950年以降の150ヵ国では、10年間の年率平均が3％を下回る超低成長のケースが138例あった。そのうち100例は独裁政権下だった。1950年代、1960年代のガーナ、1980年代のウガンダ、サウジアラビア、ルーマニア、1990年代のナイジェリアなどが代表例だ。1950年以降、独裁政権下の国では実に4分の3が10年間の年率平均の成長率が7％以上か、3％未満だった。

＊ 同期間に政治体制が独裁主義体制だったかどうかの判断には、独裁主義体制と民主主義体制を区別する標準的な基準である the Polity IV database を活用した。バージニアを拠点とする Center for Systemic Peace が制作したデータベースで、毎年、各国の政治体制を評価している。

どの国にとっても悪夢のシナリオは、超高成長の後に超低成長が巡ってくるなど急激な景気の上昇と落ち込みが繰り返されることだ。しかも悪いことに、この悪夢はどの国も避けて通ることができない。再び1950年まで数字を遡ってみよう。この65年間で連続していないが、少なくとも7%以上の高成長を通算9回、マイナス成長を通算9回も経験した国が36ヵ国もあった。結局、こうした国々では戦後の期間の大半が急激な景気の上昇と落ち込みの繰り返しに終始した。普通の国民が正常な生活を送ることなどほとんど不可能だった。こうした国のリストから2つの特徴を見て取れる。第1は、36ヵ国のうちの34ヵ国が新興国であり、新興国の制度の未整備と成長率の振れの大きさの間に強い関連性があることだ。例外はアイスランドとギリシャだが、ギリシャは最近「新興国」へ転落してしまったことを示唆するデータがある。第2は、36ヵ国のうちの27ヵ国では65年の期間の大半が独裁体制だったことだ。つまり、こうしたジェット・コースター経済のほとんどが独裁主義の政権下であり、その帰結は長期の経済停滞だった。

ジンバブエの頭痛の種

たとえば1950年以降、一貫して独裁政権が続いたイラン、エチオピア、イラク、ヨルダン、シリア、カンボジア、ナイジェリアでは15年以上、7%以上の高成長が続いた。しかし1人当たり平均所得はせいぜい2～3倍になっただけで、イランやヨルダンの平均所得はかろうじて4500ドルを超えた程度だった。長期の好景気で得た恩恵が、同じくらい長期の景気後退でほとんど帳消しになったからだ。イランでさえ1人当たり平均所得は1万1000ドル止まりである。これは23年間の超高成長の成果が、9回の断続的なマイナス成長で大きく毀損されてしまった結果だ。

最悪の一つは、同一の長期独裁政権の下で極端な景気の上昇と落ち込みを経験したケースだ。ヨルダンは立憲君主制の国だ。フセインとアブドゥッラーというハーシム家出身の2人の国王によって、過去62年間統治されてきた。その半分以上の間が極端な急成長か急減速だった。さらにひどいのは、ロバート・ムガベ大統領である。独立のヒーローから一転、ジンバブエの頭痛の種になった。彼の35年に及ぶ在任期間の半分以上は、超高成長と超低成長の繰り返しだった。ムガベ政権下のジンバブエ経済は想像を絶する混乱状況が続いた。2008年まで10年のマイナス成長が続いたかと思えば、その後はこれ以下がないと言われたどん底からの劇的なV字回復というありさまだ。ただしこの回復は一見劇的に見えるが、実はそうでない。現在のジンバブエはムガベが大統領に就任した時よりも貧しくなったと、皆が語る。

しかし、これが独裁者による最悪の経済パフォーマンスだと思ったら間違いだ。ハーフィズ・アル＝アサドはシリアを2000年まで30年間支配した。その統治期間の3分の2は極端な高成長と低成長の連続だった。高成長の期間の大半は1970年代、1980年代の石油好景気の時期に集中している。最近の数十年で最も輝かしい経済的業績をあげた指導者はサダム・フセインである。彼はイラクを2003年まで25年間支配し、その4分の3の期間で超高成長を実現した。

しかしそれも一連の戦争と記録的な景気の振れで頓挫してしまった。イラクの成長率は1993年と1996年に40％まで急騰したが、それに挟まれた期間は20％のマイナス成長という惨憺たる状況だった。これが独裁政権のジェット・コースター経済の真実だ。

もちろん近年の悪名高い独裁者を見ると、ムガベやサダム・フセインは決して例外とは言えない。彼らほどひどい独裁政権ではなくても、景気の振れが大きくなった話はよく聞く。たとえばブラジルだ。1964年のクーデターで軍部が左翼志向を強める政権を転覆させ、直ちに政府規制の緩和、中央銀行の設立、財政赤字の削減、輸出企業への減税などで経済の再生に着手した。経済成長率は5％未満から2桁台へ急加速した。しかし1973年に第1次石油ショックが発生すると、軍事政権は国内外の批判に実力措置を含む厳しい取り締まりで対応し、景気の維持を図ろうとした。政府借り入れの急上昇とともに海外債務が急速に積み上がり、1979年に第2次石油ショックが発生したときには返済不能に陥った。1984年に軍事政権が新たな選挙の実施に合意するまで、経済は深刻な不況に突入しインフレは猛威を振るった。しかし、ブラジルはいまでも軍事政権が末期に行った介入政策の後遺症から完全には回復できていない。現在の1人当たり所得の対米国比は、1970年代とほとんど変わっていない。

権力の腐敗を防ぐ任期制限

これとは対照的に、1950年以降、超高成長とは全く無縁だった国のリストを見ると、大半が民主主義国だ。たとえば、スウェーデン、フランス、ベルギー、ノルウェーでは、成長率が7％を上回ったのはたった1年だった。フランスは1960年のことだ。しかし、これら欧州の4ヵ国では1950年以降、1人当たり所得は5〜6倍増えて最低でも3万ドルに達した。彼らの場合は年間を通じてマイナス成長に陥ったことがほとんどなかったからだ。かろうじて通年でのマイナス成長を免れた年はフランスが7回と最も多く、ノルウェーは2回と最も少なかった。これは民主主義の自動安定化装置と呼べるものだ。この自動安定化装置はコロンビアや南アフリカのような新興国にまで広がってきた。両国では民主主義的な統治が定着し、成長率が極端に振れる年がめっきり少なくなった。

急激な景気の上昇と落ち込みの過去の記録を見ればすぐに気づくが、独裁者の指導力に過度の期待を抱くことは改めるべきだ。最近の数十年を振り返ると経済困難に陥った多くの国ほど、経済再生のために独裁者の登場を求める声が高まった。しかし長期的には、民主主義の指導者は目を見張らせるような壮大な成功や失敗をやってのけるだけのパワーはないが、安定的で持続的な成長なら実現できるはずだ。独裁者が長期にわたりすばらしい経済発展を成し遂げたとしても、最後には現状維持の粗暴な擁護者に堕してしまうことが多い。取り巻きの利益のために他人の財産を没収し、「お友達」以外の経済活動は平気で妨害するようになる。こういう反省から民主主義国では、政権が初心を失って腐敗することのないよう指導者の任期を設けているのだ。

これは広く見落とされていることだが、鄧小平が20年前に権力の座を去った後も中国がうまく機能し続けたのは、この任期制のおかげだ。鄧小平は決して民主主義者ではないが、権力の腐敗をわきまえていた。だからこそ、年齢と任期によって権力の長期化に制限を設けた。その結果、現在の中国では最高指導者といえども永遠に権力にしがみつくことはできない。1期5年を2期務めあげたら、彼らは退任せざるをえない。ベトナムのように中国の経済発展モデルは模倣したいが、任期制限はノーサンキューという国は多い。中国の独裁者と他の国の独裁者の違いは、この任期制限だ。2015年、グエン・タン・ズン首相は65歳だった。彼はひそかに最高首脳職に就任する場合の年齢制限を67歳へ引き上げることを画策し、これによって、ズン首相以外の主要なライバルはみな資格がなくなった。ズン首相は共産党総書記のポストへの転出を狙っていたと言われている。彼はすでに10年間も権力の座にあった。現地の消息筋によれば、この年齢制限でライバルをすべて除外してしまえば、共産党書記長への就任によって彼はベトナムの「数百年の歴史」で最強にして最長の指導者になることができたはずだった。

「奇跡」には理由《わけ》がある

政治サイクルは政治を評価する一つの尺度であって、科学ではない。それによれば、政治の変化のタイミングや方向性は、その国が危機、改革、好況、そして衰退という、どの局面にあるかによって決まってくる。他の生物形態と同様に、世界経済にも衰退、再生のサイクルがある。エネルギーが分散し、しばらく実体のないバラバラの状態が続いた後、再び結集して新たな形態となって姿を現す。現代国家の政治にも同じサイクルがある。危機の中で爆発を起こして、散り散りとなる。その混沌の中から再編成され、再生に向かう。そして再び、衰弱の道が始まる。こうした政治サイクルが存在するからこそ、ごく一部の新興国だけしか先進国の仲間入りを果たすことができない。政治サイクルがあるからこそ、経済的な大躍進を成し得た国が「奇跡の経済」と呼ばれる。「奇跡の経済」は、発展の過程で自然に生じる腐敗と衰退の罠を巧みに回避することで、長期的な経済発展の道を歩むことができるのだ。

危機の始まりから改革派の指導者が登場するまで、長い時間が経過することがある。もちろん、こうした改革志向の指導者が誕生したからといっても、経済発展の可能性が高まったという程度でしかない。新しい指導者が実際に改革を成就できるか、その改革が高成長につながるかどうかは、また別の話だ。こうした分断は世界経済が逆風の時ほど鮮明になる。

世界的な景気後退や政情不安といった最悪期でも、政治サイクルの動きが中断されることはない。変化のペースは落ちたとしても、危機の廃墟から改革の芽は着実に育つ。2011年、アラブの春として知られる一連の反政府運動がチュニジアから始まった。引き金は、街頭の物売りの焼身自殺だった。腐敗した役人から営業許可の交付を拒否されたのが原因だった。アラブ世界では長期の経済停滞が続いていたが、それに対する民衆の不満が反政府運動の火に油を注いだ。その火の手が向かったのは、チュニジア、エジプト、そして果てはシリアの「老齢化」した独裁者だった。しかしすぐに、アラブの春はニセの夜明けだったことが判明した。追放された独裁者に取って代わったのは、エジプトでは新たな独裁者であり、シリアやリビア、イエメンは内戦と無秩序だった。アラブの春が民主主義、自由市場、経済発展につながるとの希望は、将来に対する絶望へ一変した。興味深いことに唯一の例外は、チュニジアだ。２０１４年末に、アラブの春以降、最初の政権交代が平和裏に実現した。新しい大統領は経済改革に専念することを公約に掲げていた。

すべてがそうというわけではないが、大きな危機が偉大な改革者を生み出すというルールがある。アラブの春はその極端なケースだった。ジョージ・メイソン大学のジャック・ゴールドストーン教授が『フォーリン・アフェアーズ』誌の２０１１年の論文で議論しているように、アラブの春の反政府運動が標的にしたのは腐敗の激しい「スルタン」だった。彼らは他の独裁者とは異なり、国民からの支持の代わりに恐怖と側近への利益供与で国を統治してきた。エジプトのムバラク、シリアのアサド、チュニジアのベン・アリーの独裁政権はこうした「スルタン的な体制」の流れを汲んでいた。ルーマニアのチャウシェスク、ハイチのデュヴァリエ、フィリピンのマルコス、インドネシアのスハルトも同様である。こうした同族の独裁者は国民から権力の強奪者として毛嫌いされ、体制が崩壊した場合、権力の空白が生じる。ゴールドストーンによれば、権力の空白の大混乱によって5年程度、内戦が勃発した場合はさらに長い間、安定した新体制の成立が遅れる。この点からすれば、チュニジアの相対的に安定した新政権への移行は、異例の速さだ。その他のアラブ世界の国々は通常のコースを歩んでおり、社会構造の再構築が始まるには

5年を大幅に上回る時間が必要かもしれない。

良き時代には悪い政策が生まれる

政治サイクルの各ステージについてはこれまで十分に理解されてきた。危機や反政府運動によって既得権益エリートが渋々ながら改革に乗り出すことは、少なくともマルクスの初期の論評以来、疑う余地がない。マルクスは特権階級を守ろうとする行動が暴力化する過程で、資本主義社会は破滅の道をたどると考えた。そうした予言とは異なり、19世紀末から20世紀初めの経済不況に直面した資本主義国の指導者は、社会民主主義的な改革で対応した。ドイツや英国では、福祉国家の創設によって国民の不満をかわそうとした。好景気と政治的な慢心の関連性については、最近の日本や欧州諸国に関する優れた実証研究がある。これらの国では豊かになりすぎて、厳しい改革はもう必要ないと考えている。これはあまり気づかれていないことだが、政治サイクルは平常時でも動きが止まることはなく、経済を絶えず改善の方向にも悪化の方向へも変化させ続けている。

インドネシアの元財務相ムハマド・チャティブ・バスリのお気に入りの諺は「悪しき時代に良い政策が生まれ、良き時代には悪しき政策が生まれる」だ。それは政治サイクルの本質を突いている。インドネシアでは、スシロ・バンバン・ユドヨノ政権下で彼が財務相を務めた時代でも、政治サイクルの動きを止めることはできなかった。ユドヨノは２００４〜２０１４年まで大統領の座にあり、国民の間ではＳＢＹの呼び名で親しまれていた。政権の１期目はスハルト失脚の直後でもあり、ユドヨノは政情の安定化に努めた。しかし２期目に入ると、財政赤字の拡大にもかかわらず、緊張感が緩んでしまった。バスリによれば、彼はユドヨノにエネルギー補助金を削減して財政赤字問題に対処するよう繰り返し進言した。しかし大統領は２０１３年夏に通貨危機の兆候が出始めた時に小幅な補助金削減に応じただけで、同年末に通貨危機が去ると改革をすぐに止めてしまった。バスリが補助金削減の徹底を迫ると、大統領は「どうしてやる必要があるのか。経済はうまく回っているではないか」と不機嫌に応えたという。

国政選挙が定期的に実施される民主主義国においても、政治サイクルは不規則に進行する。国によっては何年も自己満足に溺れることもある。それが原因で、日本では「失われた時代」が発生し、中南米諸国では経済の低迷が10年以上も続いた。一方、強い意志を持った指導者が率いた国では、何十年も改革が継続した。そうした例は、現在の韓国や台湾、それに１９９０年からの「失われた時代」が始まる以前の日本など一握りの「奇跡の経済」の例に限定される。

改革者の成功の条件

２００８年に発生した金融危機の風圧は凄まじく、国民の間では改革者を待望する声が高まった。それ以降の選挙では有力候補が多く登場したが、実際に権力を握ったのは２０１０年以降だ。世界的な景気後退が先進国から新興国へ広がった後だった。メキシコでは２０１２年12月に、独占企業の解体を公約に掲げたエンリケ・ペーニャ・ニエトが政権の座に就いた。独占企業は長い間経済の発展を妨げてきた。日本でも同年同月、安倍晋三が総選挙で政権交代を果たし、10年以上も続いてきたデフレに止めを刺す総合経済対策を発表して、ジャパン・ウォッチャーを驚かせた。パキスタンではその翌年にナワーズ・シャリーフがイスラマバードで政権に就き、改革を推し進めた結果、2013年の世界の株式市場で最も高いパフォーマンスを記録した。2014年2月にはイタリアでマッテオ・レンツィが総選挙で勝利を収めた。インドでは同年3月にナレンドラ・モディが選挙で地滑り的な勝利をあげた。国民の間では、モディなら2桁近い成長率で経済を発展させ、インドを「第二の中国」に押し上げることができるとの期待が大いに高まった。

こうした新しい世代のメンバーが、サッチャーや金大中になるかどうか判断するのは時期尚早である。政策がいかに優れていても、幸運が伴わなければ、改革者としての成功はおぼつかない。新しい改革者が正しい政策を行ったとしても、その他の要因と呼吸があわなければ経済発展は難しい。2015年の時点では、世界景気の回復の足取りは最弱だ。その点で、新人の改革者は幸運に恵まれているとは言えない。

最後に結論を言えば、経済発展にとって政治は重要である。危機の直後に新しい指導者が登場すれば、国の運命は改善に向かう可能性が高まる。逆に堕落した指導者がいつまでも権力の座に居座り続ければ、国の将来はますます暗くなる。

第３章

Good Billionaires, Bad Billionaires

【格差】良い億万長者、悪い億万長者
――お金持ちを見ればその国の将来が分かる

不平等を巡る全面戦争

超富裕層とそれ以外の人々との格差が拡大している。２０１５年には、この格差が世界を揺るがす大問題となった。しかし世界の指導者で、チリのミシェル・バチェレ大統領ほどアグレッシブに富の再分配問題と戦った人はいない。同年４月、私がチリの首都サンティアゴに降り立った時、彼女の支持者たちは「小さな政府、低い税金」なんてブルドーザーでぶっ潰せと息巻いていた。この成長モデルこそが、チリをして中南米で最も豊かで、最も不平等な社会に押し上げた原動力だった。バチェレ大統領は次のように演説した。彼女の前任者であるセバスティアン・ピニエラ政権を退陣に追い込んだのが学生運動だが、それに刺激を受けて、彼女は貧困者支援の支出拡大や、大学教育無償化のための法人税増税など大きな政府を提案している、と。私がインタビューした企業経営者は、政府介入の拡大を恐れ、バチェレ大統領のポピュリスト的な発言に強く反発した。彼らはチリ国内での投資を大幅に削減した。投資が急落したことで、GDPの成長率はピニェラ前政権時代の平均6％前後から3％以下へ急落した。ピニェラ前大統領へのインタビューを通じて、この不平等を巡る全面戦争がどこへ向かうかを展望してみたい。ピニェラはチリの超富裕層の一人であり、クレジットカードのビジネスで巨万の富を築いた人物だ。

政界引退後にピニェラが自らの資産管理に使っていた事務所はいたって地味だった。リンティアゴ市内のこれといった特徴のないオフィスビルの、しかも人目につかない一角にあった。多くの中南米の実力者には当たり前のボディーガードやセキュリティー・システムなどは、全く見かけなかった。ピニェラは自分の身の安全など気にもかけていない素振りだったが、バチェレ大統領の政策になると様子が変わった。ピニェラによれば、不平等と闘うためには、チリはパイの再分配とパイの拡大の2つの目標を同時に追求する必要がある。彼の政権はそれが実現できた。そして実際に不平等は改善に向かったが、*　そのスピードが遅すぎて抗議の声が巻き起こった。バ

＊　ピニェラの在任期間は2010～2014年初めまで。世銀データによると、チリの不平等の度合いを示すジニ計数は2009年の0・52から2013年の0・5045へ下落（＝改善）している。

チェレは、好況時代に富の再分配を追い求めすぎると、経済は急失速し国民全員の生活水準が悪化すると訴えている。「中南米の長い歴史を振り返ると、好調な時は回れ左、不調の時は回れ右となる」と、ピニェラは語る。

中南米以外でも、この右旋回・左旋回はお馴染みである。新興国では、次のことが頻繁に起きている。まず、縁故主義で固められた特権階級の専横がきわまる。それに対して大衆の反発が高じ、ポピュリズムの扇動者が政権の座に就く。彼らは所得の再分配政策を実行に移すが、適度なところで妥協できず、やがて経済は破綻へと向かう。極端なケースでは、ポピュリズム政権は、民間の企業や農業事業者を国有化し、外国資本の進出を禁じ、貧困層救済の名目で税率を懲罰的な水準にまで引き上げる。政府支出を無制限に拡大し、無駄な補助金を乱発する。大衆の歓心を買うための燃料価格引き下げなどは、その最たるものだ。こうした基本メニューは、成長「潰し」の政策と呼ばれる。不平等が深刻な多くの国ほど、ポピュリストの政策に取り込まれた。経済を破綻に導いたポピュリストは、植民地から独立を果たした後の政権に多く見られた。ジンバブエのロバート・ムガベ政権、ザンビアのケネス・カウンダ政権、タンザニアのジュリウス・ニエレレ政権、北朝鮮の金日成《キムイルソン》政権、バングラデシュのシェイク・ムジブル・ラフマン政権、パキスタンのズルフィカール・アリー・ブトー政権などが、代表例である。

成長なき再分配政策

最悪のケースが、アフリカだ。権力の座にあった30年以上もの間、ジンバブエのムガベ政権は強力に土地の再分配政策を進めた。旧支配階級の白人から土地を取り上げ黒人の一般大衆に再分配したが、いつも恩恵にあずかるのは彼の側近だった。2000年には白人農園主を追放し、代わりに黒人の農園主を据えたが、多くの場合、彼らは農業経営について何も知らなかった。農業生産は壊滅状態となり、かつての食糧輸出国は純輸入国へと転落した。失業率は90％以上に急上昇し、1日ごとに物価が2倍になるハイパー・インフレーションが勃発した。その結果、通貨の価値は紙くず同然となり、卵1個の値段は数十億ジンバブエ・ドルとなった。1米国ドルと交換するのに3京5000兆ジンバブエ・ドルが必要になった。2015年にムガベはジンバブエ・ドルを廃止し、現在は米国ドル、南アフリカ・ランドなど外国通貨が国内で流通している。

成長なき再分配政策は経済運営への信頼を損なうと言われるが、ムガベ体制はまさにその最悪のパロディと言っていい。しかし似たような悲喜劇は、多くの地域で演じられてきた。パキスタンでは1960年代に、ズルフィカール・アリー・ブトーによって人民党が結成された。1971年にインドとの戦争で屈辱的な敗北を喫した後、ブトーは政権奪取のチャンスを得た。彼は早速、不平等を正すための公約の実現に着手した。一般の市民が所有できる土地に上限を設け、金融、エネルギー、製造業の企業を次々に国有化していった。その帰結は、腐敗、ハイパー・インフレ、生活水準の切り下げだった。国家権力で富の再分配を実施したいという思いは、かつてほど強くなくなったが、最近でも指導者の心を駆り立てて止まないようだ。たとえば、1990年代後半のフィリピンのジョセフ・エストラーダ大統領、2000年代のタイのタクシン・シナワトラ首相、最近ではチリのミシェル・バチェレ大統領である。エストラーダは1998年に地方住民の支持で権力の座に就いた。当時のフィリピンは民営化政策で高い経済成長を実現していたが、その恩恵にあずかったのは都市部の一部市民だけで、地方住民は強い不満を感じていた。そこでエストラーダが採用したのが、土地を小作農に分け与え、福祉支出を増やすという一般的な格差是正策だった。その結果、政府の借金や財政赤字が急増し、インフレは加速した。ついには大規模な抗議行動も勃発した。エストラーダは3年後、政権の座を去ることになった。

自己破壊的なポピュリズム

中南米ほど、自己破壊的なポピュリズムが隆盛を極めた地域はないだろう。このポピュリズムを絶えず焚きつけてきたのが、植民地時代に端を発する巨大な不平等の蔓延だ。この地域では独立後も、欧州系の特権階級が権力を失うどころか、むしろ逆に政治的、経済的な権力基盤を強化してきた。権力や富が特権階級に集中すればするほど、その再分配を公約に掲げるポピュリズムが台頭した。その起源は、1950年代のキューバのフィデル・カストロだ。その系譜は現在まで脈々と続く。1960年代に始まるペルーのフアン・ベラスコ・アルバラード、1970年代のメキシコのルイス・エチェベリア・アルバレス、1980年代のニカラグアのダニエル・オルテガ、1990年代後半のベネズエラのウゴ・チャベス、2000年代のアルゼンチンのネストル・キルチネルなどである。たとえばメキシコのエチェベリア。彼の前の政権は、新産業の育成に熱心で、それが都市と地方の所得格差を拡大させた（工業化の初期段階ではよくあることだが）。エチェベリアは政権に就くやいなや食糧補助金の拡大、外国資本の規制、小作農への土地の再分配、鉱業や電力の国有化などの政策を矢継ぎ早に打ち出し、格差の是正に取りかかった。こうした過激な政策に恐れをなした海外投資家やメキシコの富裕層は、大量の資金を海外逃避させた。その結果、メキシコ経済は、国際収支危機、エネルギー不足、失業率やインフレの高騰、成長率の鈍化といった危機的状況に陥った。大規模な抗議活動が盛んになると、観光客も蜘蛛の子を散らしたようにいなくなった。

　これらがチリのピニェラ元大統領の言う破壊的な「回れ左」だ。この周期的な大衆の反乱がついにチリに押し寄せてきた時、彼は不安に駆られた。1970年代以降、チリでは中南米のポピュリズムに感染することがほとんどなかったからだ。当時は、独裁者アウグスト・ピノチェトの政権が、外国との貿易や投資の自由化、官僚主義の打破、政府債務や財政赤字の抑制とインフレの鎮静化、国営企業や年金の民営化などによって、安定的な高成長を実現した時期だった。クーデターによって権力を掌握したピノチェトは残忍な手法で野党の指導者を次々に弾圧したため、次第に人心が離れていった。血で汚れたピノチェト政権は1990年3月に幕を閉じた。[17]

年間の長い統治だった。彼の政策が格差拡大の種を蒔いたとの批判はあるが、ピノチェトの経済的な遺産は長く続いた。その後の20年間、チリの人々はピノチェト体制を支えた右翼政党を排除し、中道左派の指導者を選び続けたが、彼らの政策が財政金融を大きく不安定化させることはなかった。2006~2010年のバチェレ政権の第1期も、例外ではなかった。2014年に政権に返り咲いた後も、バチェレはピノチェトが確立した財政規律を破ることはなかった。彼女は、低所得層への支援を拡大する場合は、必ず財源確保のために増税を提案した。

チリの新たな成長に必要な投資資金を海外へ追い払ってしまったのは、バチェレのポピュリズム的な表現だった。チリでは平均所得が1万5000ドルに達し、分厚い中間層も形成されていた。しかし成長のためには、国際商品市況が下落していても、銅のような天然資源を輸出しなければならなかった。チリはそうした資源依存を打破するために新たな投資を必要としていたが、その出鼻をくじかれてしまった。バチェレが富の再分配を求める国民の声に応えたい気持ちは分からないでもないが、それが不用意にも経済成長の妨害になってしまった。

不平等は罪悪か？

本質的な問題は「経済にとって格差は脅威か」である。これは経済学よりも政治手腕によって解決しなければならない問題だ。人々が富の創造の仕方に疑いを持ち始めると、不平等は成長にとって脅威になる。起業家が消費者に喜ばれる新製品を生産するために工場を作り人々を雇用したとしよう。こうした富の創造は世の中で広く歓迎される。しかし政治家に取り入って政府契約を独り占めし、特に親のツテを使って財を成した場合は、大衆の反感はつのるばかりだ。国民の関心は富の創造よりも富の再分配へ向かう。

不平等に関する綿密な統計は、私たちに社会の全体像を示してくれる点で有益だ。しかしその統計は頻繁に更新されないので、人間の感情の変化を先取りして必要な警鐘を鳴らすことはできない。所得の不平等を示す一般的な統計は、ジニ係数だ。1から0の間の数字で、不平等を採点する。1は完全に不平等な社会で、全体の所得を1人で独占していることを意味している。0は完全に平等な社会であり、すべての人の所得が等しい。しかしジニ係数は学者が目的に応じて公式データから独自の手法で算出するのが一般的なため、発表の時期は不確定で、調査の対象国も一貫していない。最新の国別比較では、世銀のデータが最も役に立つ。2015年半ばの時点で最新のジニ係数は、チリが2011年、米国は2010年、ロシア2009年、エジプト2008年、フランス2005年とバラバラだ。ジニ係数の算出時期が古くなるほど、利用価値が低下する。不平等の高まりでどの程度、危機のマグマが高まっているかを知る手がかりには到底なりえない。

不平等を察知する私の手法は、大地にじっと耳を寄せて、辛抱強くその振動音をキャッチすることだ。富の不平等に対する不満のマグマが、どのように蓄積されているか。それを先取りするデータを私は持ち合わせていないが、人々の不満の原因は超富裕層の資産規模とその源泉であり、

『フォーブス』誌の億万長者リストを注意深く読めばだいたいの感触をつかむことができる。国全体の所得に占める超富裕層のシェアが異常に高く、しかもその過大なシェアがさらに上昇している。そのような国をあぶり出すために、国全体の所得に対する超富裕層のシェアを計算してみた。超富裕層の世襲化が進みつつある国を見つけ出すために、超富裕層における相続財産の割合を推計してみた。最も重要なことは、「悪い億万長者」の資産の源泉をたどると、石油、鉱山、不動産のような腐敗との関連性が強いとされる産業に行き着くことだ。これらは伝統的に腐敗が生じやすく、生産性の低い産業で、悪い億万長者の世襲化が進みやすい。これが経済の成長を妨げ、国民の怒りを買い、ポピュリスト政治家につけいるすきを与える。私は、一般の人々がその国の代表的な超富裕層についてどのように語っているかに注目している。政治的な反動やポピュリズム的な政策を引き起こすのは、現実の不平等よりも不平等への人々の感じ方である。

これまでの富の不平等に関する議論や億万長者リストの活用などの手法は、まだるっこしすぎると感じている人もいるだろう。しかし、ちょっと待って欲しい。これらこそが今後ますます重要なサインになってくると強調したい。世界の指導者の一部には、不平等やそれを助長する腐敗は特に発展の初期段階にある途上国で目に付くかもしれないが、すべての国に大なり小なり存在するのだから、人類に不可避の永遠の罪悪であるとして大目に見る傾向がある。しかし、これは責任回避の口実だ。開発途上の社会は先進国よりも不平等が高まる傾向があるにしても、その不平等が自然に緩和に向かうという保証はない。

不平等の拡大に一役買ったFRB

不平等は時間とともに解消に向かうという考えは1950年代以降、基本的な仮説として広く受け入れられてきた。当時、経済学者のサイモン・クズネッツは次のように指摘した。開発の初期段階では、農民の一部が都市に移り住んで賃金の高い工場労働者になるため、不平等が拡大する。しかしその後は、都市中間層の拡大と歩調を合わせて、不平等は縮小に向かう。しかし今日では、発展のすべての段階、つまり貧困国、中進国、先進国のいずれにおいても不平等が拡大している。その理由の一つは、2008年以前の急激なグローバル化によってブルーカラーの賃金が低く抑えられてしまったからだ。製造業の工場労働はかつて多くの人々を中産階級へ引き上げる役割を果たしたが、いまでは低賃金国へ簡単に移転することが可能になった。国内に残った仕事も、技術革新や自動化の進展で縮小を迫られている。不平等がすべての発展段階で蔓延する現在、この問題をすべての国で常時、監視することが重要になっている。

不平等を巡る政治対立は過去何十年も続いてきた。最近では国際的な対立に転移し、先進国や開発途上国でも大きな問題となっている。韓国、スウェーデン、チリ、米国などでは、政治リーダーが不平等との闘いや再分配政策に真剣に取り組み始めた。ワシントンでは、民主党支持者が不平等に反対するデモを繰り返した。2014年、いつもは冷静な受け答えの連邦準備制度理事会（FRB）のジャネット・イエレン議長でさえ、FRBは「ウォール・ストリートではなくメイン・ストリート」のためにあると表明した。

ＦＲＢ首脳がこうした発言をするのは珍しい。ＦＲＢは世界の超富裕層の増大に一役買ってきたが、その側面をイエレンの発言は見逃している。不平等の拡大は、所得面よりも資産面で特に著しい。ＦＲＢは実体経済よりも、その金融資産の拡大に大きく貢献してきたからだ。２００８年の金融危機の後、経済成長を刺激するために、ＦＲＢは数次に及ぶ「量的緩和」を通じて記録的な量のマネーを市場に流し込んだ。量的緩和とは市場で大量の国債を購入して民間に資金を供給することだ。そこで期待されたのは、大量のマネーの注入が、力強い景気回復をもたらし、雇用を拡大させることだった。しかし米国経済で起きたのは、未曾有の金融投機と戦後最悪の貧弱な景気回復だった。

ＦＲＢの緩和マネーの大半は、株式、高級住宅、金融商品の購入に向かった。そのほか、自己株式取得のような金融商品の価格上昇を狙った金融技法にも向けられた。株式や債券の保有者は金持ちになった。超富裕層ほど金融資産を大量に持っており、真っ先にその恩恵にあずかった。他の中央銀行もＦＲＢに倣って緩和政策に踏み切ったが、自国の不平等を拡大させただけだった。クレディ・スイスが行った46ヵ国対象の２０１４年調査によると、２００７年以前では不平等が拡大していたのは12ヵ国に止まっていたが、２００７年以降は中国、インド、英国、イタリアなど2倍以上の35ヵ国へ拡大した。(1)

大不況でも超富裕層の富は増える

金融緩和は2008年に始まった。量的緩和が終了する2014年までに、世界で1％の最も裕福な人々が世界全体の富に占めるシェアは44％から48％へ上昇し、その総額は263兆ドルに達した。ピュー・リサーチ・センターの2014年調査によると、2007〜2009年の大不況以降、高所得層の富は増加し中低所得層の富は停滞した。そのため、米国の最高位層とそれ以外のグループの格差は、記録的な水準に達した。[2] 1983年には、高所得の家計は中所得の家計の3・4倍の富を保有していた。その後の25年間は格差拡大のスピードが緩やかで、2007年の同倍率は4・5倍だった。ところがその後、格差の拡大スピードが加速し、2013年には同倍率は6・6倍に達した。低所得層が貧しくなったのではなく、富裕層、特に超富裕層の富の増加スピードが大きく高まったためだった。上位0・01％が上位1％に対して、つまり億万長者や百万長者に対して、大きく差を付けてしまった。2009〜2014年にかけて世界経済は停滞していたにもかかわらず、世界の超富裕層の数は1011人から1826人へ増加した。『フォーブス』誌によれば、その5年間にピニェラは毎日、チリ大統領としての政務に追われていたが、世界金融市場の活況で彼の純資産額は4億ドルから26億ドルへと急増した。[3]

健全な経済は富を生みだし、時には大富豪さえも誕生させる。しかし大事なのはバランスの問題だ。一部の超富裕層が経済を独占支配しないかぎり、経済の成長や富の蓄積は一般国民の支持を得られる。2015年にチリにはわずか12人の億万長者しかいなかったが、彼らは経済全体の15%の富を支配していた。世界で比率が最も高い国の一つだった。この点では、不平等に対する自己破滅的な国民の怒りがいつ勃発しても不思議ではなかった。かつての穏健主義の牙城であっても、油断はできない。

億万長者リストを読み解く

超富裕層が増加するにつれて、「億万長者ウォッチング」が産業として急速な発展を遂げている。1980年代以降、『フォーブス』誌では毎年恒例で世界の億万長者リストを公表している。億万長者の数は、直近の5年間では2倍、直近の10年間では3倍に拡大しており、リストの有用性はいやが上にも高まっている。中国やロシアでは、20年前には億万長者など一人もいなかったが、現在では超富裕層が一つの階級を形成している。こうした大富豪の急拡大によって、『フォーブス』誌のような雑誌が雨後の竹の子のように増え、超富裕層を特集する刺激的な記事が世の中にあふれるようになった。

『ブルームバーグ』のビリオネア・インデックスやビリオネア・センサスが有名だが、中国のフーラン・レポートやクレディ・スイス・リサーチのグローバル・ウエルス・レポートのような超富裕層の特別な領域だけをカバーしているものもある。『フォーブス』や『ブルームバーグ』などのデータ元では現在、最新の市況データを活用しながら、リアルタイムでランキングを更新している。クリスティア・フリーランドの『グローバル・スーパーリッチ――超格差の時代(*Plutocrats*)』やダレル・M・ウエストの*Billionaires*（未邦訳）など、データから派生して出版された書籍もある。こうした億万長者ウォッチャーの急成長は、上流社会へののぞき見趣味や不平等問題の専門家などから支持を受けているためだ。利害対立の時代を色濃く反映している。

こうした情報の一部は、金持ちが好む贅沢品の商品開発者や、卒業生の評判が気になる有名学校関係者などから重宝がられている。たとえば、ペンシルベニア大学はイェール、ハーバード、プリンストンなど他の有名大学に比べ、多くの億万長者を輩出していると判明したなどといった宣伝に使われる。しかしこうしたリストは、公開情報、特に株式や不動産の保有額をベースに作成されるという点で、完全とは言えない。そのため億万長者の資産のリアルタイム指標は、その時々の市場動向を色濃く反映している。ビル・ゲイツやカルロス・スリムのような超億万長者は、総資産額が毎日、億単位で変動するが、それに何か特別の意味があるわけではない。情報価値があるとすれば、時間軸を少し広くとった年次の変化くらいだ。

最近では、この億万長者に関するデータが、学術的な経済論議でも取り上げられるようになった。２０１３年、トマ・ピケティの不平等に関する著書『21世紀の資本（*Le Capital au XXIème siècle*)』が世界的なベストセラーになった。ローレンス・サマーズ元米国財務長官は、米国の億万長者の顔ぶれが激しく入れ替わっている点を指摘して、米国でも資産家の世襲が目立つようになったというピケティの主張に疑問を投げかけた。サマーズによれば、『フォーブス』誌の１９

82年リストに掲載された米国の億万長者が2012年リストにも登場する割合は10人中1人にすぎない。著述家でベンチャー・キャピタリストのピーター・ティールは億万長者リストを引き合いに出して、技術革新の停滞した状況をユーモア交りに嘆いてみせた。『フォーブス』誌のグローバル・リストで、2012年時点で100億ドル以上の資産を保有する人物は92人いるが、ハイテク業界の関係者はたった11人だった。ティールによれば、その11人はゲイツ、エリソン、ザッカーバーグなど、いつもの常連メンバーだ。対照的に資源の開発で巨万の富を築いた人は、その2倍もいた。ティールは、こうしたグループに対して「資源は価格変動に対して非弾力的だ。農家には飢饉が発生すれば大金が転がり込む。要するに、彼らは技術革新に失敗した事例だ」と痛烈に皮肉った。

サマーズ、ティールは事の本質をズバリ言い当てている。億万長者リストの背後に潜む現実を浮き彫りにするには、きちんと体系だった読み込みが必要だ。そうでないと、億万長者の資産規模や、彼らの資産の源泉が生産性の高い産業に由来しているのかどうか、彼らがどの程度市場競争にさらされているのか、などの実態が明らかにならない。億万長者だけで国全体の資産を独占していないこと、億万長者が世襲化され無気力な特権階級になっていないこと、億万長者の出身基盤が政治的なコネがものをいう産業ではなく革新的で生産的な産業であること。そうした条件が満たされているかぎり、経済成長が彼らに巨万の富をもたらしても、それは自然なことであり、何ら問題は生じない。

インドの縁故資本主義

まず、2010年前後の億万長者リストの解読から始めよう。当時、インドでは事態が悪化していた。相次ぐスキャンダルで旧エリート層の腐敗が明らかになり、その汚染はインドの議会中枢だけでなく、ボリウッド映画界、経済界の有力者にまで及んでいた。数年前まで、インド国内で最も信頼を集めていたのは経済界の有力者だった。彼らは多くのインド企業を発展させ、インドの国際的イメージの向上に役立った。しかしスキャンダルによって経済界と政治家の癒着が暴露すると、信頼は地に墜ちた。無線周波数割当の入札操縦、新クリケット・リーグの持ち株を巡る共謀、不動産取引の不正操作などの容疑で、逮捕される経営者が相次いだ。最近は実力ではなく政治的なコネでのし上がる、新しいタイプの経営者が出てきた。こうした鉄面皮の手口に、多くのインド人が辟易している。ムンバイでは、ある企業のCEO（最高経営責任者）がこっそり教えてくれた。いまでは投資における最初の決定事項は、まずどの役人に賄賂を渡すかだ、と。

特権階級は企業家精神を喪失したが、依然、圧倒的な力を誇っている。彼らに対する一般のイメージはどのようなものか。私は2010年の億万長者リストをざっと眺めてみた。インドで上位10人に入る大富豪たちはGDPの12％に相当する富を所有していた。中国ではわずか1％にすぎない。さらにインドの上位10人のうち9人は2006年のリストでも名前を連ねていた。中国の重複はゼロだった。こうしたランキングでの常連化は比較的新しい現象だ。インドの2006

年のリストでは、2001年と重複していたのは5人だった。2010年9月の『ニューズウィーク・インターナショナル』の特集記事で、私はクローニー・キャピタリズム（縁故資本主義）の蔓延は「インドの致命的な欠点だ」と書いて、デリーの政界から疑念を持たれた。政府の高官たちは私にこう言った。開発途上の経済では、腐敗は珍しくない、19世紀の米国を牛耳っていたのは悪徳資本家ではないか、と。しかし1年もたたないうちに経済成長率が半減すると、同じ高官の多くが、腐敗と不平等*がはびこってしまったことが、減速の主要な要因だと認めるようになった。

縁故資本主義が蔓延すれば、本来ならありえない人物に資金やビジネス機会が集中する。政治の世界にも、連鎖反応が生じる。2010年以降、インドの裁判所は国民の不満を察知してか、政界、財界の有力者に対して見せしめ方針で厳しく臨んだ。裁判官は告発された財界人の保釈を認めず、正式起訴までの数ヵ月間留置所に据え置いたのだ。裁判所はまた中央捜査局（CBI）の捜査員に、腐敗取り締まりを強化するよう要請した。もし起訴を見送った場合、捜査員はカネで買収されたのではないかと疑われた。2012年まで腐敗取り締まりの対象は拡大された。裕福なインド人はセカンド・ハウスとして、デリー郊外に豪華な「農場別荘」を構えるのが一般的だ。そこで開かれるパーティーでは、招待されたゲストの2人に1人が保釈中か刑務所への収監待ちといったありさまだった。

ここまでくると、縁故資本主義と大衆迎合主義のどちらが問題か分からなくなる。役人は自分が特定の政策と関連づけられることを恐れ、許認可に当たっても財界寄りだと見なされることを嫌った。財界人も警戒のあまり許認可がらみのビジネスを敬遠した。インドでは何をするにも政府の承認が必要なお国柄だけに、当然、投資には急ブレーキがかかった。しかし腐敗疑惑は数年間もくすぶり続けた。インドの財務大臣アラン・ジェイトリーは弁護士出身だが、2015年に次のように嘆いた。捜査官の基本的な態度は「とにかく腐敗を検挙するのが私の仕事。公正な裁判が行われるかどうかは、容疑者の運次第だ」という。こうした「行き過ぎ」捜査は、「経済の意思決定全体を麻痺させてしまう」と。インドに必要なのは、貧困と不平等への迅速な対応だった。しかし縁故資本主義の台頭と、それを取り締まる動きによって、経済成長は行き詰まってしまった。

焼け太りのロシア新興資本家

超富裕層の富がいったいどこまで肥大化すると、経済の健全な発展が妨げられてしまうのか。これを明確に指摘するのは難しい。しかし似たモノ同士を比較すれば、インドは足下の数値が極端に悪いにもかかわらず、まだ時間的な猶予があるように思われる。過去数年間を見ると、億万

＊　インドでは不平等が拡大していた。全体の所得に占める上位20％の高所得層の比率は、2004年の42・3％から2011年には44・2％へ上昇していた。

長者全体の富がGDPに占める比率は、新興国、先進国ともに平均10%だ。今日のロシアや台湾、マレーシア、チリのように、この平均値を5%ポイント以上も上回っている場合は、これは危機的な水準だ。しかしインドは14%であり、平均値を4%ポイント上回っているが、トレンドとしては改善へ向かっている。

億万長者リストの分析を始めて以降、ロシアに関しては気が滅入る話ばかりだ。1980年代にソ連が崩壊して以降、ロシアでは社会で共同所有していた企業を有力者にコネのある民間人に払い下げた結果、オリガルヒという新興資本勢力が生まれた。現在、100人以上の億万長者が存在し、その数の多さは米国、中国に次いで3番目だ。2014年にはロシアの株式、不動産市場は大きく値を下げたが、億万長者は依然、GDPの16%に相当する富を所有している。彼らの旺盛な消費行動によって、モスクワ市内はブガッティーやベントレーなど高級自動車の「屋外ショールーム」へ変貌してしまった。最近では国内経済の不振に対応して、億万長者たちは莫大な資産を国外へ逃避させている。報道によると、化学肥料業界の有力者ディミトリー・リボロフレフは有名な芸術作品を20億ドルで購入した。その中には、ロスコやモディリアーニの絵画の1億ドルの購入代金も含まれている。彼の娘のエカテリーナはギリシャの島を1億5300万ドル、ニューヨークの高級マンションを8800万ドルで購入した。鉄鋼業界の有力者ローマン・アブラモヴィッチは、マンハッタン・アッパー・イースト・サイドの一区画と数百万ドルの大豪邸を手に入れようとしている。

ロシアの億万長者の存在感は、２０１４年以前の新興国では圧倒的だった。しかし時代は変わった。チリ、台湾、マレーシアでも特権階級への富の集中が進んでいる。マレーシアでは長い間、再分配政策を推し進めてきた。伝統的な中国人の財界エリートから、マレー系の多数派へ富を移転するのが狙いだった。それにもかかわらず億万長者の富はＧＤＰの15％の水準まで達している。台湾は韓国とともに不平等を加速させることなく、高成長を実現してきた。だから、最近の台湾には失望を禁じえない。台湾の億万長者はＧＤＰの16％に匹敵する富を支配し、その水準はロシアと肩を並べる。韓国との比較では実に3倍だ。億万長者の富の独占という点では、台湾の特権階級は度を超した状態にある。

米国の野蛮な資本主義

先進国でも億万長者のシェアは増大しているが、スウェーデンは予想外だった。スウェーデンは筋金入りの社会民主主義国として長く名声を博してきたが、１９９０年代初めの深刻な金融危機の後、突然、右寄りの政策へ大きく舵を切ることになった。多くの税金が削減され、貧困層や失業者への助成金がカットされた。それを契機にスウェーデンでは新興国の国々よりも安定的な成長が続いたが、経済格差も拡大した。億万長者の富の対ＧＤＰ比は、２０１０年の17％から現在は21％に上昇している。スウェーデンには23人の億万長者がいるが、彼らの富の規模はロシアと比較しても異常に高い。そのため、最近は再び政治の左回帰が強まっている。２０１４年には社会民主党が富裕層への課税強化と1990年代の水準まで不平等を改善することを公約に掲げ選挙に勝利した。

米国は「ウィナー・テイク・オール（勝者が独り占めする）」の野蛮な資本主義社会として有名だが、その割に億万長者の数の増加は最近まで緩やかだった。億万長者の富の対GDP比率は何年間も世界平均と同じ10％前後で安定していた。その比率が2013年から2014年にかけて13％から15％へ上昇した。その背景にあるのが、シリコン・バレーの大物経営者の台頭とFRBの量的緩和だった。これから述べるように、2009年以降、FRBの大胆な金融政策によって株式、債券、不動産など資産価格がいっせいに上昇した。米国では上位1％の富裕層が、金融資産全体の50％を所有している。このため、資産価格の高騰で真っ先に恩恵を受けるのは彼らだった。

旧東欧は贅沢に走らず、独善に陥らず

その一方で、億万長者の富の比率が世界平均であるGDPの10％を下回っていれば、一般的に健全な状態と言っていいだろう。たとえばポーランド、韓国、オーストラリアなど億万長者の富の比率が5％以下の国では、特権階級が社会的騒動や政治的煽動の標的になることはない。そういう意味で、政治的安定が確保されている。

共産党政権崩壊後のポーランドは、興味深い。同国には億万長者は5人しかいない。彼らは全

員が、先に述べたアブラモヴィッチとは正反対の人生を送っている。彼らには立身出世の輝かしい経歴があるわけではない。たとえば銀行界の大物であるレシェック・チャルネッキは、水中洞窟潜水の世界記録の保持者だ。その経済価値は、億万長者リストで目にする資産価値にくらべるまでもない。ダリウス・ミレックは靴の製造で莫大な財を築いた。街のキオスク（売店）に大きな箱を持ち込んで、その上に靴を山盛りに積み上げて売りさばいた。そのキオスクは金属性の運搬用コンテナでできていた。彼はすぐに、客が求めているのは安さであることに気がついた。それで彼は靴を靴箱なしで売った。ポーランドの超億万長者の出発点はいたって地味で、ロシアの金持ちとはきわめて対照的だ。彼らの多くは自力で成り上がった起業家であり、過酷な労働にたえぬいて億万単位の資産を築いた。マレック・ピーチョッキはその典型だ。彼のファストファッションのチェーンは、いまから20年前にグダニスクの古びた倉庫で誕生し、瞬く間に急成長を果たした。彼は年がら年中、仕事で走り回っている。すいぶん昔に買った車をいまでも乗り回し、会議にはいつもの古ぼけたスーツ姿で現れることで知られている。

ポーランドの隣国であるチェコも、ソ連崩壊以降、億万長者はそれほど急増しなかった。ポーランドと同様に、チェコの億万長者もいたって控えめだった。２０１４年5月、私はプラハでアンドレイ・バビシュと面談した。彼は農業ビジネスで富を成した大富豪である。その後、政治家へ転身を果たし、そのときは財務大臣を務めていた。問題山積の欧州にあって、チェコの経済はあらゆる点で優等生だった。私が衝撃を受けたのは、この大富豪転じて庶民派の政治家となった彼が、自国のセールス・ポイントについてほとんど語る必要がなかったことだ。どの国の財務大臣も自国を投資家に売り込むために懸命だったが、彼は違っていた。自国のPRは脇において、政界の権力争いや「腐敗の温床」についてのやましく滑稽な話を語ってくれた。少しばかりオーバーかもしれないが、国を率いるエリートは、贅沢に走らず、独善に陥らず、事が順調に運んでいる時でも絶えず緊張感を持ち続ける。こうあってもらいたいものだと思った。

日本ではまるで変人扱い

最後に、日本のような変わり種について触れてみよう。日本ではGDPに占める億万長者の比率が2%となっている。先進国にしては異常に低い。これは、富の創造という点で、日本が慢性的な機能不全に陥っている兆候ではないかと疑わざるをえない。ある大学の研究者によれば、不平等の程度が高すぎても、低すぎても、経済の成長率が低下する傾向がある。[4] 国への貢献となる億万長者が少なすぎると言ったらおかしいと思われるだろうが、でも日本では本当のことだ。すでに一部の日本人は、そのことに気づいている。日本語には「悪平等」という言葉がある。英語では「行き過ぎた平等主義」とでも訳したらよいのだろうか。日本では実力主義やリスクテイクよりも、年功を重んじる傾向が強い。「悪平等」は、こうした日本の共同体文化、政治文化を批判するときに使われる。一つの職場で地道にコツコツ働く人ほど高く評価され、目立ちすぎる人はあまり尊敬されない。三木谷浩史（楽天代表取締役会長兼社長）は電子商取引で大成功を収めた経営者である。米国流の企業文化を導入し、日本人の英語能力の欠如を批判したことでも有名だ。彼のような億万長者が日本でも次第に増えてきている。しかし彼らがメディアから注目されるのは、日本社会では依然、特異な存在だからだ。ダイナミズムが欠けているように見えるのも、決して良いサインとは言えない。

億万長者のクオリティー

億万長者リストに新顔が登場することは、経済にとって好ましいことである。しかし、それには但し書きが必要だ。彼らが、経済学者が言うところの「レントシーキング（訳者注＝たかり型）産業」以外の出身で、良い億万長者であることだ。「レントシーキング産業」には、建設、不動産、ギャンブル、鉱業、鉄鋼、アルミニウムおよびその他金属、石油、ガス、天然資源を製品化する製造業が含まれる。こうしたセクターの競争では、これまで見たこともない革新的な手法で富を創造するというよりも、国の資源開発の利権をいかに多く手に入れるかが勝負となる。大手企業はそのために絶えず監督当局者や政治家への働きかけを行い、必要があれば賄賂を使うこともいとわない。ざっくりとだが、超富裕層が生み出した富の質を判断するために、すべての億万長者の富に占める「レントシーキング産業」の億万長者の富の比率を算出してみた。この比率が、いわゆる「悪い億万長者」が生み出した富の比率に該当する。

こうした形で「悪い億万長者」比率を計算すると、まじめな不動産や石油の大富豪はけしからんと思うかもしれない。しかしこうした利権産業は、いかに腐敗と無縁であっても、安定的な成長にはほとんど貢献していない。その理由は2つある。「レントシーキング産業」では生産性が相対的に低いこと、もう1つは「レントシーキング産業」の比重が高まれば経済成長が国際商品市況の影響で不安定になってしまうからだ。一方で、残りの億万長者はすべて相対的に成長への貢献度が高いことが暗黙の前提になっている。本書では、生産性が最も高いと言われる産業、特にスマートフォンや自動車のような大衆消費財型の産業の大富豪を「良い億万長者」と呼ぶことにした。具体的には、ハイテク、製造業、医薬品、テレコムおよび小売り、電子商取引、娯楽などだ。しかもこうした産業では、いくら利益をあげても、国家レベルで大衆の反発を喰らう可能性は低い。*経済の世界では融資や投資の伸び、あるいは経常収支などのことをハード・データと呼ぶが、ここではハード・データ分析とは異なる議論をしている。つまり、億万長者リストでも体系的に読み解いていけば、一定のフィルターの役割を果たすことができる。その国の富が、大衆から敬意を払われているクリーンな産業から生まれているのか、それとも大衆の怒りをかき立てる可能性のあるダーティな産業から生まれているのか。億万長者リストの分析は、こうした判断をするうえで、エピソード的だが説得力のある証拠を提供してくれるのだ。

新興国で台頭する「良い億万長者」

良い億万長者と悪い億万長者のパワー・バランスは急速に変化する。過去15年間に、このパワー・バランスは3回シフトした。２０００年のＩＴブームの時には、世界全体でハイテク産業の億万長者がエネルギー産業の億万長者を３対１の割合で大きく上回った。10年後には原油など国際商品市況の高騰によって、そのパワー・バランスが逆転した。エネルギーの億万長者がハイテクの億万長者を３対１の割合で凌駕した。２０１２年には国際商品市況が反落したため、再びパワー・バランスの逆転が生じた。ハイテク億万長者に対するエネルギー億万長者の比率が１・5対1、人数比では１２６人対78人となった。

それ以降は、良い億万長者の優勢がずっと続いている。その動きは、技術革新よりも、腐敗との関連が取りざたされることの多い国へも広がった。２０１０年、インドでは縁故資本主義や富裕層の腐敗の話で持ちきりだったが、その後の5年で大きく状況が変わった。２０１０～２０１5年の間に、良い億万長者の比率が最も高まったのはインドだった。億万長者全体に占める良い億万長者の富の割合は31％から53％へ22％ポイントも増大した。２０１5年のインドの億万長者リストは、新顔であふれていた。その大半は、医薬品、教育、消費財など生産性の高い産業の出身者だった。ディリップ・サングビは、サン・ファーマシューティカルの創業者で、私が会った中では最も控えめで気取ったところのない人物だった。インドの億万長者リストにおける彼の序

＊ ごく稀なケースだが、政治スキャンダルに関与したという詳細な文書の記録がある場合は、良い産業の富豪であっても悪い億万長者としてカウントしている。

列は2010年以降、13位から2位へ急上昇した。

こうした変化によって、過去10年の間にデリーで鬱積した企業や経済発展への反感は、多少なりとも緩和されたかもしれない。アンビットという名前のインドの証券会社は、独自の「コネ企業インデックス」を使って、縁故資本主義者たちの運命を追跡し始めた。そのインデックスには75の企業が含まれていた。これらはいずれも「レントシーキング産業」に属し、政府役人にうまく取り入ることで莫大な利益を得てきた。しかしこうした企業の株価は、政治的影響力への反発や腐敗疑惑に対する国民的な関心の盛り上がりによって大幅に下落した。2010年半ばから2015年半ばにかけて、インドの株式市場は50％上昇したが、コネ企業の株価指数は半減した。それは、国際商品市況の高騰で大儲けできた時代の終焉であるとともに、縁故資本主義も没落を迎えた兆しだった。ほんの数年前まで、国際商品企業の億万長者の御曹司は家業を世襲するのが当たり前だったが、最近ではハイテクのベンチャー企業経営にも関心のある人間が出てきた。

国際商品の輸出価格が下落するとともに、ブラジルでも国際商品関連企業に勢いが見られなくなった。その一方で、評価を高めたのが起業家である。過剰規制問題で政府と激しく対立しながらも、彼らは消費財やメディアのような「良い産業」で確固たる地位を築いてきた。しかし、良い億万長者はまだまだ影が薄い。彼らの億万長者全体の富に占める比率は36％であり、新興国の中では低い方だ。彼らの猫の額のようなシェアは、ブラジルのエコノミスト、エドマール・バチャの造語を想起させる。彼はブラジルを「ベリンディア」と呼んだ。それは、インドのような広大な開発途上地帯の海の中に、ベルギーのような繁栄の小島がぽつんと浮かんでいることを意味していた。

億万長者の総数で中国が世界一

中国はここ何年か、猛烈な勢いで新しい億万長者を生み出してきた。とはいっても、彼らはごく最近まで財産を無制限に保有できたわけではない。中国には2013年まで、億万長者といえども100億ドル以上の富を持つことが許されなかった。その上限に近づくと、どういうわけか汚職容疑で刑務所に送り込まれた人もいた。中国当局は、大金持ちが増えると共産党一党支配への挑戦が強まることを恐れて、たとえば国民の財産の上限は10桁までといった暗黙のルールを設定していたのかもしれない。現在でも中国の億万長者は「原罪」を恐れながら毎日を過ごしている。中国人の大金持ちには、若い時代、曖昧な法律を「拡大解釈」することによって財を成した人が多い。そうした法律違反スレスレの経歴が、当局のさじ加減一つで摘発の材料に利用されるからだ。

しかしこの100億ドルの天井も、2013年に破られることになった。宗慶後《ゾンチンホウ》は、もとは無名の経営者にすぎなかった。それが彗星のごとく現れて、しかも短期間のうちに中国最大の資産家にのし上がってしまった。彼の会社は、水や茶を瓶詰めするボトラーだ。その株式時価総額が75%も急上昇したおかげで、彼の総資産は一気に120億ドルまで跳ね上がってしまった。その後、世界的なハイテク・ブームに上海株式相場の空前の活況が重なって、6人の大金持ちの総資産が2014年末に100億ドルを超え、そのうち3人は150億ドルを突破した。3人はすべてインターネット企業の創業者だった。アリババの馬雲（ジャック・マー）、バイドゥーの李彦宏（ロビン・リー）、テンセントの馬化騰（ポニー・マー）である。中国の中央政府は近年、経済への直接的な介入を強めてきた。しかし、これらの新興の億万長者は、最も自由化された競争の激しい民間セクターで勝ち上がってきた。テレコム、銀行、古くからの重厚長大型製造業のような国営企業が依然として幅をきかせる「オールド・エコノミー」セクターの出身ではない。こうしたニューフェイスは40代と若く、古い億万長者ほどには政治的コネの恩恵にあずかっていない。彼らの会社はニューヨーク株式市場に上場し、グローバル・マーケットの動向にも敏感である。フーラン・レポートによれば、2015年の初め中国では億万長者が1週間に5人の割合で誕生し、10月には億万長者の総数で米国を抜いて世界トップになった。中国の596人に対し、米国は537人だった。ジャック・マーは世界トップの座を王健林《ワンジエンリン》に譲った。王は不動産企業と娯楽企業の最高経営責任者で、純資産は340億ドルと言われている。

強欲な億万長者が集うモスクワ

しかし、良い億万長者の復権は広く観察されるわけではない。体制が硬直化し、改革に手をつけることもできず、政治と癒着したままの億万長者が深く根を張る国では、新興の億万長者、あるいは良い億万長者を発見するのが難しい。こうした旧い体制の代表格が、プーチンのロシアとエルドアンのトルコだ。トルコでは億万長者が支配する比率が上昇を続けている。彼らの資産の中で「レントシーキング産業」から生じる割合も急上昇している。イスタンブールは長い間、トルコの商業の中心地だが、億万長者の10人に9人はそこを拠点にしている。国の中央に位置するアナトリア地方出身の億万長者であっても、コネのネットワークが集中するイスタンブールに転居せざるをえなくなっている。

しかし富と権力が集中しているという点で、モスクワに比肩する都市はない。ロシアでは104人の億万長者のうち85人がモスクワに在住している。悪い億万長者が集う首都としては、世界一である。最近では原油や鉄鋼、その他の国際商品市況の下落によって、ロシアのオリガルヒは打撃を受けたが、彼らの経済支配は依然として続いている。ロシアの億万長者の富の約70％は、政治的コネ絡みの産業から生じている。この割合は世界最大だ。こうした点で、経済格差が政治的反動を引き起こす可能性が高いのはロシアである。ちなみに、ロシアの超超富裕層の最大の出費項目で目立つのは、厳重な身辺警護だ。鉄鋼王のアブラモヴィッチは最近、4億5000万ドルもするヨットを購入したが、それにはミサイル検知システムが装備されている。

プーチン政権は、億万長者への大衆の反感を巧みに利用してきた。そのやり方は、人を小バカにしている。時々、政府が労働者を虐げるオリガルヒを懲らしめる宣伝番組を製作して放映する一方で、お気に入りのオリガルヒには便宜を与え続けている。たとえば、こんなケースがあった。

2009年にプーチンは工業都市ピカレヴォを訪問して、アルミニウム産業の億万長者、オレグ・デリパスカやその他の経営者に対して労働者との間の賃金未払い問題を早急に解決するよう強く迫った。合意書に署名を終えた後、恐れ入った経営者はペンを持ったまま退出していった。国営メディアが楽しそうに伝えたところでは、プーチンはペンを取り戻すためデリパスカを再び呼び戻して、その「しみったれた強欲」を戒めた。これはすべて宣伝目的の出来レースであり、プーチンとデリパスカはいまでも緊密な関係にあると信じられている。

大衆化から身を隠す億万長者

メキシコでも一般大衆の億万長者への反感は強い。彼らが大金持ちになれたのは独占の力であることは、誰もが知っている。電話からコンクリート、テレビ、トルティーヤにいたるまで、すべての産業が億万長者によって独占支配されている。企業は販売価格を高くつり上げて莫大な利潤を貪っている。こうした収奪行為に対する大衆の怒りを理解すればするほど、メキシコの金持ちがなぜ身代金目的の誘拐を恐れながら生活しているのか、なぜ高い壁に囲まれた高級邸宅の中で厳重なセキュリティに守られながら暮らしているのかがよく分かる。アジアでは億万長者は国民的なヒーローと見なされることが多いが、大金持ちに対する国民の対応でこれほど開きがあるのも珍しい。

2014年11月、メキシコ・シティを訪れていたときのことだ。ある日の早朝、私が宿泊ホテルから徒歩で移動中、大通りに沿ってイヤホーンを付けたダーク・スーツの無言の男たちが多数佇んでいるのに遭遇した。私がメキシコ人のジャーナリストとレストランで朝食をとっているときにも、スーツ姿の男たちは明るい日差しで輝く中庭に佇んでいた。これらの男たちは、メキシコでもトップ・クラスの億万長者に数えられる人物のセキュリティー・ガードだった。彼は国際商品を取り扱う大物経営者だったが、ほんの最近までは世間の注目を浴びることがなかった。地元の新聞が初めて写真を撮影したのは、彼がエンリケ・ペーニャ・ニエト大統領と面会するため官邸を訪れた時だった。億万長者がこれほどまでに身を隠して行動しなければならないのは、この国が富の創造システムのどこかで異常を来しているとしか言いようがない。

富の源泉は「自力」か、「相続」か

悪い億万長者は、大富豪の家系であることが多い。特に新興国ではその傾向が強い。新興国では法制度や規制が整備されておらず、名門一族ほど腐敗した政治的なコネを築きやすい。家系や血縁によって健全な競争や新陳代謝が妨げられている可能性が最も高い国はどこか。私は『フォーブス』誌のデータを活用して、億万長者の富を「自力」と「相続」とに分類してみた。

２０１５年時点の先進国上位10ヵ国では、億万長者の富の中で相続の割合が最も高いのは、スウェーデン、ドイツ、フランスで、いずれも65％を超えている。米国、英国は30％強、日本は14％だった。主要な新興国上位10ヵ国ではばらつきがさらに大きくなる。最も高いのは韓国の

80%以上で、その後はインド、インドネシア、トルコの50%強、低い方では中国の1%、ロシアの0%といった具合だ。一般的に言えば、特定の名門一族に富が過度に集中しすぎるのは決して好ましいことではないが、その源泉まで掘り下げてみることが重要だ。

多くの国では、新興の億万長者は古い名門企業の一族から登場してくることが多い。彼らの富が億万長者と呼ばれるレベルに到達するまでには十数年、時には何世代もかかることもあった。株式公開会社の場合であれば、創業一族が第一線から退いて所有と監督に徹するようになれば、会社の経営は専門家の手に委ねられる。そうなれば、血縁はクリーンでオープンな企業統治の妨げにならない。むしろ、これはすばらしい組み合わせだ。創業一族によって会社は長期的視点を見失うことがなく、しかも市場を通じて絶えず他者の監視にさらされる。これがドイツのモデルだ。ドイツには多くの中小企業が存在し、製造業を中心とする輸出セクターの中核を成している。そうした世界に冠たる高生産性の企業のいくつかは、億万長者の一族で所有されている。それはドイツ国民にとって憤りの対象よりも、誇りの源泉だ。

イタリアやフランスでも同様の事例が見られる。最近の億万長者リストには、両国出身者の新しい名が多数見られる。彼らに共通しているのはその資産を名門のファミリー企業から受け継いでいて、普通の金持ちから億万長者リストに登場するまでにずいぶん時間がかかっていることだ。2010年以降、イタリアでは28人の新しい億万長者が誕生した。その半分以上が、ファッションや高級消費財の業界の出身だった。新顔の億万長者には、1913年創業のプラダ・ファッション・ハウスのアルベルト・プラダとマリナ・プラダが含まれていた。イタリアにはドルチェ&ガッバーナやブルガリといった名門企業出身の億万長者もいる。フランスの億万長者は政治的腐敗とはあまり関係ない産業の出身であることが多い。シャネルやルイ・ヴィトンなど伝統あるファミリー企業をルーツにしている。『フォーブス』誌は、フランスの億万長者の富の3分の2を「相続」によるものに分類している。イタリアと同じように、フランスでも新しい富の多くは伝統的な企業から生まれている。ピエール・カステルは2015年のフランス億万長者リストでは新顔だったが、彼が財を成した基盤は1949年創業のワイン企業だった。最近では、高級消費財企業の株価が急上昇している。中国など新興国市場での「爆買い」需要が、株価の追い風になっている。フランスやイタリアでは最高級の手工芸品製造が、国家的なアイデンティティの一部になっている。新興の億万長者はそうした競争上の優位性をうまく利用している。

老人支配、同族支配への反発

最近の経済の話題といえば、ほとんどがアジアの新興国の台頭だが、その経営者はファミリー企業やコングロマリットの出身であることが多い。その点で、彼らの評価は分かれている。韓国の億万長者はサムスンや現代《ヒュンダイ》などの大企業を一族で支配しており、彼らの富の多くも当然、そこから得られたものだ。富がエレクトロニクスや自動車などの生産的な産業に由来することから、彼らは良い億万長者に分類される。その一方で、こうした企業の株価は、他国の同業種の企業に比べて割安水準で売買されている。その理由の一部は、彼らの企業統治や少数株主の処遇について不信感がくすぶっているからだ。国民の間では、韓国経済は血縁で結ばれた一部の世襲エリートによって支配されているという懸念が広がっている。韓国の億万長者が支配する富は経済全体に比べるときわめて小規模である。またその業態は「レントシーキング産業」とは全く別の産業領域である。それにもかかわらず、最近の韓国政界で不平等が争点として浮上しているのは、億万長者全体の中でも一部の名門一族へ富が集中しすぎているためだ。

台湾でも韓国と同様に政治的な反発が広がり始めている。億万長者が支配する富の規模は韓国よりはるかに大きいばかりでなく、コネが果たす役割も大きい。億万長者の富の44％が世襲財産であり、億万長者28人のうち半数は、少なくとも1人以上のリスト上の他の億万長者とつながりがある。魏《ウェイ》一族だけ見ても他の4人の億万長者の一族と深い関係を持っている。台湾の昔の平等主義的な社会が同族支配を強めているのではないか。こうした認識の広がりを追い風に、野党の民進党は不平等の拡大は与党の国民党の責任だと厳しく追及した。国民党は富裕層の税負担を重くすることで応戦した。２０１４年には最富裕層の約1万人を対象とする「富裕税」を成立させ、彼らの税率は40％から45％に引き上げられた。

台湾で、億万長者への反感をさらに強めているのが大物経営者たちの年齢だ。先進国、開発途上国を含む世界中の億万長者の平均年齢は、２０１５年時点で63歳弱だった。億万長者の平均年齢が最も若い国はベトナム、チェコ、中国で53歳だ。一方、平均年齢が最も高い国では、億万長者たちが国の経済のほとんどすべてをコントロールしており、彼らの富の大半は世襲だった。億万長者の平均年齢は、マレーシアで74歳、チリ68歳、台湾では67歳だった。台湾の最も若い億万長者は46歳であり、チリの34歳、米国の25歳と比較すると、老人による同族支配という印象は拭えない。

スナップチャットのエヴァン・シュピーゲルは、25歳の若手経営者である。彼のように自分の企業をゼロから立ち上げて莫大な富を築いた新顔の億万長者は、世界的に見ても例外だ。シリコン・バレーのような技術革新の刺激に満ちた環境から頭角を現し、経済的に大成功すること自体が珍しい。一介の年若い起業家が、同族企業の援助なしに億万長者にまで上り詰める。こうした億万長者の数の多さでは、米国や中国はきわめて異例である。

世襲財産が少ない中国とロシア

財産の世襲がないことは良いサインに違いない。新しく立ち上がった企業が既存の企業と同じ競争条件で戦えるからだ。英国や米国のような国では、これが当たり前のように見える。ティールのような批評家は、ゲイツ、エリソン、ザッカーバーグなどの著名な名前を沈滞した上流階級の象徴として挙げるが、彼らは誰からも富を世襲していない。彼らは自力で成功した起業家だ。ザッカーバーグは29歳である。多くの国の基準では、彼らはニューフェイスである。米国の億万長者リストには世界最大のスーパーチェーン、ウォルマートの創業一族であるウォルトン家から

6人のメンバーが登場する。上位12位までには4人もランクインしている。彼らはきわめて異例だ。彼らの富を合計すると1710億ドルになり、米国で世襲された億万長者の富の5分の1に相当する。このウォルトン家の富を差し引けば、米国の億万長者の富全体に占める世襲財産の比率は34%から29%へと低下する。ウォルトン家の会社は、労働者への賃金をケチり、数多くの中小小売り業者を倒産に追い込んだことで政治的な論争を引き起こしたが、その一方で、最新のテクノロジーを小売りの物流や在庫管理の業務に巧みに活用して、米国だけでなく世界の小売り産業の生産性を大きく高めたことも否定できない。ウォルトン家は時に物議を醸しながらも、良い億万長者の興味深い代表例といえる(5)。

これとは対照的に、中国やロシアの同族主義は、米国に比べると無視できるほど小さいが、前向きな評価を下すことはできない。これらの国の億万長者リストには、富の世襲がほとんど見られない。これは経済が競争的だからではない。「ブルジョワをたたき潰して財産を没収せよ」という、比較的最近までの共産主義時代の名残によるところが大きい。『フォーブス』誌の集計データをいくら眺めても、中国やロシアでは世襲の富はほとんど見つけることができない。それは、億万長者の年齢が比較的若いために次世代に富を引き継ぐ必要性をまだ感じていないからか、あるいは年季の入った世代は資産隠しに長けているからかのいずれかだ。中国では新興のハイテク起業家とともに、共産党の「太子党《タイジータン》」と裏でつながる利権集団が増殖している。彼らの多くが億万長者リストに登場していないのは、彼らの純資産がまだその水準に届いていないか、政府の

図表1 「悪い億万長者」が多い新興国

(%)

国名	全億万長者の資産／GDP	悪い億万長者の資産／全億万長者の資産	億万長者の世襲資産／全億万長者の資産
ブラジル	8	5	43
中国	5	27	1
インド	14	31	61
インドネシア	7	12	62
メキシコ	11	71	38
ポーランド	2	44	0
ロシア	16	67	0
韓国	5	4	83
台湾	16	23	44
トルコ	6	22	57
新興国の平均	9	31	39

図表2 世襲資産の比率は先進国の方が高いが……

(%)

国名	全億万長者の資産／GDP	悪い億万長者の資産／全億万長者の資産	億万長者の世襲資産／全億万長者の資産
オーストラリア	5	45	41
カナダ	8	11	47
フランス	9	5	67
ドイツ	11	1	73
イタリア	7	3	51
日本	2	9	14
スウェーデン	21	5	77
スイス	15	29	62
英国	6	25	32
米国	15	10	34
先進国の平均	10	14	50

(出所)『フォーブス』誌、億万長者リスト、2015年3月

腐敗摘発キャンペーンを恐れて資産を隠してしまったためだ。

習近平《シージンピン》は2012年に中国の最高指導者の地位に就いて以来、腐敗摘発に積極的に取り組んできた。その矛先は共産党の最高幹部にも向けられ、エリート層を中心にパニックが広がった。捜査の対象は、党の高官だけでなく、企業経営者の妻、兄弟、子供にまで及んだ。米国の元財務省次官で中国専門家のコブ・ミクサーが私にこう語った。中国人のエリート同士が仲間内で交わす挨拶が変わりつつある。1980年代の挨拶は「食事はもうすませたかい？（Have you eaten yet?）」だった。1960年代、1970年代に苦しんだ飢饉に元がある。ミクサーによれば、習近平が2012年に権力を握り腐敗摘発が始まってからは、新しい挨拶が生まれた。「もうすませたかい？（Have you been in yet?）」。ここの「in」の対象は刑務所だ。2015年の初頭には、40万人以上の共産党員が懲戒され、20万人以上が起訴された。こうした取り締まりの強化は、共産党の働き方の文化を変えて汚職を一掃しようとする真剣な努力のように思える。これは中国にとってとても良いサインだ。

なぜ悪い億万長者が問題なのか？

「良い億万長者、悪い億万長者」という章タイトルは、この章の議論で最も核心的な部分である。億万長者が国の富のほとんどを所有し、彼らのファミリー企業が他企業との競争から保護されていたとしても、彼らの富が生産的な産業に集中的に投じられていれば、経済の成長にはプラスの貢献をしている。また彼らが、政治的なコネを利用してカネ儲けしたのではなく、新しいスマートフォンのアプリを開発して大富豪になったのなら、多くの国民から尊敬される可能性が高まるだろう。

先進国でも新興国でも同じだが、悪い億万長者の比率が低いことはプラスに働いても、マイナスになることはない。韓国で大手財閥が国民的な批判の対象にならずにすんだ理由の一つは、韓国の人々が子供の頃から聞かされてきた愛国的な物語のためだ。そのあらすじは、韓国が原油などの天然資源に乏しい国であり、その逆境をいかに乗り越えて、世界に冠たる経済大国になれたか、というものだ。近頃では財閥一族のオーラはほとんど感じられなくなった。しかし億万長者の富――ちょうど5％――のほとんどが利権に絡みやすい産業からくるものでないことは、いまも昔も変わりない。財閥一族が財産を露骨にひけらかさないことも、彼らへの反発を抑制する一因になっている。また若い人々の参入によって、起業の動きが活発になっている。新たな億万長者も多く誕生している。化粧品の大富豪徐慶培《ソキョンベ》は世界的な韓流ブームの流れにのって大成功を収め、オンラインゲームの起業家権赫彬《クウォンヒュクビン》のクロスファイアーは中国で空前の大ヒットとなった。

台湾でも億万長者の財産規模がケタ外れに大きく、財産の世襲の比率も高いが、彼らの主な基盤が成長性の高いハイテク産業であることが反発を抑えている。彼らの企業は電子部品の製造や組立に特化し、世界ブランドのコンピュータ向けに製品を出荷している。彼らの富の大部分

――約77％――は、そうした企業から生み出されたものだ。大企業の一部は、iPhoneやその他のアップル製品向けに部品を供給している。産業界では起業家精神が横溢しており、競争が激しい。そのために企業の多くは中小零細の段階から大きくなれないでいる。台湾の億万長者の資産を見ると、（世界の億万長者の基準では）比較的地味である。２０１５年時点では世界の億万長者約１８００人の平均資産は39億ドルだが、台湾は20億ドルだ。韓国と同様に台湾の億万長者も相対的に地味な存在だが、毎日、身の危険に怯えながら過ごす生活とは無縁のようだ。

不平等への反発を抑える

先進国でも悪い億万長者の力が弱体であれば、その蓄財への政治的な反発も抑制される。先進国では、悪い億万長者が億万長者全体の富に占める比率は小さい。イタリアで３％、ドイツで１％だ。ドイツとイタリアは共通点が少ないが、レントシーキング産業と深くかかわる大金持ちがほとんどいない点では共通している。ドイツの億万長者の出身母体は、ボール・ベアリング、ＢＭＷ、海運、ソフトウエア、消費財、グーグルなど実に多岐に及ぶ。グーグルの立ち上げ期の投資家の一人が、先見の明のあるドイツ人、アンドレーアス・フォン・ベヒトルスハイムだった。２０１５年のドイツの億万長者リストを見ると新顔は伝統企業の出身で占められているが、他の３人はハイテク企業の支援センターで財を成した。彼らは米国のインターネット・ビジネスをコピーするという物議をまねくビジネスを欧州、インド、インドネシアなどで展開していった。アレクザンダー、マルク、オリヴァーのザムヴァー3兄弟は、2014年の末にベルリン拠点の起業支援センターであるロケット・インターネットを公開して億万長者となった。

スウェーデンでも億万長者の資産は巨大で、その多くは世襲である。しかし、良い億万長者の台頭で不平等に対する国民の反発は抑制されている。億万長者の資産規模や世襲財産の比率では先進国で最悪だが、内容の良さでは上から3番目だ。全億万長者の富で伝統的なレントシーキング産業に関連があるのは5%にすぎず、残りの大半はファッション業界のH&Mや家具小売業のイケアなど高い国際競争力を誇る企業で築き上げられたものだ。こうした企業では売り上げや利益の大半を、国内よりも海外で稼ぎ出している。それにもかかわらず、億万長者の圧倒的な資産規模と、それが一族内で世襲的に受け継がれている現実は、スウェーデンの成長にとって阻害要因となる恐れがある。億万長者の圧倒的な存在感ゆえに、国民大衆が資産の形成に反発を感じる場合は特にそうだ。

こうした分析は米国にも通じる。米国では良い億万長者と悪い億万長者の従来の線引きが曖昧になりつつある。トップ10位に入る億万長者の多くは数十年間、同じ顔ぶれだ。それでも彼らが所有するマイクロソフト、バークシャー・ハサウェイ、オラクル、ウォルマートのような企業は、どの国に対しても国際競争力を持つ。トップ10位以下では、新たな主役の交代が起きつつあるようだ。ヤフーのジェリー・ヤンのような1990年代のハイテク企業に関連した人物が姿を消す一方で、最近ではツイッターのジャック・ドーシー、グルーポンのエリック・レフコフスキー、ワッツアップのジャン・コウムなどモバイル・インターネット・アプリに関連する人物が登場している。シリコン・バレーではハイテク技術専門家と低賃金サービス労働者の格差拡大に対して抗議の声があがるが、全国レベルではハイテクの億万長者は著名人として受け入れられている。億万長者で起業家のイーロン・マスクは、スーパー電気自動車から宇宙旅行まで幅広い分野に関心を持っている。学術的な評論でも、世の中を変化させようとする彼の行動は前向きに取り上げられている。

国民的なヒーロー

シリコン・バレー出身の億万長者には、国民的なヒーローになった人物が多い。その理由は彼らが提供するサービスが消費者から愛されているからだ。『フォーブス』誌によれば、ワッツアップがビジネス開始後の6年間で獲得したフォロワーは7億人に達した。これは19世紀初頭のキリスト教徒の数を上回っている。こうした急激な普及は、新しいテクノロジーでは一般的な現象になりつつある。電気が発明されて、それが米国の4分の1の国民に普及するまでに、40年以上の歳月を要した。それ以来、新発明の導入ラグは短縮傾向にある。ラジオは30年、パソコンは15年、ワールド・ワイド・ウェブは7年、そしてフェイスブックは3年だった。マーク・ザッカーバーグは個性的な性格から瞬く間に世間の注目の的となったが、彼の生涯はノーカット完全版のハリウッド映画にもなった。フェイスブックの２０１１年の研究によれば、地球上のすべての人が6ステップ以内でつながっているという仮説（「六次の隔たり」仮説）は、もはや通用しなくなった。現在ではソーシャル・メディアの発達によって、4・7ステップまで縮まっている。米国人でインターネット億万長者に感謝を感じている人は多い。

今日の米国社会では、悪い億万長者の代表例を挙げるのは難しい。現代では、ジョン・D・ロックフェラーなどのような20世紀初頭の悪徳資本家は見あたらない。マイクロソフトやグーグルは、ハイテク宇宙の支配を企むデス・スター（映画『スター・ウォーズ』シリーズに登場する架空の宇宙要塞）だと批判されることがある。しかし、激烈な競争に明け暮れるコンピュータ関係者を別にすれば、創業者たちは一般に好意的に受け止められている。ビル・ゲイツやウォーレン・バフェットは誰よりも早く、莫大な富に対する大衆の反感を予知した。彼らは公の場で他の億万長者に対して、（ロックフェラーの晩年のように）財産を慈善事業に遺譲し、同族による金権政治の台頭を防ぐために相続税を引き上げるよう提唱した。悪い億万長者の代表人物は、ロックフェラーがスタンダード・オイルを築いて悪名を馳せたように、原油やガスなどレントシーキング産業から登場してくる可能性がある。しかし米国では新しい富の源泉は、従来はとても到達不可能だった地下深くの頁岩層《けつがん》の中に閉じ込められている原油やガスを抽出する技術へとシフトしている。こうした新しい米国の石油王は、ティールが「技術的な失敗」と呼ぶグループにはきちんと分類できなくなっている。

成長を妨げる不平等

不平等が世界的に広がる中で、その原因や結果について新たな研究が急ピッチで進められている。最近の有力な仮説は、不平等が小さければ成長は長期間持続するが、逆に不平等が大きく、しかも急速に拡大していれば成長は早い段階でポシャってしまう、というものだ。これに対しては、どのようなイデオロギーの持ち主も異論を唱えることはできない(6)。

こうした仮説の第一の理由は、次のような観察がベースになっている。所得が増大すれば、高所得者は中低所得者より増加分の少しの割合しか消費に振り向けようとしない。残りは貯蓄する傾向が強い。高所得者は食料、ガソリンなどの生活必需品はすでに十分購入しており、所得が増えたからといって、さらに買い増すことにならない。一方、中低所得者は手元の現金が増えれば、衣類、食料、高級な牛肉、これまで我慢してきた週末旅行用のガソリンなどを購入しようとする。こうした現象を、経済学者は所得の増加につれて「限界消費性向」が低下する、と呼んでいる。その結果、経済全体に占める高所得者のシェアが拡大すれば、全体の消費支出の伸び率が減速し、成長率は下がっていく。

仮説の第二の理由は「変化を見抜く」という本書の中心テーマとも深く関連している。最も説得力のある議論を提示しているのは、ＩＭＦの研究者であるアンドリュー・バーグとジョナサン・オストリーである。彼らは、不平等の程度と「成長の山、谷、高原」との明確な関連性を指摘している。彼らによると、第二次世界大戦が終結してしばらく中南米にも高成長の時期がたびたび訪れた。その回数は、アジアの奇跡の国々に勝るとも劣らなかった。最大の違いは、中南米では成長の期間が短く、景気が成熟しないままますさまじい「ハード・ランディング」で終わってしまうことだ。その結果、先進国の所得水準に追いつけという大目標は大きな後退を余儀なくされた。なぜ「ハード・ランディング」が避けられないのか。バーグとオストリーによれば、高水準の不平等が強く影響している。「不平等が成長を阻害している。不平等が高じれば再分配を求める声が高まり、それが成長を抑制する。……そうした状況では不平等が成長の足かせになるとしても、増税や所得移転が正しい処方箋だとは必ずしも言えない」。

彼らは再分配への国民の要求がいつも成長を阻害すると言っているわけでない。これはバランスの問題だ。サンティアゴを訪問した時、ピニェラ元大統領が指摘した点と通じるところがある。彼は「ハサミの両方の刃で不平等と闘わなければならない」と言った。つまり、成長の促進と富の普及の両方を実現する手法を見つける必要がある。

成長への最大の脅威が生じるのは、次のようなときだ。最近のブラジルやインドのように、政府がすでに十分な再分配政策を行っているのに、さらに社会福祉支出を追加しようとするときだ。貧困問題へ過剰な資金が投じられれば、予算のバランスが崩れ、行政の非効率性が高まる。その結果、社会福祉の財源となる経済成長にもダメージを与えかねない。バーグとオストリーによれば、所得格差が改善すれば低所得者も子供の教育に投資し、小額ながら商売の元手を手にすることもできる。所得格差の低下は持続的な成長をもたらしてくれる。

逆に所得格差が広がれば、高成長の最終局面で迎える金融危機が深刻になる。景気が熱狂状態に達すれば、一部の大金持ちは巨大な富を背景にリスクの高い金融投機に走り、超豪華な奢侈品を買いあさって、社会の反感を買う。そして危機が到来したときには、大金持ちは国内の富の大半をオフショア市場へと逃避させてしまっている。

いったん経済危機に陥れば、政治家は誰が損失の責任をとるか決めなければならない。国民の反発がつのればつのるほど、債権者と債務者の合意を図るのがますます難しくなる。ユーロ圏諸国がギリシャ債務危機の解決で苦しんだように、根本的な問題は深刻な不平等社会を放置してきたギリシャ政府に対して、ギリシャの債権者もギリシャの国民も救済の手を差し伸べようとしないことだ。ギリシャでは、金持ちがここ数十年ほとんど税金を払っていない。２０１５年の時点で国民の反発は誰の目にも明らかになり、ギリシャ経済には不安が広がっていた。その年の夏、私がサントリーニ島のホテルをチェック・アウトする時、総支配人やスタッフが私に請求書とクレジットカードの支払い領収書を必ず携行するよう繰り返し注意した。税関はランダムに、ホテルが税金逃れのため料金決済で宿泊客から現金を受け取っていないか厳しく検査していたのだ。ギリシャ国内では現金が脱税手段として広く悪用されていた。

腐敗、不平等、地下経済の連鎖

悪い億万長者は腐敗社会の表面に浮かび上がるサワークリームである。トランスペアレンシー・インターナショナル（ＴＩ）が実施した年次調査を利用すれば、どこの国が最も腐敗が進んでいるか手がかりを得ることができる。ＴＩの調査では、頻繁に旅行する人に訪問国についてゼロ（完全にクリーン）から１００（完全に腐敗）までの点数で評価してもらった。腐敗は最貧国で最も深刻であり、所得が増えるにつれて少なくなっていく。腐敗の水準を判断する最も優れた方法は、平均所得が同水準の国同士を比較することだ。ルネサンス・キャピタルによる２０１２年の調査では、ポーランド、英国、シンガポールなど15ヵ国は、他の同所得の国に比べて腐敗が少ない。ＴＩの点数では、他の同所得国の平均を10～20ポイント下回っていた。チリやルワンダなど6ヵ国の腐敗度合いも、他の同所得国をはるかに下回っていた。ＴＩの点数では、他の同所得国の平均より20～30ポイントも低かった。逆に、ロシアやサウジアラビアなどの25ヵ国では、他の同所得国に比べて腐敗が深刻だった。別に驚きではないが、こうした国は、原油生産のようなレントシーキング産業が優勢である。25ヵ国のうち18ヵ国が原油輸出国だ。原油産業の大金持ちがすべて悪い億万長者だとは言わないが、産油国は悪い億万長者の楽園になりがちだということは間違いない。

腐敗の広がりと不平等の高まりとの間には強い相関性がある。この両者とも成長を阻害する。

悪い億万長者は富の取り分を拡大させることだけを追求し、彼らの栄華は腐敗の拡大とともにある。ネッド・デイビス・リサーチによれば、TIの腐敗調査で他の同所得国に比べ最も深刻な国、たとえばベネズエラ、ロシア、エジプト、メキシコなどは不平等も最悪の状態だ。TIの腐敗調査で他の同所得国に比べて最もクリーンな国、韓国、ハンガリー、ポーランド、チェコは他の同所得国に比べ不平等の度合いも最小である。

さらに、不平等は地下経済の腐敗とも強く関係している。地下経済では税金逃れのため、ビジネスは現金、帳簿外が原則だ。経済協力開発機構（OECD）の研究者によれば、大きな地下経済を抱える国ほど不平等が深刻である。これは偶然ではない。地下経済の雇用は低賃金で、福利厚生、キャリア・パスも整備されていない。悪い億万長者はこうした闇の帝国に君臨する王である。米国ではGDPに占める地下経済の比率は8％、英国、ドイツ、フランスなどの欧州諸国では10％強である。一方、イタリア、ポーランド、メキシコ、トルコでは25％以上、ブラジル、フィリピン、ロシア、タイ、ペルーの新興国では35％以上となっている。

巨大な地下経済の存在は、社会的な反発の原因となる。大金持ちほど巧妙な手口を使って脱税を行っているからだ。インドでは政府が所得税として徴収している金額はGDPのわずか3％であり、その一方で地下経済の規模はGDPの30％と推定されている。そのためインドでは慢性的な財政赤字に苦しんでいる。脱税文化は社会のエリートから蔓延していく。エコノミストのツシャール・ポダールが指摘しているように、25万人以上の百万長者の中で、15万ドル以上の所得を申告している人はわずか4万2000人にすぎない。エリートの税金逃れは一般市民の納税への意欲を著しく殺ぎ、脱税を永続化させてしまう。

賄賂の抜け道

億万長者の行動様式は、特に重要である。ビジネス文化の基本的なあり方を決めるのは彼らだからだ。インドでは超富裕層が支配する企業グループでは、地域の病院、学校、ホテル、新聞社を最低でも1つ、あるいは4つすべてを運営している。インド最大の新聞社のトップが私に語ったところによれば、最近では比較的小規模な都市の実力者ほど上記の4つの事業をすべて手がけている。理由は簡単だ。現金で賄賂を受け取るのは悪いことだと、誰もが知っている。しかし現物の贈り物について問題だと考える人はそれほど多くない。家族の誰かが病院で治療を受けた場合の治療費用の無料化、子供の教育費の免除、姪がホテルで結婚式を挙げる場合の宴会場の無料提供、新聞のビジネス欄や政治欄での好意的な取り扱いなどを賄賂だと見なす人はまずいないからだ。

こうした本筋から逸れたようなビジネスは非営利的と見なされているが、実は政治家や官僚にコネを作るうえでの必要不可欠な投資なのだ。政治家や官僚はその見返りに特別な許認可や優遇措置を提供してくれる。こうした裏取引が特定グループの権力基盤を強めて、社会の不平等を拡大させる。その結果、大量の資金が非生産的な産業に流れ込む。インドではびっくりするほど大量の出版物が発行されている。そのほとんどは部数が少なく経済的にも採算がとれていない。日刊新聞は1万3000紙、雑誌は8万6000誌が刊行されているが、その中で10万人以上の購読者を抱えるのは40に満たない。悪い億万長者だけがこうした刊行物を所有しているわけではないが、こうした出版文化の基調を定めているのは彼らである。そうした事業では、新聞発行の目的は個人的な影響力を広めるためだと広く一般に見なされている。

政府はこうした大金持ちのやりたい放題を統制できないばかりか、彼らに課税することもできない。このため、政府が不平等の緩和目的で道路や空港を建設することもままならない。悪い億万長者は腐敗の悪循環を助長することで、不平等を拡大し、成長を妨げている。

億万長者を見れば国の将来が分かる

億万長者の評価基準が、これからますます重要になってくる。超富裕層に多くの富が集中することで、米国や英国、中国、インドなど世界中のどこを見渡しても不平等が拡大している。多くの国では、すべての所得階層で所得が増加しているが、富裕層は中低所得層よりも増加率が大きい。貧困層の数が減少して中所得層の規模は拡大しているが、所得と資産のギャップが広がっている。その結果、貧困層と中所得層の融合が進む一方で、彼らは急拡大する世界的な億万長者の影響力の下で日々の生活を送らざるをえなくなっている。政治的な論点として、あるいは成長への脅威という点で、不平等やそれが引き起こす社会的緊張は、ますます重要性を増している。

縁故資本主義や悪い億万長者が台頭している国には特に警戒が必要だ。それは当該国が深刻な機能不全に陥っている証拠である。具体的には、起業家が大成功を収めた後で強欲がむき出しになってしまうビジネス文化、官僚が長く権限を持ちすぎたために自己満足に陥ってしまう政治文化、ルールが複雑すぎるか、あるいは全く存在しないために職権乱用の行為がはびこる制度など、国としての欠陥を示している。社会改革によって不平等拡大に対応するなどの前向きな兆候にも注目したい。たとえば、農家と開発業者の公正な利害調整が行われる形で不動産取引法が整備されているか、油田や無線帯域など公共財の公開入札は裏取引が排除されるような透明な方法で実施されているか、といった点だ。2015年のメキシコ海底油田の権利の公開入札は、金額が比較的小規模だったことから世間の関心を呼ばなかったが、入札制度としては大成功だった。入札状況は国営テレビで生中継され、縁故関係者の入り込むスキはほとんどなかった。こうした環境の改善は、データではなく観察でしかキャッチできないが、そうした中でこそ良い億万長者が次第に力を持ち、富の創造プロセスを変革し、その成果を広く一般国民に行き渡らせることができる。

億万長者は経済全体の方向性を示す重宝な風見鶏である。億万長者の数が増えるにつれて、統計的なサンプルが充実し、分析ツールとしてのデータの信頼性が増してくる。それを活用すれば、富のバランスが急激に億万長者の方向に傾いている国かどうかの特定が可能になる。経済が将来の成長にも役立つ生産的な富を生み出しているかどうか。億万長者の資産規模の変化、入れ替わり率、富の源泉などを計測すれば、こうした点についても何らかの洞察を得られるはずだ。

経済における億万長者の支配が拡大し、エリートとしての地位がますます強固になり、それが世襲化されていく。しかも、その富の源泉が、政治的コネがものをいう産業である。もしそうであれば、すべて悪いサインだ。健全な経済では、腐敗した大富豪がいつも主役を演じ続けるのではなく、技術革新で大成功した大富豪が交代で主役を演じる必要がある。資本主義社会では、高度成長を牽引するのは創造的破壊である。しかし、悪い億万長者は現状維持からしか富を得ることができない。彼らは皆が豊かになることに反対である。彼らは経済のパイの再分配を強く求める社会運動の避雷針になることはできても、経済のパイの拡大を求める社会の声を先取りすることはできない。

第4章

Perils of the State

【政府介入】国家による災い
――政府の干渉が増えているか、減っているか

北京コンセンサスに賭ける

毎年、スイスのダボスで政治や経済の国際的な指導者が集まる「世界経済フォーラム」会議が開催される。2011年の会議のテーマが「北京コンセンサス」だったことを振り返ると、私は驚きを禁じえない。そのフレーズが、中国が米国を抜いて世界一の経済大国となり、経済発展の重要なモデルになるという考えを見事に言い表していたからだ。当時は2008年のリーマン・ショックが引き起こした世界的な金融危機の3年目にあたり、米国は危機からまだ立ち直れないでいた。米国の失業率は依然として高く、政府は積極的な行動を起こすどころか、共和党と民主

党の党派的な対立で麻痺状態にあった。「ねじれ現象」は、ワシントンの別名となった。一方、中国政府は大胆な行動で「米国発」の経済危機に対応した。共産党の一党独裁政権だからこそできる業だった。中国政府は大規模な財政支出や融資を実行し、中国の成長率は2010年には2桁近くへ戻った。その年の米国はほぼゼロ成長だった。新たな北京コンセンサスが意味したのは、実行力のある権威主義的な政権が経済を牽引するメリットだった。多くの国は、それを実感するようになった。このアイデアは、市場、貿易、政治における自由を重視する従来のワシントン・コンセンサスに取って代わりつつあった。「国家資本主義の台頭」は、2011年に発行された多くの新刊書籍や雑誌の特集記事で大きく取り上げられた。

私はこうした一連の動きを大いなる懐疑の目で見ていた。第一に、中国の経済パフォーマンスに驚いたのは欧米の政治家や経済人であり、新興国の人々ではなかったからだ。そのちょうど1年前、シャルム・エル・シェイクというエジプトきっての国際的リゾート地で、私はガマル・ムバラクにインタビューした。彼は、やがて追放される運命にあるエジプトの独裁者の息子だった。私は、エジプトで始まったばかりの自由化政策が後退することはないかを聞いてみた。この自由化は、エジプト政府が遅ればせながら着手したものだった。彼は次のように答えた。ワシントン・コンセンサスを踏まえた経済の自由化にこそ、国の未来がある。エジプトは苦しい体験から国家支配がうまくいかないことを知っている、と。

第二に、私の母国インドでも、経済界の主要テーマは北京コンセンサスではなかった。彼らの関心は「仲介者」の権力の増大だった。「仲介者」とは、首都ニューデリー中心部の記念碑的なホテル、タージ・マンシーのティー・ラウンジで、世間の注目を集めている人々のことだ。かつてこのティー・ラウンジはお金持ちの若いカップルが親族の紹介でお見合いをする場所として有名だった。最近ではいわゆるフィクサーと面会して、政府の妨害や遅延行為を解決してもらうホット・スポットになった。あるテーブルには州政府から土地を購入する際の遅延問題を解決する仲介者、別のテーブルでは裁判訴訟での未処理案件を解決する専門家、もう一つ別のテーブルには国営銀行の融資認可を円滑に進めるフィクサーが座っていた。こうした「職種」の台頭は、官僚に自由裁量を認めすぎた当然の結果で、古くから国家資本主義の弊害とされてきた。こうしたティー・ラウンジのような場所が一種の陰の首相官邸になっていたとすれば、それは制度が腐敗している証だ。当時の与党のマンモハン・シン政権はその腐敗によって大いに評判を落とした。

多くの国際経済の投資家が国家資本主義の躍進に期待して新興株式市場へ多額の資金を投入した。しかし2008年には11兆ドルもあった新興株式市場の時価総額が2013年には約9兆ドルに下落した。その2兆ドルの損失のすべては、国営企業の株価の値下がりによるものだった。その損失の直後から、国家資本主義への賞賛は急速に色あせていった。一方、世界の民間企業の株式時価総額は同期間ほとんど変化がなかった。ダボスに集まった人々は議論しただけではなかった。多くの戦略的な投資家は中国だけでなくロシアやブラジルのような新興国の国営企業の株式を大量購入して、北京コンセンサスに賭けた。投資家心理に決定的な影響を与えたのは、中国経済の旺盛な活力と、それに当時人気を博していた、権威主義的な統制国家なら経済発展だけでなく何でも実現できるという考えだった。2008年の世界の株式時価総額トップ10位の中に国営企業が5社も入っていた。2003年には1社もランクインしてなかった。エクソン・モービルを抜いてトップの座に躍進したのは中国最大の石油会社ペトロ・チャイナだった。これは、中国の統制経済の方が米国の自由市場経済より儲かるという有力な証拠だった。

国家資本主義の将来性

しかし、実際は想定通りにいかなかった。すべての新興国では2003年以降、好景気が続いていた。その旺盛な活力に国家資本主義の将来性を見た多くの国際投資家は興奮をいやが上にもかき立てられた。株式相場は好景気で上昇した。2000年代の終わりになると、投資家は経済の強弱、国営企業、民営企業の見境なく資金を投じた。これは間違った判断であり、多くの人々が大きな損失を被った。

2008年の世界的な金融危機の後、中国を含む多くの新興国では世界景気の減速から国民を守るために、国営企業経由で雇用の創出や補助金の提供が行われた。中国政府主導の経済発展に魅了された投資家は、そうした経済運営で国営企業の収益性にどのような影響が及ぶかまで気が回らなかった。もちろん例外はあった。インドネシアやポーランドでは、数は少ないが、管理の行き届いた国営銀行や国営企業が存在した。しかし一般的には国営企業の収益性は低く、その経営の実権は権力者の側近が握っている場合が多かった。米国は巨大債務によって危機に陥ったが、中国はそれを回避してきたことで高い評価を得た。しかし現在の中国は政府が国営銀行に命じて、国営企業に対し大量の資金供給を始めている。国営企業の収益性（＝株主資本利益率）は２００９年の10％から２０１３年には６％へ下落した。国営企業が資金の正しい使い方をしていないことは、明らかだ。皮肉なことに、国家資本主義に対するメディアの誇大「宣伝」が２０１１年のダボス会議で最高潮に達した頃、世界中の国営企業の株式時価総額はすでに減少に転じていた。

２００８年の時点で国営企業は新興国の株式時価総額の30％を占めていた。しかしその後の５年間で、そのシェアは半減した。２０１３年末には世界の株式時価総額トップ10位から国営企業は姿を消した。ペトロ・チャイナは１位から14位へ順位が大幅にダウンした。それに代わってトップの座に躍進したのが、米国のハイテク企業アップルだった。世界市場がかつて国家資本主義の競争上のメリットを高く評価したとすれば、その評価はその後、撤回されたことになる。

したがって問われるべき問題は、国家の介入が多い方が良いのか、少ない方が良いのかである。一般的に、多くの国で政府の積極的な介入が行われている現在のような時期には、介入は少ないに越したことはない。政府の経済発展への取り組みには多くの形態がある。内容も多彩である。しかし私の見るところ、大事なのは次の３つの基本トレンドだ。１つ目は、対ＧＤＰ比で見た政府支出の変化で、その支出が生産的な目的に使われているか。２つ目は、国営の企業や銀行が政治目的を達成するために悪用されていないか。そして３つ目が、政府が民間企業にどのくらいの成長機会を与えようとしているか。

財政支出が問題になる時

財政支出がどのくらいまで増大すると、過大になるのだろうか。これはいつの時代でも答えに窮する。今日のようにイデオロギー戦争が盛んな時代では、特にそうだ。実際のところ政府は道路や橋の社会インフラを建設できる唯一の巨大な投資家である。新興国の一部では政府の力が弱くて十分な税収をあげることができず、市民生活に不可欠な社会資本の整備さえ満足にできていないが、政府の規模は管理されなければならない。政府が本来の使命以上に手を広げすぎては困るからだ。政府が食料の無料化やガソリンの補助金、あるいは赤字のホテルや航空会社へ惜しげもなく財政資金を投入していては、国の経済全体がやがて立ち行かなくなってしまう。こうした考えを持つのは、私がインドで育ったことと大いに関係している。インドでは社会主義の影響が根強く残っており政府の介入がいかに悪い結果をもたらすか、驚くべき事例を数多く見ることができる。たとえば公教育の現場では、教員の無断欠勤率が45%に達している州がある。賄賂でも使って教員の資格を取得すれば、その後は職場に顔を出そうが出すまいが、クビになる心配はない。安心して私立学校で第二の職場勤めをすることができる。似たようなスキャンダルは無料治療を行う公共医療制度でも横行している。医師が不在でネズミが走り回っているような粗末なクリニックや清掃係の少年が医師に代わって患者に注射を打っている診療所などはざらだ。こうした政治的イデオロギーと密接に絡む問題で、政策がバランス良く実行されているかを客観的に判断するのは、とても難しい。

何が正しいかについて明確な答えはない。そこで私は極端な例外を探すことから始めた。例えば、政府の支出慣行が極端にバランスを欠いていて、経済発展を阻害する可能性があるような場合である。戦後の一般的なパターンでは、国が発展するにつれて、財政支出の対GDP比は一定の範囲に収まる傾向がある。そこで例外の候補を見つけるために、対GDP比で見て財政支出の割合が同規模の所得国を大きく上回っている（あるいは、下回っている）事例を調べてみた。同規模の所得国の中で相対的に対GDP比が高いうえにさらに上昇している場合は、最悪のサインだ。先進国の上位20ヵ国で財政支出が最も肥満状態にあるのはフランスである。

フランスの政府は毎年GDPの57％に相当する金額を支出している。この比率は、北朝鮮のような共産主義へ先祖返りした国を除けば、世界のどの国よりも高い。フランスの財政支出は、先進国の標準値*を18％ポイントも上回っている。この標準値からの乖離幅は、先進国、新興国を問わず最大だ。政府の財政支出が経済を支配している、つまり年間GDPの半分以上を占める他の

＊　標準値は、財政支出の対GDP比率と1人当たりGDPによる単純な回帰分析より算出した。財政支出データの出所はIMF。国、州、地方政府の各財政支出を合算している。支出には公務員給与から福祉支出までのすべての費目が含まれる。

国は、スウェーデン、フィンランド、デンマーク、イタリアである。

フランスではこうした特大サイズの政府をまかなうために、税金の負担が重い。多くの企業やビジネス関係者はあきらめ顔で海外に脱出するしかないとこぼす。フランスの中央集権国家の伝統は、数世紀前まで遡る。フランス人は政府の失敗に関するジョークの名人だ。20世紀初めのジョルジュ・クレマンソー首相はフランスを「とても肥沃な国だ。官僚を植えたら、税金が実る」と表現した。それから数十年後には、コメディアンのミシェル・コリューシュが気の利いた皮肉を言った。「もし愚か者に課す税金があるとすれば、政府が真っ先に支払わなければならない」。現代の著述家フレデリック・ダールは次のように述べている。「いくら稼いでも豊かになれないとつくづく感じるのは、税金を支払っているときだ」。

福祉国家の見直しが進む

２００８年の金融危機以降、多くの近隣諸国がそうであったように、フランスでも変革の圧力が強まった。ギリシャもかつては財政支出がＧＤＰの半分以上を占めていた。しかし２００８年の危機以降、財政支出の比率は４％ポイント下落して47％まで低下した。それは債権者から公務員数の削減や給与の引き下げを強制されたからだ。ギリシャ政府の規模はその所得水準などの基準からすれば依然大きすぎるが、公約の方針に従って肥満した政府の贅肉落としに取り組んでいる。

ギリシャは、フランス的な放漫財政と新興国の税金逃れが合体した国だ。長年育まれてきた税忌避と福祉詐欺の文化によって、「福祉国家」を財政的に支えることが困難になり、その代償として借金が大幅に積み上がった。ギリシャのジャーナリスト、ジェームス・アンゲロスが機能不全の文化を著書 *The Full Catastrophe*（未邦訳）で次のように記している。ギリシャのある島では視力障害者への福祉手当てを得るために、住民の2％（欧州平均の10倍近い）が役所の職員や病院と結託して目の障害を申し出ている。推計者によって多少の違いはあるが、ギリシャでは公的年金の支払いがＧＤＰの16～18％に達している。この比率は欧州で最も高く、貴重な財政資源の大きな漏出となっている。

しかし最近のギリシャ政府のリストラを見るにつけ、政府がどのように頑張っても万能の力を持つことができないことが分かる。いつの時代でも、拮抗力というものが存在する。政府が国民への施しで大盤振る舞いをしていると、最近の欧州のように市場メカニズムが働いてそれを元へ戻そうとする。米国財務省の元高官だったロジャー・アルトマンが、次のように指摘している。債務危機でドイツがギリシャなど欧州の国々に厳しい歳出削減を迫らなかったとしても、いずれそうせざるをえなかったはずだ。なぜなら、世界市場は彼らの追加融資の要請に対して40％もの金利を要求していたからだ。債務危機を回避するには、歳出削減以外に方法はなかった[1]。

最近の欧州の金融危機によって、6年の短い間に2回も景気後退が発生した。この異常なダブルの景気後退は欧州の分岐点になる可能性がある。それ以前の危機によって福祉国家の侵食が始まっていたが、その流れは今後強まっていくことだろう。スウェーデンやフィンランドのスカンジナビア諸国では1990年代の金融危機以降、福祉支出の大幅な削減に取り組んできた。スウェーデンの財政支出の対GDP比は68％から48％へ下落した。政府は経済成長を刺激するために法人税率を引き下げる一方で、個人所得税率は公共サービス維持のため相対的に割高な水準で据え置いている。ドイツでも2000年代の初めに財政支出の見直しを行った。職探しや職業訓練の参加に熱心でなかった人には、失業給付を削減した。ドイツの財政支出の対GDP比は44％と相対的に高いが、その数字は直近10年間で3％ポイント近く低下している。他の欧州諸国は最近の政府債務危機の傷が深く、福祉政策は大幅な見直しを迫られることになろう。

先進国で財政支出の比重の小さな国は、米国、オーストリア、オーストラリアである。いずれもGDPに対する財政支出の割合は35～40％に収まっている。スイスは32％とさらに低いが、これにはからくりがある。年金や福祉の制度が政府とは別の組織で運営されている。そうした点を勘案しても、スイスの政府はかなりスリム化が進んでいる。公務員の数は少なく、対GDP比で見た税金の割合も27％と先進国では2番目に低い（一番低いのは米国）。逆に一番高いのはフランスの45％だ。スイスで政府の簡素化が進んだ理由は政治制度だ。スイスでは多くの権限が地方の州や有権者へ移譲されている。多くの重要問題は国民投票で決めなければならず、有権者は27％を超えるいかなる増税にも拒否権を持っている。この27％の税率はもちろん欧州で最低水準だ。

新興国の大きな政府

新興の主要20ヵ国の中で現在、財政支出の規模が最も大きいのはブラジルである。地方、中央の政府をすべて合算した財政支出は対GDP比で41%に達し、1人当たり平均所得が1万2000ドルの国の標準を9%ポイントも上回っている。実際、ブラジルの財政支出の構造は、同じ仲間の新興国よりも欧州の福祉国家に近い。2番目に大きいのがアルゼンチンとポーランドだ。両国とも財政支出はGDPの40%以上であり、同じ所得レベルの国の標準を8%ポイント上回っている。それに続くのがサウジアラビア（標準を7%ポイント上回る）、ロシアとトルコ（両国とも標準を5%ポイント上回る）である。

しかし新興国では、こうした数字は額面通りに受け取らない方がよい。ロシアは財政支出の対GDP比を36%と公表しているが、ある政府高官によれば同比率は2000年の30%から現在は50%近くに上昇している。これが事実なら、ロシアはブラジルを抜いて最大となる。こうした情報の混乱は旧ソ連崩壊後の混迷によるものであり、ロシアの謎をいっそう深いものにしている。ポーランドでは政府が公表する財政支出の数字は信頼がおける。2014年の財政支出の対GDP比は42%で、5年前の45%より減少している。このように実際の変化を見ると、ポーランドでは改善に向かい、ロシアでは反対に困ったことになっている。

ブラジルの財政支出は高水準のうえに、上昇が続いている。これは多くの点で経済にゆがみをもたらした。２０１３年には数百万人のブラジル国民が全土で街頭での抗議行動に参加した。彼らの最大の不満は、政府が増税をする一方で、公共サービスは低下していることだった。この不満の正当性を検証するために、ブラジリアン・インスティチュート・オブ・プランニング・アンド・タクセイションというコンサルタント会社が、ブラジルの税収、公共サービスを他の主要30ヵ国と比較した。それによると、ブラジルではＧＤＰの35％に相当する税金が徴収されており、新興国では最も重い税負担だった。しかし、その税金から公共サービスに向けられる割合は最下位だった。それは、質に問題のある病院、適格性を欠く学校、お粗末なバスサービスを見れば明らかだ。ブラジルの財政支出は、税金の重さと税制度の複雑さの両面で地元の人々に大きな負担となっている。ブラジル最大のプライベート・バンクであるウニバンコ・イタウのＣＥＯのロベルト・セタボールがかつて私に語ったところによれば、ブラジルの税務申告は他のどの国よりも時間がかかる。申告書類では、すべての個人が利益や損失に関する詳細で膨大な情報の記入を要求されている。

一方、その対極にあるのが、財政支出の割合が異常に小さな新興国だ。そのグループに含まれるのは、メキシコ、台湾、中でも頭抜けているのが韓国だ。台湾、韓国の両方とも、財政支出の対ＧＤＰ比は22％と低い。同じ所得グループの標準より15％ポイント下回っている。しかし韓国では同比率が２００８年以降、３％ポイント上昇している。さらに重要なのは、財政が生産目的のために使われ、同比率が上昇を続けていることだ。たとえば、韓国では相対的に女性の労働参加率が低く、大きなマクロ経済上の障害とされてきた。それを克服するために、政府は出産後の女性が職場復帰できるように育児施設への積極的な投資を行ってきた。それによって成長率は1%ポイント高まるとの推計もある。台湾では福祉制度の充実のため財政が重要な役割を果たしている。1995年には台湾に公的な医療保険制度が存在しなかったが、現在では国民皆保険の制度が完備している。しかもそのコストは、民間保険と公的保険の混在する米国では対GDP比で18%だが、台湾では同7%と割安になっている。

一般的に、アジアの新興国では政府の規模が相対的に小さい。その理由は、日本のような先進国が福祉政策の充実をそれほど急がなかったからだ。欧州は年金制度への加入率が90%だが、アジアではまだ30%にすぎない。興味深いことに、中南米の政府はお金を使いすぎるという認識が一般的だが、現在の統計数字からそれを裏づけることはできない。メキシコだけでなく、コロンビア、ペルー、チリのアンデス諸国の政府は相対的にスリムに見える。この中で最も軽量なのがチリだ。財政支出の対GDP比は25%だ。同じ所得グループの標準より8%ポイントも低い。政府が肥満気味なのは、大西洋沿岸諸国、すなわちブラジル、ベネズエラ、アルゼンチンである。

小さな政府の裏側にあるもの

現代の経済活動においては、その基礎的なインフラの建設や、腐敗や独占、犯罪を抑制防止する仕組みの整備が不可欠だ。政府はこうした条件を整えるために最低限の財政支出を行う必要がある。政府が十分機能していないとすぐに分かるのは、税金さえ満足に徴収できていないときだ。それは行政側の能力不足や国民の政府に対する蔑視のあらわれだ。たとえばメキシコの税収はGDPの約14％にすぎない。中所得国としてはきわめて低い水準だ。政府は税収不足のために法と秩序の維持や、社会的な害悪をたれ流す麻薬犯罪集団の取り締まりがますます困難になっている。メキシコの軍事費はGDPの0・6％にすぎない。主要な新興国では2番目に低い。ちなみに1番はナイジェリアの0・5％である。給料も満足に払ってもらえないメキシコの警察官や検事が犯罪集団のボスと裏でつながっていることは日常茶飯事だ。それが国民の政府への信頼を著しく毀損していることは言うまでもない。

政府の機能不全という点では、メキシコはまだましなほうだ。パキスタン、ナイジェリア、エジプトでは、政府がかろうじて政府のふりをしているだけだ。そのために、訪れるたびに社会基盤の奇妙な貧弱さを感じる。ナイジェリアの財政支出はGDPの12％にすぎない。多くの基本的なインフラは個人や企業による間に合わせだ。道路が傷んでもパッチワーク的な補修しか行われず、住宅やビルの地下室に設置された発電機は粗悪品だ。パキスタンは人口1億8000万人の国だが、税務当局に登録しているのは400万人以下で、実際に税金を支払っているのは100万人未満にすぎない。社会制度全体が特例や情実のアナだらけで、行政サービスもろくに受けられない。疎外された大衆のマグマが噴出すれば、政府はいつでも簡単に吹き飛んでしまう。

政府がこのように機能しておらず、経済を支えるインフラも貧弱、さらに社会の各階層で不満が高じてくれば、内戦の脅威が高まる。経済は衰弱の途をたどるしかない。２００９年に米国の国際開発庁（ＵＳＡＩＤ）は１９７４〜１９９７年に62ヵ国で発生した紛争について調査を行った。それによれば、内戦の平均的な継続期間は15年で、ＧＤＰは30％も低下した。紛争終結後も、内戦前の所得水準を回復するのに平均で10年かかった。その後10年以内に内戦が再発する確率は40％だった。２０１１年に南スーダンはスーダンから分離し、世界で最も若い独立国になった。しかし２０１３年には権力と原油の配分を巡って２つの有力部族が対立し、新たな内戦へ突入した。国を安定させるにはとにかく時間がかかる。

政府の財源不足の裏側には、闇経済の発達がある。闇経済が広がるのは、帳簿外の取引を行って脱税するためだ。闇経済は国民が政府を嫌っている究極の表現であり、政府の脆弱性や非効率をさらに高める。こうした課税フリーの暗黒世界での仕事は、賃金が低く、キャリア・パスの展望も開けていない。見返りも少ない。この闇世界の雇い主はその支払い額に相応の低い生産性しか手に入れることができない。闇経済は驚くべきスピードで拡大している。スイスや米国ではＧＤＰの８％、パキスタンやベネズエラ、ロシア、エジプトにいたっては実に30％以上に達している。

闇経済はその他の機能障害も引き起こしている。脱税者は銀行を避けるために、投資に向かう貯蓄の総量が減る。銀行とは別の資金配分経路になっているが、それはいたって効率性に劣る。『ブルームバーグ』の記者であるアーメド・フェテハが書いた２０１５年の記事によると、多くのエジプト人は友人や親戚から資金を調達するために結婚式を開く。ある花婿は花嫁が不在の「結婚式」で1万6000ドルを集めた。この花婿は次のように説明したという。「結婚式はお祝いのために開くこともあるし、ビジネス目的で開くこともある」。こうした資金調達なら、銀行へ行く必要もないし、税金を払う必要もない(2)。

こうした諸々の欠陥を正そうとして、政府の高官は時々思いついたように歳入増の衝動に駆られる。それはえてして逆効果を生む。2014年にジョコ・ウィドドが大統領に就任したとき、インドネシアの民主主義の歴史はまだ20年足らずだった。景気は減速に向かい、老朽化した道路や橋へ新たな投資をする必要があった。ウィドドは、最大の問題は税収の総額がGDPの12%で、アジアで最も低いことだと考えた。側近によれば、彼は徴税者の人数を増やすことで問題の解決を図ろうとした。税の専門家にどのくらい税収を増やすことが可能か質問したところ、ある担当者は大統領の気を引こうとして「100%」と答えた。ウィドドは割引きして目標を50%増に定め、財務省はさらに控えめの30%増にした。大統領の側近が後で認めたところでは、それでも1年間の税収増の目標は大きすぎた。その目標を達成するために、税務当局者は自動車販売店や不動産販売店にわざわざ出張って、その現場で税金を徴収する挙に出た。当然予想されたことだが、自動車、モーターバイク、不動産の販売はガタ落ちとなった。企業は投資計画を先送りし、景気の落ち込みはさらに深刻になった。長期的にはウィドドの対策は間違っていなかったが、やり方がまずかったのだ。どのような政策でも変更するときは、企業経営者の気持ちにどう影響するかを考慮しなければならない。突然の政策変更が企業家のアニマル・スピリットを害することは大いにありうる。

中国の教訓を読み間違えるな

多くの歴史家の指摘によれば、アジアの奇跡をその初期段階において主導したのは、独裁主義的な統制国家だった。しかし次の記事には微妙なニュアンスの違いがある。著書*How Asia Works*（未邦訳）の中でジョー・スタッドウェルは述べている。16世紀のチューダー朝イングランドの時代にまで遡ってみても、初期段階で政府の手厚い支援や保護なしに、高い競争力のある事業会社を生み出した国家は存在しない。チューダー朝イングランドの後を継いだのは、米国、フランス、ドイツだった。ドイツは日本を刺激し、日本は韓国を奮起させ、台湾、中国がその後を追った。スタッドウェルはさらに続ける。こうした行動主義的な国はすべて「産業政策」を追求し、市場の力を巧みに利用した。たとえば韓国では、朴正熙が1963年に大統領に就任し、国家権力を使って土地を地主から小作農民へ再分配した。その結果、新たに勤勉な土地所有者が多数誕生した。彼はまた一部の親密な経営者を優遇するのではなく、複数の財閥の間に競争原理を導入した。それによってサムスンのような国を代表する巨大な製造企業が誕生し、韓国は輸出大国へ躍進した。

しかし最近では、こうした国家主導の産業政策によって急速な発展を遂げた新興国は見あたらない。当然、多くの人から「中国を見落としていないか」という反論が返ってくるだろう。ノーベル経済学賞を受賞したロナルド・コース教授によれば、中国に関する通説には誤解が多い。中国が製造業大国への途を歩み始めたのは、全体主義国家が規制緩和に動き出した後である。中国政府は1980年前後から国民の圧力に押される形で経済への関与を少しずつ後退させていった。最初は農民が、収穫した農産物の中から自由市場で販売できる量を増やせるよう政府に求めた。次は農村が独自の企業を設立することを認めるよう迫った。最後には個人が企業の所有と運営ができる権利を要求した(3)。

ドイツ銀行の調査によると、1980年代以降、中国の民間企業の生産量は300倍に増加した。国営企業の伸びの5倍の速さだった。その結果、国営企業のGDPに占めるシェアは1980年代初期の約70%から現在では30%へ下落している。こうした国営企業のシェア低下が顕著になったのは、市場改革が加速した1980年代、90年代のことだ(4)。

このような大きな経済の動きは、雇用主あるいは市場の監督者としての中国政府の力を大きく削ぐことになった。少なくとも最近までは、そうだった。1950〜1980年の30年間は、都市部の雇用に占める国営企業の比率は70%だった。ところが、2010年までその割合が安定的に20%に下落していった。ジャーナリストで著述家のエヴァン・オズノスが著書『ネオ・チャイナ――富、真実、心のよりどころを求める13億人の野望(*Age of Ambition*)』で指摘しているように、1993〜2005年の間に中国の国営企業はなんと7300万人の雇用を削減し、解雇された労働者は他の働き先を見つけなければならなかった。

民間企業の方がはるかに活動的であることは証明済みだ。2000年代後半には衣料品、家具、加工食品などの軽工業では民間企業が生産の90%以上を占めていた。工場、設備、インフラへの新規投資はこれまで中国の経済発展の原動力だったが、その動向を見てみよう。10年前には国営企業は投資の55%以上を占めていたが、2014年になるとその割合が30%まで低下した。

中国の成功物語は「国家資本主義」と言うよりも、政府の地道な自由市場改革の賜物だ。皮肉なことに、中国政府が2008年の金融危機以降、経済への関与を強めたことで、北京コンセンサスの議論が盛り上がっている。政府の積極介入はそれまでの規制緩和の成果を一部帳消しにしている。2008年以降、中国の官僚は、政治的な打算に基づいた非現実的な成長目標を達成することに躍起になっている。その成長目標は、2020年までに経済規模を倍増させるためにはこれだけ必要だということで、計算されたものにすぎない。政府にとって最もやりやすい方法は新規の財政支出と国営銀行の融資を巨大な国営企業に割り振ることだ。その結果、国営企業は息を吹き返し始めた。民間企業の工業生産に占めるシェアは微減に転じ、鉱業や製鉄など重工業分野では全く精彩を欠くようになった。2010年代に入っても、民間企業の生産の伸び率は国営企業を依然4%ポイント上回っているが、2000年代の12%ポイントの差から大幅にダウンした。

他のアジアの奇跡も政府の積極介入で実現したという指摘も、重要な点を見落としている。指導者は国家権力を乱用して資金を親密企業へ流すことに何の良心の呵責も感じなかったが、政府の規模はそれほど突出していなかった。一般的に財政支出の対GDP比は相対的に小さく、それは現在でも変わらない。台湾や韓国は健全財政の伝統の中で経済発展を遂げてきた。フランスのような、高い税金や無能な官僚に関するジョークが比較的少ないのは、このためだ。

最近では多くの国で、政府規模が急速に拡大している。新興国では現在、財政支出の対GDP比は平均31％であり、1994年の24％未満から上昇している。この比率の上昇は、戦後の経済発展とともに政府の規模が大きくなっていった結果だが、残りの部分は財政支出の景気刺激効果が次第に弱まってきたためだ。2010年代の新興国の経済成長の多くは、世界経済の減速に直面した政府が緊急刺激策をとったことによるものだ。こうした急場しのぎは、往々にして巨大な税金の無駄遣いにつながる。少なくとも現在の世界環境で注目すべきは、民間への関与を減らしている政府ということになる。

カネを使い急ぐとロクなことはない

長期政権になればなるほど、経済危機や不況に直面した場合、財政支出は過剰になりがちだ。政権担当者が最優先で考えるのは自己保身であり、国の権力を使って国民の支持率を高めようとする。景気を維持するためならどのようなコストも厭わない。政府は不況の痛みから国民を守るために、無駄な景気対策に莫大な財政資金を投じ、国営企業に雇用の拡大や販売価格の引き下げを命じる。

難局に直面して財政を大盤振る舞いする傾向はこれまであまり目立たなかったが、2008年の金融危機以降しだいに露骨になってきた。住宅価格や株式市場の暴落に直撃された欧米の消費者は、中国やその他新興国からの輸入を削減し始めた。その穴を埋めるため、多くの新興国政府は財政支出を急拡大して国内消費を刺激した。多くの先進国でも財政拡大で大不況の影響を最小限に止めようとした。しかし先進国の支出の規模は新興国に比べるとはるかに小さかった。その後の2年間を見ると、世界の主要20ヵ国に入る先進国ではGDPの4・2%に相当する金額を不況対策に投じた。一方、新興国の上位20ヵ国はその1・5倍以上、つまりGDPの6・9%の財政資金を投入した。新興国が先進国を上回った理由は単純だ。彼らには少なくとも当面は資金的な余裕があったからだ。

2008年の金融危機に遭遇した時、新興国では政府債務が一般的に低水準で外貨準備は潤沢だった。政府の財政支出は大幅な黒字、あるいは財政赤字だったとしても赤字の額はたかがしれていた。この点が、先進国とは異なっていた。大きく燃焼させるマネーを持っていたから、彼らはそれを燃焼させたまでだ。最初は景気がジェット火炎のように大きく盛り上がった。2009年半ばの3%を大底に、主要新興国の平均GDP成長率は2010年には8%以上へ大きくリバウンドした。大きな政府への支持者からは熱烈な拍手喝采が沸き起こった。国際労働機関は欧州連合と共同で2011年後半に報告書をまとめ、政府の大型景気対策がアジアや中南米で「壮大な」景気回復をもたらしたと手放しで賞賛した。

しかし何とまあ、その時点で燃料はすでに燃え尽きていた。中国の公式の成長率は2011〜2014年には3分の1以上も低下した。ブラジルの下落幅はその10倍だった。新興国の平均成長率は約3・5％に逆戻りした。それは、複数の危機で成長が何度も寸断された1990年代と同じ水準だった。1990年代はほとんどの新興国が燃焼すべき資金を持っておらず、資金の貸し手もいなかった。景気を刺激することもできなかった。その代わりに、彼らには次のようなプレッシャーがかかった。構造改革や不良債権処理、財政支出の削減、インフレ抑制、そして（滅多にないケースだが）企業の競争力強化への圧力だった。しかし、こうした圧力があったからこそ、彼らは2000年代に入って空前の好景気を迎えることができた。

しかし2008年以降、新興国は将来からの前借りを始め、2010年にはミニ好況を実現した。その代償は大きかった。2007年には財政収支は黒字だったが、2014年には平均でGDP2％の赤字に転落してしまった。これは由々しき事態だった。財政赤字を原因とする危機に何度も苦しめられた過去の経験から、GDP3％以上の財政赤字は問題が深刻化する警戒サインであることを、新興国はよく知っている。実際、インドネシアでは1998年の過酷な金融危機の後、財政赤字がGDP3％を超えた場合、議会が大統領を弾劾できる法律を成立させていた。メキシコ、ロシア、韓国、インド、南アフリカなど多くの主要新興国と並んで、インドネシアも2008年以降は、財政が制御不能に陥ってしまった。

メキシコの例は特に興味深い。メキシコは1994年のペソ危機以降、財政赤字が拡大することはなかった。2008年には不況対策として公務員給与を引き上げ、新たな公共投資を増大させたが、その直前まで財政支出はほぼ均衡していた。5年後には、財政赤字の対GDP比は過去数十年で最悪の4％に達したが、成長率は他の新興国と同様に2％の水準で低迷したままだ。メキシコ政府は大不況との闘いで健全財政方針を放棄せざるをえなくなったが、成果は全く上がらなかった。

笛吹けど経済は踊らず

こうした危機への2つの対応は、著しい対照を成している。1998年の危機の後、新興国は財政赤字と政府債務を削減し民間企業への介入を減らした。5年後に債務が軽くなった彼らは、空前の好景気を迎える態勢が整った。しかし2008年の危機の後は、新興国の多くは新規の債務を積み上げ、市場経済への介入を増やしたが、景気を刺激することはできなかった。その結果、その後の5年間に新興国の成長率は平均以下の水準へ落ち込んでしまった。

政府が短い時間で景気対策をまとめれば、必ず無駄な出費が多く紛れ込んでしまう。2008年以降、大規模プロジェクトが次々に打ち出され、新興国世界では生産性の急激な落ち込みが目立つようになった。ロシア、南アフリカ、ブラジル、インド、中国では、重要な生産性指標である限界資本係数（ICOR）が2008年以降、急上昇している。きわめて悪いサインだ。これは、生産量を同じ単位増やすのに必要な資本の量が増えていることを意味する。資本の多くが、生産とは直接関係のない無駄な投資や政府のバラマキに使われているからだ。

この係数が示しているのは、次の点だ。２００７年以前、中国を含む新興国ではＧＤＰを1ドル増やすために1ドルの新規借り入れが必要だった。しかし金融危機が襲った5年後には、新興国ではＧＤＰを1ドル増やすために2ドル、中国では4ドルの新規借り入れが必要になった。こうした収穫逓減の現象は、世界のいたる所で見ることができる。ロシア、ブラジル、インド、特に中国では、政府が投資を拡大させる中で民間企業は投資の削減に向かっている。こうした民間から公共への投資のシフトは、多くの無駄を生んでいる。世界の経済大国20ヵ国の中で、ロシアは最大級の財政支出を行っている。２００８年と２００９年の両年だけで景気刺激にＧＤＰの10％相当額を支出し、その大半は巨大な国営企業の新規救済へ向けられた。しかしそれは8％の生産減少という最悪の結果に終わった。中国も政府がＧＤＰの12％相当を支出する大盤振る舞いの国だが、政府介入がいかにひどい結果をもたらすかの最悪の事例である[(5)]。

中国政府の研究者が２０１４年後半に発表したレポートによれば、中国では景気刺激策の発動以来、6・8兆ドルの無駄な投資が行われた。特に最近では中国国内で投資された資金の約半分はその効果が大いに疑わしく、自動車や鉄鋼などに集中している。中国を訪れた時も、地元の人々は問題点だらけの政府投資の話で私をもてなしてくれた。たとえば、中国政府が南部の国境地帯で総工費3・5億ドルを投じて完成させた大橋の建設プロジェクト。その開通式の日に現場へ行ってみると、その橋は埃まみれのランプ（出入道路）で工事が終わっていた。その先は、はるか北朝鮮の無人の新工業団地に向かうことを示す道路標識が掲げられていた、という。

財政刺激政策の理論的な支柱であるジョン・メイナード・ケインズでさえ、最近の多くの財政出動の規模や期間には驚くことだろう。ケインズの提言は不況の痛みを緩和するための応急措置であって、持続的な成長が目的ではない。後者はまさに、2000年代の経済発展にこらえ性がなくなった多くの新興国がとった政策だった。2008年以降の世界的な景気回復のもたつきに直面して、新興国は財政の急拡大で難局を乗り切ろうとした。

景気刺激と構造改革は両立しない

2014年になると世界的な経済論議において、奇妙な方向感の違いが目に付くようになった。先進国の評論家はドイツと米国に景気刺激策を要請し、その一方で新興国の政府高官は財政刺激を大規模かつ長期間やりすぎたことを認め始めた。同年5月の演説で、中国の李克強首相は「もし政府の景気刺激策に頼りすぎれば、成長は長続きしないばかりか、新たな問題やリスクを引き起こす」と語った[(6)]。インドの元財務大臣P・チダンバラムの11月の話はさらに明快だった。2009年には景気刺激策を長い間続けた結果、政府は経済を制御できなくなり、財政赤字は拡大、インフレは上昇、成長率は低下したことを認めた[(7)]。そして同月の私のインタビューで、メキシコ中央銀行のアグスティン・カルステンス総裁は「財政金融政策では長期的に成長を持続できない」とあからさまに語った。この議論に強く反発する新興国の指導者はそれほど多くない。それはおそらく彼らが高圧的な社会主義体制の弊害を経験してきたからだろう。

インドやブラジルなど多くの国々では、政府の経済政策は将来の成長を促進することではなく、痛みを先送りすることだった。こうした場合の財政刺激政策は世界的な景気後退からの一時的な救済であり、そのために積み上がった政府債務が将来の経済成長をかえって低下させる可能性がある。これが、政府が「将来から前借りしている」という意味だ。

この問題に関しては、どうして政府は財政出動による短期的な景気刺激と長期的な構造改革を同時に行えないのかという興味深い疑問が湧いてくる。たとえば、構造改革とは規制緩和、赤字の国営企業の売却などである。それらは長期的な生産性や成長率を高める。やればできるのだが、現実には同時に2つの政策目標を達成するのは難しいようだ。おそらく次のような理由からだろう。景気刺激策は自由市場の暴力から国民を守りたい欲求が動機になり、一方の改革は人々を自由な市場で競争させたい欲求が動機になっている。人々を守りたいという立派な欲求は、食糧やエネルギーへの補助金の増加につながることが多い。それは不幸にも、国内企業が国内市場で自由に競争するための環境整備に必要な投資資金を政府から奪ってしまうことになりかねない。インフラ整備計画を山ほど抱えながら、政府にはその資金的な余裕がない。2015年にはそうした板挟みの状況にあることを、多くの新興国が痛感したはずだ。政治家がいったん補助金を出すと、止めるのがきわめて難しくなる。

「一国・一銀行制度」

新興国の世界では、国営銀行が信用制度の円滑な運用の大きな障害となっている。２００８年の金融危機直後の新興国の景気刺激策の総額は、もし国営銀行の巨額融資など非公式な対策を含めた場合、前述のＧＤＰの７％をはるかに超えていたことだろう。

ここ数十年間に新興国ではいくつかの規制改革の波があったが、国内に依然として数多くの国営銀行を抱える国は多い。もし新興国でお金を借りたいなら、政府に頼めばいい。主要な新興20ヵ国では、銀行総資産に占める国営銀行の比率は平均で32％だ。タイ、インドネシア、ブラジル、中国の比率は40％以上である（中国では国営と民間の違いが不明確なため実際は表記数字よりもはるかに大きくなる可能性がある）。台湾、ハンガリー、ロシア、マレーシアでは50％以上、インドでは何と75％に達している。ロシアでは共産主義の崩壊から20年が経過したが、小規模な企業の立ち上げや自宅の購入で融資を受けるのさえ簡単ではない。資本主義は依然未発達のままだ。こうした貧弱な金融業界の３分の１のシェアを、一つの銀行が握っている。しかもその銀行を経営しているのがロシアの中央銀行だ。

ビジネスの現場を長く歩けば、政府が優れたバンカーになれないことくらいすぐに分かる。チリは中南米諸国で最も民間主導が進んだ資本主義国だが、いつも驚かされるのは国営銀行の職員の多さだ。彼らは何の仕事もなく職場を忙しそうに動き回っているように見える。彼らは潜在的な失業者だ。正面玄関から警備デスク、警備デスクから上層階のフロア、そして上層階のフロアから役員室へという具合に、それぞれの行程ごとに別の案内係が配置されている。こうした銀行職員の〝儀仗兵の列〟を通過するのに、ゆうに30分はかかる。それは単に職員の数が多すぎるからだ。

国営銀行の融資行動は、景気後退を悪化させる方向に作用することが多い。２０１４年には多くの新興国で債務返済が数ヵ月も滞ってしまって、不良債権が銀行の総融資の10％以上に積み上がった。ブラジル、インド、ロシアなどの国では、不良債権問題が集中したのは国営銀行だった。景気対策の一環として、国営銀行は政府が目をかけている企業へ融資を増やすように命じられたのだ。不良債権問題が山積したことで、２０１５年には遅ればせながらＩＭＦやその他の予測機関が新興国の長期成長見通しを引き下げた。

国営銀行の政治的な乱用が経済をいかに混乱に陥れるか。ブラジルはその格好のケース・スタディーだ。２０１０年の大統領当選以降、世界的な金融危機に対応するためにジルマ・ルセフ大統領は民間銀行に融資拡大の圧力をかけた。ときには公の場で、命令口調で要請した。しかし民間銀行はそれに応じなかった。景気後退によって債務者はすでに既存の融資の元金返済さえ困難になっていたからだ。こうした民間銀行の抵抗にあって、ルセフはその矛先を国営銀行に向けた。

その結果は「一国・二銀行制度」だった。民間の銀行は賢明にも新規融資を削減して、不良債権の被害を最小限に抑えた。一方、国営銀行は融資に邁進して多くの不良債権を抱え込むことになった。ブラジル国立経済社会開発銀行（ＢＮＤＥＳ）は、総資産２０００億ドルを誇る世界最大の国営開発銀行だが、市場金利で何ら問題なく資金調達できる優良企業でも申し込みがあれば破格の条件で融資に応じた。２００８〜２０１４年に国営銀行の融資は年率20〜30％で伸び、国営銀行の総融資に占めるシェアは34％から58％に急上昇した。新興国でこの上昇幅に相当する国はほとんどなかった。

その結果は債務の急激な増大だった。それは、不良債権の増加で銀行システム全体が目詰まりを起こし、その後の数年は経済成長が停滞するシグナルだった。２０１４年後半、ブラジルは不況への道を歩んでいた。それはまさに、ルセフ大統領が銀行融資の拡大で避けようとした最悪の事態だった。

貸し急ぐと先々まで後悔する

インドでも過剰融資には国営銀行が絡むことが多い。昔からよく知られているのは、政治家が国営銀行の幹部に電話をかけて自分の献金者や側近に融資を命じることだ。最大規模の国営銀行では政治任用の会長が次々に交代する。新任の会長が信用されるのは、前任者の時代に銀行が不良債権を隠していた事実を暴露する時だけだ。そのため不良債権の総額はある日突然増大する。その後、新任の会長は前任者の過ちが着実に改善されていることを公表するが、彼もまた別の政治的な便宜供与による不良債権の発覚によって解任される。こうした経緯を見ると、不良債権問題はいつまでたってもヤブの中だ。しかし２０１４年には不良債権の数値が異常な高水準であることが明らかになった。国営銀行の融資全体の15％が不良債権化していた。同年にデリーで新政権が誕生したとき、国営銀行では新規融資に必要な資本が底を突き、その貸し渋りがインドの経済成長にとって最大の障害になっていた。

それとは対照的に、インドの民間銀行は政府だけでなく経済界の大物や大財閥の支配からも独立している。これは新興国ではきわめて異例だ。２０１４年の段階では、民間銀行の融資で不良債権化しているのは４％足らずだ。民間銀行の財務基盤は健全であり、国営銀行が撤収を迫られる中で、年率20～30％のピッチで融資規模を拡大させてきた。この民間と国営の銀行の決定的な差は覆い隠すことができない。株式市場では特にそうだ。２０１０～２０１４年に民間銀行全体の時価総額は３００億ドル上昇したが、国営銀行全体の時価総額は３００億ドル下落した。これは、どの銀行の経営がうまくいっていて、どの銀行がうまくいっていないのかについての市場の投票結果である。

銀行システムへの政府関与には、その規模だけでなくタイミングにも問題がある。政府は急速な市場環境の変化を察知するのに長けているわけではない。これは中国を見れば明らかだ。２０１４年に私の同僚が経済視察のため北京を訪れた時、開業したばかりのピカピカのショッピング・モールがウィークデーに閑散としていることに気づいた。そこで同僚の一人が週末に再び出かけたところ、同様に閑散としていた。国営銀行が個人消費を刺激するため大量資金を供給したので、不動産開発業者は驚異的なスピードで新しいショッピング・モールを建設したが、その時には中国の消費者はオンライン・ショップに移っていた。消費者の購入が増えたのは、すべてオンライン・ショップだった。皮肉はまだ他にもある。中国政府は高速道路の建設に巨額の資金をつぎ込んだが、オンライン・ショップの小売り業者にとって大きな悩みは一般道路の整備が進まず、せっかくの買い上げ商品を購入者の自宅に届けるのに長い時間がかかることだった。ここでの教訓は、政府が貸し急ぐと、先々まで後悔するということだ。

国営企業が政治の道具になる

国営銀行と同様に、国営企業も政府の政治目的に利用されることが多い。政治利用の常套手段は、原油、ガソリン、電力の国営企業だ。製品やサービスの販売価格を低く据え置くことでインフレが抑制されているように見せかけるのだ。その人為的な価格設定によって、新規の投資は減少し、将来の供給不足や無駄な消費を引き起こす。特にハイパーインフレの痛ましい記憶がいまも生々しいブラジルでは、インフレは深刻な脅威だ。それと闘うためにルセフ政権は国営石油会社ペトロブラスを利用した。2010〜2014年に景気が減速しているにもかかわらず、インフレ率は4％から7％へジリ高となった。ペトロブラスの経営者は、手厚い補助金が付いたガソリンスタンド店頭価格を値上げしたいと何度も申請したが、ルセフ政権はすべて却下した。企業経営的には、当時の世界的な原油価格からすれば製品価格の値上げはやむをえない状況だった。

値上げの先送りによってペトロブラスの収益は急激に悪化し、ブラジル国内では燃料の浪費が進んだ。

国営企業は、一部の政治家にとって雇用を創出するための手段にすぎない。国際労働機関（ILO）のデータによると、先進国、新興国ともに平均すると、政府と国営企業を合わせた雇用者数は全雇用数の約20％に達する。政府雇用がこの水準を上回る国は、水膨れ体質である。興味深いのは、日本や韓国、台湾のような東アジア諸国は、他と比べて効率的な政府運営で知られているが、全体の雇用に占める政府雇用のシェアは10％以下である。韓国はその極端な例で、公共部門のシェアは5％未満だ。それと対極にあるのが、ノルウェー、サウジアラビア、ロシアのような原油輸出国である。政府雇用のシェアは33％以上に達している。ノルウェーは意外に思えるかもしれないが、他の原油輸出国と同様に国家資本主義の傾向が強い。GDPに占める政府部門のシェアは50％以上である。

２００８年の世界的な金融危機以降、ロシアは不景気になると国営企業を雇用創出の最後の手段として活用している。ガスプロムは世界最大の天然ガス企業である。ロシア国内ではトップではないにしても最大級の国営企業で、その雇用者数はすでに40万人に膨れ上がっている。国営の鉄道会社は１００万人以上の従業員を抱えている。中国ではどこまでが国営企業で、どこからが民間企業かを判断するのに迷うが、全雇用に占める政府部門のシェアは約30％と推定されている。これは相対的に高い数字だ。このシェアは過去30年間で大きく下落してきたが、２００８年以降はジリ高に転じている。中国担当のエコノミストによれば、巨大な国営企業の合理化は習近平政権の最優先課題の一つだ。国営のタバコ会社だけで50万人を雇用し、世界中のタバコ販売の43％のシェアを握っている。このタバコ会社の売り上げ規模は世界上位ランキング2位以下の5社を合計したものより大きく、中国政府の総収入の7％を占めている。『ブルームバーグ・ニュース』の2015年企業プロフィールによれば、中国の財政はタバコ依存度が高く、国営のタバコ会社は小学校への資金支援も認められている。その小学校で掲揚される旗には「タバコは皆さんの勉強を支援しています」というコピーが明記されている。

タダのガソリンはありえない

政府の経済干渉で最も「自滅的」なのは、エネルギーへの補助金だ。エネルギーの無駄遣いを奨励し、国の財源を漏出させる。中東や北アフリカ、中央アジアの多くの政府では、割安で燃料を国民に提供するために教育や健康管理よりも多くの資金が使われている。これら地域ではエネルギー補助金への年間支出はGDPの8％以上に達し、異常に高い比率だ。ウズベキスタン、トルクメニスタン、イラク、イラン、サウジアラビア、エジプトの6ヵ国では、エネルギー補助金はGDPの10％以上だ。特にウズベキスタンの補助金は同28％であり、米国の軍事費比率や社会保障比率をも上回っている。

どの政治勢力のエコノミストでも、エネルギー補助金に賛成する人はほとんどいない。補助金でエネルギー価格が考えられないほど低く抑えられれば、燃料消費や炭素ガス排出が増えて、地球の温暖化が進む。人為的な低価格によって、国内エネルギー業者の業績は悪化し投資が抑制される。将来、供給力不足が生じればインフレを促進する。エネルギー補助金はまた密輸の温床にもなる。カナダのような真っ当な国でも悪徳業者が現れて米国からガソリンの密輸を行っている。米国では低税率によってガソリン価格が低く抑制されているからだ。エネルギー補助金は開発途上国で所得や資産の格差拡大につながる恐れがある。エネルギー補助金の実体は自動車を保有する特権階級だけを支援するものだが、建前上はすべての国民に対して補助金を与えることになっている。IMFによれば、新興国では世界中で年間6000億ドルのエネルギー補助金が提供されているが、その40％以上が裕福な上位20％の人々に流れている。食料補助金については事情が異なる。食料補助金によって低所得の人々でも生計を維持することが可能になっている。

しかしエネルギー補助金は、特に原油の埋蔵量が豊富な地域では幅広い支持を得ている。世界の多くの国では、水のような自然の恵みは代価としてお金を徴収すべきでないと考えているが、産油国では原油についても同じだ。ある国で原油が豊富に採掘されるようになれば、その近隣の国でもガソリンは無料であるべきだと考えがちになる。原油資源に乏しいエジプトでは、人為的に安くした価格はエネルギーの無駄遣いにつながることを誰もが知っていながら、サウジアラビアと同じレベルの手厚い補助金を支給せざるをえない。エジプトのエネルギー補助金はGDPの10％以上に達している。

インドでは２００８年の金融危機以降、エネルギー補助金のコストが急上昇した。このため最大の国営エネルギー会社である石油天然ガス公社（ＯＮＧＣ）は、２０１３年に利益の2倍以上の金額を補助金として〝拠出〟した。インドは世界で４番目の石炭埋蔵量を誇るが、同じ期間に石炭の輸入を増やさざるをえなくなったのだ。鉱山の土地収用の認可や開発許可の発行が遅れたうえに、ナクサライトの名で知られる急進的毛沢東主義者グループの攻撃から鉱山を守れなかったためである。

最近になって、エネルギー補助金の削減に取り組み始めた国が増えている。これは深刻な機能不全に陥っている国にとってきわめて明るい兆候だ。エジプトの軍事リーダー、アブドルファッタ－フ・アッ＝シーシーは、補助金の削減を始めた。それまで国民は政府の補助金によって、１ガロンのガソリンに80セントしか支払っていなかった。彼は国民にさらに辛い負担をお願いすることになると予告している。インドネシアはスシロ・バンバン・ユドヨノ大統領の下でエネルギー補助金の削減に着手し、彼の後継者のジョコ・ウィドドはその削減を加速させた。補助金によってインドネシアの財政赤字はＧＤＰの３％近くまで上昇し、両大統領の政権は弾劾の危機に直面していた。同国の法律では、議会が大統領を、財政赤字を放置した責任で追及できるからだ。補助金削減に向けた同様の議論はウクライナでも始まっている。ベネズエラではエネルギー補助金はＧＤＰの８％以上に達している。過激なポピュリストのニコラス・マドゥロ大統領でさえ理屈が通らなくなっていることを理解していたようだ。マドゥロは彼の支持者たちにガソリン価格の引き上げの心構えをさせるために、手厚いエネルギー補助金によって満タンのガソリンが1本のボトルのミネラルウォーターより安くなっていると指摘した。この発言によって、マドゥロが補助金問題の重大性を認識していることは分かるが、経済への介入を減らしていくということではなかった。彼はエネルギー補助金の削減で浮いた資金を別のバラマキ、社会福祉に回す提案をしていた。

「大砲かバターか」の議論は、第二次世界大戦の前から始まっていた。その最も有名な提唱者は、将軍で戦争の英雄だったドワイト・アイゼンハワー大統領だ。彼は、米国の「産軍複合体」への巨額の支出のために、民生品の生産は厳しい制約を受けるだろうと論じた。現代では、この議論は「道路かバターか」に変質している。政府が食料やエネルギーに補助金を出して無料にすれば、道路やその他のインフラの建設に使うお金が出せなくなる。インフラは将来の経済成長を高めるが、エネルギーの割引券にはそれができない。

民間を育てる国、犠牲にする国

現在必要とされているのは、経済的な合理性に基づいて、有限な資源を戦略的に使い、その行動は首尾一貫していて、かつ予測可能な分別のあるリヴァイアサン（＝政府）である。政府は公営、民営を問わずあらゆる企業が投資をしたいと思うような安定した経済環境を作る必要がある。「法の支配」を確立する必要がある。

現在は、かつてのように行動的で賢明な政府が存在して、競争力のある産業を手際よく作れる時代ではなくなった。それでも政府の民間介入には、国によって質の面で大きな違いがある。ある政府は規制や財政支出を上手に使いながら民間企業を成長させる点で他よりも優れている。ロシアとポーランドの対照的なケースを考えてみよう。両国とも1980年代後半に共産主義政権が倒れたが、いまでも大きな政府が続いている。ただし、そのやり方は全く異なる。ポーランドは、ドイツのような大陸欧州国らしい強権的な政府の伝統に沿って発展を遂げている。政府が透明なルールに基づいて民間企業を支援するオープンなモデルだ。一方、ロシアはその反対だ。民間企業の犠牲のもとに政府の権限の拡大を積極的に追求している。そのルールは、政治家やその側近たちの気まぐれによって簡単に変更される。法律の不規則な施行は無法な状態に優るとも劣らず、成長の大きな障害となっている。

ロシアの戦略は、権力を利用して国営企業を作り上げることだ。そのためには、民間企業の犠牲も厭わない。ロシア最大の国営石油会社ロスネフトは数百億ドルを使って規模の小さなエネルギー会社を買収した。その中には高効率経営で定評のあった英国企業との合弁会社TNK－BPの子会社も含まれていた。巨大な国営企業による高採算企業の買収は、経済成長の急減速を伴い、多くのアナリストからは不安な時代の兆候だと見られた。2010年代が経過するにつれて、その傾向は他の産業に波及している。国営銀行は外国の銀行を国外へ追い出し、軍需、医薬品などの他産業でも政府の息のかかった企業が勢力を伸ばしている。

きわめて限定されているが、ロシア国内には活力を残している民営部門もある。それはハイテクだ。クレムリンの政治エリートは旧ソ連時代にキャリアを積んだ人が多い。彼らはいろいろな分野の若いモスクワのエリートたちに、自由に技術革新的な開発をやらせた。そのおかげもあってロシアのハイテク産業は現在絶好調であり、地元企業が検索サイトやソーシャルネットワークのサイトで米国企業と対等に渡り合える数少ない国となっている。中国では政府が外国の競争相手を規制したためにインターネット企業が成長を謳歌しているが、クレムリンのプーチンとその側近はインターネット企業を規制しない代わりに、保護もしない状態で放置しておいたのだ。

しかし2014年になるとロシア政府の態度は急変した。クレムリンはロシアで活動する外国のIT企業に対して、サーバーをロシア国内に置くよう要求し始めた。政府による通信の監視を容易にするためだ。同年4月、ロシアで最も著名な起業家のパーヴェル・デューロフが国外へ脱出した。ある朝目が覚めてみると、彼のソーシャルネットワークサイト——ロシア版フェイスブックと呼ばれることが多い——の株式の約半分が、プーチンの協力者に秘かに買収されていることが分かったからだ。こうした「事件」はインターネット時代にはよくある話だ。新興国でハイテクのベンチャーが立ち上がると、政治家はそれがひょっとして国に富をもたらす起爆剤になるのではないかと期待する。彼ら自身はハイテク・ビジネスの中身を全く理解できていないとしても、金の卵を生むガチョウをむざむざ殺すことはないと考えて、そのまま放置し、大きく育つまで辛抱強く待つことが多い。

裏取引の横行で企業は絶滅の危機

ポーランドでは国営企業は依然、銅採鉱や銀行などの産業分野で重要な経済プレーヤーだ。しかしロシアとは対照的に、彼らが大統領府の要請を受けて、民間のライバル企業を吸収合併することはない。その代わりに政府は国営企業を改革して、競争力の高い民間企業に少しでも近づけるよう努力している。鉱業のように労働組合の組織化が進んだ産業でも、国営企業は専門の経営者を招いて、賃金の削減や収益力の強化などを行って、正真正銘のグローバル企業へ生まれ変わろうとしている。共産党政権時代の独占企業の名残として、国営企業はいまでも国内市場で大きなシェアを持っている。しかし、政府が民間の起業家を排除するなどして、わざわざ国営企業の既得権を守ることはない。ポルトガルの経済界の実力者であるルイス・アマラルは2003年に3000万ドルを投じてポーランドの食料品小売りチェーンを買収し、売り上げ数十億ドルの大企業へと大変身させた。その起爆剤になったのは、パパママ・ストアへの食料品の卸売り事業を強化して、彼らが超大型スーパーマーケットとも十分競争していける手助けをしたことだった。アマラルによれば、ポーランドでビジネスを始めて10年以上経つが、「ポーランドの役人と一度も顔を会わせたことがない」という。

そうしたことはロシアでは考えられない。古い国営企業は政治的な理由から依然、過剰な人員を抱えている。規制が変更される場合は、政治家に強いコネを持つオリガルヒ（新興財閥）の要請に政府が応えるときだ。こうした政府との裏取引は、一握りの関係者以外の経済活動を沈滞させる可能性がある。その結果、ロシアでは零細企業や独立系企業は絶滅の危機に瀕している。最近、モスクワへ向かう飛行機の中で、私の同僚はロシアの起業家と隣り合わせになった。彼は有機栽培のワイナリーを始めたが、ロシア国内で販売する計画は持っていないという。その理由は2つ。彼が独立した経営を維持したいこと、それに中央政府から目をつけられたくないことだ。モスクワ株式市場に上場されている会社の数は2002年の50社未満から2008年には600社へと急増した。しかしその後は徐々に数が減って、最近では500社に落ち込んでいる。この減少は、世界的な金融危機とほとんど関係がない。ポーランドでは政府が起業家育成の環境整備にしっかり取り組んできた。そのため、上場会社の数は2002年の200社から2008年には450社、そして今日では900社へ増大し続けている。

ブラジルでは長い間、政府の複雑な規制が続いてきたためか、法律の抜け穴を探したり、その手伝いをする他とは異なる起業サブカルチャーが発達した。2002年の規則の改定によって歯科医が爆発的に増え、現在では人口1人当たりの歯科医学校や歯科医の数で欧米を上回っている。ブラジルはまた、歯科専門の保険会社が存在する珍しい国だ。ブラジルでしかお目にかかれないサービス会社もたくさんある。たとえば、法人専門に大型車のレンタルを行い、1年後に中古車として販売する会社とか、法律によってクレジットカード端末への独占的な接続を認められているクレジットカード会社などだ。こうしたビジネスは創造的だが、その革新性は政府の規制を回避するか、それに付け入るためのものだ。そのため、彼らのサービスはブラジル以外では何の役にも立たない。これは、良識的な法律の支配のもとで世界的な競争力を持つ企業が次々に誕生する国とは正反対である。

悪質な見殺し

政府がいかにうまく民間部門のかじ取りをしているか。それを判断するもう一つの方法は、民営化の内容を見てみることだ。1990年代に新興国は相次ぐ金融危機に見舞われた。その対応として普及したのが国営企業の民間への売却である。当時、民営化とは民間企業への所有権の売却を意味していた。新しい民間のオーナーが裁量権を取得して大胆な経営改革を行えるようにするためだ。それが、経済評論家からは「本物の」民営化、あるいは良い民営化と呼ばれた。しかし、それは時代の大勢とはならなかった。

ルーマニアのような一握りの小国を別にすれば、新興国政府の大半は現在、支配権まで売り渡してはいない。完全だろうが一部だろうが、民営化のすべてが成功しているわけではない。たとえばインド。私が「悪質な見殺し」と呼ぶ事実上の民営化が行われている。政府は古い国営企業を売り払うことも、改革することもしない。民間企業がゆっくりと国営企業を衰弱させていくのをただ傍観しているだけだ。30年前、国営企業のエア・インドは基本的にインド人が航空機で旅行するためのものだった。しかしジェットやインディゴなど機敏な民間航空会社の台頭によって、その旅客シェアは25％以下に落ち込んでしまった。遠距離通信分野でも同じことが言える。マハナガル・テレフォン・ニガム・リミテッド（ＭＴＮＬ）やバーラト・サンチャル・ニガム・リミテッド（ＢＳＮＬ）のようなかつての国営独占企業は、機敏な民間通信会社の攻勢を受け緩やかな衰弱の途をたどっている。現在、インド全体の契約者は9億人に達しているが、両社を合わせた数は３０００万人弱にすぎない。

消費者がサービスの改善を求め続ける中で、政府が旧態依然とした国営企業を保護するのは難しくなっている。１９８０年代に遡ると、インドの通信業界には民間業者がそもそも存在しなかった。消費者が新たな通信サービスを利用するのに1年以上かかるのは当たり前で、通信サービスの質も良くなかった。音信が途絶えることもしばしばで、地元にいる技術者に賄賂を払って修理してもらわなければならなかった。同様に、航空サービスも国営企業ならではの高額な料金設定ゆえに機内サービスは贅沢だが、どの路線でも3〜4時間の遅れは普通だった。消費者の強い不満によって、政府は民間企業の参入を認めざるをえなくなった。

経済価値が残っているうちに国営企業を売却すれば、政府にも恩恵があったはずだ。しかし赤字をどんどんタレ流している状況では、何の利益も手元に残らない。国営独占企業を民営化するでも保護するでもない政府の対応は、財政的に最悪の結果をもたらすだけだ。

法の支配vs.密室政治

経済改革と経済成長の速さとの関係を概念的に述べるのは簡単だ。しかし、具体的に書くとなるととても複雑で、裏づけとなる証拠を探すのに苦労することが多い。しかし証拠がないわけではない。成長には多くの異なる要因が関係している。そのため、政府の一つの行動を取り出して統計的にきれいな相関関係を導き出すことは不可能である。しかし新興国で実際に調査をしたことのある人なら誰でも、次のように述べるはずだ。政府が賢い投資を行い、透明で安定的なルールを作ることができれば必ず経済は発展する、と。

経済評論家が新興国の「構造改革」を議論するときは、一般的に経済学の基本原理に則った合理的なルールの策定と施行を語る場合が多い。経済学の教えによれば、経済の生産量は土地、労働、資本の投入量によって決まる。「構造改革」に不可欠なのは、分かりやすい法律制度の構築だ。法律が整備されれば、工場建設用地の買収、建設資金の確保、工場で働く人々の採用や解雇が可能になる。インドネシアでは最近、従来なら数年もかかっていた用地取得の手続きについて、その各段階の期限を数日~数週間のうちに短縮する法律が成立した。これによって、警察署、発電所、青少年のスポーツ・キャンプ場などへの用地取得が大きく進捗することになった。

こう言うと偏見と言われるかもしれないが、土地、労働、資本に関する客観的な法律整備への熱意は、国によって大きな差があるようだ。たとえば1990年代の初めには法律で政府に財政均衡を義務づけた国はほんの一握りだった。いまでは自らにこうした規律を課している新興国は30ヵ国以上に達する。しかし、すべての国がこうした規律をまじめに守っているわけではない。2015年にギリシャ債務危機を巡ってあった激しい対立は、あたかも文化戦争の様相を呈していた。ギリシャはユーロ圏の財政規律に違反したのだから相応の犠牲を払うべきだと考えるドイツ陣営と、やむをえない事情があったのだから債務は免除してやるべきだと考える陣営とに分かれた。もちろん後者にはギリシャ自身も含まれている。インドネシアでは予算をしばる法の精神が尊重されている。2014、2015年と景気が減速した。その理由の一つは、ウィドド政権が財政赤字を法律の範囲に収めるために厳しい歳出削減を行ったためだった。

法の支配に基づく統治と正反対にあるのが、政治的なボスとその側近による密室政治だ。密室政治は外部から窺うことができない。2015年にギリシャで発足早々の左翼政権が著名な財界人を脱税容疑で逮捕した。政権は逮捕がディアプロキ（diaploki）と呼ばれる癒着構造への大きな一撃になったと盛んに喧伝した。ディアプロキとは旧政権と著名財界一族との癒着構造のことである。特にエネルギーや建設業界で著しかった。しかしギリシャ人のジャーナリスト、ヤニス・パライオロゴスによれば、ディアプロキは「一握りの大金持ち」を潤しただけではなく、社会のすみずみまで蔓延していた。弁護士、薬剤師、トラックドライバー、国営銀行や公益事業の従業員、政党の若手活動家などへも、政治家から手厚い保護がバラマかれていた。こうした広い意味の恩顧主義は「ギリシャの悲劇から拭い去ることができない」。急進左派連合のシリザは数人の実力者を厳しく追及しているが、その一方で自分たちのお気に入りには保護を与えるやり方を温存している。一部の市民だけが特別な甘い汁を吸っている。こうした認識が国民の間に広く浸透したことが、「ギリシャ社会の信頼構造を蝕み」、経済の発展を阻み続けてきた(8)。インドから南アフリカにいたる多くの「恩顧主義」社会についても、同じ事が言える。

政府の賢い役割

インドは世界最大の民主主義国かもしれないが、法の支配という点では決して高い評価を受けていない。ゴルフのようなマナーが最重要視されるスポーツでも、プレー中に騒々しいおしゃべりが絶えることがない。ゴルフボールの転がり方次第ではプレーヤーの間で駆け引きが行われ、コースごとにルールが融通無碍に変えられる。2000年代には財政赤字に上限を設ける財政健全化法が採択されたが、2008年の金融危機に対応するため支出を増やしたい政府の方針の妨げになるという理由で、棚上げされてしまった。こうした不確実性の弊害は大きい。開発途上国では特にそうだ。制度がまだ確立しておらず、法律が頻繁に修正される可能性が高いからだ。政府の特性を判断する場合にまず問うべきは、政府の経済への干渉が増えているか、それとも減っているか、である。

そのために、私はまず財政支出の対GDP比を見て「問題児」をあぶり出し、その財政資金が生産的な投資に向かっているか、それとも単なるバラマキに使われているのか、を調べることにしている。また政府が国営の企業や銀行を使って無理に景気を維持し、インフレを抑え込もうとしていないか、あるいは政府が民間部門を育成しようとしているのか、それとも抑制しようとしているのか、といった点にも注目している。最近では、次のような動きが顕著だ。たとえば、経済活動における政府比率の肥大化、非生産的で不適切な案件への銀行融資の誘導、巨大な国営企業の利益拡大、中間・富裕層へのガソリン補助金の拡大、民間企業の発展を阻害する非合理的な法律の施行などだ。現在、多くの政府の経済運営は成長促進的というより成長阻害的である。その結果、数ヵ国を対象にした調査では、政府が正しいことをやっているとの信頼感は極端に低下し、それが極左・極右政党や過激な指導者の台頭につながっているとの結果が出ている。経済成長を高め政治を安定させるためには、政府が経済への介入を減らし、財政支出をより生産的な投資へ絞り込むことが必要だ。

第5章

The Geographic Sweet Spot

【地政学】地理的なスイートスポット
――地の利を最大限に活かしているか

近隣の混乱が繁栄の源泉

何世紀にもわたり、ドバイは山師的な気風を湛える砂漠の交易の中心地だった。そこは白いサンゴ砂に囲まれた土地で、人々の大半は真珠商人や金の密輸業者だった。この小さな首長国が外国人に初めて土地の購入を許可し、そのための大がかりな奨励策を実施したのは、ついこの間の2002年のことだった。同国の支配者であるシェイク・ムハンマド・ビン・ラーシド・アール・マクトゥーム家は、外国人購入者に自由居住許可証や優遇税、割安ローンを与えたため、外国人は群をなしてこの国にやってきた。摩天楼、マリーナ、それにヤシの木を模した形の人工島が、精神性を欠いた成金趣味の文化とともにほとんど一夜にして出現し、人口は50万人から200万人に膨れ上がった。かつては誰も気にとめなかった首長国が、帆船の形をしたホテル、世界最大のショッピングセンターなど壮観な公共建築を誇る国として変身を遂げた。個人の住宅の外観はさらにその上をいっていた。インド大使館で事務員をしていた男性の話を聞いたことがある。彼はリンネル類の取引で大成功し、屋根にブルーの宇宙船を設置した住宅を建てた。インドの別の移住者は、イヴ・サンローランが大好きな妻への贈り物として、自宅にYSLのロゴで飾られた滝を作った。

2008年に世界的な債務バブルが破裂したとき、私は白い砂がこの砂漠の新興都市から消え去っていくように思った。金融危機によって、ドバイはGDPが800億ドルしかないにもかかわらず、1200億ドルの借金をして公的、私的な記念碑的建造物を建てたことが露見した。2009年の初めにシェイク・ムハンマドは借金返済の継続を約束したが、その2週間後にはその約束を反故にした。金融市場は大暴落し、経済は深刻な不況へ突入した。ドバイ経由で旅行することが多い私には、ドバイがすぐに回復するとは思えなかった。しかしその適応能力を過小評価していたことが、後ですぐに分かった。

ドバイはアラブ首長国連邦（UAE）を構成する7つの首長国の一つだ。近隣諸国が混乱に陥っていても、ドバイだけは繁栄を続けてきた。その理由の一つは、近隣諸国で頻発する混乱そのものだった。2つの米国とイラクとの戦争、9・11テロ事件後の戦争、2010年アラブの春なども、見事に乗り越えてきた。アラブ世界で反体制運動が広がる中で、ドバイは債務問題から急回復した。世界中の投資家がエジプト、リビア、シリアから資金を引き揚げ、それをドバイへ振り向けたのだ。中東の国々の経済が政治不安から停滞を余儀なくされる中で、ドバイの成長率は新興国の平均を数％ポイントも上回っている。人口の増加率は年率10％近くに達した。この港湾都市は世界中から職を求める人々を引きつけてきた。２００９年に空室だらけだったホテルが、２０１３年には満室になった。航空便で到着する旅行者は５年間でほぼ倍増の６５００万人となり、ドバイ国際空港は世界の五大空港の一つとなった。

私のような疑り深い人間は、マクトゥーム家がどうして世界最大のショッピングセンターへの来店客や、世界最高層ビルのテナントを見つけることができるのか不思議でならなかった。しかし彼らはそれをやってのけた。重要なことは、大規模な建設事業だけでは経済を牽引できなくなっていることだった。GDPのシェアで見ると、建設投資は２００８年の30％強から20％へ下落した。それに代わって、新しい摩天楼ビルに入居した運輸、貿易、旅行の企業が経済を引っ張った。しかしこれは、シェイク・マクトゥームがメガプロジェクトに対して、興味をなくしてしまったということではない。２０１２年にマクトゥームは１３００億ドルの新しいメガプロジェクトを劇的に発表した。そのプロジェクトには、新たな１０００億ドル都市の建設構想が含まれ、都市には彼の名前が付けられる予定だ。また市内には、世界最大となる40エーカーのスイミング・プールも計画されている。こうしたメガプロジェクトの発表によって、ドバイは再び法外な借金を積み上げることになるのではないかという懸念が根強く残る。そうした懸念に対して地域のデベロッパーは、都心部にある自社ビルの壁面に30階分の垂れ幕を掲げた。それには「皆さん安心してください。バブルはもう来ないから」と書かれてあった。

来る者は拒まず

2013年には、バブルの懸念よりも、ドバイの柔軟な復元力の源泉は何かという興味の方が勝るようになった。その回答は、閉鎖的な近隣諸国の中で、ドバイだけが唯一、外に向かって開かれた国づくりをしてきたということだ。原油の生産は、産油国に驚異的な富をもたらす一方で、内戦やイスラム部族間の抗争の原因になっている。そうした不安定な産油国に囲まれながらも、ドバイは唯一、来る者は拒まずという門戸開放政策をとり続けている。作家ジェイムズ・リカーズが著書『通貨戦争——崩壊への最悪シナリオが動き出した!(*Currency Wars*)』の一場面で述べているように、ドバイではタリバンの反政府リーダー、ソマリアの海賊、クルド族ゲリラなど何でも、地元のルールを尊重し治安を乱さないかぎり自由に集って政治的交渉を行い、武器の売買を行うことができる。こうした「安全な場所」としてのドバイの特性が失われてしまうと、周辺の多くの人々は困ったことになる。リカーズは現代のドバイを戦時中のカサブランカにたとえている。戦時中のカサブランカはハリウッド映画で「自由の芝地」として一躍有名になった。周辺の戦争地域の関係者が、自由に敵方の人間と密会したり、寝返りを促したり、敵を欺いたりすることができる場所だった(1)。

ドバイは地理上のロケーションを最も巧みに利用した国、つまり地理的なスイートスポットの典型例である。経済成長にとって地理はとても重要である。今日ではポーランドやメキシコは、西欧や米国といった巨大な経済市場と国境を接しているという点で、国際競争上きわめて大きな優位性を持っている。ベトナムやバングラデシュは中国と西欧との交易ルート上に位置し、そのロケーションを最大限利用している。これまで主に中国の国内で行われてきた輸出向け製造業の一部を、彼らは自国へ取り込んでいる（地理的スイートスポットと世界交易ルートは564〜565ページの地図を参照）。しかし地の利は天からの授かりものではない。米国や中国に近接しているという潜在的な優位性は、大国の命運に大きく左右される。主要な交易ルートや大市場に近い多くの国では、その優位性を十分に活かす対策を取っていない。モロッコにとって南欧は、地中海を挟んで目と鼻の先だ。その地の利を活かして輸出産業の育成に取り組んでいる。ところが、同じ沿岸国のリビアやスーダンでは政治的、経済的な荒廃が続いている。地理的スイートスポットとされる国々では、天から授かった地の利とそれを最大限活かす優れた感覚を併せ持っている。世界、特に周辺諸国に対して門戸を開き、国内の片田舎でも世界経済のネットワークに参画できるようになれば、地の利の価値がさらに大きくなる。たとえばメキシコでは、米国との国境沿いだけでなく、全国のいたる地域で活気のある新興都市が芽生えている。

ドバイは中東を襲った政治的、経済的な危機の犠牲になる恐れもあったが、世界の原油埋蔵量の60％を誇る中東地域の商業ハブに転身をはかることで再生することができた。世界の交易ルート地図には、マラッカ海峡、パナマ運河、ホルムズ海峡など重要な隘路《あいろ》が示されているが、その中の一つであるドバイはイラクやイランのような問題含みの産油国から輸出される原油の〝レジ係〟のような役割を果たしてきた。それに留まらず、ドバイは海運、旅行、情報技術、金融サービスの地域拠点へと変身を遂げ、周辺の産油大国よりも経済的な繁栄を謳歌することに成功した。

持たざる国の開き直り

ドバイでは政府の存在感が薄い。しかし、すべてが監視カメラによって監視されている。シェイク・ザイド・ロード（大通り）で制限スピードを超えて運転しても、警察官に捕まることはめったにない。しかし、後で違反チケットが送られてくる。無謀な運転の結果、衝突事故を起こしたとしよう。警察官はすぐにどこからともなく現れる。時には、警察パトカー部隊所有のランボルギーニに乗って警察官が姿を現すことも珍しくない。このようにドバイはハイテクで装備された財政の豊かな国である。そのおかげで、近頃ではテロ騒動はいくつか発生しているが、本格的なテロリズムの標的にはならずにすんでいる。経済活力が旺盛になることによって、国民の忍耐力も育まれる。そのおかげで、少数派は身の危険を感じることがない。ドバイにはパキスタンの労働者から英国の有名なサッカー選手まで100以上の国籍を持つ人々が生活している。国内にはキリスト教の教会、ヒンドゥー教の寺院、新しいシーク教の寺院、シーア派のモスクなどの宗教施設が多数混在する。スンニー派が多数派を占める湾岸諸国でこうした光景は見たことがない。

サウジアラビア、バーレーン、カタールなど他の湾岸諸国も、中東地域での貿易や投資のシェア拡大を目指して競争している。しかし、こうした保守的な国ではまだ海外の資金や文化に対して多くの規制が残ったままだ。その理由の一つは、原油や天然ガスの埋蔵量が豊富に存在するからだ。一方のドバイにはそうした資源がない。ドバイの唯一の選択肢は、カサブランカになることだ。理由はどうあれ、持てる国と持たざる国の差は歴然としている。サウジアラビアは、世界一高い超高層ビルの建設を行っている。現在、世界で最も高いビルはドバイのブルジュ・ハリファだが、それを追い抜いて「世界一」のタイトルを奪取するためだ。しかし、閉鎖的で、外国の旅行者を呼び込むのさえ苦労している国に、外国人、特に非イスラム教徒のヴェールを着けていない女性がどれだけ多く集まるだろうか。2013年のサウジアラビアの旅行者は、毎年メッカを巡礼で訪れる人々を中心に500万人足らずだった。一方、小国のドバイには6500万人の人々が殺到した。平和で自由なオアシスを作ったことで、ドバイは保守的な近隣諸国を含む世界中から資金を引き寄せている。サウジアラビアの首都リヤドからやってくる飛行機はサウジアラビア人の女性で一杯だ。彼女らは、機内でヴェールをはずすなど準備万端のうえで、到着後は世界最大級のショッピング・モール、ビーチフロント、その他ドバイが提供するサービスのすべてを満喫するのだった。

２０００年代に世界的な経済の中心地として認知される以前から、ドバイはシーア派対スンニー派の武力対立など中東特有の内部分裂を避けることに成功してきた。１９７９年にイラン革命によってシーア派の神政政治が誕生して以降も、サウジアラビアやアラブ首長国連合など湾岸諸国のスンニー派国王たちは経済的、政治的にもテヘランのような祭政一致の支配形態をとることはなかった。ただし開放政策を採用したのは、ドバイ首長国だけだった。２０００年代半ば、イランの核兵器開発に対して世界の多くの国が経済制裁に乗り出したとき、ドバイだけが制裁の大きな抜け穴となった。世界の大銀行がテヘランから撤退していく中で、ドバイだけは資金決済の非公式ネットワークであるハワラ制度を通じて通商の流れを維持した。海外のイラン人社会の規模という点で、ドバイは米国に次いで世界第2位だ。45万人のイラン人が生活し、1万のイラン企業の出先機関が進出している。1週間２００便の航空便で、すべてがイランとつながっている。

「イランの香港」になる

ドバイの秘密は誰もが知るところだ。しかしイランに近いというロケーションの幸運は近年、ますます大きな強みになりつつある。ドバイの経済的復元力の秘密を聞かれて、地元紙『カレージ・タイムズ』の元編集長のラフル・シャルマは「ドバイ・クリークは人工の川だが、それに沿って歩けばすぐに発見できる」と答えている。埠頭に沿って、船員たちがしゃれたダウ船にタイヤ、冷蔵庫、洗濯機などを積み込んでいる。積み荷の様子からその大半は、イラン向けである。カーネギー国際平和財団の準会員であるカリム・サジャドプールによれば、ドバイの成功はイランの失敗と孤立によるもので、ドバイとイランとの貿易の大半は、イランと表だって貿易できない国々からの再輸出品で占められている。2015年にイラン政府が経済制裁の解除に向けて動いたとき、ドバイはペルシャ帝国との古いつながりと地の利を活かして「イランの香港」になれるとの議論もあった。参考になるのは1980年代の香港だ。中国が長年の孤立政策を転換したとき、自由貿易都市の香港は中国と外部世界との中継貿易地として繁栄を極めた。香港は、地の利と政策のよろしきを得れば経済的な繁栄をいくらでも享受できるというお手本である。

こうした事例は、それぞれの国が地理的なロケーションを最大限活用できているかという、基本的な問題を投げかけている。地の利を活かすためには、世界や近隣諸国と通商や投資で開放政策を進め、大都市と地方との間の成長のバランスを図ることが重要だ。その点で、最も成功しているのはどこかを、以下の節で詳述している。ドバイは人口220万人の都市国家で国土も狭いが、近隣諸国や、最近では世界との関係を積極的に発展させている。これは砂漠の小国で有能な人材に欠けていたとしても、自らを地理的なスイートスポットに変えることができることを証明している。

地の利を活かして、世界貿易の多くを呼び込む。こうした圧力が今後ますます強まるに違いない。私たちは、10年前に比べ外部との結びつきがさらに強まった世界に生きている。しかし一部の重要な分野では、必ずしもそうとは言えなくなってきた。貿易もその一つだ。世界貿易の増加率は突然、減速した。1990～2008年にかけて世界経済は急成長を遂げ、世界貿易は成長率の2～2・5倍の猛スピードで増加した。そして突然、2008年の世界金融危機が到来しすべての国が内向きになった。それ以来、世界貿易は世界経済の成長より伸び率が下回るようになった。その結果、1990～2008年に対GDP比で40％未満から60％前後に拡大した世界貿易が、その後は頭打ちとなってしまった。

こうした世界貿易の停滞は、以下に述べる多くの理由から、一時的な現象とは言えないかもしれない。一つは、中国の大きな変化である。中国は世界の組立工場へと躍進するにつれて、国際商品、製造部品、設備の輸入が急増した。最近では経済成長に急ブレーキがかかり、必要な部品は国内調達できるようになった。そのため、輸入量も減少傾向にある。世界貿易は追い風から向かい風に変わった。

もう一つの理由は、地政学要因の変化である。第二次世界大戦後、世界は様々な通商交渉を重ね、輸入関税の引き下げに成功してきた。たとえば米国では保護貿易主義の悪化によって、19

30年代の大恐慌は長期化を余儀なくされた。そのときの輸入財に対する平均関税率は60%を超えていた。しかしそれ以降、平均関税率は低下を続け1980年代には5%まで引き下げられた。現在ではその水準がキープされている。こうした関税の引き下げが下地となって、その後の世界貿易は飛躍的な発展を遂げた。1980年代初め頃には、自由貿易主義の考えが新興国にまで広がり、彼らも輸入関税の引き下げに着手した。当時、輸入関税率は平均で40%前後だったが、2010年には10%以下にまで低下した。

この時点になると、国際的な関税交渉の対象は、より複雑で、時には「目に見えない」貿易障壁へと移っていった。たとえば、安全性基準が輸入障壁になっているとか、国の補助金がローカルな輸出業者を不当に優遇しているとして、やり玉にあがった。こうした問題の交渉は、担当の外交官の手に余った。世界的な通商交渉の最後のラウンドは2001年にカタールのドーハで閣僚級会合として開始され、2005年に決着する予定だった。しかし、2008年の世界金融危機の混乱の中で頓挫を余儀なくされた。論点は広範囲に及んだが、問題の核心は次の2点だった。一つは、インドが将来の危機発生時に特別関税で農家を保護する権利を要求したが、それを巡る米国との衝突だった。もう一つは米国と欧州の対立だ。両者はお互いの農家補助金を不公正だと非難した。2005年の期限から10年以上が経過した現在、ドーハ・ラウンドは表面的には継続しているものの、完全に暗礁に乗り上げたままだ。

貿易の自由化はどの国にとっても良いことだ。古き良き時代に生まれたコンセンサスだが、金融危機後の低成長時代に入ると大きく揺らぎ始めた。２００８年11月には世界的な金融危機が１９３０年代型の貿易戦争を再び引き起こすのではないかという懸念が広がり、G20のリーダーたちは貿易の自由化を正式に放棄した。その結果、貿易専門家であるシモン・エリオットが「隠れた保護主義政策」と呼ぶもの、たとえば輸出産業への補助などが大々的に実施され始めた。エリオットによれば、２００８年以降、G20諸国で導入された保護主義的な措置は１５００件を上回る。

困難な時期には、政府はどこも内向きになる。自国市場から外国企業を締め出そうとする。今回の保護主義化もそうした流れの一つだ。多角的な自由貿易交渉が挫折して、米国と中国が自国主導の地域経済連携協定の構築に乗り出した。中国は16の太平洋沿岸諸国をメンバーとする東アジア地域包括的経済連携（ＲＣＥＰ）の実現に向けて動いている。この構想が正式に発足すれば世界人口の半分がカバーされる。一方、米国もこれに対抗して、太平洋や大西洋の沿岸地域で貿易協定の構築を模索している。２０１５年10月に米国は環太平洋パートナーシップ協定（ＴＰＰ）において他の交渉参加11ヵ国と大筋合意に達した。このＴＰＰは、中国が先駆けて世界貿易の「ルール作り」をすることを阻止するために、米国のオバマ政権が強引に押し進めたものだ。中国はＲＣＥＰの合意に向け関係国への働きかけをさらに強めていくと予想される。米国のオバマ政権には議会の反対勢力や主要な同盟国に対してＴＰＰへの支持を説得する課題が残っている。アジアでは韓国のような主要貿易相手国がＴＰＰへの参加に慎重だ。欧州では、右翼のポピュリストや労働組合が緩やかな連合体を形成し、ワシントン主導の大西洋横断貿易投資パートナーシップ協定（ＴＴＩＰ）へ反対するロビー活動を展開している。米国は自国の利益しか考えていないというのが、反対の理由だ。

製品輸出なくして繁栄なし

どの国が輸出競争の勝者となる可能性が高いか。その手がかりを掴むために、まず点検すべきは、世界に対してどのくらい市場が開放されているかだ。主要な新興国では、輸出入の両方を含む貿易額は対ＧＤＰ比で平均70％だ。この平均を上回る国では、輸出向け製造業が経済の牽引車となっている。中には貿易額が対ＧＤＰ比で１００％を超える国もある。どうしてこういうことが可能になるかというと、彼らの消費の大半は輸入品であり、国民所得の大半を輸出で稼いでいるからだ。たとえば、チェコ、ベトナム、マレーシア、タイなどである。

輸出依存度の高い国では、最近のように世界貿易が減速に向かえば、成長するのに困難が生じる。しかし長期的に見ると、世界貿易の環境が安定している時期には、開放型経済の方が閉鎖型経済より強い競争力を発揮できる。２０１５年に欧州で反貿易運動が高まった時に、それへの反論としてスウェーデンの実業家、アントニア・ジョンソンとステファン・パーソンは次のように述べた。１８６０年代に財務大臣のヨハン・グリッペンステッドによって外国貿易が自由化される前まで、スウェーデンは欧州の基準だけでなく、世界的な基準でも貧しかった。[2] 所得はコンゴよりも低かった。しかし開放と改革を経て、現在は「成長の100年」として記憶される時代へ移行することができた。

貿易額が対GDP比で50%未満の閉鎖型経済は、2つのグループに分類される。1つは、中国やインド、インドネシアなど大きな人口を抱える国だ。こうした国では国内市場が大きいため貿易への依存率は当然低くなる。もう1つは、ナイジェリア、アルゼンチン、イラン、ペルーのように原油や国際商品への依存が高い国だ。これらの国では、国際競争から自国産業を保護する一方で、成長の源泉は国際商品価格の上昇に頼ってきた。こうした国々では、保護主義色が強まれば強まるほど、世界貿易の縮小で自らの取り分は小さくなっていく。新興主要30ヵ国で、断トツに閉鎖度が高い国は、多くの人口を抱え、国際商品への依存度が高いブラジルである。

ブラジルでは貿易額は何十年もの間、対GDP比で20%前後に張り付いたままだ。北朝鮮のように意識的に鎖国している国を除けば、世界で最低水準だ。ブラジルは大豆、トウモロコシ、砂糖、コーヒー、牛肉、家禽およびその他の農産品など国際商品の主要な輸出国であり「世界の朝食国家」との異名を得ているが、長い間、世界に対して門戸を閉ざしてきた。巨大な人口を抱える中国やインド、比較的人口が多く国際商品への依存も高いロシア、インドネシアでは、いずれも貿易額の対GDP比は40%前後である。ブラジルの比率はこうした国々よりもさらに低い。

ブラジルとは対照的に、主要な新興国は貿易の自由化に積極的に取り組んできた。ブラジルには2000年の時点で自由貿易協定が3つ存在したが、現在は2つ増えて5つである。それらはいずれも、エジプト、イスラエル、パレスチナ自治政府など経済規模の小さな国との取り決めである。同じ期間に、インドの自由貿易協定はゼロから18へ、中国はゼロから19へ急増した。それらの中には世界中の経済大国との協定が含まれている。

経済的なスイートスポットを勝ち取るために地の利をフルに活かすことは、長期の経済成長にとっても重要である。輸出で外貨を稼ぐことができれば、国民が消費したいと思うものは何でも輸入できる。対外債務の増加や通貨危機の再発などを心配する必要もなくなる。工場や道路への投資も可能になる。第二次世界大戦後のアジアの「奇跡」と言われた日本、韓国、台湾、シンガポールが、長期間の高成長の時代に、製品輸出で年率平均10％以上の伸び率を持続できたことは、決して偶然ではない。ある国が経済的な成功を収めるチャンスは製品輸出の能力によって大きく高まる。それが地の利の重要性をあらためて気づかせてくれる。最も裕福な顧客と最も輸出競争力が高い供給者をつなぐ交易ルートがあって、それに近接した場所に拠点を構えることができれば、それが大きな優位性となって、輸出大国としての繁栄の道を約束してくれるはずだ。

「欧州の勃興」のカギ

近代の歴史が始まるずっと以前から、新しい交易ルートが開通すれば周辺地域は栄えた。西欧がアジアや中南米のライバルに比べ突如として高い成長を始めたのは、16世紀に入ってからだ。平均所得で見て、ある地域が他のすべての地域を大きく上回ったのは歴史上初めてのことだ。

「欧州の勃興」と題した2005年の論評記事の中で、開発経済の専門家であるダロン・アセモグル、サイモン・ジョンソン、ジェイムズ・ロビンソンは、この欧州の経済繁栄は、地理的条件とそれを活かす準備ができていたことだと説明している。(3) 彼らによれば、1500~1850年の間に欧州に繁栄をもたらしたのは、2つの優位性を持った国家だった。1つは大西洋の交易ルート上に港湾都市を抱えていたこと、もう1つは王権が私的な財産権を尊重し、商人に対しては自由裁量を与えて交易チャネルの拡大を最大限利用できるよう保証したことだ。このようにして16世紀の欧州を主導した国は英国とオランダだった。両国では早くから財産権が確立し、ロンドンやアムステルダムなど大西洋沿岸の港湾都市が繁栄を極めていた。

近年は、物理的なロケーションはもはや重要でなくなったとの議論が流行している。インターネット時代には、どこからでもサービスを提供することが可能になったからだ。しかし、物理的な財はいまでも世界貿易取引の大半を占める。顧客や納入業者の近くにできるだけいたいと考える企業にとって、ロケーションは依然、重要である。世界全体では、財の取引は年間約18兆ドルに達し、サービスや資本を合わせたよりもはるかに大きい。ちなみにサービスと資本の取引はそれぞれ約4兆ドルだ。少なくとも予見できる将来について言えば、経済成長にとって最も重要な輸出品はドバイでダウ船に荷積みされているような製品である。香港を拠点とするエコノミスト、ジョナサン・アンダーソンは、2015年に世界で最も活気にあふれる国の「ヒート・マップ」を作成した。1995年以降、対GDP比で製品輸出が最も高い伸びを示している国の場所がプロットされている。「ヒート・マップ」には最も熱い国として14ヵ国が取り上げられた。主に2つの地域に集中している。1つはベトナムやカンボジアに代表される東南アジア、もう1つはポーランド、チェコ、ハンガリーに代表される東欧だ。

どうして「ヒート・マップ」がこの2つの地域の特定国に集中しているのか。共通項はロケーションだ。製品輸出の成功物語が繰り広げられたのは、欧州や米国という巨大な消費市場の隣接地か、かつて日本やアジアの虎と呼ばれた国々が米国のような市場に財を輸出するのに使った交易ルート上に位置する地域だ。西側世界へのスニーカーの製造輸出拠点としての地位は、これまで中国にあったが、ベトナムが取って代わりつつある。ポーランドは、ドイツ企業が西欧向けに輸出する自動車の生産拠点として繁栄している。やや規模は劣るが、メキシコや中米もまた米国に近いことから、経済全体に占める製品輸出比率が増加している。メキシコは地の利がいかに重要かを示す好例だ。メキシコの賃金は最近、中国に比べて割安になってきてはいるが、その最大の強みはもっと古くからのものだ。米国への輸送費用の安さである。特に自動車のように重量がかさむ工業製品は、輸送費用がバカにならない。

中国脱出企業の最大の受け皿

ベトナムの最近の復活劇も、地の利によって説明できる。2000年代の末にベトナムは「第二の中国」として広くもてはやされた。廉価な労働力を大量に抱え、共産党政権も改革意識が旺盛だったからと喧伝された。私はこうした解説には疑問を感じる。ベトナムの共産党政府は統治能力において中国の共産党政府の足下にも及ばないし、人口も10分の1だ。ベトナム政府は、世界金融危機以前に流入した数十億ドルの外貨を有効活用する準備さえできていなかった。ベトナムは典型的な信用バブルに陥り、普通なら成長率が急落してもおかしくなかった。しかしベトナムは被害を最小限に止めることができた。成長率は危機以前の8%前後から5%に減速しただけで、それは危機後の世界では最も高水準の成長率だった。

ベトナムが復元力を発揮できたのは、政府の積極的な働きかけで東西交易ルートの地理的な優位性を活かせたためだ。共産党政府は依然として国営企業の民営化など重要な構造改革には消極的だが、対外貿易や外資誘致には積極的だ。2000年に米国と広範な貿易協定を締結し、2007年には世界貿易機関（WTO）に加盟した。海外の輸出企業が中国の賃金上昇に対応して、その代替地を探し求める中で、ベトナムは最大の受け皿となった。世界貿易の伸び率が世界経済の伸び率を下回ることは、過去30年間で初めてだが、そうした中でもベトナムは世界貿易のシェアを拡大させている。これは新興国でも例が少ない。ベトナムの世界貿易のシェアは2000年以降、5倍の1%になった。この1%という数字はそれほど大きく感じないかもしれないが、世界GDPに占めるベトナムのシェアの実に5倍だ。国際貿易の競争において、ベトナムが自分よりランクの高い相手と十分に渡り合っている証拠だ。2015年、ベトナムはタイやマレーシアのような国民所得や経済開発ではるか先を進む近隣諸国を追い抜き、東南アジアでは最大の米国向け輸出国に躍進した。

ある調査によれば、アジアで新工場を建設するならどの国が好ましいかという設問に対して、日本企業はタイやインドネシアよりもベトナムを上位に挙げた。その理由は、安い通貨、低廉な労賃、急速に整備が進む輸送網などだった。かつては道路や港湾の整備は世界との交易ルートを確保するというより、地元の共産党幹部の歓心を買うためだと言われた。しかし、いまではそうした過ちは大きく修正されている。首都のホー・チ・ミン市では新しい地下鉄の建設工事がピークを迎え、北部の農村地帯を含む国中で道路や橋の建設が進められている。サムスンは２０１４年に北部のタイグエン省で20億ドルを投じてスマートフォン工場を開業しているが、その横に新たに30億ドルを投じて新工場を建設する計画だ。スマートフォンはいまやベトナムの主要な輸出製品となった。１人当たり平均所得が２０００ドル以下の国にとって、これは将来への輝かしい第一歩だった。ベトナムは１９６０年代の日本を彷彿とさせる正統派の製造業立国を目指すことで、新たな地理的スイートスポットに変身しようとしている。２０１５年時点で、ベトナムは米国が主導するＴＰＰのメンバーでは他のどの国よりも有利なロケーションにある。ある推計によれば、貿易量の拡大でベトナムのＧＤＰは今後10年間で10％以上も増加する。(4)

近隣諸国との絆

超大国の間の競争が激しさを増すにつれ、国際的な通商交渉は雲散霧消してしまった。そうした中で、規模の劣る国では地域的な経済連携や共通市場に目を向けるところも出てきた。どの国をとっても近隣諸国との貿易量が最も多い。こうした当たり前の事実を踏まえると、こうした流れが出てくるのは自然だ。第二次世界大戦後、経済の成功物語が多く語られるのは、東アジア、ペルシャ湾岸、南欧などの地域クラスターである。最近では、中南米の西海岸、アフリカの東海岸、そして南アジアといった新たな地域クラスターが注目を浴びている。アントニア・ジョンソンとステファン・パーソンが大西洋横断貿易投資パートナーシップ協定を支持する議論で指摘しているように、地域貿易連携はいったん締結されると、それ自体が前向きの独自運動を展開し始める。欧州連合（ＥＵ）は6ヵ国でスタートしたが、現在の加盟メンバーは28ヵ国だ。東南アジア諸国連合（ＡＳＥＡＮ）は5ヵ国でスタートしたが、現在は10ヵ国である。

最も賞賛に値するモデルは東アジアである。その急速な成長をもたらした最大の要因は、地域間貿易である。関係各国の経済が長期にわたり6％以上の成長を達成できたのは地域間貿易の拡大で説明できる。中国や日本、台湾、韓国は過去の怨恨を乗り越えて、様々な協定を結んだ。そしていまではさらに包括的な貿易協定の議論を行っている。２０１5年に中国は韓国との間で画期的な自由貿易協定を結んだ。これによって、東アジアでは著作権取引が浸透していくと期待されている。

近隣諸国間の連携があまりうまくいっていない地域では、地域貿易協定の影響はさらに大きくなる。欧州では約70％、東アジアや北米では50％が同じ域内向けの輸出だ。その対極にあるのが中南米、アフリカ、南アジアで、それぞれ20%、12%、5%となっている。こうした地域の国々では、貿易協定を取り結ぶことで成長を促進できる。

歴史的に見ると、ある地域が経済的離陸を果たすうえで重要な役割を担ったのは強いリーダーシップだ。第二次世界大戦後のアジアの発展は日本から始まった。そしてその流れは、韓国、台湾の第2グループ、タイ、インドネシアの第3グループ、中国の第4グループへと受け継がれていった。ある日本のエコノミストはこれを雁行型経済発展モデルと呼んだ。先頭を走る日本が経済発展の階段を一つ上るたびに、より高次な製品の生産へと移行する。第2グループは日本が抜けた産業で、日本の経験に学びながら製品の生産に乗り出した。同様にして、第3グループは第2グループの後を追いかけていく。

こうした地域内貿易の拡大によって北東アジア諸国は貧困から抜け出すことができた。その流れは東南アジアにも拡大し、インドネシア、マレーシア、タイ、フィリピンの地域内貿易も飛躍的に拡大した。一方、東南アジアと中国の貿易も急拡大し、直近20年間の伸び率は年率平均で20%という高水準だ。アジア開発銀行の幹部は、かつて私にこう語った。1980年代の末、タイのチャティチャイ・チュンハバン首相は、ベトナム戦争で戦場となったインドシナ諸国を共同市場に変える構想を打ち上げた。彼は、ベトナム、ラオス、カンボジアと接触をはかり、共産主義革命の代わりに周辺国と貿易交渉を開始し、道路などの輸送インフラの整備を進めるよう説得して回った。こうして始まった地域的な連携は、やがてコンピュータ・チップの配線網のような濃密なネットワークへと急速な発展を遂げた。

地域内貿易は一日にしてならず

東南アジアでは地域内貿易は未曾有の急拡大を見たが、その勢いは地域の境を越えてインド、パキスタン、バングラデシュ、スリランカなどの南アジアまでにはいたっていない。孤立、無法、そして地域紛争による根深い憎悪。これらすべてが、南アジアの国々の間の信頼醸成を阻んできた。したがってこの地域内貿易は停滞したままで、全世界との貿易に対する地域内貿易の比率は5％にすぎない。南アジアほど近隣国同士が疎遠な地域も珍しい。これまでこうした閉塞状態に粘り強く、断固とした取り組みで風穴を開けようとしたリーダーは誰もいない。

2013年8月、私はスリランカのマヒンダ・ラジャパクサ大統領と、コロンボの繁華街にある優雅な公邸テンプル・ツリーで面会したことがある。その時、スリランカは中国やインドから貿易や投資のパートナーとして積極的な誘いを受けていた。スリランカは東西交易ルートの中間地点に位置し、その戦略的な立地に中国、インドとも引きつけられていたからだ。特に中国は大量の資金をつぎ込んでいた。テンプル・ツリーからそれほど離れていない埋め立て地には「新都市」が建設され、150億ドルもの資金が投入されていた。スリランカは大量の資本流入にもかかわらず対外債務が積み上がり、経常収支も大幅な赤字となっていたが、大統領はそれほど心配していないように見えた。世界的な大銀行が新興国への融資に慎重になる中で、どのようにして経常赤字をファイナンスする計画なのか尋ねると、ラジャパクサ大統領はウインクと親指を立てる仕草をしながら「我々には中国がついている」と答えた。

地政学的に重要な立地に無限の恩恵が流れ込む中で、彼は過大な期待を抱きすぎていた。その一方で、彼は隣国のインドを見くびっていた。彼は私がインドの出身だと気づくと、こう取り繕った。「インドは親類、中国は友人だ。友人は親類よりも気前がよいものだ」。2年後、経済の急速な悪化により彼は職を追われた。現在は、労働契約で中国の請負業者に便宜を図った容疑で取り調べを受けている。政権交代後は、マイスリパラ・シリセナ大統領がインドとの貿易や投資の拡大に積極的に取り組み、インドとパキスタンの関係改善にも尽力しているが、地域内貿易の拡大に向けた足取りは鈍いままだ。

アフリカでも投資の誘致を狙って、通商同盟が芽生えつつある。アフリカの国は経済規模が小さく、個別ではどこも相手にしてくれないからだ。彼らが注目したのは、1950年代の欧州共同体（EC）だ。メンバーの15ヵ国は、いずれも陸地に囲まれた内陸国だ。コンゴ民主共和国のようなアフリカ奥地で携帯電話の基地局を建設しようとすれば、その費用はケニアのような沿岸国の2倍もかかる。道路や電力などのインフラが整備されていないためだ。ケニアは長らく東アフリカの真珠と言われていた。この国でも独自の問題を抱えている。物資を4500マイル離れたシンガポールからケニアの港まで海上輸送するのに平均で19日かかる。しかし同じ物資をトラックで港のモンバサから300マイル離れた首都ナイロビまで陸上輸送するのに20日もかかる。

ケニアのGDPは600億ドルであり、アフリカではGDPが100億ドル未満の国が多い。当事者以外は積極的にこうした障害を取り除く必要性を感じていない。

貿易を刺激するという点で、最も期待が大きいのが東アフリカ共同体（EAC）だ。ケニア、タンザニア、ウガンダによって2000年に創設され、ルワンダ、ブルンジ、南スーダンが後からメンバーに加わった。この共同体の目的は数の力を通じて国際的な交渉力を高め、通商の拡大に必要な道路、鉄道、港湾など地域インフラの整備に着手することだ。「アフリカの勃興」ともてはやされた時代が去り、アフリカは成長と停滞が共存するまだら模様となった。しかし、EACからは経済の活力が失われることはない。2010〜2014年の間に6％以上の経済成長を達成できた国の数は、25ヵ国から12ヵ国へ減少した。相対的にインフレ率を低く抑えながら6％成長を実現できた国は、わずか6ヵ国に止まった。この6ヵ国の中の3ヵ国はEACの創設メンバーだ。この3ヵ国では直近の5年間、他のアフリカ諸国への輸出は横ばいで推移したが、全体の輸出は30％も増加した。EACの中で輸出の伸びが最も高いのがルワンダだ。ルワンダは内陸国で、最近では部族間抗争が激しくなっている。繁栄の理由は、地域の通関制度を簡素化したこと、近代的な道路建設に自らが努力したこと、それに政治的対立や孤立した地理的条件から見事に発展を遂げたシンガポールのような国から多くの教訓を学んだことだ。

EACとは対照的に、アフリカの多くの新しい通商グループは困難に直面している。有名な事例を一つ挙げよう。西アフリカ諸国は1975年以来、通商共同体の創設に取り組んできた。ナイジェリアを中心国とするグループで、西アフリカ諸国経済共同体（ECOWAS）として知られている。しかし戦争と混乱によって「条約原案の起草や検討のような手続き上の問題」で足踏みを余儀なくされている。[5] 地域パスポートの導入によって旅行がしやすくなると期待されたが、国境検問所での旅行者の煩わしさや時間の浪費は相変わらず続いている。

「反白人の茶飲み会」は卒業だ！

同じ大陸の通商グループでも、失敗例もあれば、成功例もある。こうした二極化は珍しいことではない。南米でも同様の明暗が観察される。大西洋側では、古くからブラジル主導の連携がある。ブラジルは伝統的に自由貿易には反対の立場だ。一方、太平洋側ではチリが主導する新しい連携がある。チリは自由貿易を支持している。古い連携のコアになっているのが、メルコスール（南米南部共同市場）だ。メルコスールは1991年に創設された通商グループで、主要メンバーはブラジル、アルゼンチン、ベネズエラ、それにボリビア、パラグアイなどだ。一般には〝反白人の茶飲み会〟として知られている。[6] 自由貿易への強い反発が長い間続いたせいで、南米の1万マイルに及ぶ海岸線の港湾都市で、世界の上位50の貿易港に入るのはブラジルのサントスだけだ。メルコスールの指導者たちの成長戦略はポピュリスト的な政府支出の大盤振る舞いと国家介入であり、自由貿易は門前払いにされた。メルコスールの創設から25年間、域内では貿易の成長への貢献は下落の一途だった。評論家は、ボリビアやパラグアイなど内陸部の小国は世界の交易ルートから孤立しているため経済的成功は無理だと決めつけた。

メルコスールが求心力を失うにつれて、メキシコは政治的にも地理的にも逆の方向を指向した。1990年代の初めに、メキシコは北米自由貿易協定（NAFTA）に加盟した。それ以降、メキシコの米国輸出は対GDP比で6％から24％へ急増した。こうした成功にもかかわらず、メキシコはメルコスールのパートナーたちの方針転換を促すことができなかった。そして2010年代になって、メキシコはチリ、コロンビア、ペルーなどアンデス諸国とともに新たな太平洋同盟を結成した。

ベネズエラの元貿易産業大臣モーゼス・ナイムが、「これまでで最も重要な協定」と題した小論を『アトランティック』誌へ寄稿している。それによると、太平洋同盟は2013年の創設以降20ヵ月もたたないうちに、メルコスールが20年かけてやり遂げた以上のことをやってのけた(7)。参加各国は、貿易だけでなく、経済の統合を推し進めようとしている。たとえば、地域共通の株式市場や民営化された年金制度、資金や人々の移動が自由にできる共同市場の創設、道路や鉄道の相互乗り入れの自由化といった野心的なプランの策定だ。協定によって4ヵ国の間では92％の関税が直ちに撤廃された。地域間の出張や旅行ではビザが廃止された。米国への悪口に代わって、具体的にどのように改革を進めていくかに関心が集まった。

太平洋同盟で主要な役割を果たしたのは、チリである。それは、かつて日本が「雁行型経済発展モデル」で演じた役割をまざまざと彷彿させる。1970年代にチリで導入された経済改革の精神は、1990年代にはアルベルト・フジモリ大統領のペルーに、その次の10年間にはアルバロ・ウーリベ大統領のコロンビアへと伝播した。現在、太平洋同盟はこうした長期にわたる連携をさらに強固なものにしようとしている。アンデス3ヵ国で最も豊かなチリは、他の2ヵ国への主要な投資国だ。チリからペルー、コロンビアへの投資額は、2004年には7000万ドルにすぎなかったが、2011年には23億ドルへと急拡大している。これは、3ヵ国が同じ成長の可能性を秘めていると言っているのではない。世界の主要な交易ルートから遠く離れた場所であっても、それを最大限活用しようという意欲を共有すれば、関係国すべてにプラスに働くことを物語っている。

運命を書き換える

確固たる政治的意志と正しい政策を取りさえすれば、どの国でも世界的な交易ルートを自分に有利に引き寄せることができる。20世紀の初頭、世界の主要な交易ルートは大西洋が中心だった。しかし第二次世界大戦後、日本と中国は太平洋を行き来する新たな交易ルートを作り上げようとした。それから30年も経過しないうちに、アジアの経済大国は廉価な労働力をフル活用することで、太平洋から欧州、米国までの輸送コストを補ってお釣りがくるまでになった。マッキンゼー・アンド・カンパニーによれば、アジアはこのようにして世界の「経済的な重心」を再び取り戻そうとしている。

マッキンゼーは、世界的な経済活動の中心をピンポイントで示した一枚の地図を作成した。この地図を見れば時間の経過とともに、経済の「中心」がどのように移動してきたかが分かる。約1000年前には、世界経済の中心は中国の中央部にあった。それが時代とともに移動を繰り返し、1960年代には北米に到達した。それ以降は再びアジアへの回帰を強めている。最も衝撃的な点は、2000~2010年の経済の重心の移動が過去50年間よりもさらに大きくなり、ものすごい勢いで北極点を越えて中国へ南下していることだ。これは、世界の交易パターンが絶えず変化しており、かつその流れを変えることができることを、鮮やかに証明してくれる。

ピーター・ゼイハンが2014年に刊行した著書『地政学で読む世界覇権2030（*The Accidental Superpower*）』で指摘しているように、米国にはラホールからウラジオストクにいたるアジアの広大な沿岸部よりも多くの「主要な港湾施設」が存在する。(8) しかし、中国はその手つかずのアジア沿岸部の北端地域において経済開発に乗り出した。1980年代初期、中国は鄧小平の強いリーダーシップの下で地理的な運命を書き換えた。中国は河川や港湾を浚渫《しゅんせつ》し、大規模な港湾施設を建設した。現在、世界で陸揚げ量が多い港の上位10の港湾のうち6つが中国にある。それらはすべて人工の港湾だ。ドバイについても同じことが言える。ジェベル・アリ港はすべて人工であり、世界で7番目に大きな港だ。水深が深く、貨物の処理能力も桁外れに大きく、米国の空母やスーパー・コンテナ船も楽に収容できる。一方、米国の港は水深が十分でなく、そうした巨大な船舶は埠頭での荷積みや荷降ろしができない。そのため作業渋滞の大きな原因となっている。

最近では中国国内の賃金上昇によって、繊維、玩具、靴など付加価値の低い産業はより廉価な労働力を求めて海外へ移転し始めている。しかし彼らは必ずしも賃金の安い国に向かう必要はない。新興国では平均すると労働コストは輸出品の総コストのわずか5%にすぎないからだ。[9] 製造企業はボリビア、エジプト、ナイジェリアなど賃金が安いだけの国よりも、総合的な理由からベトナム、カンボジア、バングラデシュなどを選んでいる。こうした国々は中国よりも賃金が安く、現状の太平洋の交易ルート上に位置し、対外的にも開放政策を採用している。現在の東西の海上輸送ルートはインド洋のまっただ中を横断しており、どちらかと言えばバングラデシュよりもインドの南部地域に接近している。しかし、バングラデシュは、官僚主義的な事務手続きを簡素化し、インドよりもはるかに多くの繊維企業の誘致に成功している。

インド洋を通過した後、海上輸送ルートの主力は紅海に入り、スエズ運河を通過して地中海へいたる。地中海では、リビア、スーダン、アルジェリアのような政治的混乱や内戦が続く北アフリカ諸国の沿岸は素通りする。同地域で唯一貿易国として頭角を現しているのがモロッコだ。主要な西側企業はアフリカで輸出向け工場の移転先を探しており、モロッコはその熱い視線を集めた最初の国だ。モロッコは比較的政情が穏やかな王国であり、その「売り」は新しい自由貿易圏への参加、通貨の安定、低賃金、それに有能なリーダーシップだ。欧州企業は玩具や繊維だけでなく、航空機や自動車など最先端の工場も同国で建設している。ルノーは最近、自動車工場を開設した。モロッコではこの他にも欧州の豊かな市場へのアクセスの良さに惹かれて、さらに多くの工場が進出してくることを期待している。

習近平の現代版シルクロード

２００８年以前には、世界貿易の伸びは世界経済の成長を上回っていた。輸送ルートの地図は太いスジが絡まり合ったスパゲティ・ボールへと変身した。これは中国と西側の間だけではない。低所得国の間でも初めて、相互の連携が芽生えてきた。開発途上国間の貿易の増加は「南南貿易」として広く知られている。特に南半球の貿易では、これまで考えられなかった経済の中心のようなものが姿を現してきた。世界全体の輸出に占める「南南貿易」の比率は、直近の20年間で倍増して25%以上になった。開発途上国から他の開発途上国へ向かう輸出の比率は、40%強から60%近くへ上昇した。

新たに世界的な交易ルートを構築する機会は、数多くある。南と南を結びつける場合は、特にそうだ。19世紀以来、大動脈として多くのハイウエイが議論されてきた。それらはいまも大構想として生き続けている。英国の植民地開拓者たちは最初にアフリカ縦断ハイウエイを思い描いたが、カイロとケープタウンを結ぶ構想は完成を見ることはなかった。せっかく建設された道路も劣化が進み、路面に大きなくぼみができたりして通行不可能になっている。また沿道には強盗が出没し、その他にも通行障害となるものがたくさんある。カイロからケープタウンまで自動車を走らせるのは、ビジネスマンではなく、ロード・ウォーリアー・ビークルに乗った一部の物好きな旅行者だ。アフリカのハイウエイでの死亡率は、先進国の8〜50倍にも達する。世銀の推計では、劣悪な道路事情はアフリカの生産性を40%低下させている。中米と南米をつなぐアメリカンハイウエイも似たようなものだ。まだ工事中なのかそれとも完成しているのかが判然としない道路が、複雑に入り組んでいる。見通しも悪い。しかも難所とされるダリアンギャップでは道がいったん途切れている。ダリアンギャップは濃密な熱帯雨林が60マイルも続く未開の地で、パナマとコロンビアの国境を陸路で越えようとする旅行者を長い間苦しめてきた。

世界の交易ルートから遠く離れた国でも、やりようによってはその運命を塗り替えることができる。中国は、その戦いの最前線に立っている。中国は世界中で、人間がほとんど足を踏み入れたことのない僻地に新たな交易ルートを通すため数十億ドルもの資金を投じてきた。たとえば南米大陸では、大西洋沿岸と太平洋沿岸を初めてつなぐ東西横断ハイウエイの建設計画が動いている。総事業費は600億ドルで、完成すればアンデス山脈を横断してブラジルとペルーをつなぐ全長1200マイルのハイウエイとなる。そのプランを中国政府が支援している。この1つの巨大プロジェクトだけでブラジルやペルーが豊かな国になれるわけでないが、両国の僻地と世界をつなぐうえで大きな役割を果たすことになるだろう。中国にとっては、こうしたプロジェクトによって原油やその他鉱物資源へのアクセスが開け世界的な影響力を高める好機になる。

中国の習近平総書記は2013年に初めて「新シルクロード」構想を明らかにした。13〜14世紀、モンゴル帝国は初代皇帝チンギス・ハンとその後継者たちによって最盛期を迎えたが、その時に中国と欧州を結ぶ交易ルートとなったのがシルクロードだ。「新シルクロード」はその現代版だ。オリジナルのシルクロードは膨大な長さを誇り、陸路、海路の組み合わせは絶えず変化し、時には中国西部や中央アジアを迂回することもあった。「新シルクロード」の目的は、中国の中央部と国境地域、あるいは国境地域と中国の主要港、あるいはその先にある海外の港をつなぐことである。海外の港とは中国が建設を支援しているもので、パキスタンのグワーダルやカラチ、バングラデシュのチッタゴン、ミャンマーのチャウピュー、スリランカのコロンボ、ハンバントタなどである。こうした新たな輸送需要に応えるために、中国は3000億ドルの資金調達を計画しているが、それでも足りない。このためアジア開発銀行やその他の金融機関は数十兆ドルの資金を準備している。

もう一つの「新シルクロード」

中国は基本ルールをよく理解している。その基本ルールとは、ある国がそのロケーションを最大限活用するためには、世界や隣国に対して門戸を開き、自国の辺境地さえもその通商ルートに参加できるようにすることだ。一般的に国が成長するにつれて、その成果は通常、沿岸部に広がり、そして最後には内陸の都市へとたどり着く。たとえば日本が戦後、新たな通商大国として頭角を現したとき、東京の港は、東京湾一帯を取り囲む大港湾地帯へと変貌を遂げた。現在では横浜や川崎など隣接都市の埠頭設備をも包含するにいたっている。中国の経済計画では成長を地域へ波及させることは至上命題だ。1980年代の世銀のフォーラムで、インドの計画委員会の官僚であったマンモハン・シン（後の首相）が中国共産党の高官に尋ねたことがある。「中国沿岸部に経済特区を創設すれば、都市と農村地との経済格差が拡大する恐れがあるのではないか」と。中国の高官は「もちろん、そう願っている」と応えた。その心は、沿岸部が先に離陸すれば、それ以外の地域も後で必ずその恩恵にあずかるという確信があったからだ。

中国の「新シルクロード」構想でおそらく見落とされているのが、2015年初期に発表された「国内のシルクロード」だ。国の中心部から延びる新たな道路や鉄道網は、西部の新疆ウイグル自治区を中央アジア、南アジアへの旅行のハブ、南西部の広西チワン族自治区、雲南省を東南アジア、メコン地帯へのハブ、内モンゴル自治区、黒竜江省を北方ロシアへの旅行のハブへと変貌させることだろう。最終的には、これらの道路の多くはパキスタンからミャンマーにいたる「新シルクロード」の港に接続され、中国中心部と中国の辺境地帯、近隣諸国、バルト諸国やブラジルのような遠隔地域との連結が完成する。かつてのシルクロードにはウルムチのような西アジアの都市が中継都市として活躍した。こうした都市はその後、人々の記憶から長く忘れられてしまったが、「新シルクロード」のネットワークが完成した暁には、再び世界的な交易ルートの拠点として蘇えるはずだ。これはモンゴル帝国以来、初めてのことだ。

これほどスケールは大きくないが、コロンビアでも国全体を世界に直結させるプランが立ち上がっている。コロンビアはアンデス諸国の中で人口が約5000万人と最も多い。国内市場はペルー（人口3000万人）、チリ（同1800万人）よりはるかに大きい。2015年には最後に残った反政府勢力と平和協定がまとまり、数十年続いた内戦も収束に向かいつつある。国内対立に終止符が打たれれば、国内で長く孤立していた地域でも対外的な交流が盛んになり投資家や訪問客が増える。チリ、ペルー、コロンビアは北米市場に近く、その地の利は中南米地域では群を抜いている。2012年にコロンビアのマニュエル・サントス大統領は米国と包括的な自由貿易協定を結んだ。それに対してベネズエラのような大西洋沿岸のライバル国は、英米人と付き合うなどもってのほかだとこき下ろした。

世界の果てに位置する国であっても、世界的な交易ルートに参加できないことはない。元大統領のアルフォンソ・ロペス・ミケルセンが南米のチベットと呼んだように、コロンビアほど美しい自然に恵まれ、かつアクセスが困難な国はない。そのコロンビアでも世界との接続が強化されている。ボゴタ、カリ、メデジンの三大都市は内陸部に位置する地上の楽園だが、沿岸部とは3つの山脈で遮られ、しかもゲリラ戦の長期化で孤立を余儀なくされてきた。コロンビアの峻険な山岳部に道路を通すには、1キロメートル当たり3000万ドルの費用がかかる。これは米国の田園地帯の実に25倍以上だ。こうした事情から、コロンビアの道路の90％は未舗装のままだ。サントス大統領は最近、新しい役所を設置して道路建設の障害を取り除く作業に着手した。現在の障害は反政府ゲリラより、官僚主義だ。コロンビアは550億ドルを投じて新しい道路や港を建設し、大西洋と太平洋の両方に海岸線を持つ南米の唯一の国として地の利を生かそうとしている。現在、トラック輸送の平均走行時速は30～40キロだが、そのスピードを2倍にすることが新道建設の目的だ。新たなハイウエイが完成すれば、内陸の三大都市と沿岸部、その先にある世界とが結びつき、コロンビアのGDPの年間成長率は1％ポイント底上げされると言われている。

第二の都市が牙をむく

地理的な優位性を最大限活用するために、自国で最も発展が遅れた地域を世界貿易体制の中に組み込む必要がある。タイは東南アジアのど真ん中に位置する国だが、最近同国を訪れた時にこの点を痛感した。タイ経済は過去10年の間、首都バンコクのエリート層を代表する政党と、貧しい農村地帯を代表する政党の激しい対立で、停滞を余儀なくされてきた。２０１０年にバンコクを訪れた時、この都市と農村の対立は頂点に達し、路上での衝突事件へと発展していた。農村部のリーダーが私に語ったところによれば、北部の農村地帯の不満は首都を中心とする頭でっかちの社会構造に原因がある。対立の構図は、一つの数字に集約できる。バンコク中心部には１００0万人以上の人々が暮らしているが、同国第二の都市チェンマイの人口はその10分の1以下である。

こうした人口の偏在は、大きな人口を抱える国では異例だ。人口の少ない国では、首都に人口が集中するのが一般的だ。しかし人口が1億人以上の大国、10億人以上のメガ大国ばかりでなく、

2000万～1億人の中規模クラスでも、そうした人口の偏在は珍しい。経済力で中規模クラスの新興20ヵ国を見ると、最大の都市と第二の都市の人口比は概ね3対1だ。この標準的な比率は、ポーランド、トルコ、コロンビア、サウジアラビア、ケニア、モロッコ、ベトナム、イランなど人口が中規模クラスの15ヵ国にも当てはまる。この3対1の比率は日本の東京と大阪、韓国のソウルとプサン、台湾の台北と高雄など「アジアの奇跡」の都市の過去および現在についても当てはまる。私の感覚では、中規模の新興国でその比率が3対1を著しく超えると、タイのような地域対立による政治的混乱が生じ、経済成長の足かせになる。人口の一部が発展の遅れた町や村に取り残されたままでいると、彼らはいつか首都の特権エリートに牙をむく可能性が高まる。

現在、中規模の新興国でこの3対1の基準に著しく反する国が5つある。タイ、マレーシア、チリ、アルゼンチン、そしてペルーだ。タイのバンコクには総人口6800万人の約15％が生活し、GDPの40％が集中する。首都には国王が宮殿を構え、その周囲では民間人や軍人の指導者が回転ドアのようにくるくると入れ替わる。最近ではその首都を舞台に、農村が基盤の政党と都市が基盤の政党が衝突する事件が増えている。ペルーの人口の偏在はさらに大きい。首都リマには800万人が住んでいるが、第二の都市アレキパの約12倍の人口規模だ。ペルーでは農村部を地盤とする極左武装組織「輝ける道」の活動が盛んだったが、1990年代初めにピークを迎えた。しかし政府はいまでもその残党の根絶に苦労している。こうした背景に、都市と農村の人口の偏りがあることは言うまでもない。チリもまた人口偏在の国だ。首都サンティアゴは第二の都市ヴァルパライソの7倍以上の人口を抱えている。最近の同国への訪問でビジネスマンの多くが私に語ったところによれば、彼らは隣国コロンビアへの投資の拡大を検討中だ。コロンビアでは成長の機運が国中に広がり、その恩恵が2番手クラスの都市にも浸透しているからだ。

　コロンビアはアンデス諸国の中では、国内的にバランスの良い成長を遂げている唯一の国だ。ボゴタの９８０万人の人口は、メデジン市の3倍以下である。メデジン市や第三の都市であるカリ市も健全な成長を実現している。メデジン市は最近、「世界の殺人大国の首都」から模範的な都市へと変身した。これは、地方に自由裁量権を与えることで経済成長をいかに促進できるかの印象深い事例である。１９９０年代に、コロンビアの中央政府は麻薬取り締まりのために市長に協力を求め、彼らに予算の拡大や警察力の強化で多くの権限を与えた。セルジオ・ファハルドはもじゃもじゃ頭で、いつもジーンズをはいている、数学者から転じて市長になった人物だ。彼のもとでメデジン市は大きく変わり始めた。彼は市の外れにあって麻薬が蔓延するスラム地区を中心部の商業地区と結びつけることに成功した。スラムは市を取り囲む丘陵の斜面に広がっていた。スラム地区と商業地区をつなぐ交通手段として、メデジン市はゴンドラのリフトを建設した。それによって、スラムの住人たちは都心部で仕事を見つけ、学校に通うことができるようになった。１９９１年以降、市の年間の殺人発生率は住民10万人当たり３８０人から同30人へと急減した。地元の麻薬王パブロ・エスコバールが警察によって射殺されたマンションは、いまでは市内観光バスの人気スポットになっている。楽観主義に満ちあふれるメデジン市は、欲求不満とあきらめが重く覆う中南米の多くの都市とはまるで別世界となった。

第二の都市の成功物語は、ベトナムでも展開されている。その牽引力が、すぐれたもの作りの能力だ。かつてサイゴンと呼ばれたホー・チ・ミン市の南部地域は、昔はクメール帝国、その後は米国との緊密なつながりによって、伝統的に最も豊かで起業家精神に富んだ場所だった。しかし、1975年の内戦で勝利を収め、現在も支配的地位にあるのは、より閉鎖性の強い中華帝国と歴史的な関係が深いハノイ周辺の北部地域だ。ハノイ政府は賢明にも西側世界と和解し、いまでは国をあげて外資を誘致している。2014年に世界で最も急成長した港湾都市の2つが、ベトナムにある。1つが南部のホー・チ・ミン市、もう1つが北部のハイフォン市だ。これら両都市に挟まれた沿岸部の中央にはダナンがあり、かつて米国海軍の基地として栄えた都市だ。そのダナンの人口が戦争終結以降、3倍にも拡大して100万人近くになっている。ベトナムのシンガポールとも呼ばれ、港は活気にあふれ、市政府の近代化も進んでいる。ダナンのシンボルはハン川を横断する最新のハイウエイ・ブリッジだ。その大橋は口から本物の火を吐くというドラゴンの形をしている。

中央と地方のバランスは大丈夫？

3対1の基準を、2000万～1億人の人口を抱える中規模の7つの先進国に適用してみよう。7ヵ国のうち、カナダ、オーストラリア、イタリア、スペイン、ドイツの5ヵ国では、人口が最大の都市と2番目の都市との比率が約3対1に収まっている。一方、英国では首都ロンドンの人口は1000万人であり、マンチェスターの人口の4倍の規模だ。最近でも、その差は拡大中だ。マンチェスターなど2番手の都市住民は、中央政府の政策やメディアの関心が、国全体のGDPの20%を産出するロンドンに集中しすぎていると不満を持っている。中央政府は地域への権限委譲を加速させ活力に満ちた地方都市を育成することで対応しようとしている。

この3対1の基準に明らかに反しているのが、フランスだ。パリの人口は1000万人で、第2の都市リヨンの7倍だ。パリ圏の経済力は国全体の30%以上を占め、中央集権国家というフランスの伝統を反映している。国の政策もパリ偏重で、これが経済停滞の一因にもなっている。1960年代、1970年代に中央政府は新しい都市の建設に乗り出したが、地方政府の権限の弱さと分裂によって、期待通りには事が進まなかった。2014年にはフランス議会は国内の行政区を22から13へ再編成し、行政改革、コスト削減、権限の強化に着手した。フランス経済に改善の兆しが見えてくるとすれば、それはパリ以外に大きな人口を抱える都市が増加してくるときだ。

人口が1億人以上の国には、当然のことながら、大都市が数多く存在する。このため都市人口の相対比較からは、たいした情報が得られない。人口大国の場合、どの国がダイナミックな地域発展によって、バランスの良い成長を実現できているか。その感触をつかむために、私は2番手クラスの都市つまり100万人以上の都市がどれだけ増えているかに注目した。2番手クラスの都市の拡大は、人口大国にとって特に重要だ。その巨大な人口圧力ゆえに、数多くの都市部を生み出し、急成長させなければならないからである。２番手クラスの都市の拡大を評価する基準は、人口が1億人以上の国と10億人以上の国の２つに分ける必要がある。

新興国で人口が1億人以上、10億人未満の国は、フィリピン（1・01億人）、インドネシア（2・55億人）などの８ヵ国である。経済が発展するにつれて自然と２番手クラスの都市が育ってくる。比較を行う場合、同じ所得グループに属する国同士で比べるべきだろう。1人当たり平均所得が1万ドルで1億人以上の人口を抱えるグループでは、ロシアが劣等生だ。ロシアでは過去30年間で、人口１００万～５００万人クラスの都市がたった２つしか生まれていない。一方、同じグループでまずまずの成績をあげているブラジルでは10の都市が誕生している。最も成長力が旺盛だったのがメキシコだ。メキシコの人口はブラジルの半分を少し越えた程度だが、１９８５年以降では１００万人以上の都市が10も生まれている。しかも同じ人口規模、所得水準のグループの中では、首都よりも２番手クラスの都市の人口伸び率が高い唯一の国である。メキシコ・シティは総人口に占めるシェアが２番手クラスの都市に比べて減少している。これはきわめて異例だ。１９８5年に人口１００万～５００万人の都市に住むメキシコ人は総人口の10％未満だったが、現在では21％に上昇している。

メキシコにおける２番手クラスの都市の繁栄は、自動車などの米国向け輸出の生産と密接な関係がある。メキシコで急成長を遂げている１００万以上の都市の中で、ティファナ、ファアレス、メヒカリの３つは米国と国境を接する州にある。北部の新興都市モンテレイでは最近の30年間で、都市圏の人口が倍増して450万人に達した。いまや製造業のイノベーションの中心地であり、その効果は全土へ波及している。メキシコの中央部の都市ケレタロでは、ワイン、家電、トラックの製造から、コールセンター、物流のサービス提供にいたるまで何でも手がけている。レオンはかつて靴や革製品の製造で有名だったが、中国との競争に破れた後、農工業、化学、自動車への産業転換を進めている。アグアスカリエンテスはトヨタ自動車の最新鋭の海外製造拠点となっている。はるか南部の都市プエブラにはフォルクスワーゲンの大工場が建設されている。このように全国の都市が輸出向けの製造拠点として繁栄している。これはメキシコが地域的にきわめてバランスのとれた発展を遂げていることの表れだ。

ごく最近まで、主要な新興国の中でメキシコとは正反対の道を歩んできたのがフィリピンだ。20世紀のプランテーション（大規模農園）社会の影響で、首都圏と農村地域の人口の分断は目を覆うばかりだった。現在、人口の13％がマニラに住んでおり、この比率は1985年以降、全く変化がない。この13％という数字は、他のフィリピンの都市で暮らす住民を合算した比率よりも大きい。こうした独特の「中間層の行方不明」は、相対的に開発が遅れた後進国――フィリピンの平均所得は3000ドル未満――という点を考慮しても、唖然とさせられる。しかし、セブやバコロドのような2番手クラスの都市では、変化の予兆がわずかながら感じられる。これらの都市では人口が2000年以降25％も増加した。コールセンターやITサービス企業の招致にも成功し、地域経済の中心的な存在になっている。

米国では人口の15％以上が移動した

先進国では、１億人以上の人口を擁する国は２つしかない。２番手クラスの都市の発展という点で、この２つの国は全く対照的だ。１９８５年以降、米国では人口１００万人以上の都市が15も誕生したが、日本では浜松の１つに止まっている。浜松は東京から１６０マイルほど離れた工業都市だが、２００５年の周辺市町村との合併によって人口が増えたにすぎない。日本にも斟酌すべき事情がある。日本の人口は米国よりもはるかに少なく、総人口の伸び率は大幅に鈍化している。政府が繰り出す政策は地方振興を含めて全く新味に欠け、地方の活力を高めるどころか、むしろやる気を殺いでいる。過去数十年間、東京、大阪、名古屋といった大都市の優位性は全く変わらない。地方に住む高齢者は地元への愛着が強い。彼らへの支援を含め、衰退する地方の市町村には莫大な補助金が投じられてきた。日本では都市と地方の格差はいつも古くて新しい政治課題である。

それとは対照的に、米国は国内で大規模な住民の移動が活発な、世界でも珍しい国だ。第二次世界大戦後には、人口の15％以上の人々が北東部や中西部の重工業地帯から南部や西部へと移り住んだ。低い法人税率や低い組合組織率、そして温暖な気候に惹かれて企業が南西部の諸州へと向かったからだ。南部では第二次世界大戦以降、気温が上がる夏場のオフィス・ワークもエアコンの普及によって快適にこなせるようになった。移住者はそうした企業の後を追いかけたにすぎない。新たに１００万都市の仲間入りをした15の都市の中で、13の都市が南部や西部に位置している。その代表例は、「フロリダが始まった街」のジャクソンビル、カリフォルニアの州都サクラメントなどだ。人口の増加が最も大きかったのは、ラスベガスだ。過去30年の間に、ネバダ砂漠の真ん中にある人口50万人の鄙びたギャンブル都市から２５０万人の世界的な観光都市へと大変身を遂げた。

次に10億人以上の人口を抱える超大国を取り上げてみよう。このグループに属するのは中国とインドの２ヵ国だけだ。２番手クラスの都市の建設競争では、明らかに中国に軍配が上がる。人口が30年前には25万人以下だったが、現在では１００万人以上、あるいはそれをはるかに上回る規模へ急膨張したケースが、中国には数多く存在する。そうした大都市は実に19を数える。たとえば深圳《シェンジェン》では人口が１０００万人、東莞《ドングアン》市域では７００万人を突破している。米国内で起きた南西部への大量移動が、中国ではさらに大きなスケールで生じた。中国の場合は、内陸の農村部から南東沿岸部への移動だった。

ちょうど同じ時期のインドでは、人口が25万以下から１００万以上の大都市へと変貌を遂げたのは、ケーララ州のマラプランとコッラムの２つだけだ。ただ、人口増加の理由は、行政区域の変更によるところが大きい。もし２０１１年に市の面積が拡大していなければ、両市の人口はいまでも１００万人を大きく下回っていたはずだ。

共産国の規制緩和、民主国の既得権益

中国が勝った理由の一つは、中国の成長率がインドを大きく上回り、工業化や都市化を促進したためだ。もちろん、こうした背景があるにしても、インドの努力不足は否めない。中国は経済特区を設けて大規模な規制緩和を実施し、南東部の沿岸地域の経済開発を促した。その結果、広東省、福建省などでは、急成長を遂げる多くの都市が出現した。中国のトップ・ダウンの開発政策で驚きだった一つは、中央の北京政府が地方政府に大きな自由裁量権を与えたことだ。地方政府は地の利を最大限活用することができ、実際の開発では土地の強制収用や銀行融資の大量投入を行うことができた。これは独裁型の開発に違いないが、権限が地方レベルまで委譲されたことに特徴がある。１９７９年に北京政府は深圳を含む珠江デルタ一帯を経済特区に指定し、外国貿易や投資に門戸を開く実験を初めて開始した。それ以前の深圳は珠江の鄙びた漁村にすぎなかった。この経済特区の実験は大成功を遂げ、その恩恵は近隣の東莞、珠海にも及んだ。両市は深圳と並んで中国で最も急成長を遂げた三大都市となった。それらに続く第四の急成長都市は、浙江省の内陸都市である義烏である。この都市は、中国とマドリッドを結ぶ世界で一番長い貨物鉄道線の東側の終着駅として繁栄している。

これとは対照的に、インドは世界最大の民主主義国家で意思決定には時間がかかる。地域が反対すれば土地開発にストップがかかり、中央政府自身が都市部に広大な用地を抱える利害関係者

でもある。世銀の元部長で中国人のユーコン・ファンによれば、都市郊外に広がる広大な用地は公務員宿舎や兵営だが、これらは植民地時代の名残だ。インドの首都デリーの一画にはルータンズデリーという地域がある。この名称は首都の行政区画を設計した英国人の建築家にちなんで命名された。新興国の中でこうした瀟洒な郊外を持つ首都を私は知らない。ルータンズデリーの中にある「バンガロー・ゾーン」は広さが25平方キロメートルもあり、全体が緑で覆われ、その中を道幅の広い道路が縦横に巡らされている。道路の両脇には、街路樹がきちんと整備されている。大半が政府の所有で、住宅は数百しか存在しない。政府高官は、この都会のオアシスで高級住宅を手に入れようと必死に競い合っている。同地区にある数少ない民間所有の住宅の価格は５０００万ドル以上もする。新興国の世界で、これに匹敵する規模の政府直轄の高級住宅地は、パトナやバレイリーのようなインドの２番手クラスの都市以外に見かけることがない。

インドも中国を見習って経済特区の導入を試みたことがある。しかしこうした特区では土地や労働力の利用で十分な規制緩和を行えず、雇用や都市人口の増加という点で期待したほどの成果をあげられなかった。時代遅れの建築基準によって、都心部の開発が遅れ、地価が急騰している。グローバル・プロパティ・ガイドによると、インドの都心部の平均価格が中国の２倍もするのは、このためだ。かつて絶大な権力を誇ったデリーの中央政府だが、最近ではその権限の多くを29の州の首相に委譲している。しかしその権限は十分に市長レベルまで降りておらず、中小の都市は思うように成長できない。農村部のインド人が都市部に移り住もうとするとき、ムンバイ、デリー、コルカタ、バンガロールの4都市を好む。いずれも人口1000万以上のメガシティだ。多くの都市が急成長を遂げている国が中国だとすれば、インドは零細都市に囲まれたメガシティだけが人口過密できしみが生じ、2番手クラスの都市は全く精彩を欠く状況となっている。

サービス産業も立地がものをいう

物資が往来する交易ルートに新たな都市が誕生するように、サービス産業の中心地の周辺にも新興都市が立ち上がっている。1990年代にインターネットが初めて通信革命をもたらしたとき、大半のサービスはどこからでも提供できるようになり、サービス産業はどの国のどの地域でも立ち上げが可能になる。したがって今後は立地が意味を持たなくなると専門家は考えた。確かにこうした産業立地の分散は、中低レベルのサービス分野で生じた。しかし、コロンビア大学の都市専門家であるサスキア・サッセンによると、金融、保険、法律などサービス業の本部は実際には約50の「グローバル都市」のネットワーク内に集中している。こうしたサービス都市の代表格はニューヨークやロンドンだが、上海やブエノスアイレスでもその萌芽が見え始めた。

今日の製造業やサービス業では、インターネットのおかげで立地が無意味になるということはありえない。サービス企業はインターネット検索エンジンから製品物流まで多岐にわたるが、そうしたビジネスを起業し経営するために、人々はいまでもフェイス・トゥ・フェイスの商談を繰り返している。サービス分野で新規に生まれた企業は、同種の企業が集中する都市で設立されるのが普通だ。有能な人材の確保が容易だからだ。その結果、新たに台頭する都市では、特別なサービス分野を得意とする企業群や人材群をベースにしている場合が多い。韓国では釜山《プサン》が全国有数の港湾都市として、あるいは地域ハブ港として繁栄を続けている。フィリピンではマニラが非営利部門サービスの世界的な供給基地として脚光を浴びた。現在ではそのビジネスはケソン、カローカンなどの周辺都市へと分散している。ドバイは原油や関連製品の輸出港、中東地域へのサービスのハブという2つの機能をベースに発展を続けている。産業立地で成功するカギは、人々がその場所で仕事も、生活もしたいと思うような都市を作り上げることだ。たとえば、チューリヒやジュネーヴのようなスイスの都市では、際だった生産効率性と驚くべき自然景観を合体させることで、海岸から遠く離れた山深い国を地理的なスイートスポットへ変えてしまった。

ポーランドでは、クラコフ、グダンスク、ヴロツワフなど2番手クラスの都市が、サービスや製造業の分野で世界的な競争力のあるセンターとして頭角を現しつつある。こうした都市から生まれた企業が初めて西側の市場への参入を始めた。企業の多くはいまだに創業者によって経営されている。彼らは1980年代の後半に共産主義政権が崩壊した後、企業を立ち上げ、様々な困難を乗り越えてビジネスを軌道に乗せた。企業の多くは売り上げが10億ドルに達し、自信を深めた彼らはポーランド国内では満足しきれず、隣国のドイツへも進出するようになった。こうした企業は、ファストファッションや靴の製造小売から、西欧では未発達の債権回収のような新規サービスまで実に多彩だ。2014年末にヴロツワフの起業家が語ったところによると、債務危機によってユーロ圏で不良債権問題が拡大した時、事を荒立てることを嫌った欧州の銀行は、事情に明るい専門家を雇って、穏便な解決に当たろうとした。そうした経緯で、彼らはドイツに債権回収の代理店を設立することになった。ポーランド人のCEO（最高経営責任者）によれば、債権回収という仕事の性格上、「ソフト・アプローチ」を採用した。そのほうが進出の手続きがスムーズになると期待したからだ。代理店開設と同時に、ドイツ語をしゃべれるポーランド人を雇って電話による債権回収を始めた。

「地の利」は人間が作る

地理的なスイートスポットを築くためには、次の3つの局面で門戸を開く必要がある。1つ目が近隣諸国、2つ目がその先にある世界全体、そして3つ目が国内の地方や2番手クラスの都市だ。欧州諸国ではおそらくポーランドが優等生だ。アジアでは1番が中国であり、それにベトナム、バングラデシュが続く。中南米ではトップがメキシコであり、最近ではコロンビアがそれに並ぶ。コロンビアが2012年に米国との間で結んだ自由貿易協定は南米で初めてのものだった。近隣のアンデス諸国やメキシコとの将来性のある新しい地域貿易協定の一環をなすもので、それによって、コロンビアの都市メデジンは「殺人大国の首都」という汚名を返上し、模範的な2番手グループの都市として変身を遂げつつある。アフリカではモロッコとルワンダが、厳しい周辺環境にもかかわらず、輸出拠点として実績をあげている。

ロケーションは依然重要である。長い間、工業製品を搬送する交易ルートに沿って経済は発展してきた。現在では、サービス産業の拠点でも同様の発展が見られる。こうした流れは、グローバル化時代にさらに加速されるかもしれない。最近では世界貿易の伸びが頭打ちとなり、世界的な資本移動も急落しているが、グローバル化の流れは2つの重要な分野で加速している。世界を移動する旅行者や観光者の数が急拡大を続け、インターネット通信も爆発的な伸びを見せている。こうした分野に強い国々にとっては、新たなビジネスチャンスとなっている。イスラエルの歴史家で作家でもあるユバル・ハラリは次のように述べている。世界の未来は米国のミレニアル世代の習慣から読みとることができる。彼らは家具や衣類のような伝統的な「モノ」よりも、旅行、レストラン、スポーツ、あるいはスマホでどこにいても楽しめるバーチャル体験など「経験」に対しておカネを使う傾向がある。ハラリなどの予想によれば、自動化によって人間の働く時間が減り自由な時間が増えるほど、経験への渇望はさらに強まるだろう。ハイテク、旅行、娯楽などの中心地へ転換できた国にとって、これは絶好の成長機会となるが、現段階ではまだ十分な成果が得られていない。

地理の利は、それだけで力強い成長をもたらしてくれるわけではない。それを実現するためには、神によって偶然与えられた港や都市を、経済的に価値のある拠点に変えるための努力が必要だ。地の利は移ろいやすい。ポーランドとメキシコは巨大で裕福な市場に隣接する優位性を持っているが、最近ではメキシコの方がポーランドよりもツキに恵まれている。米国の成長率が欧州を大きく上回っているからだ。世界の交易ルートは未来永劫、不変ということはありえない。ロケーションの有利、不利は、政策によって書き換えることができる。「辺鄙な極東」に孤立した、貧困と未開発からいつまでも抜けきれない「中華帝国」。ついこの間まで、このように世界から同情されてきたのは、中国だ。しかしそれが適切な政策を実行するやいなや、たちまち新たな地理的スイートスポットへと変身してしまった。

第６章

Factories First

【産業政策】製造業第一主義
――投資の対GDP比率は増えているか、減っているか

富裕層はすぐに逃げ出す

メキシコ・シティの郊外に新しく開発されたビジネス地区サンタ・フェがある。そこには全面ガラスで覆われた高層タワーが所狭しと林立している。その中の一棟の高層階。私が座る角部屋のオフィス・ルームからは、広大な周辺の眺望を楽しむことができた。その光景に見入っていると、一瞬どこに滞在しているのか分からなくなる。私の右手では、隣接する高層タワーの頂上に据え付けられたヘリポートで、ヘリコプターから企業経営者が降りてくるのが見えた。私のホスト役は、私の左手に広がる雄大な光景を説明してくれた。それは1戸当たり数百万ドルもする豪

勢な住宅が緑の中に点在する高級住宅地であり、地元の人々にはナルニアの名前で知られている。ナルニアは、C・S・ルイスの小説に登場するおとぎの王国にちなんで命名されたものだ。かつてはボスケス・ドゥ・サンタ・フェと呼ばれていたが、現在はゲート・コミュニティ（訳者注＝壁や塀に囲まれていて入り口に守衛が立っているコミュニティ）として生まれ変わった。通路や入り口は、住民用、使用人用と厳密に区分けされている。実際の億万長者や世間からそう見られたい人々向けに作られた街だ。とりわけ、メキシコ・シティから1時間の距離にあるナルニアは、大都市の犯罪や交通渋滞を嫌う超富裕層に大変人気があるようだ。2014年秋のこの体験で、政府が現代社会や経済の基礎となるインフラや安全面への十分な投資を怠ると、超富裕層がいかにして現実逃避を図るかを垣間見た気がした。

海外からの多くの来訪者は政府がうまく機能していないことを、航空機チケットの販売カウンターの長蛇の列や、屋根の上まで乗客が群がる満員列車、あるいは賄賂を要求する安賃金の交通警官などによって実感する。実際に、これらのすべてがメキシコ国内で起きている。公共サービスを補完したり、あるいは完全に回避するために民間サービスが広がっていることも、隠しようのない事実だ。民間のゲート・コミュニティは中南米全域に広がっている。サンタ・フェの上空を飛び交うヘリコプターを見て、ブラジルの同じ様な風景を思い出した。ブラジルのサンパウロでは大企業の本社ビルの屋上をつなぐ民間のヘリコプター交通網が整備されている。企業の幹部は眼下で延々と続く交通渋滞に巻き込まれずに移動できる。ナイジェリアなど多くのアフリカ諸国では、頻発する電力送電網の故障から身を守るために、民間企業は強大な発電機と燃料タンクを購入している。いつ何時、停電となっても、照明が消えることがなく、エレベーターも稼働し続けるようにするためだ。クオラはウエブ上の質疑応答サイトだが、そこでは特定の国に特有の風変わりな職業が紹介されている。その多くは公共サービスの補完として発達したものだ。たとえば、ベトナムの大河沿いの辺鄙な村では渡し船のようなサービスが全く整備されていないために、その不便を補う仕事がある。学校へ通勤通学する先生や生徒は波打ち際でビニール袋の中に入り込み、それを屈強な男がまる抱えして対岸まで運んでいる。

貧困脱出の切り札

経済を牽引するのは消費と投資だ。大半の国では国民や政府は消費に多くのお金を使っているが、成長や景気循環にとって重要なのは投資である。投資は一般的に消費に比べて安定性に欠けるが、新しいビジネスや雇用を生み出すことで人々の所得を豊かにする。その投資には政府や民間企業による道路や鉄道の建設、オフィス用品からボール盤にいたるあらゆる製品の工場や設備の投資、学校や民間住宅の建設などが含まれる。経済の将来にかかわる重要な問いは、経済全体に占める投資のシェアが上昇しているのか、それとも下落しているのか、である。投資が増大していれば、成長率は確実に高まるはずだ。

長い時間がかかったが、私はついに対GDP比で見た投資水準のスイートスポットを発見した。

戦後の経済発展で最も成功したとされる56ヵ国、つまり10年以上にわたり6％以上の成長率を達成したケースを調べると、これらの国々では高成長の期間、平均するとGDPの25％を投資に振り向けていた。投資が加速すれば成長率も上昇する。どのような新興国でも、投資が高水準でかつ上昇していれば、つまり投資の対GDP比が25〜35％の間で推移していれば、比較的容易に高度成長を実現できた。ところが投資が低水準でかつ下落していれば、つまり投資の対GDP比が20％以下で低迷していれば、高成長の達成に苦労を要した。

投資が拡大しようとしているか、それとも縮小しようとしているのかを正確に言い当てるのは難しい。それは、政府の投資計画の規模や契約内容、あるいは政府の民間企業に対する投資奨励策などを見て主観的に判断するしかないからだ。メキシコやブラジルでは長い間、投資が対GDP比20％前後で低迷してきた。民間主導による安全なゲート・コミュニティの普及や輸送網の整備は、地元の人々が政府の対応の遅さに痺れを切らして、自らが立ち上がってその穴を埋め始めたことを意味している。

投資の大幅な伸びはいつも決まって良いサインである。しかし、投資が増えれば増えるほど、そのお金がどこに向かっているか追跡することが重要になってくる。この評価基準の第二の目的は、良い投資熱と悪い投資熱を区別することだ。良質な投資熱とは、企業が積極的に技術革新に取り組んで、新技術の創造や新しい道路や港、新工場の建設に大量の資金を投入することだ。農業、サービス業、製造業の3つの主要産業の中で、多くの新興国が貧困状態から抜け出すきっかけになるのが製造業である。現在では、ロボットが製造組立ラインで人間に取って代わるのではないかとの懸念が広がっている。しかしそうした時代であっても、雇用創造や経済発展の牽引車となる産業は、製造業以外に見あたらない。

先進国でも成長の牽引役

戦後の輝かしい経済発展の歴史は、1960年代の日本から始まった。どのような経済発展を遂げた国でもスタートは、衣料品のような単純な製品の製造と金持ち国へのその輸出だった。農民が農村を離れ大都市の生産性の高い工場労働者になるにつれて、製造企業は付加価値の高い製品の設備を拡大していった。そこで生産された製品を海外へ輸出することで、製造企業は大きな利益をあげることができた。輸出品は衣料品から鉄鋼製品へ、そして鉄鋼製品から薄型テレビ、自動車、化学製品へと段階を追って高付加価値化していった。

その結果、大きな変化が生じた。都市周辺に建設される工場が増えるにしたがって、レストランから保険にいたるサービス業が誕生し、製造業で働く中間層の生活を支えた。製造業はやがてサービス業に主役の座を譲り渡し、投資は頭打ちから下落へと転じていった。サービス業は製造業ほど工場や設備への投資を必要としない。上位先進国の投資の対GDP比は、イタリアが17%、米国20%、オーストラリアは26%とばらつきはあるが、平均はかろうじて20%となっている。経済が豊かになるにつれて、製造業の投資のシェアも低下傾向になる。製造業のGDPに占めるシェアは経済発展につれて緩やかに上昇し、20〜30％でピークをつけるのが一般的だ。そのときには、購買力平価で計算した1人当たり平均所得は1万ドルに達している。しかし製造業の対GDPの比率が自然に低下したとしても、製造業が先進国にとって重要でなくなるわけではない。

経済発展するにつれて投資や製造業の対GDP比は低下に向かうが、成長の牽引力として大きな役割を果たし続ける。製造業の対世界GDP比は現在18％弱で1980年の24％強から低下しているが、技術革新のかなめであることに変わりない。マッキンゼー・グローバル・インスティチュートによると、どのような発展段階の工業国であっても、製造業は民間部門の研究開発の約80％、生産性上昇率の40％を占めている。労働者の時間当たり生産量が増えれば、経営者は製品価格を値上げせずに賃金を増やすことができる。インフレなき成長が可能になる。

今日、多くの開発途上国がインフレの有害な副作用を起こさず成長したいと望むなら、まず工場へ投資して生産性を高めることがいかに重要であるかを理解すべきである。投資の伸び率が最も高かった新興国から世界に冠たる最強の製造業が誕生していることは決して偶然ではない。2014年に投資の対GDP比が高かった上位5ヵ国の中の4ヵ国、すなわち中国、韓国、マレーシア、インドネシアは、製造業の対GDP比が高い上位5ヵ国にも含まれていた。原油や天然ガスの発見など「宝くじ」を引き当てた好運な小国のケースを別にすれば、たいがいの国が貧困から抜け出すための第一ステップは製造業の育成に励むことだ。

投資もやりすぎは禁物

最近の10年間を見ると、新興国の投資の伸びは停滞している。２００８～２００９年の世界的な金融危機の後、政府や民間企業の資金調達の手段が尽きてしまったからだ。新興国では、投資の年間伸び率が3分の1以上落ち込んで1・7％になった。中国のような極端な例外を除けば、投資の伸び率は２０１０年の10％から２０１４年には０％へ急降下した。こうして世界の多くの国で、投資は成長の牽引役にならなくなった。ブラジル、ロシア、チェコ、エジプト、インド、韓国、メキシコ、ポーランド、台湾のような国・地域では、投資の対GDP比は下落した。これらの一部、特にロシアやブラジルのような国際商品主導の国では、投資の落ち込みで従来の工場設備の更新さえできなくなり、工業化や経済発展が大きく遅れる原因となっている。

主要な新興国では現在、ＧＤＰに占める製造業の割合はチリの10％から中国の30％以上と大きな開きがある。ロシアやブラジルのような国際商品主導の国では10％台の前半で、最下位近くに位置している。アフリカでは、２０００年代の輝かしい経済復興にもかかわらず、製造業の対ＧＤＰ比は１９７５年の18％から２０１４年の11％へと低下が続いている。ナイジェリアや南アフリカのような地域の大国でさえも脱工業化が進行し、経済発展の階段から滑り落ちている。

投資の増大は、普通は経済発展の先触れとして歓迎すべきだが、何事もやりすぎは禁物だ。ちょうど良いころあいで頭打ちとなることが重要だ。理想的な投資の上限は、ＧＤＰの約35％である。それを超えると副作用が強まる。第二次世界大戦後、投資が対GDP比で40％に達した国は10ヵ国にすぎない。1970年代の韓国、1990年代のタイ、マレーシアなどだ。この10ヵ国の中で、過剰投資の後、大幅な景気後退を免れたのは1970年代後半のノルウェーと2000年代後半のヨルダンの2ヵ国だけだ。これは投資基準で重要なポイントである。経験則からすると、投資は循環を繰り返す。投資が対GDP比で30％を超えてピークに達すると下落が始まり、その後の5年間の年間成長率は平均で3分の1も落ち込んでしまう。投資が対GDP比で40％を超えてしまうと、景気の落ち込みはさらに大きくなり、その後の5年間の年間成長率は半減してしまう。この景気後退の背景にあるのは、景気循環の基本的なメカニズムだ。好景気が長く続けば、人々は慢心し無駄遣いを始める。非生産的な投資へ向かうお金が急拡大する。その結果、生産性拡大の恩恵が少なくなって、景気は減速を余儀なくされる。

このサインは、2010年代の中国に対する警告の意味合いを強めている。投資の世界的な減速にもかかわらず、中国は史上最大ともいうべき投資ブームが続いた。2002〜2014年の間に、投資は対GDP比で37％から、経済大国としては未曾有の47％へ急騰した。中国の重工業への投資の入れ込みは、次の事実からも窺える。中国の年間の1人当たりセメント使用量は、米国を含む世界の他のすべての国の2倍以上となっている。その他の多くの投資基準で見ても、中国の産業投資は明らかに行き過ぎだ。非生産的な投資目的にますます多くの資金が流れ込んでいる。いったん投資が下向きになれば、しばらく下落が続く可能性が高い。過去のアジアの奇跡を見るかぎり、投資支出の傾向は「単相性」になりがちだ。つまり、いったん流れが変われば、そのトレンドが長い間続く可能性がある。

製造業の素晴らしき循環

中国は現在、危険を知らせるサインに直面しているが、同時に次のことも指摘しておかなければならない。危機が到来するには、たいへん長い時間がかかることだ。中国の工業化は初歩的な段階から始まったため、過去30年の投資は工場、道路、橋、その他の産業基盤の整備が主体だった。政府や民間企業が無駄としか思えない投資に乗り出したのは、経済発展が40年目に入ってからだ。実際、こうした展開はよくある。いったん良い投資ブームが製造業で始まると、自己増殖的な動きが当分の間続く。ハーバード大学のダニ・ロドリック教授は、製造業を「エスカレーター」と呼んでいる。ある国が世界の製造業分野でニッチを見つけると、生産性がひとりでに高まっていくように見えるからだ[1]。

最初のステップは必ず、国内向けでなく海外向け製品の製造から始まる。香港を拠点とする経済研究機関のエマージング・アドバイザーズ・グループが150ヵ国の過去50年間について行った調査によると、経済発展で最も強力な原動力は輸出の持続的な拡大、特に工業製品の輸出だ。単純な工業製品の輸出でも、国内の所得や消費を増やすことができる。また外貨収入が増えれば、工場の生産性改善や増産に向けた機械や原材料の購入が可能になり、輸入の未払い代金や対外債務の拡大を招かずにすむ。

結局、製造業の場合は、一つの良い投資が次の良い投資を呼び込む。工場をいったん建設すれば、それを改良、拡張する資金が生まれる。その結果、生産した工業製品を工場から世界の輸出市場へ搬送するのに必要な道路、橋、鉄道、港湾、電力送電網、上水道などインフラ投資への必要性も高まる。19世紀の米国では巨大な鉄道建設ブームが2回起きたが、いずれの場合も長続きすることはなかった。しかし、建設ラッシュによって多くの主要な鉄道網が後世にそのまま残り、数十年後には米国が世界の製造大国へ躍進するための大きな跳躍台となった。

現在、多くの国際機関の推計によると、新興国ではこうした輸送網や通信網の投資に何兆ドルもの資金を必要としている。第二次世界大戦前後の全国的な高速道路網の建設によって米国やドイツでは移動時間が劇的に短縮された。タイやコロンビアでも経済インフラの抜本的な改善に向け、数百億ドル規模の大型プロジェクトが進行中だ。同じことは、中国のブームについても言える。とりわけ中国のハイウエイ網は先進国からも羨望の目で見られていた。２０００年代に中国は資金を注ぎ込むプロジェクトを探し始めた。しかし２０１４年10月になると習近平総書記は、鳥の巣、角氷、ドーナツ、奇想天外な中国の風景画、巨大なズボンなどを真似たビルディングを、「気味の悪い建築物」だと批判した。中国でそうした建設プロジェクトに資金が向かい始めたのは、２０００年代に入ってからのことだ。

いったん経済の工業化が始まると、しばらく正しい道から逸れることはない。投資の対ＧＤＰ

比が30％を超えると、長い間その水準で横ばいとなる。私の調査した戦後のケースでは平均で9年間続く。この30％で投資比率が安定する理由は、指導者が投資、特に経済の好循環を生み出す製造業への投資に強い関心を持っていることを国民に示したいからだ。

経済発展に近道はない

もちろん例外はいくつかある。旧ソ連は製造工場へ大量の投資を行ったが、体制が崩壊したとき製造業で誇れる部門はほとんどなかった。投資の対GDP比は1980年代初期に35％でピークに達した後、投資マネーの多くは政府によって十分な検討もなされないまま、1つの産業に特化した都市へと投入された。たとえば製材工場のヴィドリノ、製紙工場のバイカリスク、鉱業のピカレヴォなどだ。1989年のソ連崩壊後、こうした政府支援を受けた産業部門が最新鋭の設備を持った世界のライバル企業と真っ当に勝負できないことはすぐに明らかになった。残ったのは、あいつぐ工場閉鎖で空洞化が進む産業都市と、誇るべき輸出産業など何もないロシア共和国だけだった。

最近の劣等生は、インドである。2000年代には投資の対GDP比が30％を超えていたが、そのマネーの大半は工場以外に向けられていた。インドの製造業の対GDP比は何十年間も15％前後で停滞したままだ。その理由は政府の失敗だ。政府は機能的な港湾や発電所の建設だけでなく、経済環境の整備も怠った。労働や土地、資本に関する法律が未整備なままでは、起業家も新規投資をする気になれない。特に悔やまれるのは、労働者の立場に立った法の整備と土地取得に関する実効性のあるルール作りに失敗したことだ。

1989〜2010年の間に、インドは製造業で約1000万人の新規雇用を創出した。しかし世銀のエコノミスト、イジャズ・ガニによると、新規雇用の大半が零細で非正規の企業で生まれた。役人の介入や法律の制約を受けることなく、簡単に労働者を解雇できるからだ(2)。インドでは、次のことが一般的に言われている。インドの労働法はきわめて煩雑で、その半分を遵守すれば残りの半分では法律違反になってしまう。ガニによれば、法律の改正によって他国と同様に起業家が大型工場を建設して製品を輸出できるようになったが、それでも雇用の創出は零細工場が主流であることに変わりない。非正規工場の多くは個人企業であり、現在ではインドの製造業労働者雇用の39%を占め、1989年の19%から大きく上昇している。彼らはあまりに零細すぎて世界市場で他国のライバルと対等に競争することができない。

1990年代にニューヨークを訪れた時、マンハッタンの大通りのマンホールの蓋に「メイド・イン・インディア」と記されていたことに驚いた。インドの工業化がいよいよ本格的に始まる兆しのように思えて、少しばかり嬉しくなった。しかしその期待が現実になることはなかった。2014年1月にインドのソフトウエアの起業家ジェリー・ラオが、次のように書いていた。彼の友人が自分のオフィスでインド製品を探したところ、カーペットは中国製、家具はマレーシア製、電気器具は中国製、ガラスの間仕切りは中東のジュベル・アリなど様々な地域の製品だった(3)。

ラオはさらに続けて、インド全土で見かけるヒンズー教の象の姿をした神ガネーシャの像でさえ、いまでは中国からの輸入品だと述べている。

規模の経済や世界市場の広がりを考えれば、カーペットや電気器具など一般製品が中国製なのは理解できる。しかし最近、私はインドで最大財閥のトップから、次のような話を聞かされて仰天した。インドにはアガバティというインドの象徴と言ってもよい線香がある。アガバティの神聖な香りはインドで開催される宗教的、社会的な行事になくてはならないものだが、それさえもいまではベトナム製だという。

２０１４年に首相に就任した後、ナレンドラ・モディは「メイク・イン・インディア（インドで作ろう）」のキャンペーンを始めた。しかし大きな問題があった。まず玩具や衣料品のような工場の建設から始めれば、将来、数百万人の雇用が生まれ、都市中間層を生み出すきっかけになったはずだが、初期のモディ政権にそうした発想は全くなかった。彼らが思い描いていたのは、太陽光発電や軍事兵器の最新鋭工場だった。しかし、そこで働くには高度の熟練技能が必要だ。その人材を農村の潜在的失業者から大量に見つけ出すことは困難だった。インドは経済発展に必要ないくつかの段階をスキップしようとしたのだが、実はそうした安直なやり方はこれが初めてではなかった。

サービス業で「奇跡」を再現？

世界的な金融危機以前の好況時に、インドの成長を牽引したのは製造業ではなく技術サービス業への投資だった。それは家内工業の誕生で、インドの経済評論家は後付け講釈的に、この手法が国家の開発戦略としてうまく機能することを証明しようとした。彼らの論法によると、グローバル化する世界では、インターネットを通じて多くのサービスが提供されるようになる。パーマが上手な地元の美容師や芝を刈る地元の庭師の仕事がなくなることはないが、弁護士、保険ブローカー、X線技師、インターネット接続の専門技術者のような地元のサービス業者はインターネットで簡単に他の専門家に置き換えられる。インドは最先端の工業製品を輸出する代わりに、新たな情報化時代に必要なサービス業を他国に輸出することで豊かになれるというのだ。

こうした議論は2010年代の初めに、「サービス産業が新しい成長のエスカレーターになる」という研究で再び勢いを得ることになった。世銀の2014年の調査報告書によれば、古い製造業の成長のエスカレーターは、すでにタクシー乗車、散髪、レストラン飲食、メディカル・ケアなどサービス業の新しい成長のエスカレーターによって取って代わられつつある。(4) 世銀のこの報告書は希望観測的に、世界経済の中で製造業のシェアは後退し雇用の創出も減少しているが、サービス業では成長が続き、先進国、開発途上国の両方で生産や雇用の拡大に貢献している、と論じている。さらに報告書によれば、サービス産業の雇用は生産性や賃金が低いと昔から信じられているが、その議論はエチオピアのような貧しい国にはあてはまらない。エチオピアでは、携帯電話網のような近代的サービスが普及するにつれて、サービス業の労働生産性は他の産業を上回るようになった。結論として、エチオピアだけでなく他のアフリカ諸国でも、サービス産業の雇用創出で「雇用なき工業化」の不安を回避できるという。

サービス産業の新エスカレーター論は、筋の通った勇気が湧く議論だった。それが間違っていないことを、誰もが願った。予想の専門家が足下の停滞を踏まえて将来も停滞が続くと推定することは、よくある話だ。製造業の後退や自動化の普及の議論でも、まさに同じことが起きている。予想家は最近のトレンドをそのまま未来に延長して、良質の工場労働が機械に置き換わり、大量失業の時代が到来すると考える。もちろん、こうした予想は産業化が始まって以来、何度も表明されてきたが、ことごとく間違っていた。1台のミシンが衣料品製造業で多くの裁縫師の雇用を奪ってきたが、ミシン技術の普及によって家具、玩具、はては自動車用シートなどの分野で新規雇用が生まれた。雇用破壊の時代には、破局的な結末だけでなく、その後に起きる新しい変化も見ておく必要がある。それが通常の循環サイクルだからだ。

サービス産業では離陸できない

現在、脱グローバル化が進展しているが、その中に次の変化を見て取ることができる。世界貿易や国際的な資金移動は停滞しているが、旅行者、観光客の数やインターネットの通信量は急拡大している。さらにスマートフォンの利用率はこの5年間で20％以下から75％に上昇し、携帯電話技術の進化によってサービスの発展領域が一段と広がっている。

しかし現時点で新エスカレーター論の基本的な問題点は、新興国で創出されている新サービス業の雇用は従来型の事業分野に限られており、バーチャル・リアリティや最先端の旅行体験などの新規分野でないことだ。ラゴスやデリーなどの道ばたのいたる所で見かけるタイヤ修理工場や、掘っ建て小屋の中にある散髪屋らしきものを、見てご覧なさい。インドの小さな農村では、多くの起業家がベニヤ板で作られた大きな棺のような場所でわずかな料金と引き替えに客の髪を切っている。そうした店に入れる観光客はよほど勇気のある人だ。農業からサービス業への移行がこういう事例に限られるときに、サービス業が外貨収入を増やし、国全体の経済開発の起爆剤になるとはとても考えられない。

一部のインド人エコノミストを大いに興奮させた未来像は、近代的なサービス産業の創造だった。インドでは1990年代後半にバンガロールやプネーが情報技術（IT）サービスで世界的に有名な都市へと躍進し、インフォシスやTCSなど急成長を遂げた巨大企業が本拠を構えていた。韓国が衣料品製造から家電製品製造へと進化したように、インドもIT分野の単純な事務支援サービスから、最先端分野で大きな利益の得られるコンサルティングやソフトウエアサービスへ発展を遂げられると期待した。しかし、その構想には限界があった。10年の年月を経ても、インドのITサービス部門が供給しているのは依然、単純なITサービスにすぎない。事業規模も大半はスタート時点とたいして変わらず、雇用の創出も低水準に止まっている。

インドではＩＴサービスで働く人の数は２００万人にすぎない。全労働者の１％未満である。パキスタンやスリランカでも似たような小さなＩＴサービスのブームが生じたが、創出された雇用は数万人の規模だった。フィリピンでも同様だ。２０００年代に生じたコール・センターの設立ブームによって同分野の雇用はゼロから35万人へ急拡大したが、全労働者に占める割合は現在でも低い水準のままだ。これまでのところ、辺鄙な農村経済に大きな近代化をもたらす点では、サービス産業は依然力不足である。日本や韓国のようなアジアの奇跡では、数十年の高度成長期に全人口の４分の１が農村から都市へ移住した。第二次世界大戦直後のアメリカ製造業の絶頂期には、全労働者の３分の１が工場の労働者だった。

農民が農作業から組み立てライン作業へ移行するのは比較的容易だ。両方とも大半が手作業だからだ。しかし農作業から近代的なサービス業への移行はそれほど簡単ではない。サービス業の仕事ではコンピュータの操作など、より高度の能力が求められる。フィリピンやインドでＩＴサービスの仕事を得た労働者は、都会の中間層出身で相対的に学歴の高い人が多い。彼らは英語を使いこなせて、少なくともコンピュータなどの電子機器類を所持していた。潜在的な失業状態にある中間層のために雇用を創出することは大切だが、経済を大きく変革させるには自ずと限界がある。中間層が総人口に占める割合が相対的に小さいからだ。少なくとも現段階で国の将来を評価する基準は、製造業第一主義であってサービス業第一主義ではない。

「製造業モデル」もいまや高嶺の花

インドのようにこれから経済発展を目指す国にとって、大きな頭痛のタネは製造業の国際競争で勝ち抜くことがますます難しくなっていることだ。中国が30年前に工業化の道を歩み始めて以来、ベトナムやバングラデシュなど製造業で国づくりを目指す国が急増している。そのため既存の工業製品輸出国では、従来の顧客をつなぎ止めることがますます困難になっている。しかも製造業自体が世界的に縮小傾向にある。

２００８年金融危機の前でも、世界的な工業製品市場での競争は厳しさを増していた。危機以降の競争は、さらに熾烈さを増している。過去10年のブームでは主要新興国の輸出の伸びは年率20～30％となり、２００８年と２０１０年には同40％のピークをつけた。しかしその後は世界貿易が減速に向かい、新興国の輸出は２０１０～２０１４年にマイナス成長に転じた。製造業部門が収縮するにつれて競争が激しくなり、先進国では新興国の輸出補助金、通貨切り下げ、西側技術のリバース・エンジニアリングなどへの警戒を強化している。そうした一連の措置は東アジア諸国が１９６０年代、１９７０年代に輸出大国になるために活用した開発戦略だった。

製造業による経済発展をさらに難しくしているのは、自動化だ。新しい技術が目指すのは、衣類の縫いつけのような1つの作業を上手にこなす機械の発明ではない。何でもやってのけるスマート・ロボットを作ることだ。たとえば、自動車の運転やチェスのプレーをしたり、ウサイン・ボルトよりも速く走ったり、あるいはアマゾンの倉庫で裁縫箱を見つけ出してそれを船積み埠頭に搬送する等々。現代の工場では多くのロボットの設置によって労働者の数が少なくなっている。そのため、これから経済発展を目指す新興国がアジアの奇跡のように、全労働者の25％を農村から都市の工場へ移動させることが難しくなっている。デジタル革命が工場の現場で革命を引き起こしている。部品の製造や組み立て作業で人の手を煩わすことが少なくなりつつある。3Dプリンターによって、建設部材、競技用シューズ、デザイナーズ照明、タービンのプロペラなどの製品を作ることができるようになった。

新興国にとってさらに深刻なのは、米国などの先進国は最新鋭の製造技術ではるか先を走っていることだ。米国自身、廉価なシェールガスの発見で製造業のちょっとした復活ブームに沸いている。シェールガスによって米国内の電力コストが低下し、中国など競争相手国との製造業の賃金格差が縮小しているからだ。米国はいまでは、新興国で製造された製品の得意先であると同時に、新興国の製造業者のライバルである。2015年には衣料品やスニーカーのような単純な産業で米国の企業が復活してきたという話も聞かれた。

その結果、新興国は10年前のように、製造業の成長のエスカレーターに長い期間乗っていることができなくなっている。そうであるからこそ、逆風を跳ね返して巨大な製造業基盤を構築し続けてきた数少ない国は、賞賛に値する。韓国の巨大製造業はその顕著な例であり、いまでも健在だ。韓国では1人当たり平均所得が2万ドルを突破したにもかかわらず、最近でも製造業の対G

DP比は28％を維持している。経済大国の中では最高水準だ。先進国で製造部門の対GDP比が20％を超える国は、シンガポール、ドイツ、日本、オーストリア、スイス、リヒテンシュタインの6ヵ国だけだ。

先進国として十分な発展を遂げているにもかかわらず、依然、製造業輸出大国として大躍進を続けている国がある。ドイツだ。輸出の対GDP比は1995年の26％から現在は46％へ拡大している。その起爆剤になったのが有名なハルツ改革だ。労働組合の増長を防ぎ、労働コストの抑制に大きな役割を果たした。こうした改革はユーロ圏のメンバーから「近隣窮乏化政策」と批判されている。ユーロ圏諸国はドイツと共通通貨ユーロを共有しており、ドイツの労働コストの下落に対して自国通貨の切り下げで対抗できなくなってしまった。ドイツはそれ以外にも様々な形で改革を推し進めている。ドイツにはミッテルシュタントと呼ばれる中小企業群がある。ベルリンの壁崩壊以降、賃金が安くて、教育水準の高い労働者を大量に採用することが可能になった。ミッテルシュタントの家族経営者は、そうした労働力を長期戦略の視点で有効活用してきた。彼らは米国や中国だけでなくポーランドやチェコでも工場を新設して、ドイツ式産業モデルの移転で実績をあげた。2010年には初めてドイツの自動車メーカーの海外生産が国内生産を上回り、世界に冠たる製造業大国の地位を不動にした。ハーバード・ビジネス・スクールのインターナショナル・クラスター・コンペティティブネス・プロジェクトによれば、世界の上位51の産業分野においてドイツ企業は27産業で上位3番以内に入っており総合で第1位だった。ちなみに同第

2位は米国の21産業、同第3位は中国の19産業の順になっている。

モノ作りなくして国家の安定なし

製造業で経済発展の階段を昇ることが難しくなればなるほど、その成功物語は輝きを増してくる。その好循環に乗れるかどうかを測る簡単な尺度は、世界的な製品輸出市場でのシェア、特にそのシェアの最新動向である。最近、この尺度で著しい改善を示している国はほとんど見あたらない。例外は、中国、タイ、それに韓国だ。韓国では家計の債務が対GDP比で150％に達しているにもかかわらず、ここ数年、強い製造業をバネに年率3～4％の成長を続けている。

さらに興味深いのはタイだ。タイでは伝統的に製造業がしっかりしているおかげで、その他の政治的、経済的な危機が生じても大きく揺らぐことがなかった。1997年後半のアジア通貨危機が猛威を振るっていた時、私は現地ビジネスマンの招待でタイを訪れた。彼らは、タイ経済は見た目よりはるかに安定していると説明した。バンコク市街の住宅市場は壊滅状態だったが、彼らは経済のもう一つの側面、つまりモノ作りの産業基盤を見て欲しいと強調した。私はインドからタイに入国したが、インドのくぼみだらけの道路や怪しげな手工芸の工場と比べると、雲泥の差があった。招待者は空港で私を迎えた後、チョンブリー高速道路に乗って、東部海岸線へと車を走らせた。短い乗車時間だったが、4車線の高速道路は複数の水深の深い港へと通じていた。レムチャバンの港には積載用クレーンが林立していた。バンコクから100キロメートルの距離の場所には、産業プラントの〝楽園〟と呼ばれる工業地帯が広がっていた。白砂の海岸に向かって緩やかなスロープを描く無数の丘陵の上には、薄緑色のパゴダが点在していた。その合間に、自動車工場、石油化学精製所、造船所などを見ることができた。この工場団地を知る欧米人はそれほど多くないが、日本人はすでに大挙してやってきていた。自動車工場の投資家か顧客としてだ。パッタヤーの海岸近くの漁村には、ビジネス関係者をもてなすための歓楽街が急速に広がっていた。

今日では、この海岸地区はタイの高所得者向けの高級住宅地であるばかりか、欧州人にとっても人気の観光スポットや、退職後の余生を楽しむ場所となっている。私が訪問した当時の話に戻ると、その一帯はタイの輸出向け製造業の知る人ぞ知る金字塔だった。平均所得が３０００ドル足らずにもかかわらず、この海岸線のあふれんばかりの熱気に正直驚いた。タイがアジア危機の最中にもかかわらず、あるいはそれゆえに、復活できるであろうと期待されたが、これがそのゆるぎない根拠だった。通貨が下落するにつれて、タイは東部海岸線の工場から生産される輸出品の販売価格を引き下げることができた。それが経済再生の牽引力となった。

これは、経済という船が嵐に遭遇して転覆しかねないときに、製造業が船体の強力な自動安定化装置となって助かったことを示す興味深い事例だ。現在でもタイが世界のメディアで注目を集めるのは、製造業の強さではなく、多発する政治混乱やクーデターである。タイは世界で最も政治体制が不安定な国の１つだ。インラック・シナワトラ首相を倒した２０１４年5月の軍事クーデターを含めて、1930年代以降13回の軍事クーデター、さらに6回のクーデター未遂が発生している。2014年5月の軍事クーデター以降、軍部の将軍たちは、シナワトラ首相や彼女の農村部の支持者を公共の場から排除した。経済成長は停滞を余儀なくされ、タイの民主主義は存続の危機に瀕している。しかし前回のクーデターが起きるまでの10年間を振り返っても、抗議のデモ隊が国際空港を閉鎖し、軍隊が議会を占拠することがあったが、タイは約4%の成長率を維持してきた。

2014年以前において、タイに経済的安定性をもたらした土台は、主要国の中で5番目に高い投資比率（対GDP比30%）と2番目に高い製造業比率（対GDP比30%）だった。最近では中国でさえ製造業の成長を維持することが難しくなっている。そうした中で、タイは過去数年間に鉄鋼、機械、自動車などで世界輸出のシェアを伸ばすことができた。新興国ではきわめて珍しい。こうした成長産業のおかげでタイはアジアで失業率が最も低い国の一つで、過去10年間の平均失業率は3%を下回っている。タイでは成人の圧倒的多数が、賃金面などで有利な処遇を受けている。これが長い間、経済の安定要因になってきた。しかし、どのような政策や慣行も永遠に続くことはありえない。シナワトラ首相を倒した軍事クーデターの指導者は、彼女やその支援者の復権を阻む政治「改革」には熱心だ。しかし、彼女が計画した輸出向け製造業のための新たな輸送網整備に数十億ドル投資する計画を継続する気はないようだ。

最先端技術の輸出大国

製造業に続く望ましい投資先は、最先端の科学技術である。しかし過去のデータによれば、そうした投資ブームの大半は主要先進国に限定され、最近では特に米国に集中している。新興国で最先端技術への投資ブームが起きることはきわめて稀だ。インドはＩＴサービスや医薬品のような特殊な分野で大きく成功したが、他の分野に広がることはなかった。新興国の中で例外は台湾と韓国である。彼らはゼロから最先端産業を立ち上げるために、過去10年間でＧＤＰの３％以上の資金を研究開発に投入してきた。それと対照的なのがチリだ。チリは経済的な成功組だと見られているが、研究開発投資に投じた資金はＧＤＰの１％未満だ。平均所得が１万５０００ドルと比較的高くなった現在では、今後の成長が伸び悩む恐れがある。

韓国は世界で最もブロードバンド（広帯域高速通信）サービスが普及している国であり、自動車や家電など幅広い産業分野でも国際的に高い競争力を誇る最先端技術の企業が育っている。台湾の企業はやや小ぶりだが、新しい世界的な動きに対して対応が早い。２０１４年３月に台北を訪問した時、大銀行の会長と話をする機会があった。彼によれば、台湾の柔軟性の原点は外国による侵略の長い歴史にある。台湾の人々はいろんな文化への対応を迫られ、開かれた心を持つことの大切さを学んだという。パソコン、携帯電話機、その他家電の部品製造で有名な台湾の企業は、カー・エレクトロニクスや「アスレジャー」のような時代の最先端を行く分野へも参入を果たしている。「アスレジャー」では、ファッションとスポーツウエアの企業がタイアップして、流行の最先端をいくスポーツウエアタイプの衣料品を製造している。そうしたウエアは、もちろん街中でも十分着こなすことができる。

芽生えたばかりの最新技術で幅広い開発を始めているユニークな国もある。それは国としてさらに小粒で、特異な存在のイスラエルだ。最近では先進国として分類されるようになった。イスラエルは米国に次いで世界で2番目に起業したばかりのスタートアップ企業が多い。研究開発にGDPの約4%の資金を投じている。マイクロソフトやシスコなどの米国の大企業が海外で最初に研究開発施設を開設したのが、イスラエルだ。同国はベンチャー・キャピタリストの注目の的だ。イスラエルは視聴者を3次元、360度のバーチャル世界へ導いてくれるビデオや、検知器を体内に装着しなくても生体信号を知らせてくれるスマートフォン用のハードウエア、高度な軍事技術を応用したサイバーセキュリティー・システムなどを開発中だ。イスラエルは正真正銘の最先端技術の輸出大国である。輸出は対GDP比で40%に達し、その収入の半分はハイテクやライフ・サイエンスの関連だ。

起業家精神が国を改革する

時流を読むことに長けた人によれば、最近では新しいシリコン・バレーあるいはシリコン・アレー(小路)、シリコン・デザート(砂漠)が、ナイロビやサンティアゴといった新興国の都市で次々に誕生している。しかし、新しいシリコン・バレーは規模が小さく、個人のスタートアップ企業が細々と活動しているにすぎない。それらが大きく発展する可能性はきわめて低い。例外はメキシコだ。北部の国境都市モンテレイでは、19世紀に米国からメキシコ初の製氷工場の導入に成功して以降、最先端技術の取り込みに熱心だ。製氷工場はメキシコ初のビール会社へ変身し、さらにはＦＥＭＳＡというコングロマリットへ発展した。この会社は現在、変革の進む市の台風の目となっている。ＦＥＭＳＡ創業家の子弟の一人はマサチューセッツ工科大学（ＭＩＴ）で学び、母校の支援を得てメキシコのＭＩＴとも言えるモンテレイ工科大学（ＭＩＴ）を設立した。メキシコのＭＩＴは当地で、シリコン・バレーにおけるスタンフォード大学と同じ役割を果たしている。モンテレイはエンジニアリング、起業家精神、旺盛な技術革新などを大切にする地域文化で有名だが、ＭＩＴはそれに大きく貢献している。２０００年代に麻薬売人の大物がモンテレイ郊外に進出して内部抗争を繰り返す事件が発生したが、地元企業が立ち上がって、腐敗した連邦警察を高給の地元警察と総入れ替えした結果、犯罪集団の取り締まりに成功した。

現在のモンテレイは最先端の企業が勢ぞろいする閑静な街だ。企業は持ち前のハイテク技術を応用しながら、軽量アルミ製の自動車部品から、ホワイト・チーズ、トルティーヤ・ベースの調理食品、セメントにいたるあらゆる製品の品質改善に取り組んでいる。セメックスのＣＥＯ（最高経営責任者）だった故ロレンゾ・ザンブラーノはスタンフォード大学で学んだ経験を活かして、セメックスを世界最先端のセメント会社に躍進させた。自社の代表的な製品も、お気に入りのシリコン・バレーの専門用語であるテクノロジー・ベースの「ソリューション」という呼び方に変えた。セメックスには9つの研究所がある。製造工程の改善から強力な生コンクリートの開発まで、ありとあらゆることを手がけている。同社はコロンビアの政府を説得して、割高だが耐久性に優れたセメントの新製品の採用に踏み切らせた。新製品は山岳地帯の道路の保守費用を大幅に節約することに貢献した。メキシコの中央政府は、モンテレイの起業家精神が国営独占企業に支配された経済を改革するのに役立つことを十分認識している。2009年以降、中央政府は同市の研究施設に対して約4億ドルの資金を投じている。

バブルが弾けても光ファイバー網は残る

「良いバブル」という言葉は、一見矛盾しているように思えるかもしれない。しかし、それは基本的に有益なものである。たとえ最終的にバブルが弾けたとしても、無一文のままではその後遺症から立ち直ることができない。良いバブルの後では、経済の体力がそれ以前よりはるかに充実していることに気づくはずだ。新設された運河や鉄道、光ファイバーケーブル、半導体の製造工場、世界的な競争力を持ったセメント工場などは、経済の復興の過程で大きな力を発揮してくれるはずだ。フランスの経済学者ルイス・ゲイブが指摘するように、投資バブルは何を残したかによって判断されるべきだ。

2001年時点の世間一般の通念では、ハイテク投資バブルは紙クズの企業を生むだけだと見なされていた。ドット・コム・バブルが崩壊した後で、ペッツ・ドット・コムのような企業が突然死を遂げても誰も驚かなかった。ハーバード・ビジネス・スクールのラマナ・ナンダ教授とマシュー・ローズ＝クロップフ教授によれば、他の業種の株式バブルと比べて、ハイテク・バブルは、生まれてはすぐに消える泡沫企業ばかりでなく、そのまま成長を続けて優良企業（株式公開後の公募資金の多寡で判断）に発展し、技術革新（特許獲得数の多寡で判断）を生み出す企業にも資金を提供する可能性がある。[5] ハイテク・バブルでは２００１年に破綻したペッツ・ドット・コムのように消えていく企業が大半だが、数十社に１社の割合でグーグルやアマゾンのような企業が生き残り、時代の先駆けとなる。実際、１９９０年代のハイテク・ブームは米国の生産性の伸びを１９８０年代の２％から３％近くにまで高めた。これは１９５０年代の戦後復興期以来の高さだった。[6] この程度の生産性の上昇は開発途上国ではそれほど珍しいことではない。開発途上国では新しい道路を作っただけで生産性は著しく高まるが、先進国で３％という数字は滅多にお目にかかれるものではない。

インターネットがブームになっていた頃、光ファイバーケーブルへの多額の投資が、比類なき巨大なバブルに見えた。しかし、光ファイバーの耐用年数は15〜20年と長い。バブルが弾けても、高速度ブロードバンド接続を可能にするケーブル網は世の中に残った。韓国や台湾のような新興国ではバブルの最盛期にブロードバンドの高速化をさらに推し進めた結果、現在では世界で最もインターネット普及率の高い国になった。ルイス・ゲイブが指摘したように、ハイテク・ブームが消滅しても、消費者は通話やデータ送信の料金が安くなっただけでなく、インドやフィリピンなどに立地するコール・センターやその他の割安サービスを利用することが可能になった。その結果、先進国や開発途上国では、成長率や生活水準の向上に浴することができた。

似たようなことは、日本や韓国の第二次世界大戦直後の時期にも起きている。世界クラスの企業を育成するために、政府が率先して産業資金を重点配分した。韓国の大宇財閥、日本のそごうのように、その後の経済危機で姿を消す企業も少なくなかったが、現代やサムスンのように生き残って最先端技術分野で世界的な大企業へと躍進を遂げた企業もある。工場や科学技術への良い投資バブルは、それが弾けた後も数年にわたって生産性を高める傾向がある。

新興国にとって科学技術はまだまだ製造業のような触媒作用を果たすことはできない。衣料品のような単純な製品は、農村から出てきたばかりの未熟練な労働者の技能でも簡単にできてしまう。そうした基本的な段階を飛び越えて一気に技術大国へ飛躍する方法を、どの国もまだ発見できていない。労働者が最先端技術の工場や最新式のサービス産業で働けるようになるには、時間をかけて訓練をしなければならない。19世紀の英国や現在の米国がそうであるように、科学技術の旺盛な研究開発は主要な技術先進国で創造され、その産業力の中核であり続ける。

悪いバブル——不動産の場合

最悪の投資バブルは、後世に生産的な資産や価値を残すことがない。悪いバブルは最先端技術や技術革新から生まれたものでないからだ。投資家を最悪のバブルへと駆り立てるのは、射幸心だ。入手が困難な資産ほど価格の振れが大きいので、その急騰でひと儲けしようというよこしまな行動だ。その投機の対象になるのが、住宅や銅、鉄鉱石などの天然資源だ。住宅建設のバブルは少しばかり行きすぎたとしても、必ずしも悪いことではない。住宅不足が深刻な開発途上国では、特にそうだ。しかし不動産バブルの恩恵は一過性だ。1戸の住宅は1家族に販売されたらそれで終わり。生産量や生産性を長期安定的に高めることはない。理想の住宅やセカンドハウスを夢見る人が多いために、不動産市場ではとりわけ不合理な熱狂が発生しやすい。

投資バブルの質、つまり経済にとってプラスかマイナスかは、企業が投資資金をどのように調達しているかによっても決まる。もし企業が銀行借り入れや債券発行の形態で過大な借金をしているのであれば、バブル破裂後の混乱は一般的に長期化する。企業は借金の借り換え交渉に追われ、銀行は不良債権の償却を迫られる。銀行システムは機能不全に陥り、経済は長い低迷を余儀なくされる。しかし企業が資金を株式発行など資本市場から調達している場合、混乱は比較的早く収拾する。当該企業の株価が急落し、株主は値下がりで損失を被るが、それで終わり。交渉を何度も繰り返す必要がない。投資バブルの資金調達で最も優れている形態は外国人の直接投資だ。彼らは新興国で新工場や関連事業に直接投資を行う。オーナーとして長期間、新規プロジェクトの命運にしっかりコミットしてくれる。こうした安定的な資金はちょっとやそっとの危機くらいで逃げ出すことはない。

良い投資バブルから悪い投資バブルへ、そして再び良い投資バブルへと、経済は行ったり来たりすることが多い。たとえば米国。1990年代のドット・コム・ブームは、現在、典型的な良い投資バブルだと受け止められている。資金の出し手が株式市場とベンチャーキャピタルだったために、ブームは株価の突然の崩壊で終わった。誰が痛みを引き受けるかという議論が延々と続くことはなかった。その結果、2001年の米国の景気後退は戦後で最も軽くてすんだ。しかし、その後の米国の住宅バブルは資金源の大半が借金だったために最悪のバブルとなった。不動産ブームは2008年に崩壊し、世界的な経済危機、戦後最悪の大不況へと進展した。銀行と債務者は資金の回収や借金の返済に苦しみ、それが正常化するまでは景気に回復の兆しが感じられることはなかった。

不動産バブルはしばしば借金によって加速され、深刻な景気減速で終わる傾向がある。奇跡的な高成長を遂げながら最終的には借金主導の不動産バブルで終わった最も有名な例は、1989年の日本と1990年代初期の台湾だ。上がったものは、いつか下がらなければならない。これが世の中の一般的な法則だ。しかし1970年以降の住宅バブルで18の最悪なケースについて調べた最近の報告によれば、不動産投資が平均で対GDP比5％に達したときにバブルの崩壊が始まっている。たとえば米国では不動産投資が2005年に対GDP比で約6％のピークに到達したが、それから3年後にバブルの崩壊が起きている。スペインの不動産投資は2008年に対GDP比で12％のピークをつけたが、2年後にバブルが崩壊した。中国では不動産投資が2012

年に対GDP比で約10%のピークをつけたが、多くの都市の不動産価格は最近の数年間を見ると下落が続いている。以上をまとめると、不動産投資ブームがバブルの域に達したかどうかの判断基準は、対GDP比5%前後が一応の目安と見て間違いない。

悪いバブル――国際商品の「呪い」の場合

もう一つ別の悪いバブルは、有名な国際商品の「呪い」である。新興国は原料素材の生産に多くの投資を行ってきたが、その大半が経済発展を長期間維持できなかった。ナイジェリアの原油、ブラジルの大豆、南アフリカの金、みな同じである。これらほど、高い希望と深い失望をもたらした例はない。2010年代に入ってから世界の投資の約3分の1が国際商品へ向かった。その割合は1990年代のドット・コム・バブル期に投資資金がハイテク分野に流れ込んだのと同じだ。2005～2014年の間に原油や鉱物資源の採掘企業が実施した設備投資は600%も増加した。中国やその他の国の需要が減速を続ける現在でも、資源の供給過剰感はいっこうに解消されていない。2015年時点で、この資源バブルが将来悲惨な結果を招くことは明らかだ。

国際商品バブルの自滅的なパターンを例示してみよう。そのために石油輸出量が多い18ヵ国について、原油生産を開始してからの平均実質所得の伸びを調べてみた。米国の平均所得との対比では、18ヵ国中12ヵ国において所得が下落していた。シリアでは平均所得が米国の平均所得の9%のままで、1968年に原油生産を開始した時と同じだった。現在は内戦の勃発で平均所得は急落している。エクアドル、コロンビア、チュニジアの3ヵ国では対米国比でほんの僅か上昇しただけだ。結局、原油生産量の多い国の90%で、平均所得が停滞あるいは下落した。原油の発見が成長を妨げてきた。これこそが国際商品の「呪い」と言われる原因である。

「呪い」のメカニズムはこうだ。原油生産の開始によってエリートはその利益の争奪に夢中になる。当然、道路や発電所、工場への建設投資は後回しにされる。原油輸出国では、為政者が国民の税金に依存する度合いが低くなり、有権者である国民の声に耳を傾けようとしなくなる。むしろ国民の不満を鎮めようとして、原油収入の一部をガソリンや食料への補助金や、ろくでもない無料の財政サービスに振り向ける。その一方で、原油以外の産業は、大きな打撃を受ける。外国は原油と引き代えに多額のマネーを支払わざるをえず、産油国の通貨が切り上がる。そのため、これまで辛うじて存続してきた地元企業は輸出がますます困難になる。原油の棚ぼた利益は、原油産業以外のすべての地元企業を衰退へと導いていく。

これは典型的な「オランダ病」だ。この用語は、1959年の北海油田の発見以来、オランダの製造業が壊滅状態に陥ったことから生まれたものだ。用語の由来は先進国だが、その災いが最も大きかったのは開発途上国だった。過去10年間にこの病はブラジル、ロシア、南アフリカ、その他のアフリカ諸国の大半を直撃した。ノルウェーやカナダのように、天然資源を発見する前からすでに十分な発展を遂げ、経済の多角化を実現できていた国は珍しい。彼らは資源の採掘で得た利益を生産的に使ったおかげで、経済の発展が原油市況の変動で妨げられる事態を回避することができた。

国際商品に恵まれている国では、新しい資源を発見したとしても、それは数ある富の源泉の一つにすぎない。腐敗への誘惑もそれだけ弱くなる。商品市況の高騰で棚ぼた的な利益が転がり込んだとしても、政府が無駄にしなければ、その後も経済発展を続けることができるはずだ。たとえば、商品市況の循環的な下落に備えた貯蓄や、原油を石油製品、鉄鉱石を鉄鋼製品、ダイヤモンドの原石を研磨石へ加工して付加価値を高めるための産業投資などを行えばよい。ボツワナで1960年代にダイヤモンドが発見されて以降、同国はデビアス・ダイヤモンド社と提携しながら宝石収入を使って1人当たり平均所得を安定的に引き上げ、他産業への多角化にも成功した。ボツワナは資源の「呪い」を免れた例外中の例外と言ってよい。

通貨安でも売るモノがない

アフリカでは多くの国が過去10年に急成長を果たしたが、こうした「呪い」はアフリカの「復活」の限界を示している。アフリカ大陸全体を見ると、投資は平均で対GDP比の15%から22%へ拡大したが、その大半はサービス業や国際商品へ向けられた。アンゴラ、シエラレオネ、ナイジェリア、チャド、モザンビークなど成長率が高まった国では、主要な輸出品の価格の上昇がその理由だ。海外からの投資を見ると大半が中国であり、資金の多くは原油や石炭、鉄鉱石の採掘に向けられた。アフリカの輸出に占める製造業の比率は縮小し、数百万のアフリカの人々は製造業の職場を追われ家内工業的な生産性の劣る仕事を余儀なくされている。

タイや韓国では製造業への重点投資が社会の安定をもたらしたが、その一方で国際商品への重点投資は経済の深刻な不安定化を引き起こしている。ナイジェリアは人口1億7500万人を抱える、西アフリカ最大の国だ。しかし1958年に原油の採掘が始まって以来、同国は一貫して世界に後れをとってきた。ナイジェリアの1人当たり平均所得は米国の1人当たり平均所得の8%から4%へ下落した。その一方で何百億ドルの原油収入は政府の大臣のポケットに消えた。グッドラック・ジョナサン元大統領は2010年に大統領に就任した時、それまでの国家の富を食い物にする収奪政治家とは一線を画する人物だと期待された。しかし、権力基盤があまりに弱く、政治家の窃盗行為を止めることができなかった。ナイジェリアの銀行のトップが私の同僚に語ったところによれば、ジョナサンの後継のムハンマド・ブハリが2015年に大統領に就任するとき、腐敗一掃のために36人の閣僚候補名簿を政府の経済・金融犯罪委員会に送って調べさせた。同委員会は当日中に33人をクロだと認定して閣僚就任を拒否した。

著書『喰い尽くされるアフリカ——欧米の資源略奪システムを中国が乗っ取る日（*The Looting Machine*）』の中で、トム・バージェスは腐敗について詳細な記述を行っている。たとえば、地元の人々はナイジェリア電力持株会社（the Power Holding Company of Nigeria あるいはＰＨＣＮ）のことを「お願いだからロウソクを近くに持ってきて（"Please Have Candles Nearby"）」と呼んでいる。バージェスによれば、電力料金が割高なために過去25年間で１７５

の織物工場のうち25工場を除いてすべてが閉鎖され、35万人いた織物工場労働者のうち2万5000人を除いた全員が仕事を失った。(7) ナイジェリアの伝統的な織物は大胆な色使いと光沢のある仕上がりが特徴だが、それらを製造する仕事は主に中国へ移ってしまった。中国では同期間に起業家が16の大工場を新設して「メイド・イン・ナイジェリア」と印された織物を生産している。ナイジェリアの人々はいまでも自分たちの伝統的なデザインを好むが、ラゴスやカドゥナの露店商人は売り物の衣類の大半が中国製であることを隠そうともしない。それらは輸入規制をすり抜けて密輸入されたものだ。バージェスは、マンガルという怪しい名前の人物を含む密輸の親玉たちがいかにして腐敗を蔓延させてきたかを紹介している。

アリコ・ダンゴートはアフリカの大金持ちだ。加工食品からセメントの生産まで幅広く事業を手がけている。2015年7月に彼が私に語ったところによれば、ナイジェリアの彼の地元のカノ州では2000万の人々が40メガワットの電力で何とか日々を送っている。この電力量は先進国では人口4万人の街の標準的な使用量だ。安定的な電力供給を欠いたままでは、地元や海外を問わず工場への投資を行う企業は限られる。現在、ナイジェリアのGDPに占める製造業の割合は5%未満である。アフリカでは4番目に低く、内戦状態のエチオピアをも下回っている。

結論を述べると、ナイジェリアのような原油生産国は外的なショックに対して製造業国よりもはるかに脆弱だ。2015年10月のインタビューでナイジェリアの元財務大臣ンゴジ・オコンジョ・イウェアラが私に語ったところによれば、単一商品への過度の依存、つまり「モノカルチャー」は、ナイジェリアの政策担当者を長らく悩ませてきた。しかし、彼らが経済を別の方向へ誘導できたとも思えない。2015年に再び原油価格が下落して、すでに食い物にされてきた国富が払底すると、ナイジェリアの中央銀行は通貨の切り下げに追い込まれた。国内には原油高騰時の利益はほとんど残っておらず、外貨準備が底を突いていた。タイのような製造業国では通貨が切り下がると、国内で製造された製品を海外に売りやすくなり経済は安定化する。しかしナイジェリアでは通貨が大幅に値下がりしても工業製品の輸出には何の足しにもならない。なぜなら、国内に製造業がほとんど残っていないからだ。

「上昇10年、低迷20年」の経験則

原油の「呪い」については、一つだけ但し書きが必要だ。経済が多様化されていなくても、国際商品は短期的な利益をもたらすことがある。長期的な「奇跡」を成し遂げたのは、すべて製造業の国である。しかし私の手元にある、少なくとも10年間にわたり経済発展を成しえた56ヵ国のリストを見ると、24ヵ国はブラジルやインドネシアのような国際商品の国である。これは驚きではない。商品市況の200年の歴史を振り返ると、インフレ調整後の国際商品の平均価格はほぼ一定している。上昇基調が10年続いた後は、ツルべ落としとなり、低迷が約20年間続く。指導者が蛮勇を奮って商品経済の「呪い」を解かなければ、多くの鉄鋼生産国、原油生産国、大豆生産国の運命は市況の波に翻弄され続ける。

サウジアラビアのジェット・コースターのような軌跡をたどってみよう。1970年代と1980年代初期の原油価格高騰で同国の平均所得は倍の2万ドルになった。1990年代に原油市況が低迷すると半減の1万ドルへダウン、そして再び次の10年で市況が回復へ向かうと倍以上の2万5000ドルへ急上昇した。2010年代初期に原油市況が頭打ちとなり、2014年に急落すると、サウジアラビアの平均所得も連動した。ブラジル、アルゼンチン、コロンビア、ナイジェリア、ペルーなどは1960年以降、同じような動きを経験し、平均所得と主要な国際商品の輸出価格はパラレルに動いた。こうした国々では、これから停滞の時代を迎えることになるかもしれない。国際商品価格には歴史的に上昇が10年間続いた後、下落が20年間続く経験則が存在する。その経験則を踏まえると、商品価格の変調が2011年から始まったとすれば、これらの国々はしばらく経済の低迷が避けられそうにない。

もし製造業バブルがインフラや最先端技術の良いバブルを伴うとすれば、国際商品の開発バブルは商業不動産や住宅の悪いバブルを加速させることが多い。投資バブルを判断する場合、まずその資金がどこに向かっているかを調べることが大切だ。アンデス地域の最近の投資ブームの評価では、私は残念ながらその視点を見失ってしまった。同地域では過去10年の間に投資の対GDP比が安定的に上昇していたが、2013年にはペルーで同27％、コロンビアは同25％に上昇した。両国とも投資のまさにスイートスポットに入ったことになる。2008年の金融危機以降、世界中で投資が縮小に向かっていることを考えると、きわめて稀な成功事例だった。

しかし実際は投資資金の大部分が、コロンビアでは原油、ペルーでは銅や金といった国際商品の開発プロジェクト、あるいは原油や鉱物資源の楽観的な市況見通しを前提にした不動産開発プロジェクトに向かっていた。国際商品の価格が次々に下落していく中で、新規の投資プロジェクトや関連の不動産開発プロジェクトはキャンセルあるいは先送りになる恐れが出てきた。２０１４年の時点でコロンビアの住宅価格の上昇率は大幅な減速を強いられている。

資源開発の良いバブル

国際商品の開発投資が良いバブルとして評価できる事例が一つある。それは資源開発で、新技術を使用して地中から資源を掘り出す場合だ。最近の例は、米国のシェールガス開発のバブルだ。シェール岩（頁岩）からエネルギー資源を取り出すために、新しい抽出技術が採用されていた。２０１５年に原油価格が50ドル以下に下落した時、シェールガスの新会社の多くは採算割れとなって経営が破綻した。その結果、カナダや米国中西部のシェールガス開発で賑わった街では数万人の雇用が失われた。シェールガス投資に大きな資金を提供していたジャンク債市場にも戦慄が走った。

しかし、バブルの良し悪しが後世に何を残したかで判断されるのであれば、このシェールガスのバブルは新しい産業を残している。この新産業によって、古い業者は原油価格の引き下げを迫られ、エネルギー価格の低下は米国経済の競争力を飛躍的に高める。このシェールガス産業は記録的な水準の低金利を利用して借り入れを増やし約３３００億ドルもの資金を新しい油田開発に投じた。過去の5年で2万もの油井が掘削され、米国で稼働している掘削装置の数は8倍の１６００基に増えた。新たな専門知識を持った人間が養成され、シェール岩を粉砕し原油を抽出する掘削装置の技術は急速な進歩を遂げた。その技術は遠くオーストラリアにまで普及した。２０１5年時点では米国内の多くの掘削装置は稼働停止に追い込まれているが、装置が消えてなくなったわけではない。需要が回復して再び出番が来れば、いつでも稼働できる態勢にある。いまから10年前のドット・コム時代の光ファイバーやその他技術への投資がそうだったように、シェールガス・バブルはブームが去った後も長く使用できる新たな価値のあるインフラを残した。

良いバブルもやがて悪いバブルへ

投資の対GDP比が長い年月上昇し続けるにしたがって、投資対象の劣化が起きる。良いバブルの最終段階では、楽観論が下火になるよりも先に、高収益率の工場や技術への投資機会が少なくなってしまう。その結果、人々は住宅や株式、あるいは原油や金など鉱物資源への投資や投機に向かい、バブルは悪性へ転化する。

こうした良性バブルの劣化は、２０００年代の欧米、２０１０年代半ばの中国のように、多くの人々を不動産バブルへと駆り立ててきた。米国の住宅バブルの崩壊は世界的な金融危機の引き金となった。中国のバブルの場合、どう見てもさらに影響が大きくなることは間違いない。良い資金が悪い投資対象を追い求めている光景がありありと目に浮かぶ。２００８年の中国の不動産投資は対ＧＤＰ比で６％にすぎなかったが、５年後には10％に急騰した。中国の土地価格は２０００年以降、５００％も上昇している。主要都市では、中古住宅の価格は平均所得の伸びを上回って上昇している。住宅保有者への中間層の反感は強まる一方であり、若者の間では結婚ができない男性が増えている。住宅を持てないために、女性からは結婚相手の対象から除外され、不本意ながら独身生活を余儀なくされている。

中国が直面する２つのバブルはいつ燃え上がってもおかしくない。それは債務と投資のバブルだ。この２つの循環は、連動することが多い。投資は借り入れ資金で賄われるため、融資の急速な伸びが投資の健全な成長を支えるが、状況が悪化すると共倒れになる。２０１０年代に入ると、中国の投資は両面で質が低下している。負債による資金の調達が増えれば増えるほど、不動産のような非生産的な投資が増えていく。２０１４年になると不動産市場は乱気流に突入した。主要都市では不動産価格が下落し、国中の巨大開発プロジェクトが中断を余儀なくされた。

中国ではその絶対規模の大きさ故に、現実よりも大げさに話が伝えられることが多い。ゴースト・タウンという言葉は、問題の広がりや人気のない巨大開発プロジェクトの無謀さを正確に表現できていない。そうしたプロジェクトの一つが、天津《ティエンジン》の郊外で姿を現しつつある。天津は北京の南東方向、自動車で走って２時間半の距離にある大都市だ。天津の企画担当者は、ニューヨークに比肩するような金融地区の建設を夢見ていた。于家堡《ユイジアプー》と呼ばれる地区について、市の担当者は次のように誇らしげに語った。同地区はウォール街の3倍の広さがある。当初の街並みのスケッチには、ある作家の表現を借りれば、9・11の米国同時多発テロで破壊された世界貿易センターに「不可解なくらい類似した」ツイン・タワーが描かれていた。しかし、このマンハッタンに見せかけた地域開発の工事は2014年夏までにはほとんど中断状態に追い込まれた。ツイン・タワーは1棟に規模が縮小され、まるでロックフェラー・センターのレプリカのようだった。工事は一応、完成しているものの、誰も入居しておらず、立ち入り禁止になっていた。

中国のバブルの結末がどうなるか。いまの段階でははっきりしない。しかし工場や道路への良い投資は不動産の巨大開発プロジェクトという怪しげな投資へと変質した。その結果として、ある種の破綻は避けられそうもない。タイはその典型的な例だ。東部沿岸部を大変貌させた道路や工場への大規模投資は、1990年代後半に入ると中身が大きく劣化した。当初の好景気の熱気に煽られて、多くの人々は我先に多額の借金をして不動産を購入した。そしてそのバブルの崩壊は、1997〜1998年のアジア通貨危機の引き金となった。

同じエピソードはマレーシアにもある。1995年のブームの最盛期には、投資の対GDP比は43%に達していた。主要国では、今日の中国に次いで2番目に高い記録である。当時のマハティール・モハマド首相は権威主義的で、ますます誇大妄想的な傾向を強めつつあった。彼の主導下で行われた投資の一部は、結果的にとても有益なものとして残った。1998年のアジア危機のまっただ中でマレーシアは巨大な新空港を開港した。その新空港は虚栄心のかたまりのような無駄遣いだと批判されたが、現在の需要からすれば決して巨大すぎることはなかった。しかしマハティールの下で実施された投資の大半、たとえばサイバージャヤと呼ばれた新たなハイテク・シティやプトラジャヤと呼ばれた新たな政府行政地区などは、結局、不要な不動産開発プロジェクトになってしまった。首都クアラルンプールの郊外に建設されたプットラジャヤの最大の呼び物は首相宮殿だが、それはイスラム版ベルサイユ宮殿を目指したものだった。当初の計画では新都市には32万の人々が居住する予定だったが、20年後の現在でもその4分の1しか集まっていない。国家主義や個人的なプライドを起因とする投資プロジェクトが計画通りの成果をあげるのはきわめて珍しい。

投資不足も問題だ!

もちろん最悪のシナリオは投資が全く増えないことだ。もし投資が対GDP比で低水準、たとえば20%以下で長い間低迷した場合、経済は多くの落とし穴や恐ろしい割れ目にはまる可能性が高まる。過去10年の世界的な好景気によって、資金は新興国へ流入した。インドやエジプトなど多くの国ではその資金を空港の新設や拡張に使った。一方、手が加えられなかった空港はますます古びて見えた。クウェート・シティやナイロビの空港の荒廃は、クウェートやケニアの投資の停滞をそのまま反映していた。その最たるものがブラジルだった。ブラジルでは大半の空港が1950年代、1960年代のままであり、似通った格納庫が滑走路に沿って素っ気なく立っていた。サンパウロの中心部からグアルーリョス国際空港に移動するのに3時間、そしてチェック・インに2時間の時間がかかった。しかし2000年代の投資ブームの時も、グアルーリョス空港の改修に手がつけられることはなかった。新しいターミナルの運営が始まったのは、2014年6月のサッカー・ワールドカップが開催されるわずか数日前のことだった。

投資不足の弊害は、バブルの弊害とは正反対だ。それは行き過ぎの弊害ではなく、停滞や怠慢による弊害である。投資が過小な国では、道路は舗装されておらず、学校には校舎さえない。警察官の装備はみすぼらしいかぎりだ。メキシコやフィリピンのような前途有望と目される国でも、これが現実だ。しかし少なくともこの2ヵ国では、投資拡大に向けた意欲的な計画が進められている。投資が対GDP比で20％を下回る国の状況は、目を覆うばかりだ。政府が信頼回復や現状改善に向けて投資資金の調達に動く気配は、まるで感じられない。これがロシア、ブラジル、南アフリカの困った状況だ。

こうした過小投資と低成長の関係は世界の誰もが知るところとなった。高い投資率を継続したことで高い成長率を10年以上もの間継続できた国、つまり成功物語の件数はきわめて少なくなった。一方で、その逆の失敗物語の件数は急増している。サンプル数もかなり増えた。失敗の典型的なパターンを導き出すことも可能になっている。第二次世界大戦後の経済を見ると、10年間の平均投資率が対GDP比で20％を下回っていた場合、60％の確率で同期間の平均成長率は3％未満で低迷する結果を得た。こうした国々では、国民や民間企業が公的部門の怠慢に対して自己防衛的に解決を図ろうとする。具体的には、道路や電力、通信のようなインフラ網の未整備を巧みに補う民間の独自の知恵だ。

ナイジェリアのようなアフリカ諸国では、都市住民が電力を盗もうとして、国営の送電線に電線を勝手に絡ませて自宅に引き込んでいる。その量があまりに多いために全体の送電能力が低下してしまい、新しい送電網の整備に充当する資金が捻出できなくなっている。現在のアフリカでは、多くの人々が携帯電話でつながり、携帯電話経由で銀行サービスを利用することができる。しかし道路や鉄道を使って近隣諸国へ出かける旅行者には依然不便な大陸のままだ。

これは過小投資の弊害であり、見過ごすことはできない。大都市の深刻な交通渋滞は、公共交通のネットワークが弱体化していることへの警告である。それを放置すれば経済発展に致命傷となる。サンパウロやムンバイで雨が降れば、下水道が氾濫して交通はたちまち麻痺状態に陥る。もし国のサプライ・チェーンが粗悪な道路、鉄道、下水道の土台の上に構築されているのであれば、供給が需要に追いついていけず、物価上昇の原因にもなる。過小投資はインフレの原因となり、インフレは新興国の成長の息の根を止める元凶となる。

投資は経済発展の重要な原動力である。投資が高水準で、かつ上昇傾向にあることは良いサインである。しかし投資がさらに上昇を続けるとムダが生じる。投資資金の行き先にも十分に注意する必要がある。簡便な経験則によれば、資金が製造業や最先端技術、あるいは道路、電力網、上水道など社会インフラへ向かっていれば、良い投資バブルと判断してよい。資金が不動産や資源開発に向かっていれば、悪い投資バブルである。不動産投資が経済成長に永続的な推進力を与えることはめったにない。国を借金漬けにして将来を危うくするのが、関の山だ。資源投資は経済の腐敗をさらに深刻にするだけだ。

サービス産業が持続的な成長の触媒として製造業と比肩するようになるという主張があるが、その日が来るのはまだ先の話だ。少なくとも現時点では、国の将来を評価する基準は依然として製造業第一主義である。

第7章

The Price of Onions

【インフレ】物価上昇を侮るな

――住宅価格の上昇率が経済成長率を上回り続けていないか

経済学博士の誤り

多くの国では、政府予算の発表は大きな政治イベントにはならない。しかしインドのような英国の元植民地では事情が違う。政府予算は将来に対する政府ビジョンの年次報告として詳細に分析される。2011年2月のことだが、私はデリーのNDTVというテレビ局のニュース番組に出演して、最新の政府予算について論評した。そのときゲストとして私と一緒に出演していたのがインド政府の首席経済顧問を務めるカウシック・バスだった。彼のコメントは、私が心から危険に感じたものだった。当時、玉ねぎなどの食料価格が上昇していた。バスは次のように述べて、マンモハン・シン首相を弁護した。高成長が続く若々しい経済では物価の急速な上昇はごく一般的だから、インドはインフレについて大騒ぎする必要はない、と。私がそれは経済学の最大の神話の一つで、過去の長期成長は低インフレが大前提だったと批判すると、彼は次のように再反論した。韓国や中国の高成長は高インフレから始まったではないか、と。司会者は伝説的なジャーナリスト、プラノイ・ロイだった。彼が私たちの論争に分け入ってきて、玉ねぎの値段論争はゴールデンアワー以外の時間でやってくれと裁定してくれたおかげで、議論はようやく水入りとなった。

ずっと後になって、米国上院議員で駐インド大使を経験したことがあるダニエル・パトリック・モイニハンのことを思い出した。彼はかつて経済学博士号の取得者にしかできない間違いがあると語ったことがある。インドの政策立案者の幹部クラスには経済学博士号の取得者が多い。シン首相はオックスフォード、バスはロンドン・スクール・オブ・エコノミクスから博士号を得ていた。私はよく開発途上国ほどインフレ率が高いことを耳にした。その論理はこうだ。開発途上国が高成長すると、人々は多くのカネを手にして、それを消費に回そうとする。多くのカネが相対的に供給量の少ない財の購入に向かうため、物価が上昇する。

こうした見解は標準的な教科書でよく見かける。消費者物価の上昇は、消費者の購買意欲の高まり、政府支出の大幅な拡大、あるいは原油価格の突然の上昇など負の供給ショックなどによって引き起こされる。実際、開発途上国では供給ネットワークへの投資が過小になりがちなため、需要主導のインフレに対して脆弱だ。供給ネットワークには、発電所、工場、倉庫、それらと消費者を結ぶ通信や輸送などありとあらゆるものが含まれる。もし供給ネットワークが需要の拡大に追いつかなければ、消費者物価は上昇し始める。

高インフレはいつも悪い兆しであり、低インフレは良い兆しとなる。経済が大きく躍進する条件は、低インフレ下の高成長である。成長率が加速してもインフレ圧力が高まらない場合は、特にそうだ。インフレ圧力の沈静化は長期成長の始まりを示唆している。一方、成長率の高まりに合わせてインフレ率も上昇すれば、好景気は長続きしない。中央銀行が将来のある時点で予防的に金利を引き上げて、需要を冷やし、インフレの加速を抑制しなければならなくなるからだ。こうした金利（借り入れ費用）の上昇は、成長率を低下させる。最悪のケースは、成長率が鈍化あるいは下落している中での、インフレの高進で、中央銀行はインフレを抑え込むために、金利をさらに引き上げざるをえなくなる。景気の失速のリスクがあっても、ブレーキを踏み続けざるをえないのだ。経済は低成長と高インフレが長期化するスタグフレーションに陥ってしまう。

そこで覚えておいて欲しいのが、インフレ率は高いか、低いかという問題だ。ある特定の国の消費者物価が高いか、低いかを判断する1つの方法は、同じグループに属する国々の直近の平均値と比べてみることだ。２０１５年時点で、新興国の直近の平均値は６％、先進国は２％である。

汚職や失業よりインフレが問題

2009〜2014年の間に、インドで折り紙付きの政治エリートたちがインフレの不吉な兆候について必死に弁解を試みたが、それには十分な動機があった。玉ねぎのような基礎食料品の価格が上昇を続ければ、彼らのクビが飛ぶ恐れがあった。当時、シン政権は1期5年の2期目で物価の平均上昇率は約10％となり、独立後では最悪の状況だった。高インフレ国のランキングでインドはここ数十年間、それほどひどい成績ではなかった。10年間ごとの平均ランキングでは、データ入手が可能な153の新興国の中で60〜65位にランクインするのが普通だった。ところがシン政権の最後の5年間では、インドのインフレ率は新興国の平均の2倍に上昇し、前記のランキングでは60位台から144位まで急落してしまった。前後は東ティモールとシエラレオネだった。バスはTV討論で、シン政権はインフレ問題に「洗練された手法」で対処していると強調した。しかし先のランキングでは、インドはとても「洗練された国」として位置づけられてはおらず、インドの経済ならびに政権のリスクは高まる一方だった。

食料価格の高騰に貧困者の不満が爆発すれば、政権は潰れる。英国のインド植民地支配に終止符を打った重要な出来事の一つは、ガンジーの塩の行進だった。英国植民地政府の塩の専売によって塩の価格が急騰し、ガンジーはそれを政治的抗議の中心に据えたのだ。インドのような貧しい国では、塩や玉ねぎのような基礎食料は、国のアイデンティティーに直結している。こうした食材が手に入らなくなれば、エッセイストのニランジャナ・ロイが書いているように、ダール(豆の煮込み)やケバブのような素晴らしい料理から「インド人の魂が失われてしまう」。長期政権を担ってきた国民会議派は1989年、1996年の国政選挙で大敗北を喫したが、玉ねぎ、ギー(インドのバター・オイル)、じゃがいもの価格の急騰が大きな原因だった。シン首相や彼の顧問たちは、ロイが命名した「2010年の玉ねぎ恐慌の亡霊」にとりつかれていた。その当時、玉ねぎの価格は1週間で2倍に急騰した。政府は玉ねぎの輸出を禁止し、宿命のライバルであるパキスタンからの輸入に踏み切らざるをえなくなった。

しかしシン首相のようなテクノクラートは、世論の高まりに半信半疑だった。彼は国民の怒りの大きさを理解できなかった。2013年12月、私はインドのジャーナリストの友人たちとマディヤ・プラデーシュ州とラージャスターン州の州選挙の取材に出かけた。インドの州は多種多様だ。2つの州で世論が一致することはめったにない。しかしその時だけは、どこでも同じ意見の大合唱で、正直いって驚いた。マディヤ・プラデーシュ州の北部ビンドの荒れ地からおとなりのラージャスターン州の中央部プシュカルの活気に満ちたバザールにいたるまで、地元の散髪屋や大工や零細農民はじゃがいも、ギー、もちろん玉ねぎの価格の直近5年間の上昇について正確な数字を交えながら不満をまくしたてた。汚職や失業など喫緊の課題を差し置いて、インフレが最大の争点となった。野党の政治家は選挙演説で次のような皮肉を言っていた。昔はポケット一杯のおカネを持って市場へ行けば袋一杯の食料を詰めて帰ってくることができた。ところがいまではポケット一杯の食料を買うのに袋一杯のおカネが必要だ。与党の国民会議派はこうした州レベルの選挙で敗れただけでなく、6ヵ月後の国政選挙でも地滑り的な敗北を喫した。世論調査によれば、インフレが与党大敗の大きな原因だった。

バスは現在、世銀のチーフエコノミストだが、2011年のTV番組で私と論争したとき、彼は全く反対のリスクに言及していた。彼の大きな懸念は、物価上昇を気にするあまり景気を失速させてしまうのではないかという点だった。物価を抑制するには財政や金融を引き締めなければならない。それが行き過ぎると工場の閉鎖や失業の拡大に追い込まれてしまう。健全な景気拡大が長く続くためには、物価が低位で安定する必要がある。この私の主張に反論するため、彼は1970年代後半の中国と1960年代、1970年代の韓国の事例を持ち出した。1970年代後半の中国は長期の景気拡大が始まったばかりでインフレ率は25％前後に達していた。1960年代、1970年代の韓国はインフレ、成長率の両方ともきわめて高い水準にあった、というのだ。私の直感では彼はインフレと成長率の基本的な関係を誤って理解している。その当否を調べるために過去の記録を点検してみた。

高インフレは害毒

第二次世界大戦後、長い間、高度成長が継続した国に共通しているのは、低インフレだった。いずれのケースも国民所得の大部分を投資に回し、その投資が強大な供給ネットワークを作り出してインフレを低く抑えるのに成功した。中国、日本、韓国など「アジアの奇跡」の国々はすべてこのモデルに従っていた。設備投資への重点配分が経済成長を牽引し物価上昇を抑制したのだ。私が作成した56ヵ国のリストには、1960年以降、GDP成長率を少なくとも10年以上にわたり6%以上継続した国々が掲載されている。その中でインフレ率が新興国の平均値を下回った国は75%近くにも達した。このパターンは1970年代、1980年代のケニアや1971〜1984年のルーマニアのような地味な国にも当てはまる。両国のインフレ率は平均2%強で、新興国の平均を18%ポイントも下回っていた。

韓国、台湾、シンガポール、中国のような「奇跡」の国では景気拡大が30年以上続いたが、インフレが新興国の平均を超えるまで加速することはなかった。シンガポールの好景気は1961年から2002年まで続いたが、その期間のインフレは平均3%未満であり、新興国では同期間の平均は40%以上だった。アジアの奇跡の国では、景気拡大の初期にはインフレが高い国もあったが、好景気が持続する中で次第に低下していった。高成長の終焉を告げる兆候の一つが、インフレの急騰だ。それは、いまにも止まりそうなエンジンから吹き出る火花のようだ。中国では過去30年間、GDP成長率は2桁台を続けたが、インフレ率は平均5%前後に止まっていた。特に2000〜2010年は2%前後の超低水準だった。2011年には短い間だがインフレが高進し、それ以降、中国の経済成長は緩やかな下降線をたどっている。

高インフレは成長を殺す害毒である。様々な経路を通じて、経済の生命体を攻撃する。インフレは貯蓄を減少させる。預金や債券に投じた貯蓄の貨幣価値を浸食し、投資に向ける資金の残高を目減りさせる。高インフレを抑制するため、中央銀行は金利を引き上げて貨幣の価格を引き上げざるをえなくなる。それによって企業が設備を拡張し、消費者が住宅や自動車を購入することが困難になる。最後には高成長が終焉を迎える。インフレが2桁の水準に達すると、物価の変動自体が激しくなる。突然、急落したり、ハイパーインフレになったりする。これもまた経済の成長には新たな重荷となる。物価の動きが激しくなれば設備投資の資金調達が難しくなり、投資に対するリターンも不確実性が高まる。もし企業が新しい供給ネットワークの構築や古い供給ネットワークの更新に慎重になれば、供給は需要を下回り、物価には上昇圧力がかかり続ける。そして経済は永久にインフレ体質から抜け出せなくなる。

期待外れのブラジル、奇跡の中国

インフレ体質の典型例は、ブラジルだ。投資は何十年間もGDPの20%前後で停滞したままである。新興国の理想的な水準は25〜35%であり、それを下回っている。道路、学校、空港などへの政府の公共投資も大幅に不足している。せっかく景気が上向いても、企業はすぐに供給のボトルネックに直面する。企業は競って物流、通信、合板やセメントなど供給に制限のあるサービス、原材料の確保に走らなければならない。ホテルの経営者は熟練の清掃員の募集で苦労する。供給が需要に追いつかないため、物価や賃金は景気循環のきわめて早い段階から上昇し始める。ブラジル人はこうした経済の習性に慣れているため、景気の回復期には物価の大幅な上昇を予想して、労働者は高い賃金を要求するよう条件づけられている。

こうした行動は、景気拡大が長期に持続する経済で起きていることとは正反対である。戦後の奇跡と呼ばれた13ヵ国の経済では、高成長の期間、毎年GDPの30％が投資に向けられた。成長率が高まってもインフレを引き起こすことはなかった。この高成長と低インフレの併進によって、高成長を20年以上も継続することができた。中国では投資比率がGDPの50％近くでピークに達し、最近までその多くが新しい道路の建設、電話網の整備、工場などへ向けられた。このため供給ネットワークにはまだまだ余裕が残っている。中国で景気が上向けば、現在、半分位しか使われていない工場や空っぽの道路をフル稼働させればよい。供給ネットワークは消費者需要を埋めて余りあるものがあり、物価への上昇圧力は顕在化しない。

中国とブラジルの違いは際だっている。両国とも中間層の台頭によって消費者需要が高まっているが、中国は広範囲にわたり過剰な供給ネットワーク能力を構築したために、過去30年間、経済はインフレを引き起こすことなく10％の高成長を維持することができた。ブラジルではGDP成長率が4％に到達する前からインフレ率が高まり、中央銀行は金利引き上げによる需要抑制を迫られる。経済成長は多くの国民を中間層へ引き上げる絶好のチャンスだが、ブラジルは不用意にも低成長・高インフレという期待はずれの結果に終わった。それとは反対に、最近数十年間の中国は高成長・低インフレという奇跡の経済を実現した。

インフレに勝った！

消費者物価の高い上昇率は悪い兆候である。この一般的なルールは、多くの国がインフレとの闘いで勝利を収める中で、落第生を見つけ出すのにとても役に立つ。１９７０年代、ＯＰＥＣ（石油輸出国機構）の禁輸措置によって原油価格は急騰した。食料価格も連動して激しく上昇した。ガソリンスタンドや食料品店での販売価格の上昇を予想して、労働者は生活防衛のため標準賃金の引き上げを要求し始めた。その結果、企業はあらゆる消費財の価格を引き上げざるをえなくなった。こうした賃金と物価の悪循環によって、米国のような先進国でもインフレ率は2桁台にハネ上がり、スタグフレーションが定着した。

多くの米国人は、当時のジェラルド・フォード大統領が米国民に対してインフレ・マインドから早く抜け出すよう説得したシーンを忘れることができないだろう。彼のスーツの襟の徽章には「ＷＩＮ」つまり「いまこそインフレに打ち勝とう（Whip Inflation Now）」と記されていたが、多くの米国民からは嘲笑された。しかし同時に、米国民はワシントンが2桁インフレを撲滅するために最終的に取った措置を忘れることができない。１９８０年代前半に、ポール・ボルカー米連邦準備制度理事会議長が行った猛烈な金利の引き上げだ（当時、イングランド銀行もほぼ同じ金利の引き上げを実施した）。米国は痛みを伴う景気後退に突入したが、代償はそれほど大きくなかった。荒療治の結果、インフレなき高成長の時代が長く続くことになったからだ。

最終的には、多くの国が悪性インフレの封じ込めに成功した。ＩＭＦによると先進国の消費者物価の年平均上昇率は１９７４年の15％強、１９８１年の12％強をピークに、その後は大幅な減速に転じた。１９９１年以降は、消費者物価の上昇率は平均２％前後で推移している。

新興国の世界では、消費者物価の急速な低下はさらに劇的である。新興国平均の年間物価上昇率は１９９４年に87％のピークに達し、ブラジル、ロシア、トルコのような国では上昇率が３桁台を記録した。その後、物価上昇率は安定的な減速傾向となり、１９９６年には20％、２００２年には約６％にまで低下した。それ以降は６％前後での横ばいが続いている。

政治的、経済的な安定にとって消費者物価の上昇を防ぐことがいかに重要であるか、いくら強調してもしすぎることはない。社会的な混乱が１つの原因から引き起こされることはありえない。しかし多くの場合、食料価格が特に重要な役割を果たしている。１８４８年に欧州で生じた様々な革命は民主主義的な思想の普及が原因だとされている。しかし最新の研究では、革命を促したのは食料価格の急騰だとするものがある。その結果、今日ではドイツ、オーストリア、ハンガリー、ルーマニアとして知られる地域一帯で、リベラルな政治体制が誕生した。[1] 最近の数十年間では、中南米がインフレを起因とする体制転換が頻発する不安定な状態となっている。デンマークのオーフス大学のマーティン・パルダムによれば、１９４６〜１９８３年の中南米で民政から軍政（あるいはその逆も）へ転じた事例が15もあった。この15ケースのうち13のケースでは、政権の崩壊に先だって消費者物価が20％以上急騰した。[2] こうした体制転換は、メキシコ、チリ、ブラジル、アルゼンチン、パラグアイで発生している。小麦などの穀物価格の上昇は、1989年のソ連共産党政権崩壊の背景にもなっている。

1990年代に入り新興国の大半ではインフレが鎮静化した。それ以降、悪性インフレの発生は散発的に止まっているが、時にはひどく有害な結果を時の政権にもたらすことがあった。ミネソタ大学のエコノミストであるマーク・ベルメアによれば、1990〜2011年の間には世界の多くの地域で、穀物、シリアルやその他の食品価格と抗議デモ、暴動、ストライキの間に強い相関が見られた。(3) 1990年代後半、ブラジルやトルコで政権が倒れた原因はインフレだった。ロシアでエリツィン政権崩壊を導いた理由の一つもインフレだった。エリツィン政権最後の1999年には、消費者物価の上昇率は年率36%だった。2008年に世銀のロバート・ゼーリック総裁は、世界の食料価格は過去3年の間に80%も上昇したと語り、その結果、少なくとも33ヵ国で社会不安のリスクが高まっていると警告した。(4) 世界各地で抗議デモはすぐには生じなかったが、食品価格は抗議行動や社会混乱の起爆剤との理解が広がり、それは実際、2011年にアラブの春となって猛威を振るった。

世界中の多くの国が、消費者物価インフレとの闘いで勝利を収めた。そのためインフレは機能不全に陥った経済を見つけ出す便利なツールとなった。インフレによる価格の混乱や不確実性が高まる世界から低インフレの世界へ変化したことで、劣等生は簡単にあぶり出すことができる。今日では、消費者物価インフレが他の同等国よりも大幅に上回っていれば、すぐに分かる。新興国ではインフレ率は平均6%前後であり、2015年の劣等生を列挙すれば、アルゼンチンの30%、ロシアの16%、ナイジェリアの9%、トルコの8%となる。しかし先進国ではインフレ率は2%前後であり、しかもさらに低下を続けていることから、状況は全く異なっていた。先進国の懸念はインフレではなく、その反対つまりデフレ(物価下落)だった。デフレはデフレで固有の問題点を抱えていた。

勝利の要因——中央銀行の独立性

デフレの議論に入る前に、どうしてインフレに勝つことができたのか検証してみたい。その闘いで威力を発揮した武器がインフレの再発防止でも大いに役に立つからだ。

インフレ克服の要因の一つは、世界貿易の拡大である。1980年代、1990年代、2000年代後半まで、世界貿易の盛り上がりは、国際的な物流、通信、金融ネットワークの爆発的な成長をもたらした。世界GDPに占める輸出入シェアは、1980年の35%から安定的に上昇を続け2008年には60%に達した。その後は金融危機の発生によって上昇は止まり、少しばかり反落している。しかし2008年以前に比べると、現在の方がはるかにグローバル化は進んでいる。中国など新興国の廉価な労働力の参入によって、世界的な規模で賃金や消費者物価に大きな下落圧力が加わり続けている。現在では、特定の地域であっても物価が急騰することはありえない。もしそうなれば、地域の卸売業者は地元の企業から資材を購入しなくなるだけだ。いまや彼らは世界のどこからでも衣類、ハンマー、テレビを安い価格で調達できる。同様に、賃金が特定の地域だけ急上昇することもありえない。生産者は地元の工場を閉鎖して、賃金の安い国へ簡単に生産を移管させることができる。これらが市場の力であり、政治家の裁量ではどうにもならないものだ。

しかし、政治家がやれることも少しは残っている。1990年代後半から2000年代にかけて、新世代のリーダーが登場し、新興国世界に政府支出への責任や説明義務について新たな考え方をもたらした。彼らは、投資の資金を重点的に供給ネットワークの増強に振り向け、国民から徴収する税金は減らし始めた。中央銀行には政治的な独立性を与えた。これはポピュリストから金融緩和の要請をかわすために必要だった。こうした動きは、国民が広く知るところとはならず、支持も多くは得られなかった。「中央銀行に自由を！」という大衆運動も起きなかった。しかし単一の政策で、これほど基礎的な物価の安定に多くの重要な影響を与えたものはなかった。現在では、中央銀行の独立性は、インフレ抑制に向けて国がとる重要な手段の一つとなった。

第二次世界大戦後の多くの期間、中央銀行や金融緩和を巡る政治的な論争の中で、物価安定の大目標はいつも後回しにされてきた。多くの新興国では、中央銀行はインフレの脅威を十分認識していたが、その独立性は名ばかりにすぎなかった。そのため、金利や借り入れコストを低く抑えて欲しいという世論や政治家個人の圧力を十分にはね返すことができなかった。しかし1970年代の狂乱物価によって、政治家はインフレが貧困層や中間層にとっていかに辛いものであるかを思い知らされた。生活必需品の物価上昇によって最も被害を受けるのは、彼らだからだ。こうした経験を積み重ねるにしたがって、多くの政治家は反インフレ派へ転身していった。

中央銀行にインフレ目標を掲げさせる世界的な革命は、ニュージーランドで始まった。ジャーナリストのニール・アーウィンによれば、インフレ目標政策を初めて採用したのは、キウイフルーツ農家転じて中央銀行家となったドン・ブラッシュだった。彼は、叔父が生涯かけて貯めたおカネが1970年代、1980年代のインフレで紙屑になる事態を目の当たりにした。ニュージーランドで中央銀行に政治からの独立性が与えられ、インフレ目標の設定が義務づけられたのは、1989年だった。労働組合は、もし大企業が安いコストでおカネを借りられなくなると雇用が大幅に削減されるのではないかと心配した。製造業者は「非民主的だ」と批判した。ある不動産開発業者は、彼を絞首刑にするロープを試すために、ブラッシュの体重を公表するよう要求した。それでも、法律は成立した。ニュージーランドの中央銀行は、インフレ抑制こそが最優先課題であると宣言した世界初の中央銀行になった。それから2年後には、ニュージーランドのインフレ率は8％弱から2％へ急降下した(5)。

優れた中央銀行家は美味しい紅茶の香りがする

インフレ目標が成功するのは、次のようなときだ。中央銀行が国民に対してインフレ目標の達成に真剣に取り組んでいること、つまりインフレ抑制のためには貨幣の価格を引き上げて国民に痛みを強いる覚悟ができていることを示せたときだ。これはインフレ期待のアンカー（固定化）効果と呼ばれる。人々は物価が制御不能に陥ることを心配しなくてすみ、企業は将来の投資計画が立てやすくなる。労働者は物価上昇による目減りを埋め合わせるために賃金の大幅な引き上げ要求をする必要がなくなる。これが、ブラッシュが目指した信頼の醸成だった。

この成功物語は中央銀行の世界で急速に広まった。1991年にはカナダが2番手としてインフレ目標政策の採用に踏み切り、その後はスウェーデン、英国と続いた。これら中央銀行では、具体的なインフレ目標の数値として2％を採用した。物価の安定は厳密には0％インフレだが、政策の運用に柔軟性を持たせるための措置だった。シティコープの推計では、現在、58ヵ国（ユーロ圏は1ヵ国として計算）、つまり世界のGDPの92％の国々で、「ある種の」インフレ目標が採用されている。ここで「ある種の」と呼んだのは、米国のFRBのような中央銀行を含むためだ。米国FRBでは物価安定とともに雇用の最大化も同等の目標として掲げられている。

1990年代の半ばにいまの経済調査の仕事を始めたばかりの頃、新興国の中央銀行が何のためらいもなく新しい反インフレ政策を採用したことに驚いた。それまでの20年間、新興国の中央銀行家はインフレの弊害に苦しみ続けたあげく、ついに米国のボルカーがその息の根を止める姿を目の当たりにした。彼らは信仰の対象をついに発見した。中央銀行家と面談するのは、とにかく肩が凝る。ブラジルのエンリケ・メイレレス、メキシコのギジェルモ・オルティス・マルティネスのような中央銀行家の前では軽口も叩けない。それは、教会の席では笑い声一つたてるのさえ憚られるのと同じだ。新興国の中央銀行家はいずれも確信犯の転向者だ。南アフリカのティト・エムボエニはかつて左翼の過激派で、オフィスの壁にはレーニンのポスターが飾られていた。しかし現在では、中央銀行家として反インフレの急先鋒だ。自分が所属する与党のアフリカ民族会議の左派から激しい攻撃を受けるときでさえ、物価安定のメリットを説くことで応戦している。インフレがもたらした苦難を経験した後では、他に取るべき途はなかった。

彼らの多くは米国の大学で学んだ経験がある。彼らが学生の当時は、インフレが主要な研究テーマだった。インドの元中央銀行総裁であるＣ・ランガージャンやマレーシアの現中央銀行総裁であるゼティ・アクタール・アジズはペンシルベニア大学へ留学している。ゼティは、この世代では珍しく冷静で落ち着いた人物だ。多くの中央銀行家はボルカーに強い影響を受け、戦後ドイツの中央銀行で物価の守護神であったブンデスバンク（ドイツ連邦銀行）を語るときは、いつも畏敬の念を忘れない。偉大な先人たちを見習わなければならないというプレッシャーが、厳格な中央銀行家としての支えであり、インフレの荒廃から国民を守る守護聖人的な雰囲気を醸し出している。彼らにとって物価が低位で安定していることが成長の大前提であり、インフレと成長はトレード・オフ（二律背反）の関係で長期的には併存しない。マレーシア中央銀行の元総裁ジャファール・フサインは１９９７年のアジア危機の前に私に語ってくれた。「優れた中央銀行家は美味しい紅茶と同じだ。熱湯に浸したときに最も良い香りがする」と。

大半の国は名ばかりの独立性

チリは新興国の中でインフレ目標政策を掲げた先駆けである。1991年に初めて目標値を設定した。その後、ブラジル、トルコ、ロシア、韓国など多くの国が続いた。国際的な競争の激化などの要因も働いたが、物価上昇率に目標を定めたことがインフレ抑制に効果があった。メキシコは2001年に目標値を設定した後、平均20％だったインフレ率が4％前後に沈静化した。インドネシアでは2005年に目標値を設定して以降、インフレ率が14％から5％に下がった。ブラジルは1999年に目標を採用した。それ以前の10年間は、インフレ率は平均700％以上に達していたが、2006年には4％へ急降下した。

しかし、インフレとの闘いが終わったわけではない。先進国ではほとんどの中央銀行がインフレ目標を採用し、新興国では多くの中央銀行に法的な独立性が付与されている。しかし現実の話になると、中央銀行の独立性がいつも尊重されるとはかぎらない。IMFの後援で毎年、世界の中央銀行総裁と財務大臣が一堂に会する首脳会議が開かれている。2015年の開催地はペルーの首都リマだった。その会議の非公式会合では決まって、新興国の中央銀行トップからは政治介入に対する不平、不満が聞かれる。これは、南アフリカの中央銀行幹部にとって少し驚きだった。彼らはそうしたプレッシャーをほとんど感じたことがない。中央銀行ウォッチャーによれば、南アフリカはチリ、ポーランド、チェコと並んで新興国では真の独立性を保持している数少ない国の一つだ。それ以外の国では独立性は名ばかりで、ほとんどが実質上の従属を余儀なくされている。大半の国ではインフレ目標を公約しているが、大統領府から金融緩和を求めてきたときには逆らえないのが実情だ。

トルコのインフレとの闘い

新興国ではインフレとの闘いは様々だが、インフレの始まりはみな同じだ。これは、詳細に検証する価値がある。指導者は経済学の基本を全く知らない。政府は経済に口を出すが、投資はほとんど行わない。こうした過小投資の問題がインフレを必要以上に悪化させている実態が、検証によって明らかになる。

トルコの例が最もわかりやすい。トルコではインフレ率が2桁台にまで急上昇し、2001年にはついに経済が崩壊した。危機以前には、インフレは完全に政治経済制度に織り込まれていた。議会を何十年も支配してきたのは世俗政党の連立であり、野党のイスラム政党はいずれも弱小で政党間の連携も弱かった。宗教色にかかわらず、すべての政党はポピュリスト的なバフマキ政策で共通していた。選挙になれば、政党は相手に負けまいとして、政府による雇用や補助金の拡大を競い合った。1990年代前半の絶頂期には「すべての家計に2つのキー」を公約に掲げる候補者が登場した。1つは住宅のキー、もう1つは車のキーだ。

トルコは米ソ冷戦対立の最前線だったばかりでなく、キプロスの主権を巡ってギリシャと激しく対立していた。国民の安全保障上の不安を少しでも和らげるために、ポピュリスト政治家は軍事支出を増加させた。1975年まで軍事支出はGDPの5％を下回ることはなかった。トルコはNATO加盟国の中で最も貧しい国だが、軍事支出はトップ・クラスだった。指導者たちは同時に地域開発にも乗り出したが、東南アナトリアの開発プロジェクトのように生産性よりも見栄えが優先された。ダムと運河を組み合わせた壮大な計画は1970年代に着手され、今日までに300億ドルの資金が投じられたが、いまだ完成を見ていない。

こうした開発計画は効率的な投資とは決して呼べない。多くの政治家は選挙でその代償を支払った。1990年代までにトルコでは平均9ヵ月ごとに新しい政府が誕生した。政治の不安定化によって、経済のインフレ体質はさらに強められた。労働組合の力は1980年代、1990年代と一貫して弱まったが、賃金は政府が交代するたびに急上昇していった。新しい政府が公務員の新規雇用の拡大や、公務員給与を過去に遡って引き上げることを選挙公約に掲げたからだ。

賃金上昇、巨大開発プロジェクト、軍事費などの政府支出の拡大をまかなうために、政府は銀行や企業を利用した。トルコの中央銀行は貨幣を増発して政府へ融資を行った。政府は国営銀行に対して肥大化した国営企業への融資を命じた。その結果、物価は急騰し（もちろん選挙シーズン以外の時期に）、政府の歳入は拡大した。これが政府の膨れ上がった借金の返済を助けた。政府の膨大な借金や高インフレによって、民間企業は長期の資金調達が困難になった。傘下に銀行を抱える多くの財閥系企業も、同様に苦しんだ。

こうした不透明な環境下で、中央銀行は金利を3桁台に引き上げた。この水準なら通常は借り入れが大幅に下落し、インフレを沈静化させることができる。しかしトルコでは逆の現象が生じた。企業が借り入れ金利の上昇に対応するため、製品やサービスの価格引き上げに走ったのだ。インフレ率は1980年代に平均75%、1990年代には50%、2001年2月に危機がピークに達したときは70%になっていた。通貨トルコリラは一夜にして価値が半減した。インフレの高騰によって通貨が下落すれば、輸入品の価格が上がる。それがさらに物価全般の上昇やインフレ期待の高まりをもたらすという悪循環が定着した。

海外への資金逃避が起きて、トルコ政府はIMFに緊急融資の救済を求めざるをえなくなった。当然、IMFは融資の見返りに改革を要求した。トルコ政府は、世銀の元スタッフであるケマル・ダービスをリーダーとする新たな専門家チームを受け入れ、早速、改革に着手した。中央銀行は正式に独立性が保障され、政府支出の拡大へ協力を迫る政治的な圧力を拒絶できるようになった。銀行監督チームが結成され、銀行内部の融資慣行を監視した。政府もまた経営不振の銀行を閉鎖し、健全な銀行にはバランス・シート強化のためGDPの30%に相当する新たな資本注入を行った。国営企業は、それまで政府の要請にしたがって赤字の穴埋めに製品やサービスの価格を引き上げてきたが、民間の企業家に売却された。民営化後は市場の需要動向に応じた価格設定ができるようになった。政治家から賃金の決定権を取り上げるために委員会が設立され、公正な労働基準や賃金の引き上げは企業と労働組合の交渉によって決められるようになった。国民の誰もが驚いたことに、この委員会は見事にその大役を果たした。

絶頂の中で衰退が始まる

２００２年には国政選挙が開催されたが、その時にはインフレは収束に向かい始めていた。しかし現状に飽き足りないトルコ人はこの機会に乗じて、第一次世界大戦後、トルコ世界を支配してきた世俗政党を追い出し、穏健派イスラム政党のリーダーであるレジェップ・タイイップ・エルドアンの擁立に成功した。彼はインフレによって前任者たちが次々に失脚するのを見てきた。物価の急上昇が彼の政権も転覆させる可能性があることを理解しているようだった。彼は政権発足後、直ちに政府支出の抑制に乗り出した。就任直後の政府赤字は対ＧＤＰ比で約14％に達していたが、その後は安定的に下落し、２０１１年には同１％まで改善した。民営化では前任者の仕事を引き継ぎ、通信、砂糖、たばこなどの国営企業を売却した。２００４年には過去30年間で初めてインフレ率が1桁台になり、物価安定を発射台とする新たな経済成長が始まった。この景気拡大によって、平均所得は２０１２年に約３倍増の1万５０００ドルへ増大した。繰り返しになるが、高成長が長期間続くためにはインフレ率の緩やかな下落が不可欠であるが、そのインフレ率は２０１１年の４％で底を打っている。

一般の事例に従えば、絶頂の中で衰退が始まる。２０１１年にエルドアンは地滑り的な勝利で政権３期目に入ったが、気の緩みが出てきた。改革は中断され、国内の投資も減速した。政権初期には国営企業の民営化で海外の投資家が殺到し、インフレと金利の大幅な低下でトルコ人自身の国内投資も活発になった。しかし、投資は依然として対GDP比で20％未満であり、エルドアンの慢心が高じるにつれて、公共投資の内容も劣化が目立つようになった。政権は再びメガ・プロジェクトへ重点的な投資を開始した。それらは宗教的な色彩を帯びたものが多く、経済への具体的な見返りはほとんど期待できない。政府の財政赤字は再び拡大し、2014年の対GDP比率は3倍の2％以上になった。インフレ率の年間平均は2011年の4％の低水準からその後の4年間で2倍の8％へ急上昇した。その水準は、新興国の平均を大幅に上回り、今後問題が生じる可能性を示唆している。

「第二の中国」になれなかったインド

2008年金融危機以降の5年間、2桁台のインフレに苦しんだ唯一の大国はインドである。これは、当時のマンモハン・シン首相の経済政策の問題点について多くを物語っている。

2004年にシン政権が発足した。その後の10年間、インドのGDPに対する投資の比率は約25％から35％以上へ上昇した。これは良い兆候に違いなかったが、経済エリートに誤った自信をもたらした。いまやインドは中国のように投資が急増しているのだから、やがて高成長、低インフレの経済が到来すると、多くの指導者は考えた。インドが第二の中国になるという楽観論は、2008年以前には間違いなく実現するように思えた。インドのGDPは9％で成長を続け、インフレ率は5%前後に収まっていたからだ。シン政権第1期の物価動向はきわめて順調だった。

2009年からシン政権の第2期が始まると状況は一変した。世界的な金融危機の拡大で景気が鈍化すると、それを回避するため政府はその後の5年間、年率18%増という持続不可能なペースで財政支出を拡大させた。投資の増加は、主に政府主導だった。政府の対策は経済原則を無視するものが増えた。一方、民間企業の投資は、腐敗への懸念や先行き不透明感の高まりから減少していった。2011～2013年に民間の投資は4%ポイント下落し、対GDP比で22%になった。金額に換算すると、年間当たり720億ドル以上の下落だった。

政府は中央銀行への介入を強めたばかりでなく、政策も朝令暮改になった。特に衝撃的だったのは、英国の通信大手ボーダフォンがオランダ企業のインド子会社を買収した時のことだ。その買収に対する課税を巡る法廷闘争に敗北した後、シン政権は腹いせで次のような法律を成立させた。内外を問わずどの企業もインド国内に資産を保有する企業を買収した場合、納税の義務が発生し、この法律は1961年にまで遡って適用される、という内容だった。これが大騒ぎとなり、政府は撤回を余儀なくされた。この大失態によって、インドへの投資を検討していた人々はシン政権の先行きについて大きな疑問を感じるようになった。

インド政府の投資の手法は、インフレ回避的というよりも、意図的なインフレ誘発型だった。世界的な景気後退から国民を守ろうとして、賃金も物価も押し上げるポピュリスト的な対策に惜しげもなく資金を投じた。地方の低所得の家庭に対して最低100日の有給労働を保証し、農家の所得を支援するため小麦やコメを法外に高い価格で買い上げた。これらの政策措置は、大きな財政的負担となった。インドの人々の多くは農村に止まり、都市の工場へ出稼ぎに行くことはなかった。その結果、インドの経済は生産性が高まらず、インフレに弱い体質となってしまった。

インドは残念ながら、世界の主要国でインフレ目標を採用していない唯一の国だ。中央銀行には、いまでも金利を低く据え置くよう政治的な圧力がかかり続けている。

インドは第二の中国になりたかった。しかし政府はその意に反して、低成長で高インフレの経済、つまりもう一つのブラジルを作り上げてしまった。2009〜2013年にかけて、主要な経済指標は悪化をたどった。GDPの成長率はほぼ半減の5％、インフレ率は倍の10％になった。物価上昇を予想する労働者は賃上げを要求した。中央銀行は国民に対して賃金と物価の悪循環を警告し始めた。

これは実に危険な悪循環である。いったん悪循環が始まると数年は混乱が続き、中央銀行はコントロール不能に陥ってしまう。インドにとって幸運だったことは、2013年に新しい中央銀行総裁としてラグラム・ラジャンを招いたことだ。彼は就任早々、インフレとの闘いを最優先課題にした。そして2014年には、新首相が誕生した。中央銀行に金利の引き下げを求める政治的圧力にもかかわらず、新首相はインフレ期待を沈静化させるため利下げに慎重なラジャンを支持している。2015年時点では世界的な原油価格の急落がインドには追い風となって、経済危機はまだ表面化していない。

日本の忌まわしいデフレ

現在では、インフレは死や税と同じように人生に不可避のものだ。1930年代以前は、インフレは日常的ではなかった。グローバル・フィナンシャル・データベースの歴史記録は13世紀から始まるが、1210〜1930年代の世界の平均年間インフレ率はわずか1％だった。この期間が始まった直後には利用可能な物価データは英国とスウェーデンに限られていたが、その後はデータ量が次第に拡大し、1970年代には103ヵ国をカバーするまでにいたっている。この長期の世界インフレ率が7世紀以上も1％で横ばいを続けていたわけだが、その低水準自体への驚きもさることながら、それ以上に衝撃的なのは平均化することで隠れてしまった部分である。つまりインフレ期と、物価の下落期つまりデフレ期の間で、物価が大幅にして、かつ頻繁に変動したことである。こうした物価変動は1933年を境に消滅した。1933年以降、デフレ期は完全に姿を消し、途切れることのないインフレ期に取って代わられた。その空前のインフレが、現在まで80年以上も続いている。多くの国では人間の短い一生において、インフレは死と同じく避けられないものとなった。それ以前はデフレが不可避だったのとは、好対照だ。

20世紀の後半、世界的なインフレが猛威をふるった。それは執拗で、全く沈静化する気配を見せなかった。それには、多くの解説がなされている。一般的な説明は、銀行業の発展で利用可能な融資量が拡大し、物的資産に向かうマネーが増えて物価の高騰が生じたというものだ。別の解説もある。1970年代に金本位制が終焉し、それによって中央銀行は貨幣の増刷が可能になったという説だ。いずれにせよ、1933年以降は世界的なデフレが消滅した結果、世界の平均インフレ率が上昇し、1974年には18%のピークをつけた。しかしその後の数十年間は急落となり、2015年には再び2%前後に戻っている。

20世紀から近代的な記録の保存が始まったが、それ以前のインフレやデフレの足跡をたどるために、研究者は様々な歴史的資料に当たって物価の変動を調べた。たとえば、政府の各種調査、農家の帳簿、医者のカルテ、シアーズ・ローバック、モントゴメリー・ワードなど米国の有名百貨店の19世紀の商品カタログなどである。中世の暗黒時代に向かって遡っていくにつれ物価変動の測定は、少しばかり正確性を欠いていく。しかし1930年代以降は大半の国でデフレがほぼ消滅したという基本パターンは、多くの資料で確認された。ドイツ銀行による最新のグローバル・フィナンシャル・データベースの分析によれば、1930年以前は、どの年であってもサンプル対象国の中で半数以上の国がデフレを経験したのが一般的だった。1930年以降はデフレ経験国の割合が10ヵ国中で1ヵ国と低下した。第二次世界大戦後では、長期のデフレを経験した国はわずか2ヵ国にすぎない。この場合の長期とは「少なくとも3年以上続いた」という意味だ。一つはあまり知られていないが香港であり、1998〜2005年の7年間にデフレを経験した。もう一つは日本の忌まわしいケースだ[6]。

デフレに特に悪い印象を与えたのが、日本である。日本の経験を見れば、2008年金融危機の後、世界がデフレの台頭をどうしてそれほどに恐れるのかが分かる。世界はデフレの脅威と過剰供給に直面している。デフレの脅威は過剰債務などを通じて消費需要を冷え込ませ、日本の衰退の原因となった。２０１５年、先進国の平均インフレ率がゼロ近くまで下落したことで、世界の大半の国でもデフレの悪循環に陥るのではないかとの懸念が広まった。日本は１９９０年のバブル崩壊以降、このデフレ・スパイラルに苦しめられてきた。

デフレに陥ると、物価は上昇が止まり下落に向かう。消費者は買いたいと思うテレビや携帯電話の値段が下がるまで購入を先送りする。消費需要が停滞すれば、経済成長も鈍化し、それが物価のさらなる下落圧力となる。韓国のような他の「アジアの奇跡」の国と同様に、日本も１９８0年代のバブル期に過剰投資を行った結果、工場、オフィスビル、賃貸住宅などで過剰な供給を作りだしてしまった。成長率が減速すれば当然、こうした過剰供給は物価上昇の重しとなる。しかし戦後の「奇跡」の国の中で、デフレが長く居座っているのは日本だけだ。１９９０年のバブル崩壊後20年近く、消費者物価は下落基調から脱することができず、成長率は１％前後で低迷したままだ。

デフレの悪循環を止めるのはとても難しい。物価が下落し始めると、人々はさらなる下落を期待するようになる。消費者の購買意欲を高め、デフレ・スパイラルに歯止めをかけるためには、中央銀行が市場に大量のマネーを供給して、国民に物価や金融市場が再び上昇に向かうことを納得させる必要がある。これこそが、デフレとの闘いでここ何年か日本銀行がやろうとしていることだ。

悪性のデフレを止めるのが難しいもう一つの理由は、物価下落が債務者に及ぼす影響だ。どの通貨であっても、物の価値が下落すれば通貨の価値は上昇する。しかし債務者が返済すべき債務の金額は変わらない。債務者は価値が高まり続ける貨幣で借金の返済をしなければならず、苦境にますます陥る。米国の経済学者アービング・フィッシャーが大恐慌の最中に指摘したように、「債務者が返済すればするほど、彼らの借金が増えていく」のである。[7] それからずっと後になってデフレの悪循環が再び日本と香港を襲ったが、それをもたらしたのは貨幣価値の上昇と債務負担の増大だった。

デフレへの過剰反応は禁物

しかしながら、日本の教訓に過剰反応するのも問題だ。デフレ循環がいつも前述のような経路をたどるとはかぎらない。良いデフレの事例もまた豊富にある。デイビッド・ハケットー・フィッシャーは、ブランデイス大学の歴史学者だが、彼は著書 *The Great Wave*（未邦訳）で米国や欧州諸国の記録文書を11世紀にまで遡って調べ、次のことを発見した。物価のサイクルでは、安定または下落する期間の長い「波」が存在し、デフレの時期ほど経済の成長率が高まっている、というのだ。[8] こうした良いデフレでは、物価の下落が消費需要への悪循環的なショックではなく、供給面での前向きなショックによって引き起こされる。

こうした長期にわたる良いデフレは、１９３０年代以前からすでに始まっている。その牽引力は技術的、制度的なイノベーションだ。消費財の生産や物流のコストが下がり、長期間の物価下落につながった。実際、良いデフレの期間は、蒸気機関、自動車、インターネットのような新技術への発展的な投資ブームと重なることが多かった。

良いデフレの事例をいくつか挙げてみよう。17世紀のオランダでは新たな貿易拡大や金融イノベーションによって、インフレなき黄金の時代が始まり、世紀末には経済規模が3倍に膨らんだ。18世紀後半から19世紀の産業革命期の英国でも、同様のインフレなき高成長が実現した。蒸気機関、鉄道、電気などの技術革新によって、小麦粉——現在では機械化された製粉工場で小麦粉にひかれている——から衣類にいたるまで、あらゆるものの生産コストが安定的に下落した。英国の消費者物価は半減し、工業生産は7倍になった。この時期に消費者物価の下落が中断したのは、ナポレオン戦争、クリミア戦争、普仏戦争などで政府支出が急拡大した時だけだった。

米国で良いデフレが発生したのは、１９２０年代初期だった。経済は年率４％前後で成長を遂げていた。自動車、トラックなど新しい労働節約型機械の発明によって、食料、アパレル、家具などの消費財価格が下落した。ごく最近では、一般的な良いデフレは世界や国のレベルでは見かけなくなったが、ハイテクなど個別産業では良いデフレの典型例ともいうべきものが多く出現している。シリコン・バレーから多くのイノベーションが生まれたおかげで、コンピュータの大容量・高速化、無線化に対して消費者が支払う価格は１９９０年代半ばまで下落を続けた。これもまた消費者物価全般の抑制につながった。

ここでの教訓は、インフレは低ければ良いサイン、高ければ悪いサインだったが、デフレについては明確なルールがないことである。消費財価格の下落はそれ自体が良いとも悪いとも言えない。このことを最も際だたせたのが、１８７０年代後半から１９１４年の第一次世界大戦勃発までの米国の長期にわたる好景気だ。この期間の前半は物価が平均年率３％で下落したが、後半に入ると同３％の上昇に転じた。前半、後半を合わせた全期間のＧＤＰ成長率は平均で年率３％の高水準だった。

歴史的根拠に欠けるデフレの脅威

デフレは世界全体からはほとんど姿を消したが、局所的にはまだまだ散見され、重要性は失われていない。戦後、経済大国の中でデフレが複数年も続いたのは日本だけだ。ドイツ銀行の研究によれば、世界的なデフレが1年も続くことはきわめて珍しい。しかし、個別の国ではデフレが1年続くことはよくある。しかし繰り返しになるが、短期的で局所的なデフレが経済成長にマイナスの影響を及ぼすと信じる根拠はない。

こうした見解は、世界的なデフレと「日本化（デフレと景気停滞の悪循環）」への懸念が強まる中で、２０１５年初めに国際決済銀行（ＢＩＳ）が発表した研究の結果だ。しかし、これは誰も予想していなかった。ＢＩＳは戦後の38ヵ国の実績を調査して、消費者物価のデフレが長く続いた例はきわめて稀であるが、1年程度持続した例はそれほど珍しくないことを発見した。38ヵ国をすべて合算すると、デフレの年は合計で100年あった。平均すると、デフレ期のGDP成長率は3・2％であり、インフレ期の2・7％を少しばかり上回った。デフレと高い成長の併進は先進国でも開発途上国でも生じている。1970年のタイ、1987年のオランダ、1998年の中国、2000年の日本、2013年のスイスなどだ。デフレ期の方が成長率は少し高いという仮説は、統計的にそれほど有意だとは言えない。BISの研究者によれば、消費者物価デフレが経済成長にプラスかマイナスかを判断する明確な証拠はない[9]。影響がどう出るかは、デフレの要因で左右される。

そうなると次の問題は、消費者物価デフレについて、それがどの様なときに良質＝供給主導のものであり、どのようなときに悪質＝需要主導のものであると言うことができるか、ということになる。正直に言えば、その作業が最も難しい。供給と需要という対立する要素の分解が必要になるからだ。しかし、ここでの私の結論は単純だ。デフレが悪いという印象を持たれてしまったために、物価下落は何でも成長にマイナスだと考えられるようになった。しかも、それには何の歴史的な裏づけもない。たとえば、2015年に世界中で消費需要が後退し、中国など新興国では債務残高が上昇した。これらは、直ちに悪いデフレの兆候だと受け止められた。

しかし、良いデフレの兆候もある。たとえば、インフレ率低下の最大の要因は原油価格だが、そのプラス効果は水面の波紋のように消費財全般に広がっている。原油価格は2014年半ばの

1バレル当たり110ドルから、2015年初めには50ドルへ急落した。その理由は複合的だ。中国などの需要減退のマイナス影響だけでなく、新しいシェール・オイル層の発見や掘削技術などプラスの影響も指摘されている。シェール・オイルのおかげで、米国の石油産業は復活を果たすことができた。世界中で台頭するデフレ圧力には、良い要素と悪い要素の両方が含まれている。こうした両要素入り交じった状況にもかかわらず、多くの人が次のような声を上げ始めた。「インフレの脅威は古くて分かりやすい。デフレの脅威は新しく定説がない。私たちはインフレの呪縛から解き放たれて、デフレの議論に専念すべき時に来ている」。

消費者物価ですべてを語るな

しかしこの議論は、世界がここ数十年でどのように変化したかを無視している。インフレとデフレを繰り返す古い物価変動は、戦後になると持続的なインフレに取って代わられた。消費者物価の変動はかつてよりも小さくなった。他の物価指数と比べると、経済の大きな転換を示すシグナルとしての重要性が相対的に低下している。今日では、資産価格とりわけ株価や住宅価格の変動が重要になっている。不動産市況や株式価格の暴落と景気の悪化との間に、強い関連性が見られるようになった。

資産価格の重要性が増した背景には、2008年以前の急速なグローバル化がある。過去30年の間に、世界貿易が拡大し技術革新が進んだおかげで、生産者は世界中に低賃金の生産拠点を持つことが可能になった。消費者はインターネットを通じて、Tシャツからチェーンソーにいたるまですべての製品を最も安い価格で購入できるようになった。こうした動きが重なって、消費者物価の安定がもたらされた。

しかしグローバル化によって国内市場が海外の多数の投資家に開放されたため、資産価格には正反対の効果が生じた。株式や住宅を購入する投資家が増えれば、価格は上昇基調となり、値動きは激しくなる。今日では、外国人投資家がサムスンや現代など韓国の大企業の大株主として名前を連ねている。海外の投資家はマイアミ、ニューヨーク、ロンドンなど主要都市の高級住宅地で価格の急騰をもたらす原因の一つになっている。こうした投資行動が資産価格を不安定にして、急騰と急落を頻繁に引き起こしている。資産価格の高騰が将来の景気後退を引き起こすこともたびたび生じている。

最近数十年間の主要な経済危機を見ると、すべて資産バブルが先行している。1990年に日本経済が崩壊し、1997～1998年にはアジアで金融危機が発生したが、その直前までは住宅や株式の価格は棒上げ状態だった。米国では1990年代後半に株式市場が投機家の熱気でバブル状態となったが、それは2000～2001年のクラッシュと、その後の短期間にせよ世界的な景気後退の引き金となった。その後の回復過程では、米国が世界の好景気を先導し、住宅や株式は再び上昇気流に乗ったが、2008年には再び暴落に見舞われた。世界経済はその後、景気後退に陥り、いまも景気回復の努力が続いている。

住宅や株式の暴落が何度も繰り返されれば、景気は低迷する。資産価格の下落が大きければ、当然、資産価値も大きく目減りする。資産の価値が減少すれば、人々は消費を切り詰める。その結果、需要は減退し、消費者物価も下がる。つまり資産価格の暴落は悪い消費者物価デフレを引き起こす可能性がある。

これが日本で起きたことだ。1980年代の不動産や株式のバブルが1990年に崩壊し、資産価格と消費者物価の下落が長く続いた。同じことは「狂騒の1920年代」の米国でも起きている。将来に対する楽観主義の台頭によって、株式価格は1920〜1929年の間に250％も急騰した。そして1929年10月から株式市場の暴落が始まった。大恐慌の初期段階では消費者物価は下落に次ぐ下落となった。

住宅バブルが2年続けば要警戒

議論を進めるにあたって、次の大きな問題は、資産価格がバブルとなり、経済成長を脅かし始めるのはいつか、だ。

それに関する経験則の一つは、住宅や株式の価格の上昇幅が大きくなれば、暴落の可能性が高まることだ。歴史の教訓では、長く続いた景気拡大は住宅価格の暴落で終焉を迎えるケースが多い。不動産価格は特に要注意だ。もし住宅価格の年間上昇率が長期間、経済成長率を上回り続ければ、警戒の必要がある。世界的な債務危機に関する2011年の論文で、IMFは40ヵ国の76

の事例を調べた。そして住宅価格など、危機の発生以前に決まって上昇するいくつかの主要な指標を抽出した。住宅価格は年率2％前後で上昇するのが一般的だが、金融危機にいたる2年間は、この上昇ペースが10～12％に加速している[10]。

不動産バブルが脅威であることはいまでは常識だが、これはオスカー・ジョルダやモリッツ・シュラリック、アラン・M・テイラーの２０１５年の論文で明らかにされた。彼らは17ヵ国の１７０年分のデータを調査し、住宅バブルの影響がどのように拡大し、広がっていったかを論証した[11]。第二次大戦以前に起きた52の景気後退のうちで、株式や住宅のバブルが崩壊した後に景気後退が発生したケースはわずか7ケースだった。この関連性は第二次世界大戦後に大幅に高まった。62の景気後退のうちで、実に3分の2に当たる40ケースが株式や住宅のバブル崩壊後に発生している。

論文では、こうしたバブルの副作用を理解するうえで多くの判断基準が紹介されている。一般的に、住宅バブルは株式バブルに比べピークに達するまでに長い時間を要する。株価に比べると、住宅価格は変動幅が小さいからだ。住宅バブルは株式バブルほど一般的ではないが、それが起きた場合、景気後退が起きる可能性が高くなる。住宅価格、株価ともに長期トレンドから大きく上放れ*、その後に15％以上の下落が生じた場合、経済が深刻な不況に陥るシグナルとなる。

しかし、これが最も重要なのだが、バブルが借金によってさらに膨れ上がった場合、その痛みは格段に大きくなる。借金は景気後退を深刻にさせる。景気後退が、借金に依存しないバブルの破裂によって起きたとしよう。この場合は、5年後の経済の規模は、バブルが起きなかった場合を1～1・5％下回る程度である。しかし、バブルが借金主導である場合、経済損失は拡大する。株価のバブルが借金で発生した場合、つまり投資家が過大な借金をして株式を購入していた場合、5年後の経済規模の落ち込み幅は4％へ拡大する。住宅バブルが借金主導の場合、さらに悲惨な結果となる。5年後の経済規模の落ち込み幅は9％へ拡大する。

資産価格のインフレには注意が怠れない。2015年の時点では、特に警戒が必要だった。ところが多くのエコノミストは、世界がそれとは全く逆、つまり日本型デフレに陥る懸念があると警告した。消費者物価上昇率の急落によるデフレの悪循環を避けるために、FRBなど世界の中央銀行は金利をゼロ近辺に据え置くべきだと主張した。慎重派はインフレが依然、大きな脅威だと反論したが、エコノミストは主要な中央銀行家とともに消費者物価上昇率の鈍化はインフレの懸念が遠のいた証しだと再反論した。

しかし資産価格インフレに目を向けると、インフレのリスクは存在する。200年前まで遡ると、主要な中央銀行で短期金利をゼロに設定した例はなかった。2000年代に、FRBが嚆矢となり他の中央銀行がそれに倣ったのが、初めてだった。こうした超金融緩和によって借金によ

---

* ジョルダ、シュラリック、テイラーでは、少なくとも標準偏差の一つとして定義されている。

る金融資産の購入が拡大した結果、今日の米国は株式、債券、住宅の3つの主要な資産価格が同時に上昇する異常な状態にある。金融緩和論者は、株価と住宅価格が最高値を更新したのはそれぞれ2000年、2007年のことだと主張するが、それは大局を見ていない。

過去50年間を見ると、米国株式の評価が現在の水準を上回った期間は全体の10%弱しかなく、債券や住宅も同様に歴史的な高水準にある。米国の株式、債券、住宅の3つの主要な金融資産の評価を合成した指数は、50年ぶりの高値を更新している。2000年、2007年のバブルは、両方とも景気後退につながったが、こうした3つの市場を見る限り、今回のバブルは2000年、2007年のバブル時の高値を大幅に上回っている。しかし2000年、2007年当時を振り返ると、FRBの議論はいまも当時と全く変わらない。消費者物価が上昇していない以上、経済にインフレのリスクが高まっているとは言えないと議論している。

資産価格の監視を怠るな

FRBはいまや中央銀行の政策カルチャーの世界的なリード役となった。彼らは自らの仕事を物価の守護神と規定しているが、その守護すべき物価とは資産価格ではなく消費者物価だ。こうした姿勢は改める必要がある。今日、貿易や資金移動が第二次世界大戦直後に比べて大幅に活発になる中で、消費者物価は抑制され、資産価格は上昇する傾向が強まっている。その結果、中央銀行は両方を安定化させる使命がある。株式や住宅の相場の急上昇は、近い将来、経済の急変をもたらす可能性があることを理解すべきだ。

一般的なルールは、消費者物価の上昇率が低いことは安定的な経済成長にとって不可欠であることだ。高い成長が長く続いたとしても、インフレ率が急上昇してしまえば確実にブレーキがかかる。もし消費者物価の上昇率が緩やかで、消費者物価がプラスの供給ショックや良いデフレで下落していれば、高成長はさらに長続きする。一方、住宅や株式など資産価格の急落は、経済にとって悪いサインだ。景気が悪化する前には、こうした資産価格が先行的に急上昇するのが一般的だからだ。今日のようなグローバル化された世界では、国境を越えた貿易取引や資金移動によって消費者物価の上昇が抑制され、その反面で資産価格の変動は増幅される。そのため、株式や住宅の価格を監視することは、玉ねぎの価格と同じくらい重要になっている。

第8章

Cheap Is Good

【通貨】通貨安は天使か、悪魔か
――経常収支赤字の対GDP比が3％以上、5年連続なら要警戒

通貨下落が生んだ悲劇

ブラジルが好景気で沸いた10年を迎えて間もない頃、私は次のような噂を聞いた。リオデジャネイロからニューヨークのマンハッタンへ航空機で乗り付けた観光客が、ショッピング・バッグとして船積み用のコンテナをチャーターし始めたというのだ。こうした「爆買い」は、ブラジルの通貨レアルの為替相場が対米国ドルで40年ぶりの高値となったことの副作用によるものだ。サンパウロやリオデジャネイロの裕福な経済人や社交界の名士は買い物やショーの観覧、あるいは将来の来訪に備えてアッパー・イースト・サイドのアパートメントを購入するためにマンハッタ

ンにやってくる。彼らにとって、ニューヨークで売りに出されているすべての品物やサービスが大バーゲンセールだった。ニューヨーク市内のホテルでは、ブラジル人客向けのサービス向上としてポルトガル語を話せるコンシェルジュを常駐させ始めた。ニューヨークのジョン・F・ケネディ国際空港のチェックイン・カウンターでは、リオデジャネイロやサンパウロへ戻る航空便の場合は、特に行列の動きが鈍くなった。乗客のスーツケースは購入した土産物で重量制限を超えることが多く、その場で追加料金を支払わなければならない。それでカウンターが大渋滞するのだ。ブラジル人の平均所得は依然、米国人の5分の1だが、ブラジルのエリートはニューヨークではあたかも王様や女王様になったような気分を味わうことができた。

ブラジルの経済は通貨が実力以上に上昇したことでバランスを失ってしまった。ブラジルは鉄鉱石や大豆のような天然資源や穀物の輸出大国だが、こうした国際商品の市況が2000年代初めに急騰した。商品相場の活況は、ブラジルの通貨レアルだけでなく南アフリカやロシアなど資源輸出国の通貨高をもたらした。自国の通貨が高くなると、こうした国から旅行でやってくるエリートにとってマンハッタンは巨大なデパート地下特売場と見分けがつかなくなる。その一方で、サンパウロやモスクワの物価は旅行者にとって割高になる。外国人が一杯のコーヒーや企業の株式、あるいは工場を購入する場合、自国通貨を高価なレアルやルーブルと交換しなければならないからだ。

通貨が割安か、割高か。これは、経済の見通しを予測する際に重要なポイントとなる。ある国の通貨が割高になれば、国の内外を問わず人々はみなその国から資金を海外へ移そうとする。その結果、経済の成長率は低下を余儀なくされる。それとは反対に通貨が割安になれば、輸出や旅行者などの経路を通じて資金が流入し、成長率が高まる。

しかしこのルールは、多くの政治指導者には未だ十分に理解されていない。彼らは強い通貨を好みがちだ。強い通貨は経済がうまく回っている証であり、世界中から資金を引きつけると考えているからだ。確かにそれは事実だ。通貨高の国には、通貨の上昇で短期的な金儲けをたくらむ投機的な「ホット・マネー」が集中する。その点で間違っていない。地元の人々や海外の投機家が競って株式や債券などの資産を購入するのは、当該国の経済や企業の将来性を確信しているからではない。通貨の上昇でその国の資産価値が少なくとも一時的に高まると予想するからだ。しばらくの間は、こうした賭けは自己実現的となる。ホット・マネーが流入すればするほど、通貨価値の上昇圧力が強まる。しかし通貨高も一定の水準に達すると、今度は輸出を抑制し、企業の長期投資を減退させる力の方が強まる。その結果、経済全体の見通しが大幅な下方修正を迫られる。

経済成長の機運が高まるのは、通貨の下落が始まる時ではない。通貨が十分に下落して大底を突け、競争力が十分に回復した時である。しかし多くの国では、通貨が上昇すれば経済見通しも明るくなると考える傾向が根強い。こうした誤解は、ヘンリー1世がイングランドを統治していた12世紀に大惨劇を生んだ。1124年、ヘンリー1世はイングランドの通貨スターリングの下落に驚き、背後に政治的な陰謀があるのではないかと疑いを深めた。そして、次のような措置で問題の解決を図った。約100人の王室両替商をウィンチェスターの宮殿に召還し、歴史家のニコラス・メイヒューが言うところの「信任強化のための公開の場」において、大多数の参加者を去勢処分にしてしまった。幸運な者でも右腕を切断された[1]。今日では通貨変動の原因やその対策について理解が少しは進んでいるが、おそらく皆が想像するほど立派なものではない。

なぜフィーリングなのか

通貨が「どれだけ割安に感じられているか」という観点で論じることに、首を傾げる人も多いだろう。しかし、それ以外に、他の通貨と価値を比較する良い方法が見あたらない。通貨の価値を計る方法は、見た目よりもはるかに複雑で難しい。現在、1米国ドルを購入するのに3ブラジル・レアルが必要であり、翌年には4ブラジル・レアルが必要になったと仮定しよう。そうすると1ブラジル・レアルで購入できるドルの価値が減少する。つまり、ブラジル・レアルの価値が下落したことになる。しかし、それだけではない。通貨価値は国内インフレによって、その一部、あるいはそのすべてが浸食される。ブラジルの物価上昇率が米国をはるかに上回っていれば、ブラジル・レアルはさらに割高に感じられるようになる。

このように両者の相対的なインフレ率で修正を加えなければ、通貨の価値を正確に測定することができない。ブラジル・レアルの価値を一つの貿易相手国だけでなく米国や中国などすべての貿易相手国と比較し、さらには貿易相手国のすべてのインフレ率を加味するとなると、作業はさらに困難になる。計算は複雑で、その結果も混乱と矛盾に満ちたものになる。12世紀の惨劇の原因であるイングランド通貨の下落は、収穫不良による食糧価格の高騰が主な原因だったのではないだろうか。両替商にとって不運だったのは、インフレが通貨価値をいかにして蝕むかのメカニズムについて、ヘンリー王と彼の賢明なる側近が全く理解していなかったことだ。

それから9世紀を経た現在でも、私たちはまだインフレなどの変数を駆使して通貨価値を測定する論理的な手法を開発できていない。経験豊富な為替専門家でも、これに異を唱える人は少ないだろう。実際、世界の外国為替市場では毎日平均5兆ドルを超えるお金が取引されているが、通貨価値の尺度が為替トレーダーの間で大きな話題になることはまずない。彼らが好んで買い注文を入れるのは、金利の高い国の通貨だ。最近、ベテランのアナリストが私のチームに語ったように「通貨の価値を計測しても、実際には何の役にも立たない」のである。

最も一般的な為替の指数は、実質実効為替レート（REER）と呼ばれている。貿易相手国との貿易取引量で加重平均し、さらにその数値を消費者物価インフレで修正したものだ。この実質実効為替レートも、生産者物価、労働コスト、1人当たり所得の増加率など、どの指数を用いて修正するかで結果が異なってくる。1人当たり所得の増加率による調整は、特に難解とされるバラッサ＝サミュエルソンの為替評価アプローチの基礎を成している。それぞれの計算手法の専門的な違いは脇に置くとしても、ここでのポイントはアナリストがどの計算手法を選択するかは主観的であり、当然、その結論も大きく変わってくることだ。たとえば2015年の初めに原油価格が暴落したとき、ロシアのルーブルは大半の為替指標で価値が下がったが、一つ例外があった。労働コストを採用した指標だ。それによるとルーブルは逆に上昇した。こうした通貨価値に絡む混乱は、日常茶飯事だ。

議論を簡単にするために、多くの専門家は誰にも身近な商品の最新価格を比較した指数を作成することで、各国の通貨を高い順にランキングしている。この草分けは『エコノミスト』誌のビッグマック指数だ。ハンバーガーのマクドナルドが時代遅れになると、別のアナリストがスターバックスのコーヒーなど世界中で広く愛用されている商品の価格を比較し始めた。ドイツ銀行の年次レポート「世界価格地図」では、スマートフォンのiPhone 6やジーンズのリーバイス501の現地価格から、週末のお出かけやデート、散髪の費用まで多種多彩なカテゴリー別の価格が紹介されている。しかしどの価格指数を採用しても、データ作成者の主観性から免れることはできない。2015年版の「世界価格地図」は、米国ドルの上昇によって少なくとも米国人は前年よりも、欧州や日本での買い物をはるかに割安だと感じるようになった、とだけ締め括っている。

史上最大の通貨下落

通貨価値に関する高安の感覚は、主観的にならざるをえない。実際的な人々は賢く、抽象的な経済モデルで計算された誤解をまねくほどに細かすぎる数値に警戒心を抱く。ある読者は、出身地の異なる旅行者が特定の国の物価に対して異なった感覚を覚えるのはおかしいと考えるかもしれない。米ドルで支払いをする米国人は、ユーロで支払う欧州人や円で支払う日本人よりも、ブラジルの物価についてそれほど割高と感じないかもしれないが、こうしたちぐはぐな現象は時々起きる。しかし通貨高が生じる時は他の主要通貨に対して一斉に上昇するのが普通だ。

米ドルが圧倒的な世界では、どの通貨でも重要な相場見通しはドルとの対比で行われる。米国経済の世界GDPに占める比率は1998年の34%から最近の時点では24%に低下している。経済覇権国としての米国に陰りが見えてきたとしても、米国は依然、唯一の金融超大国である。ドルはいまでも世界で最も好まれる通貨だ。世界の生産量の半分は、ドルを使用しているか、中国人民元のようにドルと連動する通貨を使用している国によるものだ。FRBはドル供給を一元管理しているために、世界の中央銀行としての立場をますます強めている。世界の11兆ドルと言われる外貨準備の約3分の2はドル資産だ。この割合はここ何十年ほとんど変化していない。国際決済銀行によると、世界全体の銀行経由の金融取引で、取引の相手がドルである割合は87%である。この比率は途方もなく高く見えるかもしれないが、現実である。世界的な貿易取引もその大半がドルで行われている。米国の関係者が絡まない取引でも、同様である。韓国企業がスマートフォンをブラジルへ輸出する場合、ドルで支払いを要求する可能性が高い。世界中の誰もが主導的な準備通貨で富を保有したいと望む。

通貨の感覚が主観的だとなると、通貨がどのくらい競争的（あるいは「割安」）かという問題に政治家が口を挟む機会が増えてくる。２０１０年代の初めにトルコ政府の高官は、自国通貨のリラがインフレ調整済み後で１９７０年代と比較した場合、十分に割安だと主張した。しかし分析のスタート時点を１９９０年代に変更すると、リラの水準はかなり割高に見える。それこそまさに首都アンカラやイスタンブールを訪問した外国人が感じ始めていたことだった。通貨の価値を比較する標準的な基準が確立していないため、政治家は基準の取り方次第で望み通りの主張が何でもできる。旅行者は、自分で現地通貨が割高だと感じたら、その感覚を信じた方が良い。皆さんが街角のカフェで1杯のコーヒーが割高だと感じたら、大企業のビジネスマンも同様に感じているはずだ。

これまでで最も激しい通貨変動は、１９９８年の初めにタイで生じた。アジア危機が猛威をふるっていた時だ。タイの通貨バーツは数ヵ月の間に実質実効為替レートで50％も下落した。当時、私はアジア地域で仕事をしており、「偵察」旅行と称して数回バンコクを訪れた。ショッピング・モールでは、ニューヨークや香港から出張でやってきた銀行マンや調査アナリストが、両手に抱えきれないほどたくさんの買い物をしていた。バンコクの物価が信じられないくらい下落していたからだ。ニューヨークでは１０００ドル以上するアルマーニやフェラガモのジャケットが、バンコク市内では数百ドルで購入できた。アマチュアのゴルファーが、半値相当で購入したキャラウェイのチタン製の新品ゴルフクラブを抱えて通りを歩いていた。そして突然、思いついたようにショップへ取って返し、友人や親戚への土産用にと数セットを追加購入していた。こうした異例とも言うべきバーゲン・ショッピングの裏側で、タイ経済の地殻変動が始まっていた。

アジア通貨危機はタイで始まった。タイの通貨バーツが、中国のような重要な競争相手国の通貨に対して、大幅に切り上がっていたからだ。その中国は１９９３年に人民元の切り下げを行っていた。通貨高によってタイ経済には急ブレーキがかかり激痛が走った。失業率は3倍の水準まで急上昇し、不動産の価格は半減した。バーツの暴落によって、タイ人のドル建て平均所得は3分の1以上が消滅した。タイ国内では一夜にして新興富裕層の活気が消え失せ、貧困の消沈がとって変わった。タイ人が将来に悲観的になればなるほどバーツはさらに下落し、ショッピング・モールは外国人のためのバーゲン売場と化した。しかし数ヵ月もたつと、タイ国内に大量のマネーが回帰し始めた。これは経済復調へのプラスのサインだった。

マネーフローの読み方

次に関連する問いは、国の将来性が開けてきたと判断できるタイミングはいつかという点だ。つまり、マネーが流入している時か、それとも流出している時か。通貨が割安になって経済が健全性を取り戻すことができれば、バーゲン・ハンターはマネーを流入させる。通貨が割安になってもマネーの流出が続いているのなら、これは深刻な事態だ。たとえばロシアのルーブルは原油価格の急落によって２０１４年暮れに暴落した。ロシア人は事態がさらに悪化することを恐れて、数百億ドルのマネーを毎月国外へ流出させ続けた。この場合、通貨が割安になったからといって必ずしも良いサインと認めることはできない。通貨価値が十分下がりきって安定した状態になったとは、まだ言えないからだ。

国境を越えるマネーの移動をつかむには、ＩＭＦの国際収支表を見ればよい。これには、特定国への合法的なマネーの流出入が記載されている。国際収支の中で特に注目して欲しいのは経常収支だ。経常収支には、特定国の生産と消費の差額が反映される。多くの国では、経常収支の最大項目は貿易収支だ。これは輸出金額から輸入金額を差し引いた額である。しかし貿易収支だけでは物差しとしてあまりにも狭すぎる。当該国の国際的な債権債務の全貌をつかむことはできない。全貌を知るためには、海外所得など他の資金の流れを含む広義の経常収支に注目する必要がある。海外所得には海外出稼ぎ労働者からの送金、海外援助、外国人への利払いなどが含まれる。その金額の多寡によって輸入代金の支払いが楽になったり苦しくなったりする。このように経常収支を見れば、特定国が生産以上に消費しているのか、その消費資金を調達するために外国から借金しなければならないのかどうか、といったことが分かる。ある国が長い間大きな金額の経常収支赤字を計上していれば、借金が返済不能な水準まで積み上がり、どこかのある時点で金融危機に陥ってしまう。その分岐点はどこか。

私がこの問題に最初に興味を持ったのは、米国連銀のエコノミストであるキャロライン・フロイントの２０００年の論文を読んだ時だった。彼女は先進国経済の研究を進める中で、経常収支はある程度予測可能なパターンで増減する傾向があることを発見した。悪化のシグナルが点滅するのは、経常収支赤字が4年連続で上昇し、単年度の赤字が対GDP比で5％のピークをつけた時だ。その段階を超えるとすぐに、経常収支赤字の拡大は反転し低下に向かう傾向がある。理由は簡単だ。企業経営者や投資家がその国の借金返済能力に疑問を抱くようになり、資金を引き揚げ始めるからだ。その結果、通貨は切り下がり、国民は輸入の削減に追い込まれる。経常収支赤字は縮小を始め、経常収支の均衡が回復するまで、景気は大幅に減速する。(2)

経常収支赤字の危機ライン

フロイントの大転換点の議論をさらに広げるため、新興国、先進国を含む186ヵ国の1960年代以降のデータについてスクリーニングを行った。経常収支赤字を3年、5年などの期間ごとに分類し、全体で2300のサンプルを抽出した。* この研究によれば、経常収支赤字が高水準で持続した場合、局面転換後は景気減速が5年間続くのが一般的だ。毎年の経常収支赤字が対GDP比2～4％で5年間続いた場合、景気の減速は比較的マイルドに止まっている。しかし毎年の経常収支赤字が対GDP比5％以上で5年続いた場合は、景気の減速幅が大幅に拡大する。局面転換後の5年間は、GDPの成長率は平均2・5％ポイントも下落している。

この研究では、先の5％ルールを補強する証拠も提供してくれている。1960年以降、対GDP比で年間平均5％以上の経常収支赤字が5年間続いた事例が40ケースもあった。この場合、景気の減速はほとんど不可避だった。40ケースの中で、その後の5年間に成長率が低下したケースが85％、ある種の危機に見舞われたケースは約80％に達した。** 成長率の低下は先進国、低開発国を問わず多くの国々で生じている。たとえば、1970年代のノルウェー、韓国、ペルー、フィリピン、1980年代のマレーシア、ポルトガル、ブラジル、ポーランド、それに旺盛な消費ブームに沸いた2000年代のスペイン、ギリシャ、ポルトガル、トルコなどだ。

結論を言えば、毎年対GDP比で5％以上の経常収支赤字が5年間継続すると、その後には深刻な景気減速が待ち受けている可能性が著しく高まる。状況によっては、ある種の経済危機に遭遇するかもしれない。こうした軌道の上にある国は、生産する以上に消費するなど分不相応の暮らしをしている。身の丈にあった生活に戻る必要がある。対GDP比で3〜4％以上の経常収支赤字が継続することも将来の経済や金融の困難が生じるサインだが、5％以上の場合に比べてそ

* この分析では経済規模の大きな国に絞り込んでいる。経済規模の小さな国では大型の海外投資の案件が1件入っただけで赤字の変動が大きくなり、結果を歪める恐れがあるからだ。「経済規模が大きい国」とは、GDPの規模が世界GDPの0・2％以上の国である。2015年現在ではGDPが1500億ドル以上の国だ。

** ここで「ある種の」と記したのは、これがカーメン・ラインハート、ケネス・ロゴフによって定義された銀行、通貨、インフレ、債務といった各種の危機を含んでいるからだ。この種の危機のデータは40ケースのうち34ケースで利用可能である。この34ケースのうちで31ケース、つまり91％でこうした危機の少なくとも1つ以上を経験している。

れほど深刻なことにはならない。

しかし対GDP比が3%以下で経常収支赤字が継続することは、経済の置かれた状況にもよるが、必ずしも悪いことではない。経常収支赤字は資金の国外への流出を意味する。もしその資金が工場の機械や設備の購入に使われ生産性の改善に役立っているのであれば、高く評価されるべきだ。この場合、資金の流出は将来の成長への生産的な投資と言えよう。実際、私が会った新興国の政府高官は、経常収支赤字が対GDP比で3%未満であれば許容範囲だが、それを上回ると問題が生じる可能性があると確信していた。2015年にワシントンで開催されたIMFの春会合では、インドネシア政府の首脳が次のように語っていた。経常収支赤字が対GDP比で3%に拡大すれば、中央銀行が金利の引き上げに踏み切る、と。その狙いは、稼ぎの範囲内に消費支出を抑制する堅実な生活に戻るためだ。

経常収支赤字のリスクは、その国がどのような支出行動をとっているかによって変わる。もし将来の成長にとって何の役にも立たない贅沢品の輸入に向けられているのであれば、将来の輸入品の支払いや借金の返済に困難を来すことになるだろう。経常収支赤字がどこに向かっているかを知る簡便な方法は、赤字の拡大と投資の対GDP比率の上昇の関連を調べることだ。もし投資比率が連動して上昇していれば、少なくとも資金が生産性とは無関係な消費に使われていないという状況証拠になる。

通貨危機の分析

対GDP比で5%以上の経常収支赤字を何年間も続けた危険な国は、さらに詳細な検証が必要だ。こうした国のほとんどは必ずといってよいほど深刻な景気後退に陥っている。景気後退の内容はそれぞれだが、共通点もある。長い間、収入の範囲を超えた野放図な生活をしてきたこと、そして最終的に海外からの借金の返済ができなくなったことだ。タイはその典型だった。

1990年代初めの時点でタイは自分自身を「第二の日本」、つまり製造業の輸出で経済大国になれると見なしていた。タイはすでに繊維産業から卒業して、日系自動車メーカーの完成車組み立てやパソコンの半導体製造を手がけるまでに発展していた。タイの人々は明るい未来を確信していた。タイ人は1人当たり平均所得が示す以上に、豊かさを感じていた。自国通貨のバーツが強い通貨の米国ドルに固定されていたため、海外旅行へ出かけたタイ人はいつでも割安な価格で買い物を楽しむことができた。

強いバーツは過剰な消費を促進し、経常収支赤字が拡大するリスクを大いに高めた。タイの銀行家たちは、シャトー・ペトリュスのワインや、オーデマ・ピゲの腕時計など海外の超高級ブランド品の収集、愛好で世界的に有名になった。さらに悪いことに、タイはそうした成金趣味を、主に外貨の借り入れでまかなった。海外からの借金はバーツが暴落すればすぐに返済が困難になるが、1990年代初めにはそうしたリスクを気にする人は誰もいなかった。タイの人々は現在の繁栄が永遠に続き、ドルとの固定相場制も未来永劫崩れることがないと信じたからだ。しかも借金するならバーツよりドルの金利の方がずっと低かった。

バンコクではユーフォリアが充満していたため、重大な警告サインに気づいた人は誰もいなかった。後から振り返ると、警告サインはもっと強く発せられるべきだった。タイ人は低金利のドルで借金をして、海外の高級品やタイ国内の不動産や株式を買いまくった。不動産や株式の価格はとんでもない高値水準に高騰した。しかし、それらはバーツ高が終わればすぐに反落する運命にあった。バーツ暴落の引き金になったのは、1993年の中国の人民元切り下げの決定だった。中国経済が弱含む中で輸出拡大によって景気を下支えするのが狙いだった。人民元の下落によって、中国は世界輸出市場でタイなどアジア諸国からシェアを奪っていった。それにもかかわらず、タイの人々は従来と同じように贅沢な消費を続けた。1990〜1994年の間にタイの経常収支赤字の対GDP比は7%ポイントも上昇し危険水準に入り込んでしまった。

1995年春から米国ドルは日本円やドイツ・マルクなど世界の主要通貨に対して上昇を始めた。バーツはドルに固定されていたので、バーツも日本円やドイツ・マルクに対して上昇した。当時、貿易や投資でタイの最も重要な相手国は日本だった。バーツにとって重要な為替相場は対円レートだった。1995年以降の2年間でバーツの対円相場は急上昇した。実質実効レートで見るとバーツは対円で50%以上も上昇し、日本からの投資はブレーキがかかった。タイの対日輸出は大幅に鈍化した。タイの経常収支赤字は拡大を続け、1995年、96年には対GDP比で

8%に達した。タイがこのまま対外支払いの増大に対応できるのか。法外な高値水準に達したバンコク株式相場や住宅価格を維持できるのか。多くの疑問が提起された。ほどなくして、タイの国内外の投資家は逼迫した金融情勢に恐れをなし資金を引き揚げ始めた。

タイの中央銀行は資本の大量流出による混乱を緩和しようとして、数十億ドルの外貨準備でバーツを買い支えた。しかし外貨準備が払底したため、中央銀行はバーツの買い支えを中止、ドルとの固定相場を放棄せざるをえなくなった。1997年にバーツは対ドルで50%下落し、タイ人の債務者は全員、住宅や株式購入のために借りたドル建てローンの返済に行き詰まった。株式や不動産の価格も急降下となり、タイ政府は海外債務の返済のためIMFに救済を求めざるをえなくなった。その後はお定まりのコースで、数年かけて形成されたバブル経済はわずか数ヵ月で完全に崩壊してしまった。マサチューセッツ工科大学(MIT)の故ルディガー・ドーンブッシュ教授が指摘したように、バブルは「大きく膨らむまでに永い時間がかかるが、限界に達するとあっという間に潰れてしまう[3]」。

十把一絡げの新興国

経常収支赤字が何年間も対GDP比で上昇を続けた場合、要警戒だ。対外債務が大きく積み上がって、返済が困難になるからだ。最近の数十年間では断続的に、連鎖的な通貨危機が発生している。投資家が経済困難に陥った国から資金を引き揚げ始めると、それが同じ地域や同じ発展段階の国にまで波及する。当該国が債務返済を滞りなく行っていても、全く無視されてしまう。1970年代以降、新興国を動揺させた危機の連鎖は、一過性ではなかった。開発途上国には、債務返済への不安がいつもつきまとっている。1994年のメキシコ・ペソの危機が1997年のタイの危機を生み、タイの危機が今度は2002年のアルゼンチンの危機へとつながったように、数多くの危機連鎖が発生した。その連鎖の過程で、少なからぬ数の新興国が巻き添えを食らった。

1997年のタイ・バーツ危機のように、ある新興国に通貨危機の兆候が現れただけで、投資家は新興国全体から一斉に資金を引き揚げようとする。彼らは冷静になって、深刻な経常収支赤字危機の国と、そうでない国とを区別することはない。最近の例を紹介しよう。2013年夏に新興国を襲った通貨連鎖危機では、深刻な危機のトルコと一過性の危機にすぎなかったインドやインドネシアとが一緒くたにされた。当時のインドやインドネシアの経常収支赤字は対GDP比で2～4％の範囲に止まっており、通貨を10～20％切り下げるだけで赤字はすぐに縮小できた。もともと両国の通貨は最初からそれほど割高ではなかったのだ。重要なのは変化の方向である。インドやインドネシアに比べれば、トルコやブラジルの方がはるかに深刻だった。両国では通貨の大幅な割高状態が続いたため、多くの国民は海外での買い物や投資をやめようとせず、すでに大きく膨らんでいた経常収支赤字はさらに拡大する恐れがあった。しかし投資家はこうした違いに留意することもなく、新興国を十把一絡げにしてすべての国から資金を引き揚げてしまった。

新興国は千差万別だ。最も深刻だったのはトルコだ。トルコは大きな経常収支赤字を生み出すために特別仕様で作られたような国だ。経済に不可欠の天然資源が国内では全く産出されず、原油、鉄鉱石、金、石炭、銅の鉱物資源はすべて輸入に頼らざるをえない。自動車やコンピュータなど多くの工業製品も輸入しており、それらの対価も支払わなければならない。その一方で、国内の貯蓄はそれほど多くない。家計、企業、政府を含む国全体の貯蓄率は15％未満で新興国の中では最低だ。トルコは消費をまかなうために、海外から多くの借金をしなければならない。貯蓄が伝統的に少なく、国内産業の投資に振り向ける資金にも限りがある。国内産業の輸出競争力はきわめて低い。輸出企業が育っていないこと、それに原油などの主要資源をすべて輸入に頼らざるをえないこと等々の理由から、トルコの経常収支は慢性的な赤字体質だ。２００８年以降、世界貿易が減速し原油価格が上昇するにつれて、トルコの経常収支赤字は再び急拡大した。２０１３年時点の世界主要国の中では、トルコだけが対ＧＤＰ比で平均５％以上の経常収支赤字を過去５年間に渡って続けていた。通貨の基準で見る限り、トルコには赤い警告灯が激しく点滅し続けている。

脱グローバル化で評価基準が変わる

実際、こうした警告サインはもっと厳しくてよかったかもしれない。この通貨の基準には、一つの重要な但し書きがついている。これから明らかになるように、経常収支赤字の危険ゾーンはその定義が大きく変わるかもしれない、ということだ。「５％・５年」で深刻な景気減速に見舞われるという法則は、最近数十年の通貨危機の経験をベースにしたものだ。しかし2008年の世界的な金融危機で世界貿易の伸びにストップがかかり、グローバルなマネーの流れは大幅な修正を迫られている。危機以降の世界では、過去の経験則が通じなくなるかもしれない。私たちは相互依存が深まった世界に住んでいるが、世界の貿易量は突然のスローダウンを迫られている。貿易量の停滞はしばらく避けられない。貿易自由化交渉の挫折や、世界的な経済の内向き志向、それに中国が部品の自国生産化に本格的に取り組み始めたことなどが、背景にある。

大きな環境の変化によって、グローバル化がどの程度「脱グローバル化」にシフトしていくのか。専門家の間では意見が大きく分かれている。世界的なマネーの流れが後退していなければ、世界貿易の減速はそれほど大きくなかったかもしれない。しかし現状は世界的マネーの移動、世界貿易ともに減速している。経常収支赤字は一般的に、輸入が過大なことから生じる。赤字国は輸入代金をまかなうために外貨をどこかから調達しなければならない。その方法は、外国銀行からの借り入れ、外国人による国内の株式や債券の購入、国内工場への直接投資などが考えられる。こうした資金の流れは国際収支の別項目である資本勘定に表記されている。実はこの資本勘定の流れが2008年以降、貿易よりもさらに劇的に落ち込んでしまった。

MITの経済学者クリスティン・フォーブズがイングランド銀行の依頼で行った研究では、国際的な資本移動は30年以上前の水準にまで落ち込んでいる。30年前と言えば、今回のグローバル化のブームが始まった頃である。この後退は衝撃的だ。1980年の1年間の国際資本移動は2

800億ドル、世界GDPの2％未満だった。その後、中国の世界貿易への参加や外国投資への門戸開放があり、新興国がそれに倣った。新たに自由化された世界では、大きな飛躍を遂げる国が続出した。国際資本移動は2007年初めには9兆ドル、世界GDPの16％という高水準に達した。そして2008年には金融危機が到来し、楽観論のバブルは大きく弾けた。2014年に国際資本移動は1・2兆ドルまで下落、つまり現在の世界GDPの2％の水準にまで再び後退した。こうした国際資本移動の変動だけで判断しても、時計の針は1980年に巻き戻ってしまった。

資本移動縮小の「真犯人」

国際収支表の資本勘定では、銀行のローンからケイマン諸島経由の秘密資金まで、人々が資金の国際的な移動に使うすべての経路がカバーされている。通常、アナリストやジャーナリズムが注目するのは、資本移動の一つの断面、つまり外国人による国内の株式や債券の市場に投資されるマネーにすぎない。こうした資金は専門的には「ポートフォリオ・フロー」の一部だが、株式や債券は売却が簡単なことから一般的には「ホット・マネー」と言及されることが多い。こうした資金は公開の市場で売買されるので、すぐに動向をつかむことができる。このホット・マネーは実際、資本移動全体のごく一部にすぎない。『フォーブス』誌が指摘するように、最も不安定な動きがこのホット・マネーだと考えるのは間違いだ。ポートフォリオ・フロー以外で大きな資本移動は、外国人の直接投資と銀行ローンだ。最近の数十年間を見ると、すべての資本移動の中で最も動きが激しいのは銀行ローンだ。銀行ローンこそが本当のホット・マネーである。

この銀行ローンが最近の資本移動縮小の「真犯人」だ。特に2008年以降の大幅な収縮は、日米欧の巨大銀行による海外資金の引き揚げが大きく影響している。その結果、海外での融資は減少を余儀なくされている。巨大銀行の国内回帰は新興国のリスク増大がきっかけとされているが、実際は2008年金融危機以降に導入された新しい規制が原因だ。新規制によって銀行は新たな資本の増強が必要になった。将来、大きな世界的金融危機に見舞われても経営破綻に陥らないようにするためである。米国では現在、FRBの検査チームが主要な投資銀行のオフィスに出向き、厳しい監査を行っている。監査が何週間に及ぶこともある。資産運用に関する新規制の遵守の実態や、海外を含むすべての市場でのリスク負担が過大になっていないかを調べている。

『フォーブス』誌によれば、銀行経由の国際的な資本移動がピークをつけたのは金融危機直前の2007年だった。その規模は世界GDPの約4%に達していた。しかし翌年からは大幅な下落に転じ、巨大銀行は新規融資を停止したばかりか、既存融資を回収して本国へ送金し始めた。こうした資金の還流はまだ続いている。「銀行業務の脱グローバル化」によって、米国や英国では旺盛な輸入需要を継続するための資金借り入れがますます難しくなっている。1990年以降、米国の経常収支赤字の対GDP比は平均約3%、英国は同2・2%が続いているが、赤字ファイナンスの継続はさらに困難さを増すことになろう。現在、大幅な経常収支赤字を抱え、分不相応の過大な輸入を行っている国々にとっても、他人事ではない。

どの国も外国資本に頼って現在の生活水準を維持することが難しくなる可能性が高い。経常収支赤字のファイナンスが継続できなくなる時期が意外に早く到来するかもしれないからだ。世界貿易の停滞でどの国も輸出収入だけで経常収支を均衡させることが難しくなり、危機に陥りやすくなっている。２００８年の金融危機以前の世界では、経常収支赤字が対ＧＤＰ比５％で５年連続した場合、経済に大きな転換点が到来した。２００８年以降の世界では、それがもっと早く訪れるかもしれない。たとえば経常収支赤字が対ＧＤＰ比３％で５年連続した場合でも、警戒が必要になってくる。インドやインドネシアの中央銀行幹部は、対ＧＤＰ比３％を要警戒水準として引き合いに出すことが多くなった。

倹約時代への回帰

グローバル化時代の楽観論が脱グローバル化時代の悲観論に取って代わられる以前から、エコノミストには一つのコンセンサスがあった。大半の国は貿易の拡大で大きなメリットを得るが、国際資本移動の拡大にはメリット、デメリットの両方がある、というものだ。

グローバル化による好況の最盛期には、国際資本移動の拡大によって輸出金額を上回る輸入がきわめて簡単に行えるようになり、その後、金融危機に陥るケースが増えた。１９８０年代に遡ると、一国の貯蓄と投資は密接にリンクしていた。もし投資が安定したペースで増大すれば、貯蓄も安定したペースで増大した。しかし2000年代に入ると、そうした関係に変化が生じた。国際資本移動の拡大によって毎年、数兆ドルの資金調達が可能になった。多くの国では国内の投資や消費の拡大のために、国内の貯蓄を増やす必要がなくなった。国際資本移動を通じて、他国の貯蓄を簡単に利用できるようになったからだ。中国の経常収支黒字は2007年に対GDP比10%の巨額に達したが、一方、米国の経常収支赤字は2006年に対GDP比で6%のピークをつけた。中国のような黒字国が輸出収入の一部を貯蓄に回して、米国のような国の非生産的な消費へ資金を提供している。国際資本の大量流入によって、多くの国では国内貯蓄を上回る消費が可能になったが、その反面で対外債務が大きく積み上がるリスクを抱えることになった。

倹約という古くからの美徳が復活しつつある。倹約によって国内の貯蓄が増大すれば、経常収支に直ちに反映される。経常収支は消費と生産の差であり、その差は国民がどのくらい貯蓄しているかを表している。もし国民が生産よりも多く消費する、つまり経常収支赤字が拡大していれば、将来の貯蓄を実質的に取り崩している。世界の経常収支の不均衡は、すべての国の経常収支赤字と経常収支黒字を足した絶対額として定義される。その不均衡が世界貿易の減少につれて2兆7000億ドルと6000億ドル減少している。世界GDPに対する比率は約3分の1も低下した。これは、国境を超えて移動する資金が急落していることを意味する。米国の経常収支赤字の対GDP比は2006年の6%をピークに現在は半分以下の2・5%にまで下がり、海外資金への依存は大幅に低下している。ユーロ圏の19ヵ国の経常収支の対GDP比は2008年の1・

6％の赤字から、2014年には同2・4％の黒字に転換している。国内貯蓄と国内投資のリンクは2007年まで完全に壊れていたが、それ以降は再び1980年の相関関係に戻ってしまった。ある国が投資を行う場合、その資金の大半は再び国内貯蓄でまかなわなければならなくなった。*

2008年危機以降で大きな懸念となっているのが、投資機会の不足によって生まれた「過剰貯蓄」の出現だ。過剰貯蓄の原因は数多く指摘されている。最も重要なものを2つ挙げるとすれば、新興国の成長鈍化とそれに関連した国際商品市況の低迷だ。2000年代に、投資は対世界GDP比で大きく増加した。その増加に貢献したのが新興国だった。しかし2010年代に入ると、国際商品市況の低迷で新興国の成長は大幅な鈍化を余儀なくされた。当然、世界の貯蓄を新興国の道路や投資に投じる機会も縮小した。2009〜2014年に世界中の投資の3分の1以上が国際商品関連の産業に向かった。しかし2014年の原油市況の暴落によって、国際商品関連の投資は急落が予想されている。

こうした変化は、新時代の成長率の鈍化だけでなく経済の安定化をもたらす。これまで国際資

＊ 貯蓄の復活は専門用語で言うと国内貯蓄と国内投資の世界的な相関関係で示すことができる。両者の相関係数は1980年の0・8から低下し2007年にマイナス0・1の底をつけた後、再び0・7へ上昇している。

本移動、なかんずくホット・マネーの移動が活発化することで、通貨危機の規模や頻度が増幅されてきた。しかし今後は、多くの国が海外の見も知らぬ人に借金までして過剰な消費を続けることができなくなる。世界経済は安定に向かうかもしれない。

現地の人々を観察する

２００８年の危機以降、貿易取引や資本移動の急拡大は見られなくなったが、国内の金融危機は何でも外国人のせいにする政治家は後を絶たない。現在、次のような考えが、共通の認識になっている。通貨危機の原因になる資金移動の大幅な変動は、世界的なプレーヤーによって引き起こされた。彼らの多くはグローバル化が急拡大した時期に国際舞台に登場した人たちだ。とりわけ大きな力を持っているのは、ヘッジ・ファンドの実力者、投資銀行のファンド・マネジャー、サウジアラビアのような産油国のオイル・マネーを運用する政府系ファンドや世界中の労働者の年金資金の運用を任されている年金ファンドの責任者などである。こうした「秘密のベールで覆われた」新興の金融仲介者には、ある種の陰謀論的な雰囲気が漂う。彼らは米中央情報局（ＣＩＡ）と同じように「すべてを見通す目」を持っている。この世の中のありとあらゆる情報や技術を駆使して、世の中を思いのままに動かし、世界中の競争相手を簡単に出し抜くことができる、というのだ。

しかし私の考えは、これとは全く正反対だ。新興国において通貨危機の発生や終息を知るには、現地の人々を観察するのが一番手っ取り早い。その国が経済危機の状態にあるか、回復過程にあるかを真っ先に感知できるのは、地元の人だ。最初に行動を起こすのも彼らだ。世界的なビッグ・プレーヤーの大半は彼らの後追いをしているにすぎない。

新興国で危機が発生するのは、次のような場合が多い。投資家が当該国への信頼を失って資金を引き揚げ始めると、通貨の下落が生じる。それによって対外債務の支払いに困る国が出てくる。危機に陥った国は、ＩＭＦに駆け込んで救済を求める。真っ先に非難されるのが、資本逃避の引き金となった逃げ足の早い外国人投資家だ。こうした強い非難の声は、１９９７〜１９９８年のアジア危機、２０１３年のトルコ・リラ、インド・ルピー、インドネシア・ルピアなどへの集中的な売り攻撃でも聞かれた。１９９７〜１９９８年のアジア危機でマレーシアのマハティール・モハマド首相は彼らを「不道徳」で「邪悪」な外国人投機家と糾弾した。当該国の政治家だけでなくＩＭＦのような国際機関も資本逃避の責任は外国人投資家にあると非難した。(4)

こうした反応は自然なことだが、危機の一連の経過で重要な点をいくつか見落としている。最初に、外国人投資家は道徳心に欠けるという民族主義的な非難は、地元の人々は忠実で愛国心に富んでいるが、外国人は気まぐれであり私利私欲に駆られて動くことを前提にしている。この仮説は、ルーカスパラドックスを見落としている。ルーカスパラドックスとはノーベル経済学賞受賞のロバート・ルーカスにちなんで名前が付けられたものだ。このルーカスパラドックスは、欧米の投資家が新興国に高い投資収益率を求める結果、資金の流れが豊かな国から貧しい国へ移動するという仮説に疑問を投げかけている。ルーカスによれば、新興国のお金持ちもまた彼らの資金を先進国へ移動させる強い誘因を持っている。先進国では、信頼性の高い金融機関や米国国債のような安全な投資対象が多く存在するからだ。

私の調査では、ルーカスの見解に分があるようだ。ルーカスによれば、新興国の人々も1995年に記録を開始して以来、自国からマネーを引き出してきた。主要新興21ヵ国の資金移動データを見ると、新興国の投資家は毎年、地元の株式市場で差し引き売り越しだった。新興国の人々は資金の大半を国内に投資する傾向が強いが、株式についてはいつも売り越しだった。その一方で、外国人投資家の新興国株式への投資はいつも買いが売りを上回っていた。2008年危機と2015年の大量売りの時以外は、毎年、買い越していた。これはそれほど驚くことではない。両方のグループとも、資産ポートフォリオの分散を進めていただけだ。つまり、先進国の投資家は資産の一部を収益率の高い新興国市場へ振り向けようとし、新興国の投資家は資産の一部を安全な先進国市場へ振り向けようとしただけだ。そこから得られる教訓は、人々が資金を移動させるのは、主に金儲けという利己心からであって、愛国心のアピールや外国の混乱に付け入ろうとする邪悪な企みからではない、ということだ。

逃げ出すのも早いが戻るのも早い

再び私の調査によると、過去20年間に新興国で通貨危機が12回発生している。地元の人々が外国人に先駆けて資金逃避に走った事例が10ケースもあった。外国人投資家が地元の人々に追随して、大量の資金を海外へ持ち出そうとするときは、通貨がすでに安値圏に到達したときである。外国人投資家は先導者ではなく追随者だ。通貨が安値をつけた段階で、外国人投資家が融資の回収や株式や債券の投げ売りで資金の引き揚げを図ったケースが、12回の通貨危機で8回もあった。外国人投資家は危機を事前に察知して大儲けするのではなく、安値売却で大損を被っているのが実態だ。

私が思うに、資本逃避を引き起こしているのは地元の人々だ。彼ら以上に地元の事情に通じている人間はいない。たとえば企業の経営不振や倒産について、地元の人々は情報が公になる前に察知することができる。ところが大手の外国人投資家が情報を得るのは、たいてい正式発表の後だ。国際収支データによれば、1994年12月のメキシコ「テキーラ危機」、つまりメキシコの通貨ペソが米国ドルとの固定相場制を離脱した時、一部のメキシコ人は通貨切り下げの18ヵ月以上も前からペソを売ってドルを購入し始めていた。ロシア通貨ルーブルは1998年8月に暴落したが、その2年以上も前から一部のロシア人は自国から第三国へ資金を移動し始めていた。

地元の人々は逃げ出すのも早いが戻るのも早い。新興国の12回の通貨危機で、地元の人間が相場の回復にうまく乗って、外国人よりも早く資金を還流させたケースが7回もあった。こうした動きを別の角度から眺めてみると、世界的な投資家は自分が想像するよりもはるかに情報を持っておらず、一方、地元の人々は外国人が評価する以上に聡いことが分かる。

地元資金が国外に大量流出していることは、国際収支の資本勘定を見れば分かる。地元の人々がバハマ諸島への資金移動や、その他の送金手法を利用して国内の銀行口座残高を減らし始めると、国際収支表では資本流出として捕捉される。一つ例を挙げてみよう。最近のロシアでは原油価格が２０１４年後半に暴落する以前から、資本の流出が驚くべき水準に達していた。ロシア経済にとって明らかに好ましくないサインだ。資本勘定を見ると、ロシア人は２０１２年、13年には年間６００億ドルのペースで資金を国外へ持ち出していた。２０１４年にはこの国外流出が１５００億ドル、ＧＤＰの８％以上にまで膨れ上がった。その年、ロシアの中央銀行はルーブルの暴落を防ぐため、１０００億ドルの外貨準備を投じてルーブルを買い支えざるをえなくなった。

経済危機に陥った場合、裕福な地元の人々や企業は法の網をかいくぐって資金を国外へ運び出すことができる。違法な手段による海外送金が国際収支表に表れるのは「誤差脱漏」の項目である。最近ではこうした秘密の資金ルートの解明は、犯罪科学に通じたエコノミストの暇つぶし的な仕事となっている。ドイツ銀行の研究では、ロシアを密かに抜け出した大量の資金が英国に向かったという重要な根拠が示されている。英国の税制と金融規制は相対的に金持ちに有利なことから、ロシア新興財閥には格好の資金待避地となっている。[5]ロシアの資金流出が「誤差脱漏」として分類される標準的ではない経路を通じて増えれば、同じ経路で英国への資金流入が増える。２０１４年に「誤差脱漏」のチャンネルを通じてトルコに90億ドルもの資金が突然流入した時も、ロシアはまたその有力な資金源と目された。当時は、ウクライナへの介入に対してロシアに国際的な制裁が科された時である。ロシア政府は暴落するルーブルの防衛に追われていた。この資金流出はロシアにとって悪いサインだったが、トルコには良いサインだった。たとえ資金流入の方法が違法であったとしても、トルコ国内に入ってしまえば他の資金と同様に有益な働きをしてくれるからだ。

誤差脱漏の闇

しかし、ロシアは資金の不正流出のチャンピオンではない。トップは中国だ。ワシントンを拠点とする調査会社グローバル・フィナンシャル・インテグリティによれば、中国は新興国の中で不正資金の最大の輸出国である。2002〜2012年の10年間に中国から不正に流出した資金は年間平均1250億ドルだが、それ以降はさらに急増している。中国政府は資金流出に対する緊急の取り締まりを強化し、個人が海外送金できる限度額の上限を年間5万ドルとする規制を実施した。ゴールドマン・サックスのアナリストは「3000億ドル喪失の奇々怪々」と題した2015年のレポートで、最近、中国からどのくらいの資金が流出したか追跡調査を試みている。このような大量の資金がどのようにして、個人の海外持ち出し額の上限を5万ドルとする中国当局の厳しい法の目をくぐり抜けることができたのか。この点についてレポートは慎重な言い回しに徹しているが、流出資金の大半は腐敗や不正で得た利益であり、取り締まりの強化から逃れようとするものであると結論づけている。(6)

中国の資本逃避手法で最も有力とされるのが、貿易送り状の改竄や、輸出受領書の数字を過小記載して海外に資金を残すやり方だ。そうした資金逃避は深圳など好景気に沸く沿岸都市経由が多いとされている。沿岸都市では、金や宝石の取り扱い業者が報告する取引数量は、海外取引先の受領書と一致しないことが多い。ＢＮＰパリバ研究所による調査では、２０１５年第１四半期の誤差脱漏は８００億ドルを突破して、新興国の記録を更新した。このうさんくさい誤差脱漏経由の資金流出が年間で３２００億ドル、中国ＧＤＰの３％以上に達している。これは憂慮すべきサインだ。

一般の人々はこうした大企業や超富裕層の資金逃避手段とは無縁だが、別の方法がある。大企業やスーパーリッチたちは常に抜け道を用意している。２０１３年半ばに通貨危機がインドネシア、ブラジル、トルコなどの新興国を広く覆ったとき、地元の人々は次のような行動をとった。インド人はルピーを金へ交換した。その規模は毎四半期数十億ドルに達した。トルコでは数百万人の一般市民が銀行に殺到し、自国通貨のリラ建て預金をドル建て預金に移し替えた（２０１３年下半期にリラが20％値下がりした時には、ドル建て預金への転換は２２０億ドルに達した）。

新興国の人々が自国の重大な変化の予知に成功したのは、これが初めてではない。１９９０年代の混乱期には、新興国の投資家は大量の資金を国外へ逃避させた。敵対的な政権から資産を没収されるリスクや、インフレの高騰や場当たり的な政策で経済が不安定化するリスクを恐れたからだ。法律で国外への資本の自由な持ち出しを規制している国は多い。企業や裕福な個人は、規制を回避する手法に精通している。規制回避の手法は公式統計では誤差脱漏として処理されるだけで、決して咎めだてされることはない。

プーチンやルーラ、エルドアンなどの指導者が金融秩序を回復したことで、新興国の経済混乱は2000年以降収束に向かった。ここでも地元の人々ほど、事態の改善を察知するのが早かった。インドネシア、南アフリカ、ブラジルなど多くの国で、数十億ドルの資金が国内に回帰した。回帰の場合も、もちろん裏チャネルがある。2002年のブラジルでは革新左派出身の大統領候補ルーラが当選すれば、対外債務のデフォルト（債務不履行）に踏み切るのではないかという懸念が広がり、国際金融市場は大混乱に陥った。しかしブラジルの国民は、ルーラが選挙演説で何を語るかよりも、彼の政権が何をするかに注目した。ルーラ政権は経済的にはきわめてオーソドックスな政策を採用した。さらにブラジルの通貨レアルの価値はそれまでの3年間で半減し割安のままで放置されていた。ブラジルでは資金を国外に持ち出したり、国内に持ち込んだりする場合には上限の規制があるために、国民の間でレアルの購入意欲が高まると、闇市場の相場が公式レートを大幅に上回った。こうした地元の人々が主導する闇市場レートの上昇が、通貨のいっそうの下落を防ぎ、将来の景気回復を予知することになった。

2015年4月時点のブエノス・アイレスへ時間を早送りしてみよう。ある私的な会議で、アルゼンチンの中央銀行の幹部が私に通貨ペソの闇市場では明るい兆しが出てきたと語った。彼によれば、闇市場のレートは公式レートよりも40％も下回っているが、1年前の同50％安に比べると少しは改善に向かっている。しかし私にとってより大きなニュースは、アルゼンチンの人々は政府の景気対策を信頼していないというメッセージを闇市場が送り続けていたことだ。地元の人々にアルゼンチンの輸出競争力が再び回復したと実感させるには、通貨ペソは闇市場でさらに大幅に下落しなければならない。

危機こそ経済の転換点

本章の中心メッセージは、通貨は割安で安定しているのが望ましいということだが、これまで議論の多くを通貨危機問題に割いてきた。なぜなら、危機こそが経済の転換点であるからだ。通貨危機に陥った国で転換の強力なサインが出るのは、経常収支が赤字から黒字へ反転する時だ。経常収支の黒字転換は、通貨が割安状態で安定し、競争力が強まっていることを意味する。輸出が促進され、輸入は抑制される。危機は過去のものとなり、経済は再び成長へ向けて歩み出す。

1997〜1998年のアジア危機と2010年代初期の欧州危機で酷似しているのは、この点だ。この2つの危機でも損失の程度や被害の広がり方は、最近数十年の他の通貨危機と共通する部分が多い。1997〜1998年のアジア危機に遡ると、通貨危機がバンコク、ジャカルタ、ソウル、クアラルンプールと伝播するにつれて、投資家が海外へ逃げ出し、通貨は暴落した。インドネシアの通貨ルピアは特に値下がり幅がきつかった。1ドル2500ルピアから同1万6000ルピアへツルベ落としとなり、その価値を80%も失った。インドネシアのある銀行では為替取引の電算処理がストップした。コンピュータのプログラムでは、ルピアが対ドルで5桁まで値下がりすることなど想定外だったからだ。通貨の暴落は地元の株式市場のドル建て価格の急落という形で飛び火した。危機が最も深刻だったアジア4ヵ国の株式市場の合算時価総額は最安値時には2500億ドルまで下落した。

これを別の角度から眺めてみると、タイ、インドネシア、韓国、マレーシアの上場企業をすべて合計した価値が、数ヵ月の間にゼネラル・エレクトリック（GE）1社の価値を下回ってしまったのだ。これは明らかに、グローバル市場がオーバーシュートしたケースだ。だが株式評価の極端な下落は、国全体が通貨下落によって完全な割安状態になっており、景気の転換点が目前に迫っていることを示していた。

アジア通貨危機でのこうした暴落は決して極端ではなかった。新興国の主要な通貨危機を1990年まで遡って調べてみて、私は次のことを発見した。1994年のメキシコや1997年のタイなどの通貨危機の中心国では、株価がドル建てで85％下落するのが一般的だった。もちろん下落の原因は通貨の下落によるものだ。一方で、通貨危機の影響を受けたその他地域の株価の平均下落率は65％だった。ユーロ危機が地域の周辺国に与えた影響はこの基本パターンに従っている。危機の震源地だったギリシャでは株価は90％下落し、その後、危機はポルトガル、アイルランド、イタリア、スペインなど周辺国へ飛び火した。こうした地域の株価の下落幅は70％だった。2012年に危機が最悪期に達した時には、これら5ヵ国の株式時価総額の合計はアップル1社を下回った。ギリシャの株式市場は、米国の大規模ディスカウント・ストアであるコストコを下回った。危機が最悪状態に達した時に「当該国のバーゲンセールが始まった」と言われるが、株価の下落はその危機の度合いを計るのに適している。

内なる通貨切り下げ

実際、欧州危機とアジア危機はお互いによく似ている。それぞれに「分身」がいた。タイとギリシャは危機の震源地であり、経済は同様に急速な収縮を余儀なくされた。タイのGDPは28％下落して戦後最低となり、ギリシャは２００８～２０１５年の間に25％も落ち込んだ。２番目に影響が大きかった国（インドネシアとアイルランド）、３番目に影響が大きかった国（マレーシアとイタリア）、そして最も影響の少なかった国（ポルトガルと韓国、それぞれ10％の落ち込み）でも、被害の程度は似たり寄ったりだった。

こうしたアジアと欧州の通貨危機で決定的な違いが出たのはその回復過程であり、その原因は、通貨制度にあった。簡単に言えば、固定相場制によって人為的に安定した金融環境を作り出そうとしなかった地域ほど、経済の柔軟性が維持できて、景気の回復も早かった。通貨危機が始まる前の10年間、アジアと欧州は全く異なる固定相場制を採用し、自らの地域が融資先、投資先として安全であることを世界にアピールした。アジアは通貨を米国ドルと連動させ、欧州は新しい単一通貨ユーロを採用した。ユーロは欧州最大で最も保守的なドイツの経済と強く結びついていた。

両地域とも最初は狙い通りに事が運んだ。通貨の安定性に対する信頼感が広がり、銀行は貸し出しのコストを引き下げた。人々は借り入れを大幅に増やすことで、買い物や住宅建設、工場などの設備投資を行った。こうした借金主導の消費や輸入が急拡大した結果、経常収支は赤字に転落した。外国銀行から借り入れが多い国では、負債返済能力への疑念が特に強まった。

アジアではドルとの固定相場制を放棄したことで、崩壊と復活のサイクルが加速した。ドルとの連動を止めたことで為替市場や金融市場は総崩れとなったが、一方で復活は早まった。1998年は惨憺たる年だったが、1999年の初めになるとすべての危機国で経常収支が黒字化する展望が開けてきた。危機前の数ヵ月間、アジア諸国では平均でGDPの5%に相当する経常収支赤字を抱えていた。しかし1年も経たないうちに、東アジア諸国は通貨引き下げによる輸入抑制、輸出促進の効果によって、GDPの10%に相当する黒字を実現した。アジア通貨は最初に大暴落したものの、その後は割安状態で安定した。それが将来の復活の起爆剤となった。アジア諸国は3年半で、1998年の大不況で失った生産量のすべてを取り戻した。

それから12年後の時代へ時間を早回しして、イタリア、スペイン、その他の欧州弱小国がどうして素早く為替調整が行えなかったのか見てみよう。彼らはすぐにユーロを放棄できなかった。そのため通貨価値の急落を避けることができたが、輸入の急減や輸出の急回復の恩恵に与れなかった（ユーロは最終的には対ドルで下落することになるが、それが始まるのは2014年中頃だった）。彼らが競争力を回復して輸出収入を増やし、外国資本への依存を減らす唯一の方法は、賃金や公務員数を削減することだった。エコノミストはこの恐ろしい緊縮政策を「内なる通貨価値の切り下げ」と呼んだ。それによって輸出競争力が回復し、実際の通貨価値の切り下げと同じ効果を生むからだ。しかしそのためには時間がかかり、政治的に多くの困難を伴う。特に労働組合に友好的な欧州では、組合との間でねばり強い交渉が必要だ。危機から5年が経ったいまでも、欧州の小国にはまだ回復の気配が感じられない。

通貨安でも輸出するものがない

公平を期して言えば、外部環境の点で欧州はアジアよりもはるかに恵まれていない。2008年の金融危機の後、世界経済は第二次世界大戦後最弱と言われる景気回復を経験した。そうした状況下では、輸出に頼って景気を上向かせるわけにはいかない。1998年のアジアには固定相場制の放棄という選択肢があっただけでなく、世界的な好景気の中で経済再生を図るという幸運にも恵まれた。アジア回復の原動力になったのは、米国経済が1996〜2000年に年率4・5%という異例の高成長を続け、アジアから廉価な製品を大量に輸入したことである。

欧州の小国にようやく転換点が見えてきたのは2014年に入ってからだ。経常収支バランスが赤字を脱して黒字へ転換する気配が見えてきた。ようやく輸出収入によって対外債務の返済ができるようになったことを意味している。ポルトガル、スペイン、アイルランドは経常収支が大幅に改善して黒字化が視野に入ってきた。しかしイタリアとギリシャはまだ視界不良だ。

2015年5月にギリシャを訪れた。そこで私は一つのことに気づいた。ギリシャが先行きの展望を持てないのは、ギリシャではほとんど何も製造していないからだ。賃金やその他のコストを大幅に切り詰めても、輸出拡大の後押しにならない。輸出するものがないからだ。しかし物価の下落によって、ギリシャは観光客に魅力的な場所になった。中国やインドから大挙して観光客が訪れ、本国以外でこれだけ多くの中国人やインド人を見たのは初めてだった。しかし観光業はギリシャのGDPの7％未満にすぎない。もちろん観光業はバハマやセイシェルのような小さな島国では重要だが、中規模あるいは大規模な国が金融危機から立ち直るのに決定的な役割を果たした話などこれまで聞いたことがない。タイにも有名な海洋リゾート地が存在するが、1997～1998年に危機が直撃した時、観光産業の対GDP比は7％以下だった。タイ経済の復活に観光業が果たした役割は自ずと限定的だった。

なぜ東欧諸国はそれぞれタイプの異なる危機を経験したのか。それは、通貨変動の自由度でかなりの部分が説明できる。ポーランドやチェコは欧州連合への加盟を目指して賃金や政府支出の削減に取り組んでいた。2008年の危機発生時には、隣国の豊かな国々よりも財政状態は良好だった。しかしポーランドやチェコはユーロに参加していなかったために、通貨はフリー・フォール状態になってしまった。危機発生からしばらくの間はユーロが依然かなりの割高だったのに対して、ポーランドのズロチやチェコのコルナはきわめて割安状態で放置された。特に他の新興国との輸出競争が激しさを増す中で、幸運な偶然によってポーランドやチェコは通貨安の恩恵に与えることができた。

　西欧やロシア、ブラジル、トルコなどの新興国に比べると、東欧には高い競争力があるように見えた。つまり通貨が割安状態にあったのだ。２００８～２０１３年に欧州以外の主要な新興国ではインフレ調整後の通貨価値が対ドルで切り上がり、経済規模の大きな上位20ヵ国の中では13ヵ国で経常収支赤字が拡大した。残りの7ヵ国の大半はポーランド、チェコ、ハンガリーなど欧州の新興国だった。厳しい政府支出の削減で輸入が鈍化し、割安の通貨と賃金の引き下げで工業製品などの輸出が増大した。ポーランドでは通貨ズロチ相場の下落と、西欧比で平均75％も割安な賃金とが相まって、サービス、自動車、農産品などあらゆる分野で主要な輸出国へと躍進した。ポーランドの経常収支は２０１５年には黒字となり、同年の成長率は３・５％という高水準を達成することができた。

　しかしポーランドには混迷が続くユーロ圏に近接しているという悪いイメージがついて回る。このため、世界の投資家の関心は盛り上がりを欠いたままだ。同国を訪れる国際ビジネスマンの数はそれほど多くない。ポーランドの人口は４０００万人と東欧では最大であり、2番目の国の2倍の規模だ。しかし、その首都ワルシャワで新規に開業を決めたという世界の主要なホテル・チェーンはまだ聞いたことがない。ポーランドには別の魅力もある。低インフレだ。割安な通貨と低インフレの組み合わせは、通貨が割安なだけの場合よりも、世界の資金を国内へ呼び込むうえで、はるかに強力で永続的な力となる。

２０１０年代の初めにワルシャワを訪れたとき、昔風のレンガ造りの倉庫やレトロな雰囲気が漂うオシャレな場所に、新しいレストランがオープンされていることを発見した。訪れていた客の多くは流行に敏感な地元の若者や、外国から戻ってきたかつての国外居住者だった。数年前までは多くのポーランド人が仕事を求めて海外に移り住んだため、「ポーランド人の配管工」は欧州中で反移民政党の標的となった。いまやポーランド人配管工は、通貨ズロチの競争力に支えられた経済発展と良好な雇用環境に引きつけられるように本国への回帰を強めている。ポーランド人がポーランドを再発見している。外国人もいつの日か彼らの後を追うことになるに違いない。

市場のしっぺ返し

強い通貨は強い国家の証だ。こうした幻想の犠牲になる政治リーダーは多い。その反対に、弱い通貨も時には役に立つと考える官僚的リーダーは、その正反対の通説に足元をすくわれる。その通説とは、通貨の切り下げで経済を復活させることができるという誤りだ。これは形を変えた国家介入主義である。為替市場に介入して通貨価値を特定の水準で安定させることは、他の財やサービスの市場価格を人為的に固定するのと同じことだ。こうした介入行為は多くの場合、市場から手痛いしっぺ返しを食らう。

通貨の切り下げで繁栄を手に入れようとしても、他国が同じことをすれば空振りに終わってしまう。２００８年の金融危機の後、多くの国が通貨の切り下げで競争力を改善しようとしたが、その効果を長続きさせることはできなかった。米国、日本、英国、ユーロ圏の中央銀行は通貨切り下げの手法として大量にマネーを増刷する「量的金融緩和」に踏み切ったが、せいぜい輸出シェアを他国に対してほんのわずか拡大できただけだった。

通貨を管理する試みには、市場の制裁が待ちかまえている。最も重要なのは次の点だ。たとえばある国がドル、ユーロ、その他の外貨で多額の借金を抱えているとしよう。もし通貨を30％切り下げた場合、外貨建ての借金の返済負担は同じ幅だけ増える。２０１５年の世界経済ではさらに悩ましい問題もあった。ブラジル、ロシア、トルコなど多くの新興国では通貨が下落しても、その恩恵がほとんどなかった。なぜか。その答えは、通貨の下落が不十分だったことだ。

さらには、こうした国々では多くの企業が外国からの借金を拡大させていた。新興国では１９９６年以降、民間企業の対外債務の対ＧＤＰ比は倍以上となり、台湾、ペルー、南アフリカ、ロシア、ブラジル、トルコでは対ＧＤＰ比が20％を突破していた。当然、こうした国々では通貨切り下げは功罪相半ばした。民間企業は増大した債務負担の返済に追われる一方で、雇用や設備投資は抑制せざるをえなくなった。

こうした自滅的な循環をこれまで数多く見てきた。１９８０年代の中南米危機は、最近の数十年では新興国を破綻に追いやった通貨危機の第一号だった。その原因の一つが、アルゼンチン、チリ、メキシコの海外借り入れの解禁だった。こうした先駆的な動きによって景気は猛烈な勢いで回復したが、しばらく時間がたつとめまいがするような難問に直面した。輸入代金の支払いや海外借り入れの返済に必要な十分な外貨収入を上げることができなかったのだ。こうした多くの事例では、政治的指導者は通貨の切り下げで経済の競争力を高めようとしたが、結局は自国の企業や国民の多くを対外債務のデフォルト（不履行）へと追い込むだけだった。アルゼンチンが最悪の事態を迎えたのは2002年のことだった。最近の数十年間ではどの国も経験したことのない真正の不況のまっただ中で、アルゼンチン政府は国債のデフォルトに踏み切った。通貨の供給は急減し、アルゼンチンの人々は物々交換のための市場の開設を迫られた。その一つは、ブエノス・アイレスの高級ショッピング・モールの空きスペースに設けられた。

通貨の引き下げは、それ以外にも予期せぬ副作用をもたらす。製造業の基盤がない国では、通貨安は輸出の促進、外貨の獲得、経常収支赤字の改善にほとんど役立たない。これは国際商品の輸出国が抱える共通の弱点だ。もっとも最近の研究によれば、10～20年前と比べると工業国でも通貨安の恩恵を得ることがますます難しくなっている。その理由は、最近のサプライチェーンのグローバル化だ。多くの製造企業では部品や原料を海外から調達する割合が急拡大している。その結果、輸出品に組み込まれる輸入品の割合が高まっている。もし工業国が通貨切り下げで輸出競争力を高めようとしても、輸入価格の値上がりでその効果が相殺されてしまう。

食料やエネルギーなどの輸入依存が高い国では、通貨引き下げはこうした輸入コストの上昇を招き、インフレが発生しやすくなる。その結果、通貨価値がさらに損なわれ資本逃避を招く事態になるかもしれない。こうした症状は、トルコでは定期的に観察されている。

通貨防衛は逃避者への補助金

資本逃避の発生で政府は困難な立場に追い込まれる。外国人が地元の人々の後を追って資金の引き揚げに殺到すると、中央銀行は通貨が破滅的な暴落に陥る事態を避けようとする。中央銀行は自国通貨の「防衛」のために、外貨準備に蓄えられている数十億ドルの資金を使って買い支えに動く。しかしこうした行動は外貨準備の減少を招くだけで、通貨下落の中断も一時的にすぎない。投資家に対して、最小限の損失で資本を国外へ待避させる機会を提供しているだけだ。投資家の資本逃避は止むことがなく、為替相場では下落圧力が続く。通貨トレーダーの多くが好むジョークがある。「『通貨防衛』は外国人投資家への『脱出補助金』だ」。これが1997～1998年のアジア危機においてインドネシアとタイで起きたことだ。最初から市場の価格決定に委ねた方がはるかにましだったはずだ。

経済発展のために意識して通貨の引き下げを実施できるのは、ほんの一握りの国だ。その点で、1993年に中国が実施した通貨切り下げを振り返ってみたい。通貨切り下げが短期的にたいした痛みもなく、力強い景気回復につながったレアなケースだ。中国は対外負債が少なく、輸入財への依存も低い。そして最も重要な点は、国内に強力な製造部門を抱えていたことだ。製造部門は人民元の引き下げ前から高成長を続けていた。この通貨引き下げ戦略は、ブラジル、トルコ、ナイジェリア、アルゼンチン、ギリシャではうまく行かなかっただろう。こうした国々では国内の製造基盤が皆無に等しい。もし通貨を引き下げれば輸入価格が上昇してインフレが激しくなる。その一方で輸出産業が育っていないために、輸出や雇用の促進にはほとんど効果がないか、効果が現れるにしても相当長い時間がかかるだろう。

次の点は強調しておきたい。1993年に中国の高官が対ドルに対する人民元の固定レートを決める時、彼らは当時の最高指導者、鄧小平に助言を求めた。鄧小平は高官に対して、闇市場のレートを正式なレートに採用するように言った、という。究極のプラグマティストである鄧小平は、実際の為替レートの設定において利用できるものは何でも使うべきだというすばらしいセンスを持っていた。

通貨の引き下げが成功したもう一つの事例はインドネシアである。1986年に30％の切り下げと同時に、輸出促進のための大改革を実施した。インドネシアの元財務大臣ムハマド・チャティブ・バスリによれば、1970年代の同国は内向き志向が強かったが、1980年代に入ってからは当時の主要輸出品だった原油価格が暴落したために改革を迫られた。原油価格が暴落するにつれてインドネシアの通貨ルピアも連動安となり、輸出業者の収入は減少した。通貨の下落は、彼らを貿易自由化の支持者へと変えていった。

当時、インドネシアの指導者だったスハルトは経済政策を官僚に委ね、官僚は関税や税金の引き下げに着手した。海外からの投資にも門戸を開放し、税関官吏の汚職には、関税業務をすべてSGSというスイスの民間検査会社に丸投げする荒技で対処した。バスリによれば、このような積極的な対外開放政策において、ルピアの切り下げは改革の一項目にすぎなかった。こうした一連の改革は、将来のインドネシアにおける製造業ブームの起爆剤となった。(7)

どうしてスイスは特別なのか

通貨の基準に対する一つの教訓を挙げるとすれば、開発途上国ほど「通貨安は良いことだ」にもっとこだわるべきだ。もしある国が原材料、さらに詳しく言えば、低価格が重要なセールス・ポイントの衣料、靴、加工食品のような単純な工業製品を輸出していれば、通貨価値の変動は経済的な命運を大きく左右する。しかしもし高級財、特に顧客が、値段が高くても買いたいと思うようなブランド品を製造している国では、通貨価値の変動は無視できないものの開発途上国ほどの重要性はない。

古典的な例はドイツと日本だ。両国は1970年代、1980年代と、大幅な通貨切り上げにもかかわらず、長期間の高度成長を維持することができた。「メイド・イン・ジャーマニー」や「メイド・イン・ジャパン」は厳格な基準、正確な技術と同義だった。スイスでも同じことが言える。最近の10年間でスイス・フランほど為替レートが切り上がった通貨はない。しかし世界の輸出市場で他の先進国が軒並みシェアを落とす中で、スイスだけは不動の地位を維持した。

大手銀行が「どうしてスイスだけが特別なのか」について調査を行った。その調査によると、スイスが製造する医薬品、機械、それにもちろん時計などの輸出品はいずれも品質が高く、スイス・フランの切り上げで値段が上昇しても顧客が離れない。*The Atlas of Economic Complexity*（未邦訳）によると、スイス以上に高品質で幅広い輸出品を製造している国は、日本だけだ。チューリヒやジュネーヴに滞在中、これと同じ圧倒的な非価格競争力をたびたび感じた。ホテルのサービスはとても手際が良いうえに洗練され、高額の宿泊代金も決して割高さを感じさせなかった。1990年代半ばという早い時期に、私はチューリヒの観光名所となっているレストラン、ヒルトゥルで食事をとったことがある。当時、ウェイターはすでに携帯情報端末を持ち、お客の注文の情報を即時に厨房へ送っていた。ヒルトゥルは1898年創業の世界最古のベジタリアンレストランであり、携帯情報端末を世界で最初に導入したことでも知られている。ヒルトゥルは、歴史の伝統と最新テクノロジーを合体させた典型的なスイス企業だ。

通貨の引き下げに頼らなくても世界市場シェアを拡大できるように、中国でも似たような試みが始まっている。製造業の高度化だ。中国の輸出に占める工業製品や資本財の比率は2002年の30％から現在では50％に上昇している。2000年の時点では技術系上場企業の株式時価総額の約80％は米国、欧州、日本に集中していた。しかしその後は、中国、韓国、台湾の企業の躍進によって、その比率は60％以下に低下してしまった。

切り下げだけでは幸せになれない

2008年の世界金融危機以降、世の中の動きが逆回転し始めた。景気浮揚のための通貨切り下げ競争は、いまのところ限定的である。世界貿易の拡大にブレーキがかかり、新興国は伸びが止まった貿易量のシェア競争に明け暮れている。通貨切り下げだけで経済的なスターが誕生する時代ではなくなった。こうした環境下で通貨切り下げを行えば、すぐに反撃を食らうだろう。ただベトナムのように経済規模が比較的小さな国では通貨切り下げがまだ機能するかもしれない。ベトナムの貿易金額はGDPの170%にも達し、世界貿易のシェアがほんの少し高まっただけで、経済成長に大きなプラスの影響が及ぶ。しかし経済規模の大きな国では、国内市場に比べ貿易の果たす役割は小さくなっている。

このようにハードルが高くなってきたとはいえ、政府が景気浮揚策から通貨切り下げを外すことはないだろう。世界経済の成長が鈍り、グローバル化が中断し、世界貿易のシェア競争が熾烈を極める中で、どのような戦略も空振りに終わる可能性がある。中国でさえ現在の通貨切り下げの効果が1993年頃と同じということはありえない。

1993年以降、中国は世界輸出の12%を占めるまでに成長したが、これは最近数十年間でどの国も到達したことのないほどの高水準だ。ここまでシェアが拡大すれば、今後の伸びシロは限りがある。実際、経済規模からすれば、もし中国が通貨切り下げを行った場合、その余波として新興国でも軒並み通貨が下落する可能性がある。2015年暮れに中国が輸出の落ち込みを取り戻そうとして人民元を3%切り下げたが、多くの新興国の通貨は瞬時に大幅な下落となった。中国政府が期待した競争力の回復が実現しなかったばかりか、切り下げ以前よりもかえって悪化してしまった。

通貨の価値は市場に決めさせるのが一番である。通貨の価値は、世界貿易や投資の分野で、ある国が主要なライバルと価格面でどれだけ有効に競争できているかを計る最も簡便なリアルタイムの尺度である。もし通貨が割高になれば、経常収支の大幅な赤字が続いて資金の国外流出が始まる。経常収支赤字が年間平均で対GDP比5％の規模で5年間続いた場合、景気が減速し金融危機のリスクが極度に高まる。しかし「脱グローバル化」が日増しに強まる現在では、その危機ラインはおそらく3％にまで下がっている可能性がある。経常収支赤字が3％以内に収まっていたとしても、その赤字が工場設備のような生産的な購入か、それとも奢侈品のような非生産的な購入に向けられたものか知っておくことは重要だ。

通貨危機の始まりと終わりを見つけたいなら、地元の人々をじっくり観察することだ。その国が危機に陥り、回復に向かう場合、それを最初に察知するのは彼らだ。最初に動き出すのも彼らだ。巨大なグローバル・プレーヤーは後追いにすぎない。経常収支が黒字に戻り、海外からの資金流入で輸入代金の支払いが再び可能になったとき、国の運命の好転が間近に迫っているサインである。普通なら、こうした回復の過程を促進するのが通貨の大幅な切り下げである。

もちろん通貨の大暴落は良いサインではない。対外債務が大きく、輸出のための製造基盤が乏しくて通貨下落の恩恵を受けることのできない場合は、特にそうである。理想的な組み合わせは、市場で決まった割安な通貨と低いインフレ期待に裏打ちされた安定した金融環境だ。そうした組み合わせが揃って初めて、地元のビジネスマンには新工場の建設、銀行家には適正な金利での融資の拡大、投資家には国の復活に対する長期的なコミットメントへの確信が湧いてくる。

第9章

The Kiss of Debt

【過剰債務】禁断の債務バブル

——債務の伸び率は経済成長率より高いか、低いか

警告は無視される

ロバート・ジリンスキーは金融危機の到来を予想した銀行アナリストである。性格的にもなかなか挑発的な人物だ。1997年の後半、アジア通貨危機が猛威をふるっている最中に、私は香港で彼との面談に臨んだ。1995年の時点で書いた簡潔な記事の中で彼は、次のように分析していた。新興国で起きた多くの金融危機では、その直前までに債務が5年連続で年率20％以上のスピードで積み上がっており、タイはそうした信用バブルのまっただ中にあると警告していた。当時は、誰もジリンスキーの意見に耳を傾けようとしなかった。当時、彼の勤務していたジャー

ディン・フレミングはアジア地域で最も積極的に活動していた銀行の一つだったが、そこでの同僚たちでさえ彼の警告を一顧だにしなかった。

ジリンスキーのぶっきらぼうで、型破りな性格からすると、彼は苦労してまで自分自身のメッセージを世の中に広げる気はなかった。１９９７年10月に、タイの通貨バーツが崩壊した。その時、彼が取った行動は私が知る限りでは、銀行アナリストとして最も風変わりなものだった。彼はレポートで無味乾燥なデータを列挙して警告を繰り返す代わりに、３ページの『債務の接吻（*The Kiss of Debt*）』と題した短い戯曲にして、借金バブルの顛末を描いて見せた。場所は東南アジアの某国。長く続いた好景気と借り入れコストのあまりの低さに、すべての人々は金銭感覚が狂ってしまった。ある銀行マンがア・ホイという名前の農民に、不動産会社の立ち上げを勧める。銀行マンは「大成功間違いなし」と請け合う。ある主婦は「いまのうちに何でも買っておかないと損するわ！　後悔したくないの」と叫ぶ。首相は、銀行から国の借金が増えるたびに心配顔をする財務大臣に何とかなるさと繰り返す。一方の銀行側も正常な感覚をなくしていた。時間とともに人々の狂気は激しさを増し、舞台の背後からは「債務の接吻！　債務の接吻！　債務の接吻！」の合唱が響き渡る。

お金の借り手も貸し手も債務バブルにとりつかれ、民間の貸し出し残高の伸びが経済の成長率を上回る。こうした過剰債務問題が発生した時に、前記の戯曲で初めて警告を発したのがジリンスキーだった。信用危機が過大な借金と裏腹の関係にあることは言うまでもない。数兆ドルの規模の信用市場を分析する手法は数え切れないほどある。たとえば、誰が融資を提供しているのか（外国か、国内か）、融資の受け取り手が誰か（政府か、民間企業か、個人か）、債務負担はどれだけ大きいのか、債務はどのくらいの期間に、どれだけのスピードで拡大しているのか。これらの組み合わせは無限だ。ジリンスキーが行ったのは、企業や個人など民間の巨額の借り入れがいかに頻繁に金融危機につながっていったかに焦点を絞ったことだった。それから10年後、米国や欧州では再び民間の債務が急増し世界的な金融危機が醸成されようとしていた。私はジリンスキーの教訓を個人的に試してみたくなった。しかし今回の世界金融危機に比べると、アジア通貨危機の比ではなかった。私は残念ながら「債務の接吻！　債務の接吻！……」の合唱を聞き取ることができなかった。

水準ではなく伸び率が問題

過去30年の間に、世界は金融危機に頻繁に見舞われた。この次の金融地雷はいつ爆発するのか。危機のたびに警戒信号を探す作業が始まった。危機のたびに新しい解説が生まれた。１９９０年代のメキシコの「テキーラ危機」の事後検証では、メルトダウンの引き金となった短期債務の危険性に焦点が当てられた。１９９７〜１９９８年のアジア危機の後は、外貨建て過重債務の危うさが指摘された。外国資本は問題が発覚するやいなや、タイやマレーシアから突然引き揚げてしまったからだ。こうした解釈の違いがその後の混乱を生んだ。２００８年以前に金融危機がすでにその姿を現しつつあったが、大手金融機関はそれを見逃してしまった。

その反省から、国際決済銀行、欧州中央銀行、ＩＭＦなどの金融当局は、新たな視点から問題の研究に取りかかった。２０１１年には、それぞれが異なるアプローチを採用しながらも、同じ結論に到達した。こうした研究に共通の考え方は、金融危機を１９３０年代の大恐慌に遡って関連づけたことだ。ある研究では、１６００年代のオランダで起きた「チューリップ・バブル」にまで遡って言及していた。こうしたすべての危機に共通する前兆――したがって、将来の危機を示唆する最も強力な指標――は、国内の民間融資がかなりの期間、経済成長率を上回って伸びていることだ。これはとても重要な手がかりだ。

金融当局はもう一つ別の驚くべき結論に達した。国の債務の総額――政府と民間の債務の合計――は経済の将来性にとって重要だが、未来の金融危機の明確な予兆になるのは債務全体の伸びの速度である。債務の規模は重要だが、さらに重要なのは伸びの速度の方だ。タイにとって悪い兆候だったのは、１９９７年までに民間債務がＧＤＰの１６５％まで積み上がっていたことだ。しかし、債務の伸びの速度が経済の成長率を長期間にわたり大幅に上回っていないかぎり、この程度の債務水準は必ずしも問題とはならない。タイの債務は１９８０年代後半から安定的に拡大していたが、１９９０年以降は急拡大に転じた。１９９７年までの５年間、タイ経済は年率10％成長を遂げたが、民間債務は25％で拡大した。債務の急上昇は、ジリンスキーが描いた過剰な楽観ムード、融資、借り入れの間違った判断を反映したものだ。タイの債務負担の急拡大が危機を誘発する可能性が高まっていた。したがって、将来の危機の明確なサインは、民間債務が1997年に対GDP比で165%に達したことではなく、同比率が1992年の98%から1997年には67%ポイント増の165%へ急上昇したことだった。将来の危機を予想するに当たり、1つのマジック・ナンバーがある。それは対GDP比で見た民間債務の5年間の上昇幅だ。*

私自身の研究では――2008年の金融ショック以降、遅ればせながら大いに注目されることになったが――、こうした発見を2つの重要な手法でさらに精緻化している。1つ目は、帰還不能点だ。その時点を過ぎると、民間債務が5年間急上昇して、金融危機の可能性が大いに高まる地点だ。2つ目は、国際金融機関が見落としてしまった問題だ。彼らは、株式市場や為替市場の急落のような警告サインの発見に注力しすぎたために、債務バブルが金融危機に直結しなかったとしても、経済に何らかのダメージを与えている点を見過ごしてしまった。私の研究によれば、帰還不能点を越えてしまうと、経済は金融危機の可能性が高まるだけでなく、ほぼ確実に景気の大幅な減速に見舞われる。**

* 実際、1980年代のチリ、1990年代初期のインドネシアでは、民間債務が急上昇した後で危機が表面化した。しかし、その水準は相対的に低く、対GDP比で50%以下だった。

** 2015年には“Untangling China's Credit Conundrum”「中国の信用の謎を解決する」(ゴールドマン・サックス、1月)や“Keeping a Wary Eye on the EM Credit Cycle”「新興国の信用循環には要注意」(JPモルガン、11月)など、民間の金融機関の研究者が債務バブルと景気減速の関連性について論文をいくつか発表している。

民間債務の伸び率vs.経済の成長率

150ヵ国の過去データを1960年まで遡ることによって、私のチームは5年間継続した最も激しい債務バブルの30事例を抽出した。その分析によって、債務危機のビンテージ・セレクションとでも呼べるものが明らかになった。そのリストのトップは、アイルランドだ。2004〜2009年の5年間で、民間債務は対GDP比で160%ポイントも上昇した。これは驚異的な数字だ。先進国では、1980年代の日本のほかに、2008年の金融危機の前に債務が急上昇した5ヵ国が含まれる。その代表例は、ギリシャ、オーストラリア、スウェーデン、ノルウェーだ。新興国では、上位に1980年代のウルグアイ、チリ、1990年代後半のタイ、マレーシア、現在の中国がランクインしている。こうした30の事例では、民間債務の伸び率は5年間、経済の成長率を大幅に上回り、その対GDP比は合計で40%ポイント以上も上昇した。*

これらすべてのケースでは、サイクルの5年目に入ると民間債務の対GDP比増加幅が40%ポイントの天井に突き当たり、悪化への転落が始まる。いったん40%ポイントのラインを超えると、これら諸国の大半――30ヵ国中18ヵ国――では、その後の5年以内に必ず金融危機が発生している。** こうした金融危機の例をいくつか紹介すると、ギリシャは2008年に民間債務が40%ポイントのラインを突破するやいなや、金融危機が勃発した。タイでは1993年に初めて40%ポイントのラインを超えたが、金融危機が発生したのはそれから4年後のことだった。

極端な債務バブルが経済成長率に与えるマイナスの影響は、さらに深刻である。前記の30事例には、金融危機にまでいたらなかったものも含まれるが、民間債務の増加幅が40％ポイントのラインを超えた後、すべてのケースで景気の急悪化に見舞われている。*** 30事例を平均すると、GDP成長率はその後の5年間で半分以下へ下落している。たとえばギリシャでは、対GDP比で見た民間債務は2003年の69％から2008年には114％へ上昇し、トータルの上昇幅は45％ポイントに達した。その後の5年間でギリシャの平均年間成長率は、2008年以前の3％からマイナス5％へと大きく沈んだ。楽観主義のバブルが弾けた後、人々は厳しい現実を直視せざるをえなくなった。おカネの借り手も貸し手も好景気に浮かれた時代が去り、高く積みあがった債務や融資の後かたづけのために一銭たりとも無駄にできない禁欲的な生活を強いられるようになった。

＊　こうしたケースの多くでは、GDP成長率は5年間、高水準で推移するが、債務はそれを上回る勢いで伸びている。そのため、債務の対GDP比が上昇する主な要因は債務の伸びということになる。

＊＊　金融危機は、カーメン・ラインハート、ケネス・ロゴフが著書『国家は破綻する（*This Time is Different*）』で定義した銀行危機と同じ意味で使っている。銀行危機では取り付けが発生し、それを機に政府が1つ以上の金融機関に対して閉鎖や合併、あるいは救済、買収を行っている。

＊＊＊　30事例のうち26ケースで、その後の5年間は年間平均成長率が下落した。それ以外の4ケース、つまりマレーシア、ウルグアイ、フィンランド、ノルウェーの4ヵ国では深刻な景気収縮が生じたが、景気回復は早く、その後の5年間の平均成長率は上昇に向かった。

こうした30事例のどの結末をとっても、明確な一貫性がある。少なくとも過去50年間のグローバル経済の変動を踏まえると、これは経済的な「重力の法則」と呼べるものかもしれない。私の研究によると、民間債務の伸び率は、債務バブルが弾けた後でも重要な指標であり続ける。もし民間債務の伸び率が5年間続けてGDP成長率を大きく下回っていれば、景気の急速な回復にむけた環境が整う。銀行は預金の積み上がりによって、融資の拡大に前向きになることができる。借り手も債務残高の大幅な減少によって借金の過剰感を心配する必要がなくなる。

そうすると、債務について次のような重要な疑問が湧いてくる。ある期間で区切った場合、民間債務の伸びは経済成長率を上回っている方が良いのか、それとも下回っている方が良いのか。たとえば民間債務が5年間で成長率を大きく上回った国があるとしよう。その国は注目リスト入りが確実だ。債務拡大に歯止めが効かなくなって、成長率が急落し、金融危機が発生する恐れがあるからだ。その反対に、もし民間債務が5年間で成長率を大きく下回った国があれば、その国も景気回復の点で注目リストに入る。資金の出し手は不良債権の処理が完了し、いつでも新規融資を再開する態勢が整っている。

タイの事例を見れば、この基準の両方向の有効性が分かる。タイでは債務の対GDP比が5年連続で上昇し、1993年には40％ポイントのラインを超えた。GDPの年間平均成長率はそれ以前の5年間の11％から、1993年以降の5年間は2・3％へ急落した。しかし債務の拡大は、1997年の経済危機まで続いた。その後は、銀行や借り手は一転、融資に慎重になった。彼らが不良債権処理で体力の回復を進めている間に、債務の対GDP比率は2001年末まで5年連続で下落した。タイで回復へ向けた本格的な胎動が始まったのは、そうした不良債権処理が一段落した後のことだった。

民間が先導し、国が後を追う

2008年金融危機の事後検証によって、金融危機発生のメカニズム、つまり危機の原因がどうして企業や個人の民間借り入れにあるのかについての理解が深まった。基本的な答えは、債務バブルが生じるのは民間部門だからである。発明や技術革新が引き金となって、人々は次のように考え始める。これからしばらくは高度成長が続く、将来の所得が大幅に増える見通しが立った、これで借金をさらに増やしても問題はない……等々。米国では、水中作業用の釣り鐘潜水器の発明、運河や鉄道の開通、テレビの普及、大容量の光ファイバーネットワークの出現、リバース・モーゲージ・ローンなど新たな融資手法の発達が、債務バブルのトリガーになった。

まず新たな技術革新が経済成長や所得の増大を促し、将来への展望を明るくする。それによって、借り入れが増加する。この楽観主義の好循環は、技術革新の最初の効果が弱まった後も、長く継続する。生産性の伸びが鈍化し始めると、エコノミストからは技術革新の影響が次第に弱まってきたとの声があがる。しかし多くの企業はバブルにのぼせ上がっているため、供給能力が実際の需要を上回っても、鉄道や光ファイバー網などの建設を止めようとしない。それ以外にも、景気の拡大が当分続くと当て込んで、借金して住宅や事務所を建設する人が出てくる。そうした借り入れ需要に応えるため金融機関は新種のローンを次々に開発し、債務バブルの宴はいやが上にも盛り上がる。

債務の伸びが経済成長を大幅に上回っているときには、銀行で大きなミスが発生するリスクが高まる。その銀行がいかに立派な経営を行ったとしても、短い期間に多種類の融資をいっせいに行えばそうならざるをえない。バブルが長く続けば続くほど、リスクはさらに大きくなる。審査能力の劣る貸し手が市場に参加し、返済能力の劣る民間の借り手や投資家への融資が増えていく。たとえばジリンスキーが記述したような素人、つまり手当たり次第に投資しようとする裕福な家庭の主婦などだ。債務バブルによって経済成長が急拡大しているときほど、経済が突然崩落する危険性が高まる。

2008年以前の米国では、サブプライム・ローンの拡大が象徴するように民間融資の著しい劣化が進んだ。悪質なケースでは、人をだましているとしか思えない緩い条件で、金融機関は信用力の劣悪な借り手に対しても融資を行った。米国のサブプライム市場は本来、住宅ローンの一形態にすぎない。頭金、雇用証明、債務の返済履歴などが無くても融資を受けられることから、債務バブルの最終段階では不良債権の「掃き溜め」と化した。そうしたローンは枯れ葉のようにもろく、2008年にはそれが火口《ほくち》となって、うず高く積み上がった債務の薪をメラメラと燃え上がらせることになった。

一般的に、政府当局が登場するのは民間の貸し手や借り手が熱狂状態になったすぐ後である。債務バブルが勢いよく膨れ上がるにつれて、新規貸し出しの手法はますます巧妙を極める。当局はそれを規制しようとする。しかし、それはせいぜいモグラ叩きにすぎない。当局が強引な貸し手を取り締まるたびに、新手の貸し手が登場する。当局がサブプライム住宅ローンを禁止すれば、新しいモグラは頭金も雇用履歴も必要としない超廉価モバイル住宅ローンを提供し始めるだろう。

結局、バブルの熱狂を終わらせるのは大きな金融上の不測の事態である。それは往々にして、中央銀行が過熱を抑制しようとして金利の急激な引き上げに追い込まれた場合に起きる。景気は急速に冷え込み、債務危機が発生する。当局はその影響を緩和するため、破綻した民間金融機関の不良債権を政府勘定に付け替える。借金による財政支出の拡大で景気後退の影響を緩和すれば、政府の債務はさらに拡大する。経済学者のアラン・テイラーと彼の同僚は、2014年の詳細な研究の中で1870年以降の金融危機を振り返って、次のような結論に達した。「金融危機の原因は財政（政府の借金）にあるとする考え方は、歴史的な根拠に乏しい」。金融危機の起源は民間部門にあるのが一般的だ。もちろん、過大な政府債務を抱える国が金融危機に陥った場合、景気後退が長期化し、その落ち込み幅も大きくなることがある。それは政府が新規の借り入れで救済資金を手当てしたり、景気刺激策を打ったりすることができないからだ。それをもってして、財政が金融危機の原因であると言うことはできない。

このパターン――債務危機が民間から始まり、最後は政府が救済に乗り出す――は、いまでは広く定着している。1970年以降の430件以上に及ぶ深刻な金融危機の中で、IMFが主に政府あるいは「公的」債務危機と認定するのは70件弱（6分の1以下）しかない。債務危機の代表例は1980年代初期に中南米諸国を襲った危機であり、その印象があまりに強いために、多くのアナリストが債務危機の真犯人は政府だと早とちりするようになった。そう考えるもう1つの理由は、政府が過大な借金をして人為的に好景気を長続きさせることが金融危機を深刻化させる原因であると考えられたからだ。

過剰債務は進行性の悪弊

過剰債務は進行性の悪弊である。債務の増加のスピードやその持続期間に比例して、その弊害はだんだん大きくなる。私の研究によれば、民間債務が極端なバブルを意味する対GDP比40%ポイント増のラインを突破する前から、民間債務の増大は経済成長に深刻な影響を及ぼしていた。たとえば民間債務が5年間に対GDP比で15%ポイント増加すれば、GDP成長率は次の5年間に年当たり平均1%ポイントずつ低下していった。

民間債務の増加ペースが高まるにつれて、景気減速の可能性やその規模も大きくなっていく。もし民間債務が5年間に対GDP比で25%ポイント増加すれば、景気の鈍化はかなり深刻になる。この場合、年間のGDP成長率は平均で3分の1低下するが、落ち込み幅がさらに大きくなる場合もある。たとえば米国では、民間債務は2002〜2007年の間に25%ポイント、つまり対

GDP比で143%から168%へ上昇したが、その後の5年間の平均年間GDP成長率は、2007年の2・9%から1%以下へ悪化した。

景気の減速が米国から世界中へ広がるにつれて、各国政府は借金による政府支出の拡大で対応した。これは民間の企業や個人が債務危機を先導し、政府がそれに続く通常のパターンである。2014年まで世界は「レバレッジ解消（借金による投機の解消）」、あるいは経費削減と借金返済に明け暮れたというのが一般的な印象だが、それはごく一部の国の限られた話だった。たとえば米国の家計や金融機関はある程度、借金減らしを進めた。しかしそうした借り入れの減少は、非金融機関や米国政府の新規借り入れによって相殺され、米国全体の債務の対GDP比はほとんど変化しなかった。新興国では、多くの政府や企業が驚くべきスピードで新たな債務を拡大させていた。

その結果、2008年の金融危機以来、世界中の多くの国で債務が猛烈な勢いで積み上がっている。そのスピードは、2008年以前の怖いもの知らずの借金ブームをはるかに凌ぐものだ。マッキンゼー・グローバル・インスティチュートの2015年調査によると、家計、企業、政府を含む世界全体の債務は2007年以降、142兆ドルから199兆ドルに、対GDP比は269%から286%へ拡大している。世界全体としては、2008年の金融危機の開始時期よりも、債務負担が強まった。米国では全体の債務負担は一定、欧州はやや悪化した程度だが、主要な新興国では大幅に増大した。新興国が借り入れを増やして世界景気の減速に対応できたのは、米国のＦＲＢが借り入れコストを低く抑えているためだ。民間企業も低金利を背景に、新規の借り入れを増やしていった。２００８年以降の5年間、主要な新興国では民間債務が急増している。マレーシア、タイ、トルコ、中国では、対ＧＤＰ比で見た増加幅は25％ポイントを超えた。つまり債務の基準によれば、これらの国では将来いつでも成長率が下落しておかしくない状況にある。

中国の歴史的なバブル

中国はその点で際だっている。マッキンゼーによれば、２００７年以降、世界の債務は57兆ドル増加したが、そのうち3分の1以上、つまり21兆ドルは中国で積み上がった。中国は米国を追い抜いて世界最大の経済大国になることはできなかったが、２００８年金融危機の結果、ＧＤＰ成長への世界最大の貢献国として米国を追い抜いてしまった。２０１０年代の前半を見ると、世界経済の成長の３分の1は中国の貢献であり、米国は17％にすぎなかった。１９９０年代以降続いてきた米中の役割は完全に逆転してしまった。

問題は、２０１０年代の中国躍進の原動力が大規模な財政金融政策であり、それによって政府債務が急拡大してしまったことだ。その結果、中国の債務が世界経済にとって最大の脅威となった。この中国の債務問題がどのような形で収束されるのか。現在、この問題を巡り活発な議論が展開されているが、アナリストの大半は深刻な景気後退は回避できると指摘する。その根拠が、中国の指導者の卓越した経済運営能力だ。この30年間、経済危機などで他の新興国が混乱に陥っても、中国だけは高成長を継続できた。それを見事に取り仕切ったのが彼らだ。彼らは過去と同様に今回の債務問題もうまく切り抜けることができる、というのだ。

しかし歴史を振り返ると、先行きについてはそれほど楽観的になれない。

今回の中国バブルが発生する以前を見ると、規模が大きかった第二次世界大戦後の債務バブルの30件すべてで、その後には深刻な景気後退が生じている。その30件の中には、「アジアの奇跡」の日本と台湾のケースも含まれる。日本と台湾は有能な経済官僚を多く抱えることでも有名だが、債務バブルで長期の高度成長はついに終焉を迎えた。日本と台湾でも対GDP比で民間債務は少なくとも40％ポイント増加した。日本では1990年、台湾では1992年に、その危機ラインを突破した。こうした経緯を踏まえると、中国だけが「債務の接吻」を回避できるとは思えない。

2008年金融危機の後すぐに、中国の指導者がその長い歴史で初めてやるべきことを十分把握できていないことが明らかになった。2007年、当時の温《ウェン》家宝《ジアバオ》首相は中国経済が「不安定」で「不均衡」になったと警鐘を鳴らした。中国では国民所得の中で工場や住宅への建設投資、あるいはそれらに使用されるコンクリートの生産に向けられる割合が大きく、それが警鐘の根拠だった。温首相の警鐘に対して、中国ウォッチャーは、中国政府の経済的な見識の正しさを再認識させられると同時に、中国が新たな経済モデル、つまり従来の生産優先の輸出主導型から消費主導型への移行を模索している兆候であると好意的に受け止めた。先輩格の日本や韓国、台湾は経済の成熟化につれて、成長率が次第に低下していった。中国がこれから中所得国グループの仲間入りを果たしていくにつれて、他のアジアの奇跡と同様に、経済成長が減速に向かうことは避けられないことだった。

２００８年９月初旬、私は北京を訪問した。夏の北京オリンピック大会が終了した直後で、景気は実際に下降線をたどっていた。しかし、政府のトップから末端の役人まで危機感は感じられなかった。不動産価格は下落の兆候を見せ始め、上海株式市場のバブルはすでに弾けていたが、政府高官は経済の成熟過程ではこの種類の変調は別に珍しいことではないと軽く受け流した。彼らは、設備投資を減らし、巨大な国営企業を構造改革し、金融市場での市場機能を高めていくと語った。オリンピック招致のために、インターネットの検閲の緩和や、大気汚染改善のために北京周辺の汚染源になっている工場の閉鎖——少なくとも一時的に——を命じた。私が北京に到着したときは、空にはスモッグが全くなく、新興の中産階層にはとても快適な生活環境のように見えた。それは経済成長率の下落が避けられないことを意味していた。

歯止めが効かない！

私が北京を離れた2週間後、米国でリーマン・ブラザーズが破綻した。世界の金融市場はきりもみ状態に突入した。米国や欧州で需要が急落した結果、中国の輸出主導の成長には急ブレーキがかかり、指導者はパニックに襲われた。その年の10月、中国政府は景気を下支えするため大型の公共事業と何兆ドルもの新規借り入れをセットにした経済対策を打ち出した。温首相はそれまでの方針を転換して、旧来の投資主導の成長モデルに基づく財政支出の大盤振る舞いが行われた。しかも財源は借金だった。状況は一夜にして変わった。それまでの２００３〜２００８年の間は、債務の伸びが成長率を上回ることはなく、同期間の対ＧＤＰ比は１５０％前後で安定的に推移していた。しかし２００８年以降は、北京政府が国営企業の投資拡大の資金源に国営銀行の融資を充てたため、典型的な債務バブルの拡大が始まった。

２００９年８月に再び北京を訪れると、街の雰囲気は一変していた。人々は自己満足に陥っていた。その年、米欧が景気後退に陥っていたにもかかわらず、中国のＧＤＰ成長率は目標の８％を上回っていた。積極的な経済政策で、政府の支出や融資が急拡大した結果だ。北京ではタクシー運転手や小売店店主が私に自慢げに語ってくれた。「可哀想だから米欧の旅行者には割引してやりたくなったよ」と。北京の人々は、世界で何が起きていようと、中国政府がその気になれば心配いらないと自信に溢れていた。こうして投資ブームが再び戻ってきた。直近の12ヵ月間だけで、１兆ドルの新規融資が実施された。その多くが株式や不動産の市場へ流れ込み、再び活況を呈した。マカオのカジノも大繁盛となった。その中で唯一、懸念を持っていたのが北京の銀行監督当局だった。彼らは債務の急拡大に怖じ気づき、金融機関に対してその超強気の融資姿勢を正常に戻すよう説得し始めた。かくして、中国でもモグラ叩きが始まった。

規制の緩和、それに政府の何としても成長率を高めたいという意向に応じて、金融機関は、新しい規制を最大限活用した債券や信用保証、新種のローンを提供するようになった。「シャドー・

バンク」と呼ばれる新規参入者まで現れて、詐欺まがいの高利回りの金融商品を販売し始めた。大手の国営銀行も対抗上、自分たちの融資の金利収入とシャドー・バンクの高利回り預金の金利収入を束ねた「理財商品」を提供せざるをえなくなった。

多くの中国人には、こうした理財商品は安全で魅力的に映った。国営銀行が売り出しているうえに、運用利回りが銀行預金の4倍もしたからだ。しかし評論家には、中国の理財商品は米国の風変わりな金融商品と同じに見えた。その風変わりな金融商品とは、サブプライム・ローンとその他のモーゲージ・ローンを一緒に束ねて一つの金融商品へ組成したもので、その内容はきわめて不透明で大きなリスクを抱えていた。ウォーレン・バフェットは、それを「金融の大量殺戮兵器」と呼んだ。6年後にはその言葉通り、内部爆発を起こし、2007~2008年の米国住宅、株式市場の暴落の引き金となった。

北京政府が国営銀行に対して融資基準の厳格化を命じた時、融資先や預金者は大挙してシャドー・バンクへ向かった。2013年時点では、シャドー・バンク経由の新規融資は全体の半分を占めた。北京政府が地方政府の借入額を規制し始めると、地方政府はシャドー・バンクからカネを調達するためにダミー会社や資金調達機関を設立した。やがて、地方政府の資金調達機関はシャドー・バンクの最大の借り手となった。社債市場も猛烈な勢いで拡大した。社債を発行した多くの「企業」は地方政府の出先機関だった。

シャドー・バンキングは「ネズミ講」

中国は、債務バブルのもう一つ別の古典的なワナにも陥った。借り入れた資金の多くが不動産市場に向かい、不動産価格を大幅につり上げたのだ。直近の数十年を見ると、借金による不動産ブームが景気後退の起点になった場合が多い。理由は単純で、不動産担保融資が爆発的に普及したからだ。前に紹介したテイラーの研究は先進17ヵ国について1870年まで遡って調べているが、それによると世界金融における近年の好況は家計への不動産担保融資の急増が背景にある。過去140年の間に、不動産担保融資は8倍増となったが、それ以外の目的による家計や企業への融資は3倍増にとどまった。世界的に見ると、いまや銀行業務の半分以上が住宅ローンだ。テイラーによれば、景気の好況と不況が不動産担保融資の変動によって生み出される度合いがますます強まっており、その反面でその他の融資の果たす役割が縮小している。

こうした住宅ローンと金融危機の関係の強まりは、新興国で広く見受けられる。インターナショナル・センター・フォー・マネタリー・アンド・バンキング・スタディーの研究によると、1950年代のイタリア、日本、その後の中南米、東南アジアなど奇跡的な戦後の経済復興においては、最初の離陸は良好な基礎的諸条件（投資拡大や低インフレなど）によって誘発されるが、その後は債務の急速な拡大で成長が維持・拡大され、最後は債務主導の不動産バブルで終焉を迎える。このパターンは周知の事実であり、中国政府が大量のマネーを経済に注入し始めるやいなや、銀行監督当局がいち早く懸念を表明するにいたった理由の一つだ。

新規融資の多くはそのまま不動産市場に流れ込んだ。2010年半ばに再び中国を訪れた時、不動産投資の過熱化の兆候はいたる所で見ることができた。どの国でもオリンピックのような重要イベントを終えた後では、建設ラッシュが一段落するのが普通だが、北京市内では依然としてクレーンが林立していた。万国博覧会を見学するため杭州市から上海へ自動車を走らせると、全行程約200キロにわたりアパートの建設が延々と進められているのに驚いた。中国の不動産市場に金融緩和のマネーが大量に流れ込んだ結果、その年だけで約8億平方フィートの不動産が売買された。その面積は、中国を除く世界で売買された不動産を合算したものよりも大きかった。大都市の不動産価格は年率20~30%で上昇し、平均的なアパートの価格は平均年収の10倍以上に跳ね上がった。株式市場が依然、未整備なままであり、他の投資手段に限りがある中で、金持ちの中国人は投資対象として30~40戸の住宅を買いあさっていた。

融資の伸びが経済の成長率を上回り、不動産バブルが膨張しているときに、銀行は大局を見失ってしまうことが多い。中国の銀行も例外ではなかった。不動産価格の上昇に幻惑されて、銀行は借り手が差し出す担保――不動産であることが多い――の価値にだけ注目し、借り手のローン返済能力は二の次になってしまう。この「有担保融資」がうまく機能するのは、次のような場合だ。不動産価格が上昇していたり、担保として別の資産を差し出すことができれば、借り手は所得が不十分でもローンの借り換えができる。2013年の中国の新規融資の3分の1は、融資の借り換えだった。この融資の回転木馬は住宅価格がいったん下落し始めると、たちまち行き詰まってしまう。同じ年の10月、中国銀行の会長である肖鋼《シャオガン》は警鐘を鳴らした。彼は、シャドー・バンキングは「ネズミ講」である、「空き部屋ばかりの不動産」に投じられた融資は十分な収益を生むことができず、投資家への元金の払い戻しもできない、と語った。

「成長目標の堅持」は最悪

2013年3月の全国人民代表大会で、温家宝は首相の座を降りた。辞任の演説で「経済成長の低下圧力と過剰な生産能力との矛盾が激しくなりつつある」と述べ、不均衡の深刻化に新たな警告を発した。しかし、政府は中国の投資主導型の成長モデルを改めなかった。むしろ新たな借金で調達した何兆ドルもの資金を投資につぎ込んでいった。楽観論者は彼の後任に期待した。新首相に就任した李克強はエネルギッシュな若きエコノミストであり、市場メカニズムの活用、公害対策の強化、不公平の是正などを政策の柱として掲げた。これらすべては、(再び)中国が借金バブルを抑制し、安定した成長率へ軟着陸する覚悟の表明のように見えた。

しかし、こうした現実路線が採用されることはなかった。その代わり2013年7月に発表された新方針で、新しい指導部はGDP成長率が公式目標の7・5%を下回ることは「容認できない」と表明した。政府は、成長率の減速は中所得国の宿命であることを拒否し、成長率は政府の思いのままに決めることができるという信念を新たにしたように見えた。新政府は、成長率の公式目標にこだわり、四半期ごとにGDP成長率は7・5%の上下、コンマ数%ポイントの範囲内に収まるとの見通しの発表を続けた。これでは、新たな融資の氾濫を押しとどめることができなかった。

2013年を通じて北京の新政権は、新築住宅融資の上限設定、2軒目の住宅購入の抑制、主要都市の不動産価格規制などで銀行融資を抑制しようとしたが、いずれも中途半端に終わった。景気に鈍化の兆しが現れると、政府は融資の蛇口を緩めた。金融市場に参入してくる新たな参加者の質はますます劣化した。金融ビジネスの経験のない石炭会社や鉄鋼会社までが、顧客や関係会社が発行する借用証書に多額の信用保証を付けるようになった。資金不足に苦しむ企業は、こうした借用証書や「保証付き小切手」を一種のバーチャル通貨として利用し始めた。2014年に中国の中央銀行が行った推計では、保証付き小切手の流通総額は3兆ドルにも達していた。

債務バブルは未曾有の領域に到達しようとしている。2014年に不動産ブームはピークをつけるかに見えた。不動産価格が大都市圏で足踏み状態になったからだ。しかし債務は依然拡大を続けている。さらに火に油を注ぐ形になっているのが、新手の「クラウドファンディング」だ。すでに数百というウエブサイトが新設され、「ソウファン（SouFun）」といった名前まで付けられている。それらのウエブサイトでは、一般の投資家が豪華アパートの新規住宅ローン債権の一部を数人民元で購入できる。当時、1人民元は16セントの価値があった。こうしたウエブサイトでは、数週間単位で2桁のリターンを約束していた。専門のアナリストは、こうした提案はどう見ても信じがたく、サイトの主催者とサイトに掲載されている華やかな不動産の写真とは何の関係もないのではないかと疑った。

株式市場はカジノよりもひどい

この時点で、資金の貸し手は照準を新たな目標に移動させた。不動産へ流れ込んでいたマネーが、株式市場へ向かい始めた。債務バブルの最終段階で見られる典型例の1つだ。国営メディアは、株式の購入は愛国的行為であり、経済合理性にも合致していると声高で執拗な声援を行った。中国の人々の貯蓄は20兆ドルに達していた。中国の当局者は、借金まみれの企業に新たな資金調達の途を開くため、この貯蓄の一部を株式購入に振り向けようと必死だった。そしてできることなら、株式市場はスピードが緩やかでも、安定的な上昇が息長く続いて欲しいと願った。しかし、市場は長い眠りからいったん目覚めるや、史上空前のバブルへと猛突進していった。

株式市場のバブルには、4つの基本的な症状がある。1つ目は相場の上昇率が経済の潜在的な成長率を大きく上回ること、2つ目は株式購入のための借り入れが急増すること、3つ目が個人投資家の取引が急増すること、そして最後が株価の評価尺度が法外な高水準に達することだ。2015年4月の時点で、上海株式市場はそれまでの6ヵ月間で70%以上も上昇していた。政府系の『人民日報』は、すばらしい時代の幕開けだ、と絶賛した。4つのバブル症状はいずれも極端なレベルに到達していたが、株式市場は活況を続けた。きわめて稀なことだった。経済成長が鈍化し、企業収益にも陰りが出た後も、株価の上昇は続いた。株式購入のために中国人投資家が借金した金額は、売買可能株式総額の9％に達した。これは世界における借金主導型の上昇相場の中で、最高の水準だった。中国市場の出来高が、中国を除く世界の市場の出来高を合算したよりも上回った日もあった。国営メディアは記事の中で株式購入のメリットを激賞し、それに感化された一般の中国人が毎週、数百万人単位で投資家の登録を行った。新規投資家の3分の2は、高校卒の学歴さえ持っていなかった。農村部では、農民が小規模な株式取引所を開設した。彼らは田畑で農作業をするより、トレーディングに費やす時間が長かったという。

中国人の経済学者、呉敬璉《ウージンリエン》によると、中国の株式市場はカジノよりもひどい。カジノにはそれなりのルールがあるが、株式市場にはルールがない。(1) 2015年6月、株式市場で暴落が始まった。2008年初期の時とは対照的に、今回は政府が積極的な介入を行った。たとえば、投資家の売りを禁止し、売りを行った投資家には刑事訴追の対象になるとの脅迫を行った。しかし、政府は市場の暴落を止めることはできなかった。北京の権威主義的な中央政府は世の中を思い通りに動かすことができるという神話は、上海株式市場で数ヵ月の間に時価総額の3分の1以上が失われるやいなや瞬く間に消えてしまった。中国政府が図らずも株式、債券、住宅のバブルを破裂させてしまったことで、世界的なオピニオン・リーダーは経済運営のエキスパートという彼らの名声に疑問を持ち始めた。こうしたバブルは中国の発展にとって大きな脅威となっている。

この債務バブルには、いかにも中国的な特色がある。地方政府の出先機関による借り入れ、資本主義的なバブルを賞賛する共産主義的な宣伝文句などである。しかし、基本的な問題は他国のバブルと全く変わらない。まずモラルハザードだ。ほとんどの貸し手は、自分たちの融資が焦げ付いたら、政府が救済してくれると思い込んでいる。国家が巨大銀行とその取引先の巨人企業の大株主である場合に生じる利益相反や縁故者融資も共通している。最後は、政府の取り締まりスピードよりも早く新手の資金の出し手が続々と登場する点も同じだ。これらはすべて先行きに対する重要な警告のサインだ。

中国の債務バブルは新興国で史上最大規模になろうとしている。2008年まで中国では債務の対GDP比は一定の水準で安定していた。しかしその年の暮れに金融緩和に踏み切って以降、債務残高は急増した。2013年までの5年間で、民間債務の対GDP比は80%ポイント増加という記録を達成した。新興国でその次に大きな債務バブルを作ったのは、1990年代のマレーシアとタイだ。タイでは1997年までの5年間で民間債務の対GDP比は67%ポイントの増加となり、その後の景気後退は深刻だった。大規模な債務バブルを生み出した国は、その後、深刻な景気後退に見舞われる。中国だけがその運命から逃れることはできない。

中国不沈説の誤謬

少なくとも2014年までは、欧米の中国政府への信頼は高く、その後の数年間の経済成長率に対する民間エコノミストの一致した予想は、中国政府の公式目標と同じであった。政府の成長率の公式目標はずっと7・5％に据え置かれたままだった。強気予想のエコノミストは、中国は他国と違って特別な能力を持っており、債務負担問題もうまく克服できる、と議論した。中国では、強力な輸出産業が安定的な外貨収入を稼ぎ出している。何十年間も巨額の貿易黒字が続いたことで、ドルやその他外国通貨の政府保有合計額はピーク時に4兆ドルにも達した。こうした外貨準備は、対外債務の返済や資本不足に陥った地方銀行の救済に充当することができる。

強気のエコノミストはさらに続ける。多くの新興国は対外債務を増やしすぎて危機に陥るが、中国政府の借金の相手は中国の国民である。この場合、政府は不良債権を爆弾ゲームのように国内の別の中国人に回していくことができる。中国の通常の銀行は、シャドー・バンクとは異なり、国内の大量の預金によって支えられ、きわめて安定している。GDPに対する国内貯蓄の比率を見ると、世界平均は約22％だが中国は50％にも達する。結局、強気派が主張するように、中国政府は借金を支払うことも、踏み倒すこともできる立場にある。

しかし歴史を振り返ると、こうした耐性力に対して疑問が湧く。これは中国だけでない。その他の国に対しても同じだ。前出の最悪の債務バブル30事例の中にも同様の耐久性を誇る国があったが、それらは危機に直面して何の役にも立たなかった。台湾は1995年、GDPの45％に相当する外貨準備を抱えていたにもかかわらず、銀行危機に見舞われた。しかも当時の台湾の外貨準備は、2014年の中国の水準を少しばかり上回っていた。台湾の銀行も十分な預金を抱え不良債権への備えは万全に見えたが、結局は危機を回避できなかった。日本とマレーシアは国内貯蓄率がともに対GDP比で約40％と世界平均を大幅に上回っていたにもかかわらず、日本では1970年代、マレーシアは1990年代に銀行危機が発生した。

最後に、中国の不沈説で最大の誤謬は、全体の債務負担（民間と政府の合計）は高水準だが、実際の脅威にはならないというものだ。2015年に中国の債務は対GDP比で250％以上に上昇した。それは日本の約400％よりははるかに低いが、米国の債務と同程度である。こうした数字の比較で注意しなければいけないのは、先進国では銀行が大量の資金を抱えているため、大規模な債務を抱えても問題が生じない点だ。GDPの250％に相当する債務負担は、米国のような1人当たり平均所得が5万ドル以上の国ではごく普通だ。しかし中国のような同1万ドル前後の新興国では、250％という数字は断トツに高い。韓国や台湾のような1人当たり平均所得が2倍の国でもそのような水準に達していない。

国営の銀行や企業の間で債務の借り換えが継続的に行われるなどの緩和措置によって、深刻な金融危機を回避できたとしても、大幅な景気後退が長く続くことは避けられない。新規の借金の多くは既存債務の金利返済へ充当され、新規プロジェクトに向ける余裕がないからだ。国家の盛衰をもたらす要因に絶対ということはありえない。しかし過去の事例を見るかぎりでは、最悪の債務バブルの後には必ず、経済成長の低迷が訪れている。しかもその多くは、金融危機が引き金になっている。

中国の未来①——台湾シナリオ

債務危機が発生すると、好景気を牽引した心理は逆回転し始める。人々は景気の先行き、将来の所得、債務返済能力に対して自信をなくしてしまう。こうした不確実性の高まりが、節約志向を強め景気をさらに落ち込ませていく。

債務バブル後の景気後退の局面では、様々なシナリオが考えられる。短期的な景気後退と長期的な成長率の下落といった組み合わせなどだ。標準的なシナリオは、急激な景気収縮の後で、それ以前の潜在的な成長率へ復帰するパターンだ。これは１９９０年代初めの金融危機の後にスウェーデンで起きた。最悪のシナリオは、収縮の後の回復という点では変わらないが、復帰後の新しい長期の成長率が以前に比べ大幅に低下するパターンだ。これは不幸にも、２０１０年の債務危機後のユーロ圏で生じているようだ。債務残高がピークに達した１９９０年以降の日本や、１９９２年以降の台湾のたどった経路とも重なる。

その国がどのような経路をたどるかは、政府がどれだけ迅速に債務の対ＧＤＰ比率を正常化できるかにかかっている。そのための手段は３つある。１つは債務の増加ペースをスローダウンさせること、２つ目はＧＤＰ成長率を高めること、そして最後は両者の組み合わせだ。中国のような経済的に成熟した国では成長率が次第に低下するのは避けられず、ポイントは政府がいかに迅速かつ大胆に債務問題を処理できるかだ。

最悪の債務バブルのリストに掲載された他国と比較すると、中国の有力なシナリオは台湾のような他のアジアの奇跡の国・地域と似てくる可能性が高い。台湾では債務の急増によって、1995年にマイルドな危機、1997年には激しい危機に見舞われた。台湾の対応は融資の大幅な抑制だった。当時の台湾は、蔣介石時代の専制主義的な縁故資本主義からの移行期で、民間銀行など多くのプレイヤーが市場へ参入しつつあった。民間銀行は国営銀行と競争し、融資の判断に当たっては借り手の政治的なコネよりも収益見通しが重視された。政府は、債務がさらに積みあがるだけの6ヵ年大型投資計画を撤回した。その結果、台湾の政府と民間の債務総額は横ばいとなった。現在の債務の対GDP比は、1990年代半ばに危機が発生した時と同じ水準の175%である。債務危機によって、経済は減速に向かい、潜在成長率は低下した。1992年に債務の増加幅が40%ポイントの危機ラインを超えたが、それまでの5年間の平均成長率である9%前後から、1992年以降の5年間は同7%弱に下落した。しかし当時、1人当たり平均所得が1万5000ドル前後の開発途上国としては、この7%の成長率は上出来だった。

中国の未来②――日本シナリオ

中国にとって最悪のシナリオは、1990年代の日本が歩んだ道だ。過大な債務で不動産や株式のバブルが崩壊した後、日本は痛みを伴う改革を避けた。融資の伸びを抑制し、銀行に厳しく不良債権処理を迫る代わりに、政府は問題企業の救済や不良債権の借り換えなどで急場をしのごうとした。こうした救済のドタバタ劇を支えたのが系列、つまり三菱や三井といった銀行を中心とする複合企業体だった。銀行の経営陣は傘下の子会社を1社でも倒産させてはならないという個人的な義務感を持っていた。問題企業の救済は、政府の積極的な支援も受けた。民間債務の拡大が鈍化する代わりに、政府債務が急増し、それはいまも続いている。企業の倒産によって失業が増大し、政府批判が強まることを恐れて、政府は銀行に企業支援の融資を拡大させた。その結果、日本で有名な「誰も通らない道」のような非生産的な投資が増えた。1990年代後半に実施された日本の建設、製造、不動産、流通、小売の上場企業を対象にした調査によると、全体の30％が「ゾンビ企業」と分類され、金利減免など補助金付き融資でかろうじて生きながらえていた。こうしたゾンビ企業への延命措置が新興企業への融資を阻害し、日本の生産性を大きく低下させた。

こうした「先送りと見せかけ」の債務政策は、成長の停滞と債務の拡大という最悪の結果をもたらした。債務バブルの最後の審判の日を避け続けたために、日本全体の債務は対GDP比で1990年の250％から今日では390％にまで拡大した。日本は長い間、債務危機に悩まされ続けただけでなく、潜在成長率が大幅に低下した。1990年代、2000年代初めは銀行危機が相次ぎ、GDP成長率は1990年以前の5％から、その後の四半世紀は1％未満へ急落した。同期間の主要先進国の中では最悪の数字だ。2015年の日本経済のGDPは4兆ドルだった。この数字は、1980年代にその当時の日本の潜在成長率をもとに予想した2015年の数字を

80%も下回っていた。1980年代と言えば、日本が将来の超大国だとして大いにもてはやされた時期だった。

もし中国政府が政治的な思惑、つまり人為的に高めの成長率を維持し、痛みを伴う解決を避けるために債務の拡大を続けるなら、日本の1990年以降の経験は中国の未来となる可能性が高い。ある推計によると、中国本土の株式市場に上場している企業の10%は、政府支援なしでは存続できない「ゾンビ企業」だ。中国ではまだ投機の清算や債務の削減にさえ着手していない。債務は依然、年率15%のペースで拡大を続けており、経済成長率の2倍の速度だ。歴史の教訓によれば、巨大な債務バブルが弾けて債務の伸びが成長率を下回るようになると、すぐに景気後退が始まる。しかし、この景気後退は清算のプロセスとして必要だ。もしこれを回避し続ければ、債務の健全な拡大という新時代はいつまでたっても訪れない。

債務拡大のプラス面

債務が拡大したからといって、すべてが悪い結果をもたらすわけではない。信用制度を利用すれば、零細起業家でも大きな夢の実現に向けて資金調達が可能になる。こうした信用制度が存在しなければ、資本主義はうまく機能しない。これまでも評価すべき債務拡大が数多くあった。債務が対GDP比でほどよく拡大し、様々な投資プロジェクトの資金源となり、将来の成長を促進した。債務が安定的に拡大すれば、銀行は融資によって十分な収益をあげることができる。資本も増加する。そして融資基準などの改善が進めば、正々堂々と創意工夫に富んだ金融商品を販売できるようになる。

ここからは、債務基準のプラス面に話を移そう。債務の伸びが5年間経済成長率を下回れば、銀行制度の体質改善が進む。融資再開に向けた準備が整い、健全な債務拡大の時代が始まる。実際、5年間、対GDP比で見た債務の伸びが緩やかであればあるほど、その後は健全な債務拡大に牽引されて成長率が上昇する可能性が高まる。最近の数十年の間に、多くの国では債務やGDP成長率が改善に向かった。チリは1991年、ハンガリーは1995年に最悪期を脱し、チェコでは2002年に民間債務の対GDP比が30％を底に拡大に向かった。しかし最も劇的な「ボトム・アウト」は、1997〜1998年のアジア通貨危機に見舞われた後のインドネシアだった。

1997年に債務問題の兆候が隣国のタイで現れたとき、インドネシアのスハルト独裁政権の高官は誰も自分のこととして考えなかった。それ以前の10年間に、スハルト政権は構造改革の一環として銀行業界への新規参入を大幅に認めた。しかし改革が中途半端だったため様々な産業の複合企業体が子会社で銀行を設立し、不正資金の温床となった。ある銀行では融資の90％が親会社、子会社、最高経営幹部向けであったことが、当局の一連の捜査で明らかになった。銀行が関係者や同僚にだけ融資を行うのであれば、借り手に対する審査がおろそかになるのは当然だ。当局の調査によると、ある銀行の帳簿に記載されていた融資の90％が不良債権化し、少なくとも

9ヵ月間以上、返済が滞っていた。

債務危機の最悪期には、政治家や官僚は債務不履行となった銀行を何とか延命させ、融資がまだ健全であるように見せかけようとする。日本はその典型だ。インドネシアでも同じことが起きたが、その期間は短かった。不良債権の処理のために、銀行再編庁が設立された。スハルトの側近や息子への融資が多い13の銀行が名指しされ、問題銀行の国有化や閉鎖が実施された。政府が改革に真剣に取り組み始めたことで、金融市場の不安は収まった。しかし、スハルトの息子の一人がかつての部下とともに別の銀行のトップとして再登場するやいなや、銀行制度に対する国民の信頼は地に落ちた。インドネシアのビジネスマンは銀行から資金を引き下ろして海外へ移し始めた。

1998年にはインドネシアから大量の資金流出が始まり、インドネシアの通貨は80％も下落した。政治的な優遇を受けてきた産業複合企業体でも「コネ」融資の返済に滞るところが出てきた。数週間後には、当局が銀行の検査に入ったというニュースが報じられるたびに、取り付け騒ぎが発生した。スハルト政権は検査を秘密にしていたが、その一部がメディアにリークされた。銀行検査官は、国営銀行の総資産に占める自国通貨建ての比率が半分しかなく、多くの国営銀行が支払い不能に陥っていることを発見した。融資継続に必要な預金量も減少していた。借り手の多くは元利金の返済をストップさせた。債務不履行の実態が明らかになるにつれて、インドネシアの銀行全体の株式時価総額が急落し、1998年にはほとんどゼロになった。世界の統計数字の上からインドネシアの銀行システムは事実上姿を消した。

大都市では、血なまぐさい抗議行動が勃発した。スハルトは辞任を迫られ、改革派の勢いが強まった。旧体制の抵抗が散発的に続いたが、銀行再編庁の動きは素早く、銀行の支配構造を大きく変えてしまった。スハルトの家族や友人は追放され、復帰が永遠に困難になった。これは銀行制度の改革を飛び越えた、一種の政治革命だった。インドネシアは長い間、外国資本の流入を拒んできたが、外国人は銀行株を99％まで購入して所有権を取得することや、古い経営者を有能な専門家に据え替えることも認められた。アジア危機では、近隣のタイや韓国も同様の銀行改革を断行したが、それは現状の民主主義体制の枠組みの中での改革だった。インドネシアでは、専制主義体制の民主化も進められた。旧来の銀行制度やそのボスたちは独裁者とともに滅びていった。

債務危機の終わりの始まり

どのような新興国であっても銀行経由の融資は全体の融資の80％（ちなみに米国は50％）に達している。銀行制度の改革はすなわち社会の改革である。インドネシアのように銀行制度をゼロから再構築する場合、次の2つのステップが重要だった。まず不良債権を認識し、銀行のバランス・シートから取り除く必要がある。そうしなければ不良債権がいつまでも新規融資の足かせとなる。2つ目は新たな資本を呼び込み、銀行の「資本を再構築」することだ。それは、政府経由でも新たな大株主経由でもよい。ニューマネーの導入によって、銀行は新規の融資を再開できる。

不良債権の処理では、いつも政治的な問題に直面する。それは誰が痛みを負うかだ。当局は借り手の債務不履行や経営破綻を宣言し、貸し手に対して自動車や住宅の担保物件の回収を認めることで、借り手に責任をとらせることができる。あるいは貸し手に借り手の債務負担の軽減を迫ることもできる。負債の全額免除の場合もあるし、返済条件の一部緩和も考えられる。2008年以降、米国が欧州よりも早く景気回復に向かった理由の一つは、米国では法律によって住宅所有者が比較的簡単に住宅ローンの債務不履行を宣言できるからだ。これによって銀行はバランス・シートから不良債権を簡単に償却できた。債務危機の終わりの始まりは、債務の返済が始まる時ではなく、債務免除、債務軽減、差し押さえ、債務不履行などによる解決が始まった時であることが多い。

インドネシアは異常な大胆さとスピードで、不良債権の処理と銀行資本の再構築を行った。いったんダメ銀行の悪評が立った銀行に痛みを受け入れさせることは政治的にそれほど難しいことではない。政府は約320億ドルの不良債権を接収し、最終的に1ドル当たり数セントと二束三文で売り払った。また健全な銀行には新しい資本——普通国債が一般的——が注入された。それ以外の多くの銀行では合併か閉鎖を迫られ、2年以内に銀行の数は240行から164行へ減少した。資産内容が最も悪かった4つの国営銀行は合併させられ、バンク・マンディリというメガバンクの一つになった。経営破綻した9つの民間銀行も合併して、バンク・ダナモンという銀行に生まれ変わった。バンク・ダナモンの元大株主はスハルトの最側近の一人で最後は国外へ逃亡したが、当局は彼の追及を続けている。この元大株主は、関係が密接だった複数の銀行から10億ドル以上の緊急融資を受けていた。

債務危機がボトム・アウトしたことを示すもう一つの有力な兆候は、銀行の内部で見つけることができる。一般的に預金よりも融資の伸びが上回り、その差額を外部資金で埋めている場合、その銀行は困難に遭遇するリスクが高まる。融資残高が預金の100%以上に達した場合、その銀行は危険水域に入る。120%を超えると、危機の到来を知らせる警報が鳴る。危機に見舞われた後、銀行は融資を抑制し、不良債権を償却するため、預貸率は低下をたどる。そして再び銀行に預金が集まり始める。一般的に、銀行システム全体の融資残高が総預金残高の約80%以下に落ち込んだ時、銀行は再び融資の拡大に積極的になる。

こうした銀行システムの収支勘定の正常化――預貸率の健全化――は、インドネシアなど危機を経験した多くの国において経済成長の復活を告げるものだ。1997年に危機がインドネシアを襲った時、銀行システムの預貸率の平均比率は110%に達していた。危機の後は、不良債権の償却や新規融資の抑制などの大改革が行われ、預貸率は1年以内に35%まで下落した。

これが、その後の大変身の下地となった。インドネシアの銀行はアジア通貨危機の影響が特に大きかったため、要注意銀行としての悪評がいまも続いている。ダナモンやマンディリは危機の最悪期に破綻した十数行の残骸から立ち上がった銀行だが、アジアで最も優秀な経営で、高い評判の銀行に数えられるまでになった。一方、投資銀行のジャーディン・フレミングはジリンスキーの「債務の接吻」への警告を無視したために姿を消した。この投資銀行は金融危機で経営破綻したアジアの銀行の第一号となった。

しつこい借金恐怖症

債務危機の衝撃が過ぎ去った後、被害の大きかった借り手や貸し手ほど借金恐怖症に陥りがちだ。借金や融資を極端に怖がるようになる。消費者や企業はとにかく借金の返済を優先し、新規事業は先送りした。銀行もこうした精神的ショックから抜けきれない顧客への融資に二の足を踏んだ。1998年にタイやマレーシアで銀行家と話をすると、心的外傷後ストレス障害の患者と話をしているようだった。彼らの多くは何かにつけて慎重だった。リスクをとって新規の融資をするよりも、安全な国債を購入して、それを満期まで保有することを優先した。危機後の5年間、東南アジア諸国の債務の伸びは緩やかで、景気回復の足かせとなった。経済成長率はいく分上向いたものの、危機以前の半分から3分の1程度に止まった。

2008年の金融危機以降、借金恐怖症への恐怖が世界を覆った。世界中の資金の貸し手や借り手が借金恐怖症に陥って、資本主義が停止してしまうのではないかと恐われた。こうした懸念を少しでも和らげるために、研究者は過去の記録から「債務なき景気回復」の事例を多く見つけ出してきた。債務が拡大しなくても、景気の回復が始まったケースだ。実際、IMFの大がかりな研究によると、戦後の約400件に及ぶ景気回復の中で、債務の伸びがほとんど見られなかったケースは全体の20～25％に達した。債務拡大なき景気回復は魔法も同然であり、それを「不死鳥的な回復」と呼んだエコノミストもいた。しかし、債務拡大なき景気回復は一般に短命に終わっており、成長率は通常の債務主導型の回復よりも3分の1下回っていることが判明した。

メキシコは新興国の中で借金恐怖症を最も長く引きずった国の一つだ。メキシコの一連の金融危機は１９９４年のペソ暴落でピークに達したが、それ以降は借金に頼らなくても成長できる方策を模索し続けた。メキシコの銀行は１９９４年の危機によって、その大半が破綻に追い込まれた。その４年後に起きたインドネシアのケースと全く同じだった。幸い破綻を免れた地方の銀行は不良債権の処理を先送りしたため、新規融資を再開する自信を取り戻すのに時間がかかった。預金がなかなか回復してこなかったからだ。銀行に対するメキシコ人の不信感は根強く、現在でも多くの人は口座を開設していない。メキシコ政府は２０００年代初めに融資の拡大を狙って、シティバンクやＨＳＢＣのような多国籍銀行へ三大銀行を売却した。その後、民間への融資は少しばかり上向いたが長く続かなかった。

２００８年の金融危機によって、多国籍銀行は世界中で融資に慎重になった。メキシコは過剰融資ではなく過小融資が問題だったが、融資はさらに一段と抑制された。２０１４年には、メキシコの借金恐怖症は記録的な20年目に突入した。その間に、民間債務の対ＧＤＰ比率は１９９４年の38％から世界最低の25％へ下落した。融資の停滞が長期化すれば、当然のことながら、経済成長の低迷も長期化する。その間に、メキシコはチリやブラジルのような近隣諸国から１人当たり平均所得で追い抜かれてしまった。

メキシコの借金恐怖症の長期化はいまや、1930年代の大恐慌後の米国とほぼ肩を並べつつある。1989年に英国の経済学者ティム・コンドンが指摘したように、1929年の暴落以前の25年間は将来に対する米国人の楽観主義が急拡大し、暴落後の25年間は景気回復の可能性やその持続性に対する疑念を拭い去ることができなかった。そうした不安の最たる症状が、新規の借り入れや融資に対する「極端な警戒感」だった(2)。

もちろん通常の借金恐怖症は、25年間も続かない。ニューヨークを拠点とする独立系のコンサルティング会社エンピリカル・リサーチ・パートナーズが行った大恐慌以降の大型金融危機の研究によると、債務危機の後には、融資や成長の停滞期間が訪れる。その持続期間は平均4〜5年だ。その期間を経た後で、融資や成長はようやく上向きに転じる(3)。この歴史的な事実は、債務基準の上昇転換サインの根拠になっている。つまり、債務の低い伸びが5年間続けば、その後は高成長の時代が到来するというわけだ。

アジア危機に直撃された国々でも、このパターンは証明済みだ。インドネシア、タイ、マレーシアでは、1997年以降の5年間、債務は対GDP比で少なくとも40%ポイント下落した。しかし2001年頃には、借金恐怖症の陰鬱な魔法が解け始めた*。債務が拡大に向かうには、新たな技術革新や構造改革など何らかのきっかけが必要だ。それによって人々が将来の所得の増大を確信できれば、債務拡大などのリスクを積極的にとれるようになるからだ。東南アジアで借金恐怖症の魔法を解くきっかけになったのは、金融の安定つまり債務の下落、財政赤字の減少の兆し、それに主要な輸出品の市況回復だった。これら東南アジア3ヵ国では2000年代初頭から債務が増加に転じるにつれて、平均成長率も1999～2002年の4％前後から、2003～2006年には6％近くへと上昇した。

債務拡大はほどほどが一番

債務の健全な拡大がいかに経済成長を高めるかは、いくら強調してもしすぎることはない。新興国では2000年代に債務が増加したが、対GDP比では緩やかなペースだった。中国でさえ2003～2008年の債務の対GDP比は150％で安定し、経済成長率は平均で年10％の高水準だった。新興国の多くの国では、債務の健全な伸びと低インフレによってこれまで経験したことのない真正の第一次金融安定期が到来した。

こうした経済的安定は、ロシア、ブラジル、トルコ、インドネシアなどの社会を変化させた。インフレ率の低下によって、不確実性が大きく低下したからだ。資金の貸し手が将来の貨幣価値が減少すると思えば、住宅や自動車、設備投資に対する長期の融資に慎重になるだろう。アルゼンチンではインフレが長く続いたために、銀行はいまでも長期融資の期間を数ヵ月に限定している。米国では5年の自動車ローンや30年の住宅ローンなどが中産階層の形成に大いに役立ったが、高インフレの国ではそうした途が閉ざされたままだ。

東南アジアを含む多くの新興国では、２０００年代に物価安定下の債務拡大という新たな環境が生まれた。それは金融ビジネスに革命をもたらした。先進国の消費社会を支える大きな柱はクレジット・カード、住宅ローン、社債などだが、これらは１９９０年代まで大半の新興国で存在していなかった。２０００年時点でも住宅ローンはきわめて珍しかったが、それ以降は何十億ドルの規模へ成長した。対ＧＤＰ比で見ると、２０１３年にはブラジルやトルコで７％、ロシアは４％、インドネシアは３％へ拡大している。発展途上国で融資の役割が広がることは「金融の深化」と呼ばれている。人々が必要な現金を貯めるまで自動車や住宅を購入できない国では、こうした金融商品の普及は、屋内配管工事と同じで、現代社会への重要な第一歩となる。

債務が健全な伸びを続けている時代の人々の気分や心理は、債務バブルの時代のイケイケどんどんの雰囲気とは全く異なる。怪しげな貸し手や適性を欠いた借り手に代わって、信頼のおける貸し手が一般の人々や零細企業でも堅実にローンを組める手助けをしてくれる。それが着実な成長をもたらす。景気の過熱によって成長が途切れることもない。２００８年の金融危機では、すべての視線が米欧の債務急拡大に集中した。その一方で、東南アジアの「経済の虎」ともてはやされた国々は世界から忘れ去られてしまった。彼らがその間に債務削減に努力して危機を乗り越

＊　アジア通貨危機のもう一つの主役は韓国だったが、別のパターンをたどったため、債務の伸びが落ち込むことがなかった。そのためここでは除外されている。

える実力をつけたことに気づいた人はほとんどいなかった。

　インドネシアを別にすれば、これはタイ、マレーシア、フィリピンについても言える。これらの国では債務は管理可能な範囲に収まり、銀行は総融資が総預金の80％を大きく下回るなど、いつでも融資を拡大できる態勢にあった。これからの5年間の経済発展にとって、銀行制度の健全性は重要である。スペインやギリシャのような国は2003～2007年の世界的な好景気時に債務を最も多く積み上げたために、危機以降は成長の鈍化が避けられなかった。一方、債務の積み上げが最も少なかったフィリピンやタイのような国では高成長を実現できた。

　2015年には、もう一つの立ち位置の変化も明確になってきた。米国やスペインのような先進国の民間部門が債務を削減する一方で、新興国では景気維持のために借金を増やす国が増えてきた。2008年の大不況以降、新興国は金融緩和を強め債務も拡大しているが、その割に成長率の見劣り感は否めない。

　これは悪い投資バブルの副作用だ。バブルの後半期に融資が急拡大して、過剰な設備や豪華なセカンドホームなど、非生産的な投資が増えるからだ。これまで見てきたように2007年以前では、中国などの新興国ではGDPを1ドル成長させるために1ドルの借金が必要だった。世界金融危機の5年後には2ドルの借金が必要になった。非生産的な投資への融資が拡大するにつれて、中国では4ドルの借金が必要になった。2015年にはブラジルやトルコ、タイなどでは、短期間に過大な借金をしたことの代償を支払わざるをえなくなった。過剰な債務は経済成長の大きな制約要因となってしまった。

　債務拡大と経済成長の歩調が揃っていることは、健全な成長の証である。債務の水準自体が将来のいつの時点で問題になるかは明確に言えないが、債務の増加ペースは事態が悪化しているか、それとも改善しているかを判断するうえで最も重要で明確なサインになる。まず経済混乱の兆候は民間部門で現れる。それが債務バブルの震源になることが多い。債務バブルの心理は乱脈融資や過大な借り入れを誘発し、やがて成長を阻害するようになり、場合によっては金融危機にまで発展する。そればかりではない。債務バブルの精神的な爪痕は、危機が去った後も後遺症として長く残る。国民の間で借金恐怖症の兆候が薄らぎ、銀行に融資再開の準備ができて初めて、その国は債務の呪縛から解放され、再び成長に向けた態勢が整う。

第10章

The Hype Watch

【メディア】「過剰な報道」の裏に道あり
――メディアから見放された時が絶好のチャンス

投資家とジャーナリストの違い

1991年から新聞のコラムの執筆を始めたが、当時は記事の見出しや雑誌の特集記事など全く信じる気にもなれなかった。世界中のメディアは、世界の超経済大国としての日本の台頭にとりつかれていた。日本企業は米国内における自動車、電気製品などの販売で米国のライバル企業を圧倒していた。他の産業分野でも、同じような日米逆転が生じるように見えた。1989年に日本のバブルがピークに達したとき、日本企業の株式時価総額は、世界全体の企業の株式時価総額の半分に達した。日本の土地価格も急騰していた。当時のメディアが盛んに伝えていたのは、東京の皇居の土地を売れば、その売却代金でカリフォルニア州をまるごと購入できて、しかもまだおつりがくるといった状況だった。1990年に株価や地価が暴落したことでバブルの収縮が始まったが、それ以降も多くの世界メディアや政治家は日本に関する誇張されたニュースをタレ流し続けた。

日本のバブルが弾けてから2年後の1992年2月、『タイム』誌が再び日本を特集した。その中で、2000年までに世界第二の経済大国が米国を追い越すことになるという予測が紹介されていた。特集では当時の櫻内義雄衆議院議長の「米国の労働者は怠け者で字も読めない。米国は日本の下請け企業になるだろう」という発言や、「米国人はロシアの軍事的脅威よりも日本の経済的脅威を深刻に考えている」との世論調査専門家ウイリアム・ワッツの見解なども引用されていた。その年の米大統領選挙では、ポール・ソンガス候補が「冷戦が終了したが、その勝者は日本だった」と不満をぶちまけていた。(1)

日本は私にとって、証券業とジャーナリズム業の大局観の本質的な違いを勉強する実践教育の場だった。投資家は未来に焦点を当てるが、ニュース・メディアの関心は現在だ。両者の視線の向かう先が異なるのは、インセンティブの違いだ。市場参加者は時代の流れを先取りすることで金儲けしようとする。ジャーナリストは、日々の出来事を正確に解説することで世間の評価を得ようとする。メディアが時代の変化に関心を持つのは、それが数年間続いて無視できなくなった時である。もちろん、メディアの一連の誇張されたニュースが市場関係者の注目を集めることがある。それはメディアが追い求めた最新の時代精神がたまたま世の中の大多数の考え方と一致しただけのことだ。

コラムニストになってから3年後に、私は投資家としてのキャリアをスタートさせた。それ以来、私は執筆と投資という時間軸の板挟みになった。1994年、投資家の関心はタイ、インドネシア、マレーシアといったアジアの新興国に移っていた。これらの国々が日本のような製造業大国として離陸寸前に見えたからだ。メディアは「アジアの勃興」という特集を仰々しく何度も組んだ。ある雑誌では、マレーシアのマハティール・ビン・モハマド首相を「経済計画の達人」と持ち上げ、節約、勤勉、指導者への敬意など「アジアの価値観」を高く評価する記事を何本も掲載した。こうした誇張されたニュースは、1997年の金融危機で東南アジアの通貨や金融市場が暴落する寸前まで続いた。その後、メディアの対応は愛情から憎悪へと急変した。「アジアの虎」に関する賞賛の記事は、容赦ない暴露記事に取って代わられた。インドネシアのスハルト大統領やその家族による数十億ドルの不正蓄財、マレーシア企業の不透明な融資慣行、ゴルフ・コース資本主義と揶揄されたアジアの投資偏重等々が、次々とヤリ玉にあがった。ゴルフ・コース資本主義とは、政治家とビジネスマンの接待ゴルフで秘密裏にいろんなことが決まる怪しげな経済を皮肉ったものだ。

無視されるのも悪くない

その後、一般的なメディアの関心は経済が絶好調に見えた米国へ向かった。1998年にアジア危機が最悪状態にあった頃、米国経済は年率5％ペースの高成長を続けていた。米国の旺盛な消費拡大がなければ世界は景気後退に陥っていたことだろう。新興国に興味を示す人は誰もいなかった。マレーシアには当時、世界で最高層のペトロナス・タワーがあった。しかしそれよりも、ゴールデンアーチのロゴで有名なマクドナルドのような米国のブランド企業の方が、世界経済の成長の牽引車として信用がおけて、リスクも高くなさそうに見えた。1998〜2003年の時代を支配したのは、新興国に対する嫌悪、せいぜい言って無関心の感情だった。

2003年に『タイム』誌は、インドネシアなど東南アジア諸国の特集を組んだ。タイトルは「消えた虎」。特集全体が5年ぶりに自然災害地を訪れたような調子であり、過去の経済的な躍進について触れることはほとんどなかった。しかしその後の5年間で東南アジア諸国は危機から見事に立ち直り、平均成長率は7％を超えるまでになるのだが。トルコのような新興国の経済躍進も、世界的なメディアやコメンテーターから注目されることはなかった。トルコは穏健イスラム主義与党が欧州連合（EU）加盟を目指して経済改革を積極的に推し進めていたが、メディアは関心を示さず、保守的な社会政策ばかりに着目した。トルコとEUが不倫への罰則、人前でのキスの禁止といった社会政策を巡って衝突するたびに、メディアはトルコがリベラルな文化のEU

にうまくなじめないのではないかと疑問を呈した。その一方で、トルコの1人当たり所得は10年間で3倍になる勢いであり、2000年代の成長率の高さでは世界ランキングで10番目に付ける大躍進を遂げていた。

作家でホロコーストの体験者でもあるエリ・ヴィーゼルは「愛の反対は、憎しみではなく、無関心だ」と述べている。この観察は過剰報道のサイクルを理解するのにとても役に立つ。どの国にも共通する問いかけは、世界のメディアからどのように見られているか、である。好景気が長く続くほど、経済実績に対する信頼性が高まる。メディアはその国を将来のお手本として高く評価する。その思い入れが強いほど、私の警戒心は高まる。これまで見てきたように、持続的な経済成長が長く続いた例は稀だ。成長が速ければ速いほど、その持続期間は短くなる。

多くの研究は、このパターンを支持している。最も衝撃的な研究は、クレディ・スイスのものだ。クレディ・スイスの研究は他よりも50年も古い1900年からのデータベースに基づいている。その結論はホッブズ的な現実、つまり高い成長率ほど持続が難しくなることだ。新興国、先進国を問わず、年6%の成長ならその持続期間は4年、年8%の成長の場合は同3年、年10%の成長なら同2年というのが相場だという。

クレディ・スイスだけでなく類似の研究も同じ結果を示している。高成長の持続期間が基準の5年に近づくと、成長の推進力がまもなく衰微する。しかし一般には、成長とは次第に加速していくものだと考える人が多い。高成長の絶頂にある経済に賞賛の声が浴びせられるが、実はそれは近い将来の暴落のタネを蒔いているだけだ。周囲からおだてられると、当該国の指導者はすっかり舞い上がってしまう。構造改革の手は緩み、自分でコントロールできる範囲以上の外資が国内に流入してくる。そして危機が到来すると、メディアの熱い眼差しはすぐに憎悪へと変わる。危機直後の批判は、十分な根拠に裏づけられていることが多い。アジア危機で露わになった縁故資本主義の弊害はまさにそうだった。しかし、経済の復活はまだ遠い先の話だ。混乱の解消には多くの時間が必要だ。

将来の成長のスターは、メディアの監視の外から誕生することが多い。彼らが成長を開始する――あるいは復活の契機をつかむ――のは、しばらくメディアから放置されて、その間に構造問題をきちんと処理した後である。メディアがそうした復活劇に気づくのは、高成長が数年も続いた後である。しかしそのときは、高成長の燃料は残り少なくなっている。結論的に言えば、世界メディアの熱い眼差しは経済発展の悪いサイン、反対に無関心は良いサインとなる。

小史――新興国の過剰なニュース

新興国の将来性に関するメディアのニュースは、ことごとく外れてきた。20世紀の初頭、世界的な経済競争に興味を持つ人は、現代よりもはるかに少なかった。彼らが注目したのは中南米の有望国、特にアルゼンチンだった。当時のアルゼンチンは、英国の最新の発明品である冷凍保存機能の付いた蒸気船を利用することで、自国で生産した牛肉や穀物を世界中へ輸出していた。それによって、先進国並みの所得水準を実現できていた。1950年代でもアルゼンチンは依然として先進国と見なされていたが、ファン・ペロン大統領のポピュリスト的な悪政で近代化に大きく出遅れた。その後、メディアの関心はベネズエラに移った。ベネズエラは数十年間、莫大な埋蔵量の石油を採掘することで発展を遂げ、サウジアラビアと共同でOPEC（石油輸出国機構）の創設者となった。1970年代に原油価格が急騰した時、ベネズエラの所得水準は米国と並び、中南米の希望の星と持ち上げられた。中南米大陸ではアルゼンチン、ブラジル、チリといった国の統治が次々に独裁者の手に落ちていく中で、ベネズエラは唯一、資本主義者による民主主義が根付きつつあるように見えた。

1950年代、60年代の経済専門家は、アジアなどほとんど眼中になかった。少しでも関心を持つ人は、フィリピンやビルマの将来性を高く評価していた。両国とも金属、宝石、その他の天然資源が豊かだったからだ。中国やインドは憐れみの目で見ていた。1960年代半ばでも、台湾には「バスケット・ケース（経済的な危機状態）」という厳しい評価が相次いだ。天然資源や資本に乏しく、政府は腐敗で信用が失墜していた。国民の大半は読み書きができない。そうした状況でいったい何ができるのか、といった感じだった。[2] 韓国についても悲観論が一般的だった。米国の専門家からは「絶望的な底なしの穴」と見なされていた。冷戦の最前線に立たされ、米国の対外援助資金で支える以外に途はなく、経済的な自立への展望はほとんど描けない。韓国への支援者は「ネズミの穴」にカネを注ぎ込むようなものだと語っていた。[3]

こうした見立てはすべて外れた。１９７０年代以降、アジアの平均所得は西側との差を急速に縮め、逆に中南米は大きく後退していった。アルゼンチンはずっと足踏みが続き、ベネズエラは１９８０年代の原油価格の下落以降、八方塞がりだ。ビルマでは１９６２年の軍事クーデターによって軍政が始まり、その後は国名をミャンマーへ変更した。しかし、軍事クーデター以前から経済は破綻しており、それはいまも変わりない。ビルマに遅れること3年、フィリピンの没落も始まった。収奪政治家のフェルディナンド・マルコスと、同様に腐敗した彼の妻イメルダが権力を掌握した。ちょうど同じ時期に、あまり世間の耳目を集めなかったが、「バスケット・ケース」の台湾や「ネズミの穴」の韓国では経済的な離陸が始まっていた。それから20年後には、今度は中国とインドが経済発展の大空へと舞い上がっていった。

「特集」のたたり

過剰報道の真偽をどう判断するか。これには経済予想とは別のスキルが必要になる。グーグルのヒット件数、広範なメディアの特集、トップクラスのエコノミストのサーベイ、投資家の意見などは、その判断の助けにはなっても、結論めいたものまでは与えてくれない。

インターネットの時代には、正統派の意見を手っ取り早く知るための権威ある単一の方法は存在しない。かつてなら主要なニュース雑誌の特集記事を読めば、大体の勘所はつかめた。しかし米国の雑誌に携わる多くのジャーナリストが、次のようなジョークを交えながら、雑誌ビジネスの後ろ向きの性格を語ってくれた。『タイム』誌や『ニューズウィーク』誌の特集に取り上げられたら、そのテーマは終わりだ」。

弱小メディアで働くジャーナリストのやっかみが混じっているかもしれないが、そのジョークには一面の真理がある。経済記事の場合は、特にそうだ。『ニューズウィーク』誌が1989年10月の特集でソニーのハリウッド「侵攻」を取り上げた。「侵攻」は日本の世紀の到来を告げる兆しだと解説していたが、日本が20年の失われた時代に突入する、ほんの数ヵ月前のことだった。『タイム』誌は2011年11月の特集で、現代は「中国の世紀か？　それともインドの世紀か？」という問いかけを行ったが、主要な新興国ではその年を境に景気の急減速が始まっていた。

メディアの特集に関する一般的な法則を得るために、私と私の同僚は、1980〜2010年に刊行された『タイム』誌の特集を調べてみた。個別の国や地域の経済的評価を行った特集が122冊もあった（『ニューズウィーク』誌は残念なことにアーカイブズが利用できなかった）。私たちは特集の論調が、楽観的か悲観的か、そして事後的に見てそれが正しかったかどうかを判断していった。その結果、先のジョークは正鵠を射ていることを確認できた。『タイム』誌が悲観的であった場合に、その後5年以内に経済成長が上向いた事例が全体の55％に達していた。1982年3月、『タイム』誌は特集の中で米国のポール・ボルカーFRB議長の金利引き上げ決定に対して「金利の地獄」と悲観的に捉えたが、現在ではボルカーの決定は米国を苦しめたスタグフレーションに最後のとどめを刺したものとして高く評価されている。1999年8月、同誌は

「日本の民族主義回帰」を特集して、金融危機後の内向き志向を伝えた。しかし、日本はまもなく少なくとも短期間は改革路線に突き進み、小泉純一郎首相の下で改革スピードは加速した。2010年に同誌は「崩壊した米国」というタイトルで米国経済の特集を組んだが、その後の5年間、米国の成長スピードは加速し、他の先進国を大きく上回った。

逆に『タイム』誌の論調が楽観的だったケースで、その後の5年間に経済成長が鈍化した事例が全体の66%に達していた。1980〜2010年の期間には、この現象が合計37回も生じた。1992年2月に同誌が日本の特集を組んで以降、日本の成長率は1987〜1991年の平均5%強から、1992〜1997年には同1%強へと下落した。2006年5月には「フランス流構造改革」という特集でフランスの変化は一般の理解よりも早く進んでいると紹介したが、その後の5年間を見ると、同国の成長率は1%弱へ半減してしまった。2007年11月の「ドイツの再生」という特集の後、同国の経済は失速してしまった……等々。

ここでのポイントは、『タイム』やニュース雑誌の評判を落とすことではなく、(統計的な) 外挿法（訳者注＝既知のデータから推測して推計する方法）と直線的思考の双子の問題点を明らかにすることである。こうした推計上のバイアスによって、多くの人々は景気の転換点を見失ってしまう。好況が続いた時などは、特にそうだ。そもそもメディアのレポーターは、市場調査の専門家や経済学者、IMFのような主要な国際研究機関の見解を後追いする傾向がある。IMFの予測はその名声ゆえに世の中では正統派の意見と見なされ、世界的なコンセンサス予想として広く受け入れられている。しかし彼らといえども、その他の人々と同様に、高成長を過大に評価するシステム的な偏りから逃れることはできない。

「陰鬱な科学」の〝超楽観〟予測

2013年、ラリー・サマーズ元米国財務長官（ハーバード大学名誉学長）と、ハーバード大学で彼の同僚経済学者であるラント・プリチェットは「平均値へ回帰するアジア恐怖症」と題する論文で、過大評価のメカニズムを真正面から批判した。サマーズらは中国とインドの経済が今後数十年の間に数倍に成長するという予想に対して、疑問を呈した。サマーズとプリチェットはIMFやその他の予測専門家に対して、次のような嘆願にも似た要請を行った。高成長を続けてきた経済がいつまでも高成長を続けることができると仮定するのを止めること、経済成長に関する戦後研究の唯一にして最も明確な結論はどの高成長国も「平均値へ回帰する」こと、成長率は歴史的な世界的平均値へ収斂していくことを再認識すること（世界的な平均値とは、成長率で約3・5％、1人当たり所得の伸び率は1・8％を意味している）の3点だった。IMFの予測では、インドと中国の成長率は平均値への回帰ではなく、現状よりも少しスピードがダウンする程度で比較的高い成長が続く。その結果、2030年に経済規模は現在の4倍になり、両国を合わせたGDPの増加幅は約53兆ドルとなる。一方、サマーズとプリチェットが指摘する歴史の教訓を踏まえた場合は、両国とも成長率は平均値へ回帰し、2030年の経済規模は2倍、両国を合わせたGDPの増加幅は11兆ドルにとどまる。外挿法推計と定評のある平均値回帰法との推計差は、実に42兆ドルにも達する。[4] メディアのレポーターが中国やインドの経済発展を大げさに喧伝する背景には、こうした権威ある国際機関の過大な推計がある。

彼らの名誉のために言えば、こうした批判に謙虚に耳を傾けた一部の専門家もいた。IMFのジアン・ホーとパオロ・マウロは2014年に「経済成長——未来永劫続けることができるのか？」と題する論文を発表した。その中で、1990年以降のIMFと世界銀行の経済予測を分析した。[5] 彼らが得た結論は、サマーズとプリチェットは基本的に間違っていないということだった。予測専門家は平均値への回帰という経済の趨勢を無視していた。ホーとマウロは「過去のデータを振り返ると、予測は結果的に楽観的すぎた」という。IMFや世銀のような国際機関は、新興国に対する過大な評価を煽る一方で、「上昇局面から下降局面への転換点の予測ではことごとく間違っていた」のだ。

IMF予測に関する私の最新分析では、前記の楽観予想が特に著しかったのは中国のケースだ。中国の成長率は2010年にピークをつけたが、同年4月、IMFは、今後5年間の中国の成長率は0・5%ポイント鈍化する程度で、2015年までは引き続き9・5%の高成長を維持できるとの予測を発表した。2015年半ばの時点では、中国の実際の成長率は政府の公式発表では7%、独立機関の推計では5%未満となっている。

2010年以降も、中国に関するIMFの予測は楽観的なままだった。どの時点の予測でも、その後の5年間は成長率の鈍化は小幅であり、大幅な減速の可能性はないとしていた。２０１５年４月時点のＩＭＦの予想では、中国の２０２０年の成長率は６％強であり、中国の成長率が大きく減速してもそれが下限になった。中国＝「奇跡的な繁栄」の図式が当たり前になった時代では、いかに研究熱心な予測専門家でも中国の成長率が平凡な水準に収斂することなど想定できなかった。たとえ、その動きが始まっていたとしても、だ。

経済学を「陰鬱な科学」だとあざけったのは19世紀の歴史家トーマス・カーライルだが、実際は「楽観的な先入観」でいっぱいだった。この生まれつきの陽気さは、ＩＭＦが長く景気後退の予想を避けてきたことからもすぐに分かる。『エコノミスト』誌が１９９９〜２０１４年の１８９ヵ国を対象にしたＩＭＦの年次景気予測を調査したことがある。同誌によると、最初の１年は経済が成長するが、その翌年は景気後退に陥ったケースが２２０もあった。しかし毎年４月時点でＩＭＦが翌年の景気後退を予想したケースは一度もなかった。予想の当否という点では、マイナス２％から10％の数字をランダムに割り振って行った方が、よほどパフォーマンスが良かっただろうと、同誌は指摘している(6)。こうした傾向はＩＭＦに限ったことではない。多くの経済専門家が予測を変更する場合、小幅な修正に止める傾向が強い。大きな変更は先送りしてしまう。たとえば、フィラデルフィア連銀では、50人の主要な予測専門家の調査を四半期ごとに行っている。それによると、２００８年初めには株価暴落など大不況を示す兆候が数多く出ていたにもかかわらず、彼らの予想の見直しは、お決まりの小幅な修正から始まった。米国の２００８年の成長率に関する彼らの平均予測は1・8％だった。1％未満の予想はわずか2人、マイナス成長を予想した人は1人もいなかった。現在では、大不況が2007年から始まったことは周知の事実である。

IMFや世銀が楽観論に傾くのは、それなりの理由がある。景気予測の対象国はそもそも彼らの顧客である。IMFや世銀が本音ベースで容赦のない予測を行えば、これらの国々の政治家や官僚は国内から厳しい批判にさらされる。同じプレッシャーは、多くの独立系の予測専門家にも重くのしかかる。最近、政治力を増してその影響力を行使し始めた新興国の場合は、特にそうだ。大手投資銀行のエコノミストは中国に関してどちらに振れても非難を免れないジレンマを語ってくれた。もし中国政府が発表している7％の成長率に疑問を呈すれば北京からきつい叱責を受け、公式発表を鵜呑みにすると投資家からきつい小言を言われる、という。

新興国に対する過剰報道

これまで述べてきたように、特定の国で高度成長が長期間続くことはありえない。ましてや、国同士のグループになるとなおさらだ。こうした基本的な事実さえ、過去10年間の過剰な報道に歯止めをかけることはできなかった。2002年以降、複数の要因が重なって、新興国に好景気が到来した。IMFが常時観測している150以上の国々では、2007年までの5年間で、成長率が倍増して、平均7％以上になった。専門予測家はすぐに、ブラジル、ロシア、インド、中国では高成長がさらに続き、平均所得はやがて先進国の水準に追いつくという予想を出した。

こうして巨大な「収斂」、つまり世界的な所得の平準化という神話が生まれた。貧困者を支援するNGO、新興国でひと儲け企んでいる国際的な投資家、世界的なパワーバランスの大変化を待望している国際政治評論家などは、このシナリオにすっかり魅了されてしまった。新興国の台頭によって、米国覇権の終焉が加速されると論じた評論家は、少なくなかった。この議論は2008年の金融危機以降も続いた。そして2年後の2010年になると、米国は低成長を余儀なくされ、その一方で中国に牽引された新興国では米国の3倍のスピードで成長が続いた。

こうした新興国の成長率の高まりは、しばらくの間、この巨大な「収斂」神話の信憑性を高めることになった。しかし2000〜2010年の10年間が、新興国にとっていかに恵まれた時代であったかは、ほとんど認識されていなかった。1960年から2000年までのすべての10年区切りの期間を振り返ると、大半の新興国では1人当たり所得が対米国比で下落していた。ペン・ワールド・テーブルは、ペンシルベニア大学がウエブ上に公開している権威あるデータベースだ。そこには各国の成長率に関するデータが収載されている。その中から新興国110ヵ国を取り出して調べてみると、2000年以前のすべての10年区切りにおいて米国との格差を縮めた国の割合は全体の45%以内にとどまっていた。国際商品市況が高騰した1970年代でも、そうだった。2000年は金融緩和のマネー、国際商品市況の高騰、国際貿易の拡大の大波が新興国に押し寄せた年だが、それを境にすべてが好循環に変わった。その後の10年間は新興国の80%で成長率が高まり、1人当たり所得は対米国比で上昇した。

新興国に関する過剰な報道がさらにエスカレートしたことは、別に不思議でもなんでもない。2005〜2010年の5年間に、ほとんど異常ともいうべき成長率の高まりが見られたからだ。ペン・ワールド・テーブルの新興国110ヵ国の中で、わずか3ヵ国の平均所得が対米国比で減少しただけで、残りの107ヵ国——全体の97%——は上昇した。これは史上例のないことだ。米国に後れをとった3ヵ国はニジェール、エリトリア、ジャマイカの弱小国だ。新興国は全体として上昇気流に乗っていたと見て間違いない。

誰も彼もがそろって高成長という状況が何十年も続くと思うのは、全くもって荒唐無稽な話だ。1国だけでも、所得の「収斂」は難しい。世銀の2012年の研究によれば、過去半世紀の間に中低所得国から脱して高所得国の仲間入りを果たした新興国はわずか13ヵ国にすぎない。韓国は先進国のチケットをほぼ手に入れ、チェコやポーランドも時間の問題だろう。巨大な「収斂」のシナリオに従えば、今後数十年の間に、多くの国が中低所得国から高所得国へ昇格するために、先進国、発展途上国といった区分けは次第に意味をなさなくなる。快適な生活に恵まれた中所得国が多数を占める世界は、貧困者のいない世界に勝るとも劣らぬユートピアであり、それがまさに目前に迫っていることになる。

しかし後で明らかになったように、2010年は世界全体の繁栄の始まりではなく、誰もが超高成長に酔いしれたつかの間の時代の終わりだった。2010年の後半になると世界的なマネーや貿易の取引が失速し、国際商品市況が下落に転じた。新興国の成長率は減速し始めた。2010年代半ばになると、新興国の平均成長率は2010年の7・5%をピークに長期的な平均値である4%へ、中国を除けば約2%という水準へ降下していった。米国はその平均値を上回る速度で成長を続けたが、ロシア、ブラジル、南アフリカなど問題含みの国よりもずっと速かった。過去10年間に過大に評価された新興国の成長率は「収斂」どころではなく、対米国比で大きく後退していった。新興国では人口の伸び率が高いため、1人当たり所得ではさらに後れをとることになった。

2011年以降、「中国の得意技」つまり一直線の成長を前提とした設備投資までが変調を来し始めた。しかし一般の人々だけでなく、経済専門家や大学研究者もまだそれに気づかなかった。2014年初め、著名な大学教授らとともにブルッキングス研究所の討論会に参加した。そこで、彼らが中国経済について、あたかも高成長が転機を迎えることなど当面ありえないといった感じで議論するのを聞いて正直驚いた。私は当然、異議を唱えたが、有力な世界的メディアが中国経済の減速を新たな現実として受け入れるには、2015年半ばの上海株式市場の暴落と人民元の切り下げまで待たなければならなかった。

資源国の桎梏

過去10年間のBRICsに関する誇張されたニュースで常に反発を覚えるのは、次の点だ。

たった一つの頭字語で世の中のすべてを理解した気になるのもよいが、中国のような製造業で成長する国と、国際商品で成長する国とを一緒くたに論ずることに何の抵抗も感じないのだろうか、と。ロシアのように原油を輸出している国もあれば、ブラジルのように鉄鉱石や穀物を輸出している国もある。こうした国では、主要輸出品の市況の変動によって、経済の成長率が大幅に高まることがあれば、反対に急速に落ち込むこともある。こうした視点で50年前まで振り返ってみると、国際商品市況の変動と、先進国との格差を一時的にせよ縮めた国の数との間に、明らかな相関関係があることが分かった。

1970年以降を10年区切りで見ていくと、平均所得で先進国との格差を急速に縮めた国の数は国際商品市況と大きく連動している。1970年代に国際商品市況の標準的な指数は160％上昇したが、所得の急速な収斂に成功した国は28ヵ国あった。* ところが国際商品市況が低迷した1980年代、90年代になると、その数が11ヵ国に落ち込んだ。2000年に入ると国際商品市況が2倍の水準へ跳ね上がったため、2000年代は先進国へのキャッチアップとしては再び黄金時代を迎えた。先進国との格差縮小に成功した国は37ヵ国に広がった。

＊ 「急速な収斂」の定義は以下の通り。173ヵ国の成長率を1960年まで遡って調べ、10年の区切りごとに1人当たりGDPが対米国比でどのくらい上昇したかを計算し、その比率の高い順にランキングする。それぞれの区切りの上位4分の1を「急速な収斂」のケースと定義する。「急速な収斂」のいずれのケースでも、1人当たりGDPは10年間で対米国比2・8％ポイント以上増加していた。

資源や穀物など国際商品が主導する経済の問題点は、輸出価格が下落すると、先進国へのキャッチ・アップもストップしてしまうことだ。２００８年に世銀はノーベル賞受賞経済学者のマイケル・スペンスを議長とする専門委員会を立ち上げた。委員には、ロバート・ルービン元米国財務長官、トレバー・マニュエル南アフリカ財務大臣などが招聘された。スペンス委員会の目的は、長期的な安定成長の秘密や、それがどうして第二次世界大戦後の一時期に出現したのかその原因を明らかにすることだった。委員会では、25年以上にわたり平均7％以上の成長率を達成した13ヵ国を抽出し、それぞれが独自の発展の末に全く異なる結末を迎えたことを指摘した。(7)13ヵ国の中で最後まで発展を続け、所得が先進国の水準まで到達した国は6ヵ国、そのうち特異なマルタを除外すれば、5ヵ国はいずれも製造業主導の輸出国だった。一方、先進国の仲間入りをする前に発展が止まってしまった残りの7ヵ国のうち6ヵ国は豊富な国際商品に恵まれていた。その6ヵ国とは、ボツワナ、インドネシア、マレーシア、オマーン、タイ、ブラジルだ。１９１4年以降、ブラジルの1人当たり所得は、鉄鉱石、砂糖、大豆の市況と連動しながら変動を繰り返してきた。現在、ブラジルの1人当たり所得は米国の16％の水準であり、１９１４年に比べてわずか1％ポイント上昇したにすぎない。

こうした資源国の桎梏を分かりにくくしている理由の一つは、天然資源は経済成長への影響がケタ外れに大きいにもかかわらず、その役割が見た目には小さく見えるからだ。世銀の試算によれば、天然資源から得られる所得は先進国ではＧＤＰの1・4％であるのに対し、低中所得国では平均すると同8％になっている。輸出や政府歳入に占める天然資源の圧倒的な比率と重ね合わせると、この8％という比率は経済の先行きにとって決定的である。国際商品市況はある日突然、急激に変動する習性がある。原油、綿花、砂糖の収入が急落すれば、経済は危機に突入する。特に対外債務を抱えて外貨収入を必要としている場合は、なおさらだ。中南米では低成長の「失われた時代」を何度も経験してきた。その理由の一つは国際商品が輸出の半分以上を占めていたことだ。

多くの国では、政府が原油、ガスなど資源関連企業の多くを所有し、そこから得られる収入を政府の歳入に充ててきた。国際商品市況が突然急落すると、政府の財政はすぐに行き詰まってしまう。ロシアの石油産業はGDPの10％にすぎないが、輸出の半分、政府収入では3分の1を占めている。2014年に原油価格が暴落した時、ロシアは深刻な景気後退に陥った。原油価格下落の直前に、プーチン大統領は雑誌の特集で「世界で最も影響力のある人物」と賞賛された。クリミア半島の占領など一連の外交的な成果を踏まえたものだった[8]。これは時代のトレンドが終了した後も、ニュースの過剰な報道がしばらく続く典型的なケースだ。ロシアの平均所得は西側に大きく後れをとっていたが、原油主導の景気後退は不況をさらに深刻にした。

マルサスと同じ過ち

資源・穀物主導経済の先行きは市況変動抜きに語れないが、彼らに対する過剰なニュース報道は過去をそのまま未来へ投影する直線的な発想を根拠にしていることが多い。その原点にはマルサス的な破綻シナリオがある。トマス・マルサスは英国の経済学者だ。彼は19世紀初めに、将来、世界人口の伸びが農業生産の伸びを追い越して大規模な飢饉が発生すると初めて予言した。それ以来、マルサスの予言が一度たりとも実現していないにもかかわらず、専門家は数十年間隔で——数年間隔ではない——、悲観論を表明してきた。2011年に食糧価格が急騰した直後に、国際機関のオックスファムが、人口が増大する中で農業生産の伸び率が鈍化すれば食糧不足に陥ると警告した。オックスファムの予想によれば、これから20年以内に穀物価格は2倍になり、2030年には数百万の人々が飢えに苦しむ。国家の繁栄と衰退という観点で見ると、その示唆するところは明らかだ。ブラジルのような農業大国は穀物や大豆の価格上昇を追い風に大きく発展するということだ。

こうしたシナリオは、マルサスと同じ過ちを繰り返している。彼らは農家、原油や鉄鋼の生産者、その他資源や穀物の生産者が技術革新で供給を拡大する能力を過小評価している。第二次世界大戦後、世界的な食糧価格（インフレ調整後）は、平均で年率1・7％の割合で下落した。その理由は、農業生産者が供給能力を拡大するために、価格上昇時に得た利益を肥料の改良やコンバインやトラクターの効率改善に振り向けたからだ。2011年には、農業生産が壁に突き当たり既存の畑地ではじゃがいもの生産性をさらに引き上げることが困難になるとの思惑から、食糧価格上昇の懸念が再び頭をもたげた。農業生産が次第に頭打ちとなっていくという発想の背景には、こうした生産性限界説があった。

別に驚くことではないが、このシナリオも増産の可能性を見落としている。中国、ブラジル、旧ソ連諸国の穀物の生産性は、米国に比べてまだ半分程度だ。これらの国が海外の手法を導入できれば、農業生産は飛躍的に拡大する。新興国では全食糧の約30％、全果実や全野菜の50％が輸送の過程で毀損し廃棄されている。ブラジルやロシアの道路事情が改善されれば、市場に出回る食糧の量は格段に増えるだろう。

大昔は農民を小作人と見なしていた。そのイメージによって、現代の農業生産者が価格変化に対応して迅速に投資を調整していることなど、ほとんど知られていない。いくつかの研究によれば、農業生産者は原油掘削の巨大多国籍企業よりも市場への反応が早い。価格高騰の最大の敵は、価格高騰である。生産者は価格上昇に応じて能力増強への投資を加速させるからだ。

これがまさに2011年に起きたことだ。非観論者たちは食糧価格の上昇や飢饉に関するレポートを発表していたが、その一方で能力増強投資の大波が脅威の押さえ込みにかかっていた。米国のシェール・オイルやブラジルの砂糖などの生産量を増やすために、2000〜2010年の間に世界中で1兆ドルの投資が行われた。そうして増産された資源や穀物が過熱した市況を冷やした。食糧価格は2009〜2011年に66％上昇したが、ほどなく反転し2年後には30％の下落となった。

2010年代の食糧や資源の価格急落は、ブラジルのような資源大国に対するメディアの印象を大きく変えた。2009年末にブラジルが好景気の絶頂にあった時、『エコノミスト』誌は、「離陸するブラジル」と題した特集を組んだ。記事にはブラジルを象徴するコルコバードのキリスト像がリオデジャネイロの空高く舞い上がるイラストが掲載されていた。しかしその後の4年間に、ブラジルの成長率は半分以下となり、ドル表示で見た株式の時価総額は50％も消失した。2013年末に、『エコノミスト』誌は再び特集を組んだ。今度は同じコルコバードのキリスト像が大地に向かって落下するイラストだった。「ブラジルは失敗したのか？」というタイトルが遠慮がちに付けられていた。

絶えざる警戒心

高成長を続けることが、どうしてこんなに難しいのだろうか。一つの答えが「中進国のワナ」だ。それによれば、低開発国は最初、道路舗装のような単純な投資だけで急成長できる。しかし所得が中進国レベルに達して高度な産業の育成が必要になると、従来のような成長率を維持することが難しくなる。しかし「開発のワナ」はどの所得水準でも存在する。成長産業は、質の高い銀行や教育機関、規制当局といった基盤のうえに、積極的な投資や資金調達が行われて初めて育つ。そうした成長に向けた挑戦はある日突然、姿を現すものではない。経済発展のすべての段階で、私たちが絶えず直面する課題だ。

2010年以降、「中進国のワナ」の過剰報道は加速する一方である。カリフォルニア大学バークレー校のバリー・アイケングリーン教授らによる２０１３年の研究によれば、「中進国のワナ」へのグーグル検索数は合計40万件にも及んだ。この議論をさらに深めていくと、ベトナムやインドのような低開発国から、マレーシア、トルコ、台湾のような比較的裕福な国にいたる多くの国々で「中進国のワナ」に陥るリスクを抱えているという警鐘に突き当たる。しかし「中進国のワナ」の概念は曖昧で、その定義も多様だ。問題国の特定にはあまり役に立ちそうにない。

「中進国のワナ」という言葉は、２００７年に世銀の研究者によって初めて使用された。２０１３年9月には世銀の別の研究者たちがその内容を吟味したが、いくつかの疑問が残った。彼らによれば、「中進国のワナ」の「存在を示す根拠はきわめて乏しく」、中進国が西側の所得水準へキャッチ・アップする過程にあるかどうかの判断基準としても有益かどうかわからない[9]。中進国と先進国の間ばかりでなく、様々な所得水準の間にも障壁は存在する。そして、次のように結論づけた。「ワナ」は、より定常的な成長率にスローダウンしてしまった経済というよりはむしろ急速な収斂に必要なレベルから大きく後退してしまった経済という意味であり、別の言い方をすれば「中進国のワナ」は表現として正確性を欠く。バングラデシュ、ニジェール、エルサルバドル、モザンビークのような国々は第二次世界大戦後のほとんどの期間、1人当たり所得が米国の5％未満という「貧困のワナ」から抜け出せないままだ。これが正しい使い方だ。

先進国も「つまずき」に苦しむことがある。アイケングリーンによれば、経済成長が壁に突き当たるのは、1人当たりＧＤＰが米国の75％の水準、つまり中進国よりもはるかに高い水準に到達した時だ。すでに十分豊かになったにもかかわらず、7年間という長期の景気減速に見舞われた国は数多い。日本で急速な減速が始まったのは、1992年に1人当たりGDPが2万8000ドルに達した時だ。香港では1994年の同2万7000ドル、シンガポールは1997年の同3万5000ドル、ノルウェーは1998年の同4万3000ドル、アイルランドは2003年の3万8000ドル、英国は2003年の3万2000ドルの時だった。こうした景気の減速は、しばしば悲惨な結果をもたらした。アイルランドの1人当たりGDPは、2003年までの7年間に年率6・6％で急拡大したが、その後の7年間は平均マイナス1・3％の成長率に急降下した。こうしたアイルランドの事例に対して専門用語はまだできていないが、あえて命名すれば「繁栄のワナ」とでも呼んだらよいのだろうか。

高成長は「持続力」に欠ける

珍しいケースもいくつかある。景気の減速が深刻で、せっかく先進国の仲間入りを果たしたものの、再び中進国に逆戻りしてしまったケースだ。20世紀には少なくとも3つの事例がある。ベネズエラは過去100年の間に、中進国から先進国、再び中進国へと往って来いになった。一方、アルゼンチンは平均所得が対米国比で1930年代の65％から2010年には同20％以下へ急落した。最近の例はギリシャだ。2010年に金融混乱に陥って以降、新興国レベルへ降格となった。1人当たり所得は、先進国の下限とされる2万5000ドルを少し上回る水準から、それを大幅に下回る水準へ落ち込んだ。ギリシャの凋落は金融危機の長期化が原因だが、他の降格の事例にも共通している。

どの10年区切りで見ても、所得レベルが昇格する国よりも降格する国の数の方が多い。1940年代末以降、多くの国が降格を経験している。1950年代のフィリピン、1980年代、1990年代のロシア、南アフリカ、イランなどだ。2012年の世銀の研究によれば、戦後に先進国の仲間入りを果たしたのはわずか13ヵ国、中所得国から低所得国へ格下げとなったのは31ヵ国もあった。この31ヵ国の中には、不名誉な経済失政の国や、イラク、アフガニスタン、ハイチなど戦争で国土が荒廃した事例も含まれている。

エコノミスト的な表現を借りれば、高成長は「持続力」に欠ける。ニューヨーク大学の経済学者ウィリアム・イースターリーと彼の同僚は20年以上も前にこの事実を立証し、その後、何度も再確認されている。大抵の場合は、否定的な側面だ。たとえばサマーズとプリチェットは、1950年以降に「超高速の成長」を経験した28ヵ国について分析を行っている。「超高速の成長」の定義は、1人当たりGDPの平均成長率が年率6％で、それが少なくとも8年以上続いた場合だ。彼らによれば、こうした好景気は「きわめて短命」だ。持続期間の中央値は9年であり、その後は景気の減速が始まり「ほとんど必ず」といってよいほど成長率は大幅なダウンに見舞われる。1人当たりGDPの平均成長率は年率2％強へ逆戻りするのが一般的だ。この2％強は、すべての国が「平均値へほぼ完全な回帰」をした時の数字である。

この「平均値への回帰」で見落とされているのが、肯定的な側面だ。10年間も冷え込んだ経済が、次の10年も冷え込んだままということはありえない。景気循環ごとに競争環境はガラリと変わる。ある国では債務バブルがピークを迎える一方で、別の国では債務返済に取り組んだ結果、次の飛躍の条件が整う。新しい産業では技術革新によって競争力が強化される。新たな選挙で新しい指導者が選ばれて、事態が悪化することも、改善に向かうこともある。イタリアや日本のような国では改革派の指導者が沈滞しきった旧体制を一掃し、新たな経済発展の期待が高まるかもしれない。それはイタリアや日本の「時代の到来」といった大げさなものでないにしても、5年、10年といった好景気なら十分可能性がある。同じことが資源や穀物の生産国についても言える。資源国では商品市況が上昇するたびに、景気は連動して上向く。1998年9月に『タイム』誌が、危機で破綻寸前のロシア経済について「助けてくれ！」という簡潔なタイトルの特集を組んだ。しかし、その後の5年間は原油価格が上昇に転じ、ロシアの成長率はマイナス5％から7％へ急浮上した。

スター誕生は低所得国から

急成長の「スター」は一般的に、メディアの視界の外で誕生する。高成長を遂げる国は低所得国が多く、低所得国はメディアがほとんどカバーしていないからだ。低所得国ほど経済の活性化は簡単だ。道路整備などの単純な政策で生産性が高まるからだ。

この点を分かりやすく説明するために、私は1950〜2010年の10年刻みごとに高成長を遂げた10ヵ国を調べてみた。高成長国の1人当たり所得は、スタート時点で3500ドル未満が一般的だった。代表例を挙げると、1950年代のナイジェリア、トルコ、1960年代の台湾、シンガポール、1970年代のマレーシア、ルーマニア、1980年代のエジプト、ボツワナなどである。高成長の波に乗る前から高所得だった例外国は、資源や穀物などの国際商品に恵まれた国である。ノルウェーのように経済規模は小さくても原油の埋蔵量が豊富な国は、原油市況の高騰に乗って、高成長国リストのトップ10位内にランクインしている。しかしそれ以外は、どの10年区切りで見ても、高成長のスーパースターは低所得国であり、メディアからはノーマークである場合が多い。

この10年刻みの世界高成長国リストは、無名のスターが登場し、メンバーの入れ替わりが激しいという点で要注目である。2回連続で10年区切りリストに登場した国は珍しい。1980年以降ではブラジルが脱落し中国が代わって登場したが、これは誰も予想していなかったことだ。日本が1990年以降は姿を消し、ロシアが2000年代に登場したのも予想外だった。どの10年刻みのリストを見ても、ニューフェイスがさっそうと登場し、次の10年リストでは燃え尽きて姿を消す例が散見された。1950年代のイラク、1960年代のイラン、1970年代のマルタなどだ。メディアが激賞するのがこのリストから転落寸前の国々で、反対に歯牙にもかけないのがリスト入り直前の国々だ。未来の優等生は過去の劣等生の中から現れる。2010年代を見ても、フィリピンは新興国の中で最も元気だし、かつて落ちこぼれだったメキシコは中南米諸国の中で今後成長率がさらに加速する可能性が高い。

メディアの無関心も決して悪いことばかりではない。景気のバブルが弾けると、世界中からメディアが大挙してやってきて、むくんだ死体の検死解剖に取りかかる。景気の最盛期に異常に積み上がった個人消費や利払い不能に陥った債務の実体が次々に暴かれる。政府は特別委員会を設置して、問題銀行の閉鎖や不良債権の処理、大手国営企業の腐敗した経営者の更迭、危機再発防止のための改革などを推し進めようとする。

危機の深刻さにもよるが、こうしたバブルの処理には数年かかる。たとえばアジア危機では、タイで債務危機の兆候が現れたのが１９９６年であり、１９９７年夏に最悪期を迎えた。大手の国際投資家は間髪入れずタイ株式の購入に踏み切った。こうした大胆な行動は、１８７０年代のロスチャイルド男爵を皮切りに、その後も後続の実力者たちによって何度も繰り返されてきた。株式購入のベストのタイミングは「巷に死人があふれ」、価格が下値の岩盤に到達したと思われる時だ。問題は、１９９７年以降のアジアのように危機が長期化する場合だ。アジア危機では、タイの危機が他の新興国へ伝播して、タイの株式相場はさらに70％も下落した。１９９７年夏の時点でタイの株式を積極的に買い向かった投資家は、大きな損失を被った。

メディアから見放された時がチャンス

経済が改善に向かうのは、メディアから目の敵にされている時ではない。メディアの関心が別の話題に移って、見向きもされなくなった時だ。破綻国は誰の干渉も受けることなく、問題処理に専念できる。２０００年の初めになると世界的メディアはアジア危機のことなどすっかり忘れてしまい、ＩＴブームに熱中した。政治に目を向けると、ロシア、トルコ、韓国では新しい指導者が登場し、東南アジアでは通貨安を追い風に輸出主導の新たな景気回復が始まっていた。新しい指導者は経常収支を均衡させ対外債務を削減した。しかし１９９７〜１９９８年危機の後も長い間、メディアの破綻国に対する見方は全く変わらなかった。２０００年に『タイム』誌は特集で会議中に居眠りしているインドネシアのアブドゥルラフマン・ワヒド大統領を「ワヒドの苦悩」とからかったが、その後のインドネシアは不良債権処理が進み、通貨安によって輸出が回復し、成長率はゼロ近辺から５％近くへ跳ね上がった。

経済成長は長続きしないが、メディアの特定国に対する冷遇は徹底している。成功談であっても全く受け入れようとしない。２００３年、ロシアのウラジーミル・プーチン政権が石油業界の大物実業家で民主主義の旗手であったミハイル・ホドルコフスキーをでっち上げの脱税や詐欺容疑で投獄して以降、世界メディアはロシア問題にかかりっきりになった。彼の投獄とそれに絡む不正行為によって、ロシアに関する報道はプーチンがソビエト式の権威主義に逆戻りしたという話で一色になった。プーチンが経済政策では改革者であったにもかかわらず……。プーチンに関する国際記事の見出しを読む限り知る余地もなかったが、ロシアの好景気はその後も長く続いた。

私は、世界メディアの関心から外れた国を見過ごすことが何度もあった。コロンビアもその一つだった。２００２年にアルバロ・ウリベが大統領に就任し、戦争で荒廃した経済に平和と秩序が戻ったが、その経済的な大変化を見落としてしまった。長らくコカインや殺人と同義だった国が急速な変貌を遂げることができたと信じるには、発想のジャンプが必要であり、私にはそれがなかなかできなかった。しかし「破綻国家」の前提条件がいつまでも変わらないというわけではない。

「破綻国家」と思われてきた国の中で、フィリピンほどその経済再生が世界的メディアから無視された国はない。２０１０年1月にマニラを訪れたとき、私は確実に経済が改善に向かうと直感した。フィリピンの人々はもうこれ以上、近隣諸国に後れをとるのは耐えられないと思い始めていた。彼らは「ミスター・クリーン」と呼ばれた指導者に強力な権限を与えて、史上最悪レベルの腐敗の撲滅に取り掛かっていた。1人当たりのセメント使用量が80年前とほとんど変わらないこの国で、投資の拡大にも着手した。しかしこの数十年間、経済成長の劣等生だったイメージはすぐに拭えない。友人のジャーナリストは、私がフィリピンの明るい展望を語るのを聞いて、最初はジョークだと思ったという。多くの人々はいまでも同じように感じるに違いない。

一方、２０１４年にナレンドラ・モディはインド首相に就任したが、その躍進に絡む過剰報道も気がかりだった。同年12月、毎年恒例の『タイム』誌「パーソン・オブ・ザ・イヤー（今年最も活躍した人物）」の読者投票で、モディは他の候補を大きく引き離していた。しかし結局、編集者は別の人物を選んだ。モディに投票したインドの人々は当然がっかりしたに違いない。しかし私の見解では、モディが「パーソン・オブ・ザ・イヤー」として『タイム』誌の表紙を飾っていたら、インドのユーフォリアはピークを迎えていたことだろう。「パーソン・オブ・ザ・イヤー」受賞の後は下り坂になることが多い。モディはそれ以前から、すでに世界的メディアの寵児になっていた。世界中が必死になって明るい話題を探している時だけに、メディアはこぞって彼をインド復活の改革者だと持ち上げた。彼への期待が絶大すぎたために、インド経済について否定的なコメントを出す金融アナリストはマンハッタン、ムンバイを問わず一人もいなかった。だからこそ私は感じた。モディが「パーソン・オブ・ザ・イヤー」に敗れて、インドは勝ったのだ、と。

アフリカを一まとめで議論する危うさ

雑誌の特集は間違った方向を向いているという一般的なルールがあるとすれば、『エコノミスト』誌はその例外である。それはおそらく同誌が意識して天の邪鬼的な世界観をとっているためだ。1980〜2010年に刊行された209件の特集を調べてみると、同誌が特定の国について楽観的な特集を掲載した場合、その後の5年間で景気が改善したケースはその3分の2に達している。悲観的な特集を掲載した場合は、その通りに景気が減速したケースは半分以上だった。

１９９８年5月の同誌の「欧州の大飛翔」という特集では、1枚のイラストが添えられていた。スーパーマンに擬人化された欧州大陸が、横倒しとなった電話ボックスから、空高く舞い上がる姿が描かれていた。実際、その後の5年間を見ると、欧州の成長率はそれ以前の1・7%から2・6%へと急加速した。それから3ヵ月後、大半のメディアは依然として1年前のアジア危機の原因となった「ゴルフ・コース資本主義」の分析に夢中になっていたが、『エコノミスト』誌は「アジアの驚くべき復元力」の予兆を特集で取り上げた。１９９９年1月には特集で「なぜインターネット株は暴落が避けられないのか」との持論を展開して、孤高の悲観論者となった。ネット株はその後、同誌の予言通り暴落となり、米国を含む世界中が景気後退へと向かった。それから2年後、今度は就任したばかりの日本の小泉純一郎首相を「日本の大いなる期待」と持ち上げた。その期待通りに小泉は短期間だったが改革を断行し、日本の成長率は0・4%から1・4%へ高まった。

ここで言いたいことは、この確信犯的で、型破りな雑誌がいつもメディアの主流と一線を画していたということではない。たとえば２００９年にブラジル経済が崩壊する直前、「ブラジルの勃興」という特集を組んでいる。アフリカの興隆と衰退については、全く逆に捉えてしまった。アフリカの成長率が１９８０年代、１９９０年代と連続で低迷した時、同誌は２０００年5月の特集でアフリカを「絶望大陸」と呼んだ。しかしその時が「成長の10年」の幕開けだった。アフリカ諸国では年率平均で5%以上の成長を実現できた国の数が14ヵ国から28ヵ国へ急増した。2000〜2010年の経済発展を踏まえて、同誌では2011年12月に「アフリカの勃興」という特集を組んだ。いずれもピント外れの企画となってしまった。理由は簡単だ。アフリカは単一の経済ではなく、54の国の集合体だからだ。共通点もほとんどない。「巨大な収斂」の過ちは全く異なった国同士を一まとめにして議論したことだったが、「アフリカの勃興」への過剰な報道でも同じ間違いが繰り返されている。

『エコノミスト』誌の特集から12ヵ月後に、『タイム』誌も同じ「アフリカの勃興」という見出しの特集を組んだ。それでこのテーマは完全に打ち止めとなった。その時点では、アフリカが復活する気配など全くなかった。2013年にアフリカ諸国の中で5%以上の成長率を達成できた国は2010年の28ヵ国から21ヵ国へ減少した。高インフレの国も増加した。アフリカの議論は現在では個別の国ごとに行われるようになった。経済成長の展望では、優等生の国もあれば、平均的な国、劣等生の国などが混在することが明らかになっている。

独裁者を追放しても改革者が出てこない

2000年以降、アフリカに楽観論が広がる根拠の一つが指導者の質の改善である。それまでの独裁者を追放して民主的な選挙に移行する国が増えている。しかし2010年以降、そうした選挙によっても本物の経済改革者が選ばれるケースはごく稀のようだ。南アフリカのANC(アフリカ民族会議）はマンネリに陥っている。20年以上も政権の座にありながら失業率は25％に高止まったままだ。ジェイコブ・ズマ議長は自宅の改装に公的資金２３００万ドルを流用したことで厳しく非難されている。ナイジェリアのグッドラック・ジョナサン元大統領は、かつて同国で初の清廉な大統領と見なされていたが、原油収入紛失問題や反政府勢力が根強く残る北部諸州への対応で疑惑が生じている。北部諸州はイスラム過激派ボコ・ハラムの温床となっている地域だ。南アフリカやナイジェリアはアフリカの経済のお手本とされる国だが、政治的な空白は大陸全土に広がっている。ロンドン拠点のNGOであるモ・イブラヒム財団は、アフリカの優れた政治家に対して毎年アフリカ・リーダーシップ賞を授与してきたが、２００９〜２０１３年の5年間では該当者なしの状態が4年もあった。唯一の例外はカーボヴェルデという大西洋の小さな島国のペドロ・ピレス元大統領で、２０１１年の退任時に授与されたにすぎない。

強力な改革派の指導者を欠いているために、多くのアフリカ諸国ではその他の基準でも高い得点をあげることができない。「アフリカの勃興」に関するもう一つの重要な根拠は、新しく選挙で選ばれた指導者が政府の浪費を削減してくれるというものだった。しかし、２００８年の金融危機に見舞われて以降、それが希望的な観測であることが判明した。多くの政府は景気急落の痛みを緩和するため財政支出の大幅な拡大に踏み切り、公務員の給与の引き上げや、その他の政府給付を乱発した。財政赤字が対GDP比で3％以上になると危険水域というのが専門家のコンセンサスだが、その国の数は２００８年の11ヵ国から２０１３年には20ヵ国へ上昇した。

その一方で積極的な投資を行って、原油やその他の資源依存の経済から決別しようとするリーダーはきわめて少ない。2000～2010年にかけてアフリカやアジアの新興国からの輸出は500％増加した。アジアに関して言えば、500％の増加分のうちで400％分は数量の拡大、つまり自動車や家電など工業製品の数量の拡大によって達成された。アフリカの場合は、国際商品市況の高騰が大きく寄与した。輸出収入の増大の約400％は、カカオやコーヒー、原油など国際商品の市況の上昇によるものだ。アフリカでは製造工場への投資がきわめて少ない。サハラ砂漠以南の地域では国際商品がGDPの半分を占め、製造業のGDP比率は1990年の16％から2014年には11％へ低下した。この脱工業化は、新興国が安定的な成長を実現して、豊かな中間層を育成するために目指すものとは真逆のものだ。

こうした形での経済の勃興は、国際商品市況が反転するやいなや行き詰まった。それは2011年に始まった。金や鉄鉱石などの資源の価格が反落すると、多くのアフリカの国々では財政収支や経常収支の均衡を維持するのが困難になった。これまで見てきたように、対GDP比で5％の経常収支赤字が5年連続すると、将来の通貨危機発生への可能性が高まる。こうした危険水域に転落する国が増加し、対外債務の返済に困難をきたし始めている。モザンビーク、ザンビア、ガーナのような国々は2014年にIMFに駆け込み、財務改善のために新規融資や返済の繰り延べを要請した。

ガーナは過去にアフリカの最も輝かしいスターと賞賛されてきただけに、その凋落は特に大きな失望を呼んだ。現在は高インフレと過大な対外債務によって、その経済状態はザンビアのような落第生よりもさらに悲惨である。２０１２年の訪問で、バラク・オバマ米国大統領は賢明な政府に主導されたガーナ経済の「素晴らしい」成功物語を讃えた。しかし、アダム・ミンター記者が『ブルームバーグ』のコラム記事で書いているように、その同じ年から定期的な停電による経済の混乱が始まった。家庭や企業では1日8時間停電し、商店は閉鎖を余儀なくされた。ビジネスマンは自家発電設備のあるホテルのロビーを見つけて仕事をしなければならなくなった。ガーナの復活は原油、金、カカオの価格上昇に支えられたものだけに、外部の人間が考える以上に脆弱だった。２０１４年に資源や商品の価格が下落に向かうと、経済成長は20年間で最低水準にまで落ち込み、９億ドルの緊急融資を求めてＩＭＦに出向かなければならなくなった。

過剰な報道への対処法

しかし、アフリカにも明るい地域が存在する。すべてが「絶望」一色ということはありえない。インド洋に面した一群の国々は上昇気流に乗っている。ウガンダ、ケニアのような国では新しい地域共同市場である東アフリカ共同体を通じて地域内貿易を活発化させ始めた。ケニア、ウガンダは国際商品の輸入国であるため、原油など資源価格の下落はプラスに働く。両国の経常収支は赤字のため、貴重な外貨が贅沢品の消費に向けられることはまずありえない。それらが投じられるのは、将来の成長の牽引車になる機械設備などの資本財だ。ケニアが誇るのは、アフリカ大陸で最も前途有望とされる新リーダー、ウフル・ケニヤッタ大統領である。彼が大統領に就任したのは2013年のことだ。過去の種族間暴動において国際刑事裁判所から罪を問われたこともあったが、国民から「経済行政官」として高く評価されている。アフリカに対する過剰な報道が過去10年の間に「絶望」から「勃興」へと180度転換したように、真実はいつも複雑怪奇だ。54ヵ国の個別のストーリーが糾《あざな》える縄のごとく一つの筋書きとして報道されるためだ。

どの国が浮かび、どの国が沈むかという議論は、将来を読み違えることが多い。それは最近のトレンドを将来へ投影していく推計手法に基づく場合が多く、成長が長く続けば続くほど、その国に対する熱い眼差しもヒートアップする。そうしたラブ・ストーリーにシンプルで説得力のある解説が加わると、確信はさらに揺るぎないものになる。こうした思い込みを防ぐには、メディアが高く評価して止まない対象をあらゆる角度から再点検してみることだ。特に重要なのは、高成長が長く続くほど、残された持続期間は短くなることだ。これを忘れないで欲しい。今後5〜10年間を展望すると、メディアから最も高く評価された国が最高のパフォーマンスをあげることはまずありえない。一方、最も評価の低い国は、多くの人から批判されている国だ。暴動や金融危機の発生によって問題が露見し、その問題解決に時間がかかるためだ。しかし、こうした危機に陥った国でも次の成功物語の主人公として再登場する可能性が高まる時がある。それは、メディアから忘れられた存在としてしばらく放置された後のことだ。逆説的な言い方だが、最も「有益な」過剰報道とは、メディアの誰もが振り向かなくなったときのことである。

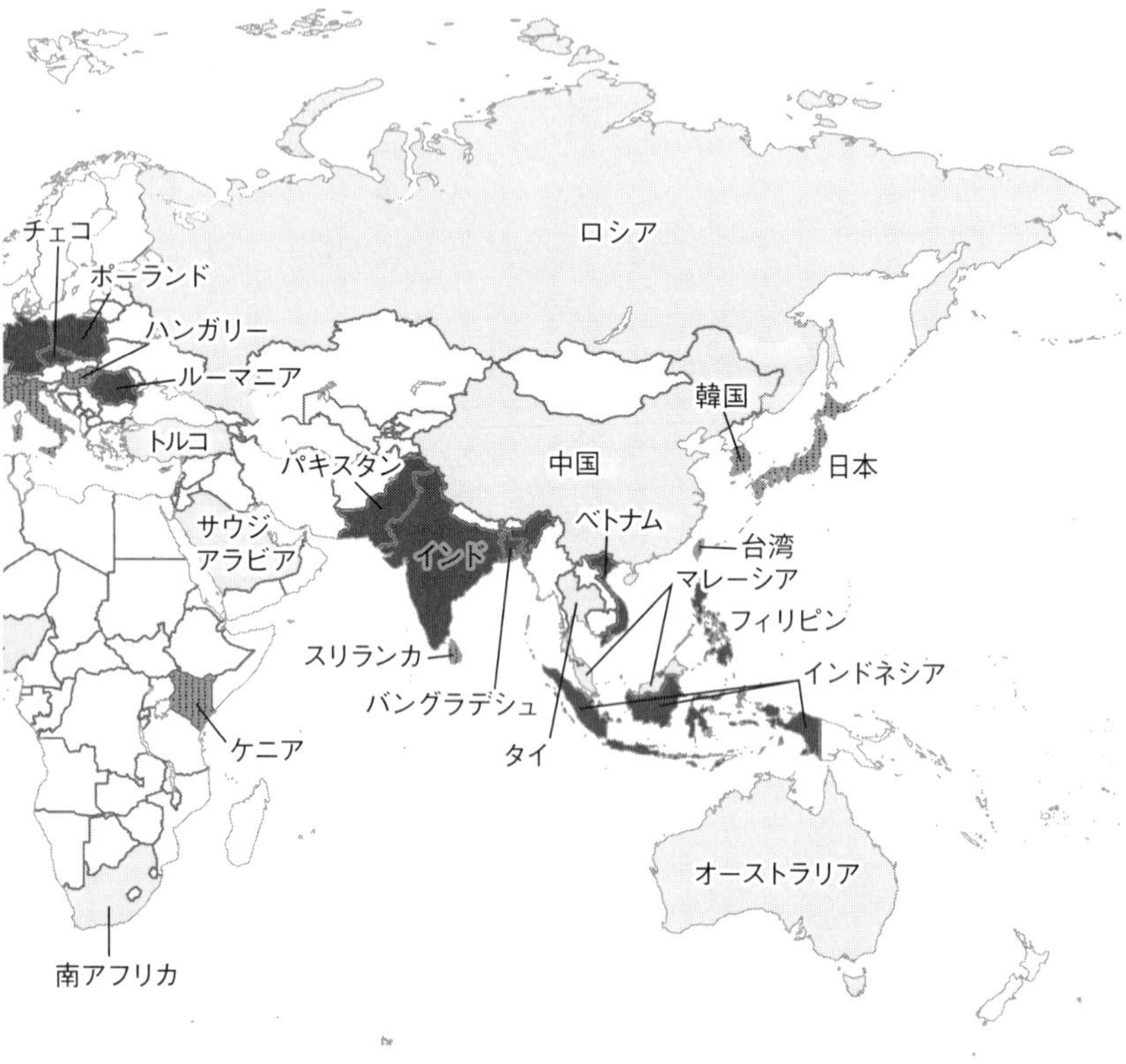
チェコ
ポーランド
ハンガリー
ルーマニア
ロシア
トルコ
パキスタン
中国
韓国
日本
サウジ
アラビア
インド
ベトナム
台湾
マレーシア
フィリピン
スリランカ
バングラデシュ
インドネシア
ケニア
タイ
オーストラリア
南アフリカ

図表3　将来の成長力の格付け

第 11 章

The Good, the Average, and the Ugly

優秀、平均、そして劣等
──注目国の将来展望を格付けする

世界中で経済成長が鈍化

2008年の金融危機以降でも、危機以前の基準で「成長株」と期待される貴重な国があった。金融危機勃発の1年前には、中国、インド、ロシアなど年率7％以上で経済成長する国が、戦後最高記録の60ヵ国強に達した。現在では、わずか9ヵ国だ。その中で大国と呼べる国は1つしかない。インドだ。その次に大きな国はエチオピアだ。インドの成長率は、国家統計局が新たに採用した会計基準のせいで、おそらく過大に表示されている。

新しい時代の特徴を挙げるなら、世界のあらゆる地域で経済成長が鈍化するということだ。経済の阻害要因は、人口減少、貿易や資金移動の脱グローバライゼーション、債務削減、あるいは「レバレッジ解消」などである。しかしこうした流れを、過度に悲観的に捉える必要はない。世界中が悲観的な成長予想の軌道をたどったとしても、ライバルとの比較で先んじることもあれば、後れをとることもある。こうした経済成長の相対的な盛衰を先取りすることが、私の10の評価基準の目指すところだ。私の評価基準は予測の正確さを競うものではない。今後5〜10年の予測をきちんと行ううえで、その蓋然性を高めるためのものだ。予測では、10の評価基準それぞれについて1〜10点の得点が与えられる。各国についてその得点を合計し、同じ所得階層の国と比較しながら、優秀、平均、劣等の3つのランクに分類している。

2008年の金融危機にいたるまでの30年間、世界経済の成長率は平均で年率3％強だった。現在ではその潜在成長率の推計値は2・5％弱へ低下している。成長率が最も高い国は最貧国である。新しい評価基準でも、平均所得の階層別に見ていく必要があるが、潜在成長率の低下を受けてすべての所得階層で基準を引き下げる必要がある。たとえば平均所得が低い――年間5000ドル以下の――新興国では、少なくとも従来比で2％ポイント引き下げて、5％以上の成長率であれば、優秀で堅実と認めるべきだろう。平均所得が中低クラス――5000〜1万5000ドル――の新興国では、成長率が3〜4％ならまずまずの合格点だ。中間クラス――1万5000〜2万5000ドル――では、成長率が2〜3％なら良である。平均所得が2万5000ドル以上の国は先進国に分類されるが、このクラスでは金融危機以降は1・5％以上なら比較的高い成長率と評価できる。

こうした評価基準の見直しに伴って、2008年以前の好景気で歪められた考え方も改める必要がある。こうした変更は早ければ早いほど良い。たとえばある主要国では数年がかりで政策を総動員して7％以上の持続的な成長を達成しようとするかもしれない。中国では、2008年の金融危機以降ではとうてい達成不可能な成長率を実現するためにいまでも資金の無駄遣いや借金の積み増しを行っている。そうした中国の過ちを繰り返さないためにも、政治指導者や経済評論家はその評価基準をより現実的に切り替える必要がある。

2016年3月の時点で衝撃だったのは、楽観主義が完全に姿を消してしまったことだ。私が友人のジャーナリストに経済が順調だと思う国を一つ挙げてくれと質問すると、たいてい返答に窮した。一方、彼らが能弁になるのは、各国の経済見通しについてあれこれ問題点をあげつらうときだった。そこで感じたのは、彼らは危機以前の古い基準で未来を判断しており、それだと夢も希望も見出せないということだ。将来を見通すうえで気をつけなければならないのは、オーストリア生まれの経済学者ヨーゼフ・シュンペーターが「一般の人々に偉そうに見えるのは、何かにつけて楽観論よりも悲観論の方だ」と言わなければならなかったことの意味だ。

経済的な理想郷などありえない。いつの時点でも、10の評価基準すべてで優秀な成績を挙げる国など存在しない。最も将来性の高い国でも、せいぜい6、7の基準で高得点を獲得するのが関の山だ。これまで多くの経済学者が理想郷を探し求めてきた。それをついに発見したと主張する人もいる。しかし、そもそも経済において聖杯はありえないし、未来の繁栄への鍵は一つではない。私が最も信頼を寄せる基準は、「過剰債務」というネガティブな指標だ。この基準によれば、債務の対GDP比が5年間で40%ポイント以上増加した場合、大規模な景気後退が必ず起きる。この優れた基準でさえ現在の各国に適応した場合、赤信号が点滅するのは中国の1ヵ国だけだ。どのように優れた単一の評価基準であっても、バランスが良く、しっかり考え抜かれ、かつ時流に適した総合判断に敵うものはない。

米国は「優秀」ランクを維持

最近の世論調査によると、米国が悪い方向に向かっていると考えている米国人が多い。こうした現状認識は、米国が第二次世界大戦後で最も脆弱な景気回復を経験したことと関連している。しかし他の先進国と比べると、米国の２００８年危機からの回復の足取りはしっかりしていた。先ほど金融危機以降の世界では景気の評価基準を変える必要があると書いたが、それを裏づける有力なエピソードだ。

米国の労働人口全体に占める米国人のシェアは過去10年間で大幅に低下した。米国には依然、多くの経済移民が殺到し、労働人口の成長率では他の先進国を上回っている。したがって、米国は生産年齢人口の基準では相対的に高い得点を得ている。この基準では、労働者が減少すれば経済成長も減速する。国として労働者の伸び率の鈍化を補う唯一の手段が、女性、高齢者、移民の労働力参加を高めることである。

米国の政府は、環太平洋パートナーシップ協定（ＴＰＰ）への参加を検討している。ＴＰＰは12ヵ国を新たな共同市場に組み入れようとするものだ。地理的な優位性の基準に従えば、これは一歩前進である。地理的な優位性が姿を現すのは、貿易協定を結び、港湾や空港などの施設を建設して貿易国としての条件を整えた時だ。米国では過去5年間に貿易の対ＧＤＰ比は19％から24％へ拡大している。自由貿易への政治的な風当たりが強まる中で、先行きは不透明だが、米国が勝ち取ったこうした成果をＴＰＰがさらに後押しすることは間違いない。しかし２０１５年後半、世界の貿易の伸び率は２００８年の金融危機以降、初めてマイナスに転落しており、当分の間は貿易の脱グローバル化の影響で、そのメリットは限定されることになろう。

全体としては、米国は他の先進国と比べ将来展望は良好だが、最近数ヵ月の状況では楽観と悲観が入り混じるようになった。産業政策の基準によれば、投資が活発になっており強いプラスのサインが出ている。特にハイテクのような生産性の高い産業、とりわけ製造業分野で増加しているのであれば、プラスの幅は大きくなる。この点に関して言えば、これまで数十億ドル単位の資金がハイテクを中心とする米国企業に投じられてきた。これはとても良質な投資バブルと言える。シェール岩層から原油やガスを抽出する新たな手法の開発や、ソフトウエアやインターネットの分野で世界的な企業を生み出す原動力となった。２０１５年時点では株式時価総額で見た世界トップ10の企業はすべて米国に拠点を置く企業だった。これは２００２年以降で、初めてのことだ。こうした世界的大企業の代表格がアップルであり、それにフェイスブック、アマゾン、ネットフリックス、グーグルがそれに続く。この4つの企業の頭文字を並べた、あまり有り難くない「FANG（ファング）」（訳者注＝「牙」という意味）という言葉が人気を集めた。

ここからは、過剰な報道の基準の出番だ。この基準によると、好景気が終盤に近づくと、世界メディアでは過剰な報道がピークに達する。危機が到来すると、彼らは手のひらを返したように手厳しい批判者へ変身する。再び再浮上の態勢が整ったときには、世界メディアから当該国のニュースは完全に消え去ってしまっている。現在、世界的な経済ニュースは、米国ハイテク企業の報道であふれかえっている。FANG4社合計の株式時価総額は1兆ドル前後に達している。その規模は、ブラジルやロシアの株式市場全体の時価総額を上回り、もう少しでインドと並ぶ水準だ。BRIC諸国の主要メンバーは過去10年間、21世紀の超大国ともてはやされ続けてきた。しかし現在は景気減速によって、株式相場では下落が続いている。FANG4社への過剰な報道は、米国の景気が新たな拡大期に入ったというよりも、現在の好景気がピークに近づきつつあるサインかもしれない。

そのほかにも、事態の暗転を示す基準がいくつかある。シェール・ガス関連の技術によって、米国は世界最大の産油国に躍進した。原油産出量は2008年のボトムである日産800万バレルから1200万バレルへ急拡大した。これによる景気刺激効果は絶大だった。2014年に米国の大企業が行った投資の3分の1がエネルギー分野だった。その割合は2000年にITバブルが弾ける以前のハイテク、メディア、通信の投資を合算した割合と酷似していた。１９９０年代後半のシリコンバレーのベンチャー企業への大量投資は、良い投資バブルだった。グーグルのような生産性の高い企業を後世に残したからだ。しかし、そのバブル崩壊で２００１年には短期間だが景気後退が発生した。

現在、原油市況の暴落によって、米国ではエネルギー投資が大きく減少している。テキサスからノース・ダコタにいたる幅広い地域で、掘削リグの稼働が休止されている。シェール・ガス関連の仕事は少なくなり、シェールブームで賑わった町はいまやゴーストタウンと化してしまった。この「シェール・ラッシュ」によって生産性の高い新産業が誕生し、それが米国のエネルギー価格の高騰を抑えるという長期的なプラス効果を生んだが、目先的にはリスクをはらむ。エネルギー投資は最近まで経済成長の牽引役を務めてきたが、現在では全く精彩を欠いている。

不安材料も多いが……

米国では通貨の基準の優位性も失われようとしている。２０１４年まで米国経済は順調に推移していた。ドル安によって輸出の競争力が増す一方で、輸入は抑制された。米国人は「収入に見合った支出」という健全な生活を余儀なくされた。こうした倹約生活への転換は経常収支を見ればすぐに分かる。経常収支は財サービスの貿易やその他の対外取引の実態を示している。過大な消費をまかなうために外国から多額の借り入れをすれば、大幅な経常収支赤字に陥る。２００６

年に米国の経常収支赤字は対GDP比で5％を超えピークに達した。通貨基準によれば、この赤字の水準は問題の発生を意味した。その警告通りに経済危機が発生して景気は後退、ドルは下落した。その後、経常収支赤字は対GDP比で3％以下まで改善し、2014年に米国は危険水域から脱することができた。

2015年に事態は再び悪化した。ドルが主要通貨のバスケットに対して20％以上も上昇したのだ。日本の円、ロシアのルーブル、ブラジルのレアル、新興国通貨の中では、とりわけ南アフリカのランドに対して、割高感が強まった。ドル高は米国の輸出や製造業にとって逆風となり、経常収支赤字は危険水域に逆戻りする恐れが出てきた。

一方、政府と民間を合算した米国全体の借金は、過去5年間、対GDP比で見ると250％前後でほぼ安定している。過剰債務の基準によれば、債務が経済成長率を上回って増加し続けると要警戒だが、対GDP比で安定していることはプラス要因だ。しかし債務全体で安定しているからといって、安心してはいけない。景気の上昇局面において、米国の家計や銀行、その他の金融機関は債務の削減に励んできた。しかし、政府、民間企業、特にシェール・ガス関連の企業は反対に債務を膨らませた。金融機関を除外した米国企業の債務は過去5年間、対GDP比で上昇が続いている。増加のスピード自体はそれほど警戒すべきではないが、債務比率の高まりは少し気になる。その原因が生産的な投資の拡大ではなく、株価を引き上げるための自社株買いなどだからだ。こうした債務の質的な劣化は、もう一つの警告サインである。

米国にとって最も予測困難なのは、怒れるポピュリズムの台頭である。政治サイクルの基準では悪いサインだ。新しい指導者が政権に就くと、改革機運が高まる。経済危機の後で国民から経済復興を委託された場合などは、特にそうだ。しかし、必ずそうなるとはかぎらない。経済危機の後、国民は改革より報復や懲罰を優先することがある。特に経済格差の拡大に腹を立て、海外からの激しい競争にさらされている場合は、その可能性が高まる。現在、こうした不満は米国を含む多くの国で充満している。2016年の米国大統領選挙では従来ならありえない規模でポピュリストの活躍が目を引いた。保守陣営では不動産王のドナルド・トランプ、リベラル陣営ではバーニー・サンダースが、有権者から多くの支持を集めた。サンダースは「超富裕層」に対する政治革命を強く訴えた。

階級闘争の呼びかけが経済にとって良いサインになることはめったにない。正統派の候補者をいっそう過激な立場に追い込む場合は、さらに問題だ。共和党の大統領候補の多くがトランプと張り合うために、移民政策で最も強硬な立場を取らざるをえなくなった。米国はこれまで海外の有能な才能を国内に取り込むことで成功を収めてきた。移民排除が過激化すれば、そうした優位性が損なわれてしまう。幸いにも政治サイクルの基準が指摘するように、過激なポピュリストの台頭は成熟した民主主義国にとってそれほど脅威にならない。民主主義国では新興国に比べ物事の変化が緩やかだ。政治システムの様々な段階でチェック・アンド・バランスが機能し、過激な政策への逸脱を抑えることができる。

ロシアやメキシコで、大富豪が大統領に立候補することはまず想像できない。経済格差に対する憤りが渦巻き、いつそのマグマが吹き出してもおかしくないからだ。「良い億万長者、悪い億万長者」の基準では米国は相対的に得点が高い。米国の大富豪は嫌われるよりも、尊敬されることが多い。富の再分配を要求する政治的な運動は、大富豪が経済を牛耳り、しかもその富の大半が政治的、血縁的なコネに由来しているような国で起きやすい。米国の大富豪の富を合計するとGDPの15％に達するが、彼らの大半は「良い億万長者」だ。彼らは大金持ちの御曹司としてではなく、叩き上げの起業家として莫大な富を築いた。その成功のきっかけをつかんだのは、鉱業や建設のような汚職や利権がはびこる業界ではない。これは米国が億万長者基準の別項目で得た低い点数を、十分に埋め合わせるものだ。10の評価基準の得点を総合すると、米国は先進国の中で「優秀」のランクに位置づけることができる。

「優秀」へ急浮上のアルゼンチン

米大統領選で誰が勝利しようとも、米国の有権者の気分は２００８年金融危機後のエリートに対する拒絶を反映している。これは政治サイクルの基準における通常の変化だ。２０１５年には多くの人口を抱える上位30ヵ国の民主主義国のうち８ヵ国で国政選挙が実施された。ナイジェリア、アルゼンチン、ポーランド、カナダ、スリランカの５ヵ国では与党が敗北した。スペインなど残りの３ヵ国では、与党が議席数を大幅に減らした。２００３～２００７年の好況時に現職のリーダーは3人に2人が再選されたが、それとは好対照だ。

最もありえない場所だと思われていたところで、最大の政治変革が起きようとしている。中南米では、困難な時代になると右傾化する。主要な食料品価格の乱高下や大不況などが重なって、アルゼンチンでは左翼政権が倒れ、ベネズエラでは議会多数派の左翼政党が大幅に議席数を減らした。物価安定の基準が警告するように、玉ねぎのような主要食料の価格が急騰すれば、経済の安定的な発展が期待できなくなる。特に高インフレが成長の鈍化や生活水準の切り下げにつながった場合は、政権転覆が頻発する。一つの分かりやすい経験則を紹介しよう。インフレ率が新興国の平均を上回っている国は要注意だ。最近では新興国のインフレ率は平均4%前後へ低下している。アルゼンチンでは、25%のインフレ率と0%の成長率が重なって、クリスティーナ・フェルナンデス・デ・キルチネル大統領と彼女のポピュリスト政党は政権の座を追われた。彼らの政権は12年間も続いていた。一方、南米大陸の北に位置するベネズエラでは、100%のインフレ率とマイナス10%の成長率という経済困難によって、それまで17年間続いてきた社会主義政党の議会支配が終焉した。

こうしたケースでは、新しいリーダーの登場は変革の可能性を高めるが、それは同時に「政府介入」の基準の出番でもある。新政府が民間部門への介入をやめ、道路などの公共投資や治安対策、あるいは生産性の高い分野で民間企業が投資を増やせるような環境整備にそのエネルギーを集中するなら、成長の期待が高まる。港湾、電話網、工場など供給ネットワークへの投資が拡大すれば、インフレを心配することなく成長率を高めることができる。これは理想的な組み合わせだ。

しかしベネズエラの社会主義者たちは、一戦でも交えないかぎり、国家権力の一部さえ民間に委ねる意思は持ち合わせていない。したがって、同国の将来展望は「劣等」である。アルゼンチンではマウリシオ・マクリ大統領が就任したが、政権発足早々の動きは大胆で、期待を抱かせる。彼は資本規制を撤廃し、過大評価の通貨ペソは輸出競争力を回復する水準まで十分下落した。また輸出税を削減し、農産物輸出の関税や数量割り当てを廃止した。補助金で低く抑えられていた電力や水道の料金も引き上げた。彼はまた中央銀行の総裁を更迭して中央銀行の独立性の回復を宣言し、永年の政治干渉に終止符を打った。中央銀行の独立性は、インフレとの闘いで不可欠である。ＩＭＦなどから経済データを改竄していたと告発されていた経済統計の専門家チームもクビにした。こうしてアルゼンチンの経済展望が「劣等」から「優秀」へ急上昇する中で、マクリ大統領は地域関税同盟である南米南部共同市場（メルコスール）で、ベネズエラの資格を一時停止することとさえ主張した。過去10年以上、社会主義者たちは南米大陸の主要な大西洋沿岸諸国で経済のかじ取りを誤ってきたが、その左翼戦線にひび割れが生じていることを示唆している。

最悪を脱したブラジル

左翼戦線で生き残っているのが、ブラジルの労働者党だ。２０１４年の暮れに再選されたが、現在のジルマ・ルセフ大統領は弾劾の危機に直面している。彼女の支持率は２０１３年の60％をピークに10％まで低下している。支持率がインフレ率を下回っているのは、世界の主要国のリーダーでは彼女一人である。国際商品価格の下落で、ブラジル経済は深刻な不況に陥り、１９３０年代以降で最悪の不況に直面している。

ブラジルには政府による経済干渉という長い歴史があるが、再びその記録を更新しようとしている。ルセフ政権が誕生する前まで、ブラジルの財政収支は基本的に黒字だった。彼女が政権に就いて以降、財政収支は悪化をたどり対ＧＤＰ比で10％の赤字にまで転落してしまった。この赤字は世界主要国で最悪である。財政赤字の拡大を抑えるため、ルセフは緊急の財政赤字削減策を打ち出さざるをえなくなった。しかし財政支出の70％近くが社会保障関連や公務員の賃金で占められていることから、支出削減の余地はきわめて限られていた。赤字削減では増税が中心にならざるをえないが、大幅な増税は景気をさらに悪化させる可能性がある。ブラジルでは多くの国民が依然、50代前半で引退を選択できる、きわめて寛大な国だ。海外から見ていて、これで国の運営がよく回るなと感じるほどだ。ルセフ大統領の政治基盤はきわめて弱体化しており、彼女に抜本的な財政改革ができると考えるのは無理がある。

ブラジルの投資は政策的な手詰まりと借り入れコストの高止まりによって何年間も低迷が続いてきた。産業政策の基準によれば、これは悪いサインである。開発途上国では経済成長という点で、投資の対ＧＤＰ比の比率が25～35％もあれば合格点である。特に資金が製造業やハイテクのような生産性の高い業種に向かっているのであれば、なおさらである。ブラジルでは投資比率が長い間、対GDP比で20％以下に低迷してきた。しかも投資が製造業の工場新設に向かうことは珍しく、経済は以前にも増して大豆、砂糖など国際商品への依存が深まっている。輸出全体に占める国際商品の比率は２０００年の46％から現在では67％に上昇している。ごく一部の産業では、世界的な知名度が高く競争力を持つ企業が見られなくもない。しかし国際商品への圧倒的な依存を踏まえるとあくまで例外的な存在だ。世界的メディアや金融市場において、ブラジルは賞賛の対象から酷評の対象へと大きく変貌した。病気や障害の救済団体の宣伝ポスターに登場する子供さながらに、新興国の困難を象徴する存在となっている。

過剰報道の基準に従えば、世界的なメディアが経済破綻国への批判に飽きて無視するようになった時が、再生の絶好のチャンスである。ブラジルはいまでもメディアから嫌われているが、明るい兆候もいくつか出てきた。特にブラジルの通貨は割安だと皆が感じるようになった。通貨の基準によれば、通貨の異変で最初に行動するのは地元の人々だ。通貨の下落で経済の先行きが不安定化すると感じれば、彼らは我先に資金を国外へ待避させようとする。ロシアも国際商品への依存が強い経済だ。ロシアの金持ちは市況悪化で苦境に陥るたびに母国から資金を持ち出してきた。ところがブラジルの金持ちは今回、資金の国外待避に動いていない。これは良いサインだ。彼らは米国や中国の投資家と一緒になって、国内の割安な投資物件探しに躍起になっている。サンパウロでは世界中のビジネスマンを対象とする一流ホテルが１泊２００ドルで部屋を提供している。国際商品市況ブームのピーク時には、同じ部屋は1泊1000ドル以上を支払わないと予約できなかった。ニューヨークで最近会ったサンパウロの大金持ちは「ブラジルはバーゲンセール中」だから国内投資で手一杯だと語っていた。

ブラジルでは、地元の人に倣うのが一番だ。彼らは状況の改善を示す別のサインも教えてくれた。サンパウロのショッピングセンターでは、ブラジル製の衣類が中国製より安く売られている。中国の人民元が新興国で一番割高の通貨になって久しい。こうした国際競争力の高まりが、経常収支の改善に反映されるには長い時間がかかる。しかもブラジルは世界でも名うての閉鎖経済だ。しかし現在では執拗な経常収支赤字もついに縮小に向かい始めた。経常収支赤字は2015年初めには対GDP比で5％に達していたが、その1年後には3％以下に下落して危険水域を脱した。やや楽観的な推計では、2017年には経常収支が赤字から黒字に転じ、安定的な成長期が到来すると見込まれている。

ブラジルは地理的な貿易の重要拠点になる可能性はそれほど高くないが、少なくとも従来の鎖国政策の見直しに取りかかっている。ブラジルは貿易の対GDP比が20％と極端に低い。2000～2015年に他のライバルは多くの貿易協定を結んだが、ブラジルの協定はわずか2つだった。ブラジルの排他的な姿勢に変化の兆しが現れたのは2015年11月だった。G20サミット出席のためトルコを訪れたとき、ルセフ大統領は欧州諸国との貿易協定の可能性を打診したと言われる。ブラジルは完全に方向転換して「劣等」クラスから抜け出せたわけではないが、通貨の急速な下落とメディアの過剰な報道も突然姿を消したことから、最悪の状態は脱したと言える。

中南米の優等生、メキシコ

国際商品市況の暴落によって、アンデス山脈の近隣諸国は先行きが怪しくなった。過去10年で快進撃を続けてきた国々で唯一、見通しが「優秀」を持続しているのはペルーだけだ。コロンビアは「平均」、チリは「劣等」へ評価を落とした。その一方で、中南米諸国で最高得点を得ているのがメキシコだ。

最近では、ブラジル、ベネズエラ、アルゼンチンの左翼国は国際市場から孤立し、米国と激しくぶつかっているが、メキシコは猛烈な勢いで世界へ門戸を開き、米国の隣国という地の利を活かして大きな利益を得ている。米国企業がメキシコの製造業への投資を急拡大させたことで、メキシコの原油依存は低下した。輸出に占める原油の割合を見ると、1980年代は40%だったが現在は10%へ低下している。メキシコは経済の石油依存を減らした珍しいケースであり、他の多くの国々は原油市況の乱高下に翻弄される日々が相も変わらず続いている。

2012年の大統領選挙前に、エンリケ・ペーニャ・ニエト大統領に会った。彼は地元メディアから、ソープオペラに登場するような妻を持った、間抜けなヤツだと批判されていた。しかし、彼はメキシコの成長率を倍増させるという断固たる政策を掲げ、経済成長の阻害要因となっていた寡占企業の分割に取りかかった。彼の前途を阻んだのはスキャンダルと不運だった。スキャンダルは彼の妻も絡んだ不正な不動産取引で、不運は石油産業への外資参入規制の撤廃が原油市況の暴落と重なったことだ。しかし彼の改革の一部は着実に成果をあげ始めている。

ペーニャ・ニエトは最初、尊大な改革者だった。旧体制の実力者からの電話にも出ようとしなかった。しかし次第に、彼らとも一緒に仕事ができるようになった。政権は画期的な法律を成立させ、通信などの独占企業を分割し、労働組合の力を殺ぎ、エネルギー産業を外国の投資家にも開放した。さらに税金の徴収を拡大し、社会インフラへの投資を増やした。

２００８年の金融危機以降、世界的に少子化が進む中で、メキシコも多くの国と同様に人口問題に対処しなければならなかった。メキシコの生産年齢人口は年率1・2％で伸びてきたが、大型の新興国としては不十分だった。３％以上の成長率を維持するためには、生産性を高めるしかない。そのためには、社会インフラや設備の増強、労働者訓練への投資を拡大しなければならない。ペーニャ・ニエト政権は、１２０億ドルを投じるメキシコ・シティ新国際空港など様々なプロジェクトで投資比率の引き上げに取りかかった。この投資比率は何年もの間、対ＧＤＰ比20％前後で低迷を続けていた。

メキシコの電力料金は国境を接する米国テキサス州の2倍もしていた。こうした状況を改善するために、政府は新たなパイプラインを敷設して米国の廉価な天然ガスをメキシコ国内の発電所に輸送し、発電能力を増強する計画を立てた。通貨ペソの下落や賃金競争力の高まりに加えて、電力コストが低下する見通しも立ってきた。韓国第二の自動車メーカー、起亜《きあ》自動車などが工場進出に興味を示すようにもなった。２０１５年、起亜自動車は新工場の場所としてブラジルや米国よりもメキシコを選択した。この新工場は将来、年産１００万台までの能力拡張が可能だ。

北米大陸では、メキシコが港湾設備を改善し、貿易協定を積極的に推し進めるにつれて、北部から南部へ、カナダからメキシコへと、自動車生産の急激な移動が起きている。メキシコが結んだ自由貿易協定の数は45件であり、米国の実に2倍だ。カナダ政府の高官は貿易協定の地域間競争で勝利を収めつつあるのはメキシコだと認めている。ＢＭＷ、ＧＭ、トヨタ、起亜自動車など世界の大手自動車メーカーはすべてメキシコに進出し、北はチワワから南はプエブラにいたる地域で、生産工場の新設か増強を行っている。地政学の基準では、地域間でバランス良く成長を促進できた国ほど高い評点が付与される。メキシコ以上に経済的利益を全国にバランス良く配分できた国はない。

メキシコは長い間、経済的な離陸の待機を余儀なくされた飛行機のようだ。しかし、すでに改革は成った。将来への展望はどの国よりも、特に中南米のどの国よりも明るいことは言うまでもない。ブラジルやその他の南米諸国がスタグフレーションから抜け出せない中で、メキシコのインフレ率は新興国市場の平均よりもはるかに低く、成長率は３％前後で推移している。２００８年の金融危機後の世界では、この成長率３％という数字は、平均所得1万ドルの国にとって上出来である。

高成長国が集中する南アジア

「過剰な報道」の基準によると、将来の勝者となる国や地域は、最新の劣等生の中から生まれる。ここ数十年を見ると、南アジアほど世界のメディアから見放された地域はない。例外はインドだ。皆が忘れた頃に、思い出したように取り上げられては、ほめそやされてきた。ごく最近では2014年5月にナレンドラ・モディ政権が発足して、抜本的な経済改革を公約した時が、そうだった。しかしインドの小さな隣国は、いつもメディアの視界の外だった。パキスタン、バングラデシュ、スリランカがニュースの話題になるのは、テロ、低賃金労働、戦争犯罪者の起訴と相場が決まっていた。こうした話題で、この3ヵ国が南アジアの静かな台頭の牽引車になっていることなど完全に見逃されてきた。

南アジア諸国は合計すると、年間の平均成長率は6％近くに達する。2008年の金融危機以降、特に低所得国にとってこの6％は誇れる数字だ。地域のリーダーは改革を推し進め、債務が増加しすぎないようにしている。特にパキスタンやバングラデシュでは、生産年齢人口の伸びが大きい。他の新興国とは異なり、南アジアでは国際商品はすべて輸入に頼らざるをえない。従って、市況の下落はプラスに働く。原油価格の下落は、景気が加速しているにもかかわらず、インフレを抑えてくれる。景気加速と低インフレ、まさに理想の組み合わせだ。2015年、南アジアは世界で高成長が続く経済が最も多く集中する地域となった。

南アジア地域は、地理的な交易拠点としても頭角を現しつつある。２００８年以降、多くの新興国は賃金の上昇に苦しみ、世界輸出のシェアを低下させてきた。しかしバングラデシュ、パキスタン、スリランカは、製造業者が低賃金を求めて中国を脱出する中で、大きな受け皿になってきた。バングラデシュは米国やドイツ向け既製服の輸出では、いまや中国に次ぐ世界第2位である。インド洋における影響力の拡大を目指し駆け引きが活発になる中で、中国と日本は新しい港湾施設の建設のために多額の資金を投じている。同地域の主要港は東西交易ルート沿いに位置し、地理的な重要拠点となっている。中国が４６０億ドルを投じてパキスタン南部沿岸の港と中国の西部地域を結ぶ「経済回廊」の建設計画を発表すると、そのすぐ後に日本はバングラデシュで最初の深水港となるマタバリ港の建設権利の入札で中国に競り勝った。

バングラデシュ、スリランカの投資比率は現在、対ＧＤＰ比30％前後であり、インフレなき成長を促進するうえで最適水準だ。しかも、そうした投資の大半が生産工場の関連だ。パキスタンは投資や生産能力の実績で対ＧＤＰ比12％とやや見劣りするが、政府が過激派の取り締まりに本腰を入れ始めたことからムードが変わり始めた。２０１４年にタリバンがペシャワールで１００人以上の児童を殺害してから、タリバンは一般のパキスタン人にとってすべて「悪い人」になってしまった。国民の反発の高まりによって軍も厳しい取り締まりを始めざるをえなくなり、テロ関連の死亡者数は２００９年の１日30人から、２０１５年には同10人へと低下した。

２０１４年時点では、パキスタン国内を移動するのはきわめて危険であり、私たちの調査チームはカラチのホテルから一歩も外出することができなかった。しかし1年後には非武装の警備員付きながら、国内の旅行が可能になった。青色のスエード靴を履いたガードマンも見かけるようになった。2016年のラホールの残虐な爆破事件でも、地元の明るいムードが途絶えることはなかった。地元の人々によれば、最大のニュースはクーデターに走りやすい軍隊がいかに大人になったかということだった。軍隊は治安維持に専念し、経済の運営は民間人出身のナワーズ・シャリーフ政権に委ねた。シャリーフ政権は2018年まで続く可能性が高い。これはクーデターの頻発で短命政権が続いたパキスタンにとって大きな前進へのサインと言える。

2012年にシャリーフ政権が発足して以降、インフレ率は3％以下に、財政収支赤字は対GDP比で8％から5％へ、経常収支赤字も対GDP比で8％から1％以下の安全圏へ下落した。評論家は、こうした赤字の削減は原油価格の下落に負うところが大きく、数々の改革の成果も四半期ごとに実施されているIMFの政策審査のおかげだとしている。この審査は2013年の緊急融資の見返りとして義務付けられた。IMFの審査が終了すれば、改革も終わりになるのではないかという懸念は、もっともだ。しかしいまのところパキスタン政府は、今後数年間はIMFとの協調体制を続ける意向だ。

起業機会にも恵まれる

パキスタンにおける新たな楽観主義の広がりは、シャリーフ政権よりも、治安の改善と中国マネーの流入による面が大きい。中国マネーは、パキスタンのような弱小経済の投資不足を長期にわたって補ってくれる可能性がある。中国の460億ドルの「経済回廊」計画では、今後20年で全国に道路、鉄道、発電所を新たに建設する。パキスタンではそんなにたくさんのプロジェクトを計画通りにすべて完成させることは無理かもしれない。しかし、計画の半分を消化するだけでも、現在の外国人投資比率は倍増する。カラチやラホールのホテルは、経済回廊プロジェクトで働く中国人の出張者で一杯だ。近隣諸国と同様に、パキスタンはこのままのペースでいくと将来の成長率が上向くことが予想される。

国民の気分の変化が目立って変わっているわけではないが、バングラデシュも良い方向に向かっている。輸出や投資が好調で、経常収支は黒字を維持している。人口増加の見通しも悪くない。2020年まで生産年齢人口が年率2％前後で増えることが期待される国は、ほんの数えるほどだ。過去に奇跡の成長を成しえた国の大半では、生産年齢人口の伸び率が年率2％だった。その希少な国の2つが南アジアにある。パキスタンとバングラデシュだ。

同様に重要な点は、この南アジアの3つの小国は過剰債務の基準から逸脱することなく、好景気を維持していることだ。過去5年間を見ると、民間債務の対GDP比は少し上昇しただけだ。銀行のバランスシートは健全性を維持している。債務基準によれば、融資残高が預金の80％を超えないかぎり、銀行の健全性は担保され、銀行は新規融資への対応の余地が残されている。南アジアの銀行システムはすべて80％の警戒ラインを下回っている。これは次のことを意味する。過去5年間、主要な新興国では債務が急速に、かつ危険水準まで積み上がってきたが、南アジアはいまも起業の機会に恵まれた有望な地域であることだ。

南アジアは1940年代の独立以来、政治的不安定が続いてきた。クーデターが頻発したこの地域の国々も、権威主義の基準に絡む経済リスクと無縁というわけにはいかない。一般的に権威主義的な政府の下では、民主的な政府に比べ好景気が長期間にわたって続く可能性が低い。むしろ経済成長は変動が激しくなる。ある年に高い成長率が実現したかと思えば、翌年は一転、低成長に逆戻りする。スリランカでは2015年、国民がマヒンダ・ラージャパクサ大統領の4期目の再選を阻んだことで、こうした権威主義政権に関連するリスクは大きく後退した。ラージャパクサが権力の座にあった時は批判を控えていた地元の企業経営者も、さすがに安心したのか、次のように話してくれた。彼の敗北によって、スリランカから「ムガベ・リスク」が除去された、と。ロバート・ムガベは大統領としてアフリカのジンバブエに35年間も君臨した人物だ。その統治期間、景気の急激な上昇と下降が繰り返され、同国の経済は破綻に追い込まれた。スリランカもラージャパクサ政権がそのまま続いていれば、ムガベのような最悪の独裁者政権となる恐れがあった。

「南アジアの虎」が吠える日は来るか

インドの将来展望は据え置きだ。インドは長い間、楽観論者、悲観論者の両方の期待を裏切ってきたが、その流れがいまも続いている。モディ政権が誕生した時、支持者は彼が現状を大きく変えてくれるだろうと期待した。一方の反対派は、彼が急進的になりすぎて、世界最大の民主主義国で独裁者が誕生するのではないかと恐れた。政権2年目になっても、モディの経済問題での対応は意外なほど慎重で、インドの古くからの慣例である段階的変化の範囲に止まっている。彼が行った燃料補助金の削減は、前進には違いないが、当たり前のことを実行したにすぎない。また、各州間の切磋琢磨を促す競争的な連邦主義を奨励している。彼は、物価安定の重要性を理解しているようで、中央銀行の独立性を認めインフレ抑制にも取り組んでいる。

しかしモディ政権は悲観論者にも多くの材料を提供している。成長率を高めるうえで、最大の障害は国営銀行だ。インドの国営銀行は全融資の75％のシェアを握っており、新興国の平均の2倍以上だ。社会主義が深く浸透しているインドでは、経営の失敗によって国営銀行が赤字に陥ったとしても、それを民営化するのは正しくないと見なされている。国営銀行の不良債権比率は、驚くことに15％にも達している。硬化症の銀行システムによって債務の伸びは低く抑えられて、インドのビジネスマンは国内への投資に慎重な姿勢を崩していない。

新規投資の大半は、モディ政権が積極的に勧誘した外国人によるものだ。8月、世界最大のエレクトロニクス・メーカーであるフォックスコムがマハラシュートラで50億ドルを投じて新しい工場と研究開発センターを建設する計画を発表した。これは明らかに良いニュースだ。しかし経済大国ならどこも投資を牽引するのは地元企業だ。モディ政権が投資家を募るために使った手法は、主にスローガンだった。手始めに、インド製造業を強化するために「メイク・イン・インディア（インドで作ろう）」というキャンペーンが展開された。最近ではハイテク企業を意識してか「スタートアップ・インディア（インドで起業しよう）」へと切り替わった。インドのハイテク集積地が当惑しているのは、これまで政府の支援も干渉も受けずに独自の発展を遂げてきたのに、いまになって政府がお節介をやき始めたことだ。

投資が減れば、インフレへの耐久力が殺がれてしまう。効率的な道路網や十分な生産能力を構築できていなければ、景気が加速したときに生産が需要に追いつかなくなる。過去数年間を見ると、インドはインフレが頻発しやすい典型例だった。モディ政権下では、政府と中央銀行との間で物価安定の目標が設定され、それに原油価格の下落も重なって、インフレ率は2桁台から5％へ低下した。この数字は新興国の平均からすればまだ高いが、特筆すべき改善だ。

地政学の基準では、南アジアは長い間、地域内貿易が極端に低いことが足かせとなってきた。モディ首相が積極的に行動したのは、国内よりも近隣諸国に対してだった。彼はバングラデシュや長年のライバルであるパキスタンと接触を図り、貿易や外交関係の改善に努めた。しかし視野をほかの国々にまで広めてみると、インドの将来性にそれほど楽観的になれない。欧州を拠点とするエコノミストの非営利団体センター・フォー・エコノミック・ポリシー・リサーチによれば、2010年以降、インドは500件以上の保護主義法を成立させている。これは世界の中でも断トツだ。(1)

インドは一つの国というよりも一つの大陸だ。国内には29の州が存在し、それぞれに個性があり、人口規模も欧州の国々を大きく上回っている。今日、経済政策の実権は、ハリヤーナーやアーンドラ・プラデーシュなどの州の首相が握っている。彼らは自州への投資誘致のため競ってニューヨークや北京を飛び回っている。首都から発せられるメッセージが一貫性を欠いていても、インドが5～6％の率で成長を続けることができるのは、こうした背景がある。この成長率は政府公約を大幅に下回っているが、2008年の金融危機以降の低所得国としては十分胸を張って良い数字だ。パキスタン、バングラデシュ、スリランカといった近隣で経済発展への機運が高まっていることもあり、南アジア地域全体としては相対的に高い成長を実現できている。その割に、世の中の注目度は低い。主要なメディアが「南アジアの虎」ともてはやしていないのも、もう一つのプラス材料だ。もっとも「南アジアの虎」と呼ばれるにはもう少し時間がかかるかもしれないが……。

東南アジア、異色の優等生

物価安定の下で高い成長率を達成できている地域は、インド亜大陸以外どこにも見あたらない。お隣の東南アジアに目を転じると、南シナ海沿岸諸国の将来展望は「優秀」「平均」「劣等」の評価が入り交じっている。この地域には、世界が見落としている成功物語が存在する。それはフィリピンだ。高成長が5年も続くが、債務、投資、インフレ、経常収支赤字などの数値で過熱の兆候が全く見られない。こうした判断基準で過熱が明らかになれば、好景気はそこで終わりになる。国際的な投資家はフィリピンの株式や債券の市場にマネーを流し込んできたが、メディアは2008年危機以降の停滞の中でこの明るい出来事をほとんど無視してきた。投資は増加したが、債務バブルの気配は全く生じなかった。経済は6％以上のペースで成長し、インフレ率はせいぜい1％を上回る程度だった。フィリピンは政府の介入が少ない点で、新興国でも異色の存在だ。電力料金やガソリン価格への政府補助金はなく、主要銀行やマニラ株式市場の上場会社を見ても国営企業は存在しない。

フィリピンは長い間、世間から嘲笑の的にされてきた。それだけにベニグノ・アキノ3世大統領の下で起きた変化をメディアが認識するには、もっと長い時間がかかるかもしれない。いかに成功を収めたリーダーでも政権の座に長くしがみつけば、政治サイクルの基準ではいつも悪いサインだ。アキノ大統領は法律に従って予定通り2016年に退任する計画だ。彼の後任を巡っては改革派や、バラマキ専門の保守派など様々な人物が取りざたされている。それが不確実性を高める結果となっている。しかし少なくとも現時点では、フィリピンは政治的指導力、政府の役割、債務、投資、インフレ、資金の流れなどすべての面で良好な局面にある。生産年齢人口も急拡大している。かつての劣等生が、いまは世界のフロントランナーだ。フィリピンの快進撃はしばらく人々の関心を引きつけてやまないだろう。

東南アジアで次の有望格は、少し意外に感じるかもしれないがインドネシアだ。インドネシアは他の主要な国際商品主導の国とは違って、少なくとも経済は平静を保っている。２０１１年に国際商品市況が下がり始めると、ロシア、ブラジル、南アフリカは軒並み景気後退に陥った。しかしインドネシアは銅、パーム油、その他の原料を輸出しているにもかかわらず、景気の後退は小幅に止まっている。その理由は、１人当たり平均所得が３５００ドルと相対的に低い分だけ成長の余力が大きいこと、それに他の同じ平均所得国に比べて国内の投資、消費の比率が高いことだ。

２０１４年、インドネシアの国民は、政治家としてはアウトサイダーで一匹狼、家具製造業出身のジョコ・ウィドドを新大統領に選んだ。就任直後はいくつかの失敗に見舞われたが、いままでは政権運営に弾みがついてきた。国際商品市況の下落によって景気がスローダウンした直後から、ウィドドは「苦しい時こそ優れた政策が生まれる」をスローガンに、改革を積極的に推し進めた。エネルギー補助金は国家統制経済の最悪の「施し」だったが、彼はあっさり削減してしまった。製造業分野への投資を促進するために、それで浮いた財源を道路やその他のインフラ建設に充てる計画を立てた。ウィドド大統領は官僚的で無能な大臣を更迭した。たとえば、インフラ投資を管轄する新しい役所の名前がまだ決まっていないという理由で投資資金の支払いを遅らせた大臣がいたが、真っ先にやり玉にあがった。２０１５年暮れにホワイト・ハウスでオバマ大統領と会談した時、ウィドド大統領はＴＰＰへの参加に合意した。実質的な鎖国状態を長い間続けてきたインドネシアにとって、市場開放へ向けた大きな一歩だった。ＴＰＰが発効すれば、ウィドドは経済の時代遅れの部分を改革せざるをえなくなる。たとえば、政府に国営企業からの調達を義務づけている法律をそのまま存続させれば、外国企業が不利な立場に置かれてしまうからだ。

包括的な貿易協定を結べば、政治家は国際的な責務を果たす以外に選択肢はないと国民に弁明できる。政治家にとっては都合の良い言い訳となる。ウィドドは輸出収入の急落を補うため、道路投資を増加させる計画を立てた。これまでジャカルタ郊外の工業団地から近くの港湾までの50キロメートルを自動車で移動するのに6時間もかかっていた。そうした不便を解消する狙いがあった。経常収支赤字は3％以下に下落し、通貨に割安感が出てきた。人口の平均年齢は若く、人口総数も増加に向かっている。しかし2025年頃には人口総数はピークを迎え、平均年齢も上昇を始める。インドネシアの課題はそれまでに豊かな国になっていることだ。

輸出大国を夢見るベトナム

インドネシアのすぐ後を追いかけているのがベトナムだ。ベトナムの特徴は評価基準によって得点に大きなバラツキがあることだ。共産党はベトナム戦争終結以降、一党独裁を続け、いまだ権力を手放す気配はない。民営化の議論も一部に聞かれるが、国営企業は依然、経済全体の3分の1を占めている。世界的な景気後退に対応するため政府は介入政策を強め、財政収支赤字は対GDP比で6％に達している。この財政赤字比率は新興国の平均の2倍以上だ。また過去10年間、成長を維持するために大幅な金融緩和を実施してきた。しかし現実逃避を続ける中央銀行は粉飾まがいの過小報告によって、不良債権の増大を隠蔽しようとしている。

共産党の政治体制は、著しく透明性に欠ける。ベトナムではいったい誰が実権を握っているのかさっぱり分からない。しかし共産党がこれまで独裁国家的な熱意で新たな道路を建設してきたように、これからも真剣に国民の生活水準の改善に取り組むなら社会不安を心配する必要はない。ベトナムの平均所得はインドネシアの3分の1だが、ハイウエイの整備でははるかに先を歩んでいる。現在では、ハノイ国際空港のターミナルビルから中心部まで自動車を利用すれば20分で到着できる。最近、全行程8車線のハイウエイが開通したこと、それに新しい橋の完成で走行距離が従来の半分の約10マイルに短縮したことなどで、時間の短縮が可能になった。

ベトナムの人々は、農業国から加工貿易型の輸出国へ急速な展開を図ることで「第二の中国」になれると考えている。過去10年間の急成長の時代に投資は対GDP比40％という危険水準まで急上昇したが、その後は同28％まで低下している。開発途上国がインフレなき高成長を続けるための投資比率の最適ゾーンは25～35％である。インフレ率は2011年前後の20％超をピークに、現在は2％未満に沈静化している。海外からの直接投資は対GDP比で6％に達し、東南アジアでは最も高い。その大半は自動車からスマートフォンなどの製造業関連である。ベトナムは四十数年前まで国家が分断されていた。しかし現在では、北はハノイから南はホー・チ・ミン・シティまで全国のいたるところで工場建設のラッシュだ。これほどまで成長の地域的なバランスが取れている国も珍しい。

現在、北京では中国の景気減速が周辺国へどのように波及していくのかという議論でかまびすしい。その一方で、隣のハノイでは今年、来年と成長が加速し輸出もTPPで大きく伸びる予測をしているという話を聞くと、少しばかり現実離れの感じがしないでもない。ベトナムは全国のすべての地域を世界的、地域的な交易ルートに直結させようと機動的に動いている。その意味で地理的な優越性を早急に確立しようとしている好例だ。足下は好景気に沸いているが、ベトナムの将来展望は産業政策と地政学の2つの基準でどれだけ高い得点を得られるかにかかっている。したがってベトナムのさらなる発展の可能性については、フィリピンのようなバランスの良い国と比べると少しばかり慎重にならざるをえない。

劣等生に転落、マレーシアとタイ

かつての秀才が劣等生に転落することは、よくある話だ。この衰退のプロセスが、マレーシアやタイのような近隣国を蝕みつつある。これらの国々は政治的な混乱によって地域内での序列が切り下がっている。マレーシア経済はパーム油や原油の輸出に依存する割合が高い。マレーシアのナジブ・ラザク首相は汚職スキャンダルのせいか、国際商品市況の下落が深刻な打撃になっていることなど眼中にないようだ。2015年10月にラザク首相がニューヨークを訪れた時、私の友人が「マレーシア通貨リンギットの暴落は苦境に立つ製造業にとってカンフル剤になるか」と質問をした。しかし彼の回答はピントがずれていた。「リンギット安は観光業にとってすばらしいことだ」と答えたが、観光業はマレーシア経済を単独で支えるには力不足だ。製造業に関する質問をしつこく迫られて、ラザク首相は当惑気味だった。席の後方に控えていた側近が助け船を出したが、彼も原油や他の鉱物資源の投資について語っただけだった。記者会見の多くの出席者は、通貨の下落は構造改革と相まってマレーシアの製造業を再び活性化できるのに、その機会をむざむざ見逃している、という印象を持ってその場を去った。

タイでは長い間、強力な製造業とそれが作り出す雇用が緩衝材となって、経済は政治的な混乱とは一線を画すことができた。しかしそうした有利な状況も変化し始めたようだ。２０１４年５月、軍部は１９３０年代以降19回目のクーデターを断行し、近い将来の総選挙の実施を約束した。しかし彼らは約束を反故にして、新憲法の制定に乗り出した。新憲法によって、農村出身の政敵は政界から永久追放され、民主主義的な制度は骨抜きにされた。銀行、エネルギー、運輸などの国営企業を運営するため、新たに中央集権的な政府と単一の監督省庁が設置された。こうした展開が都市エリートの利益にかなっていることは、バンコク首都圏の人口が第二の都市チェンマイの10倍にも達し、さらに増加が続いている現実を見れば明らかだ。しかし、地政学に関する基準からすれば、こうした人口分布の偏在はタイのような中規模国にとって経済格差拡大の危険なサインである。

タイは国内でビジネス・チャンスを均等に広げるために、インドシナ交易の中心地に位置する優位性を有効活用すべきだ。しかし首都圏と農村地域との政争によって、経済問題は完全に後回しにされてしまった。今回ばかりは、数々のクーデターを乗り越えて経済の発展に尽くしてきたタイ王室も、お手上げの状態だ。軍事政権は1980年代の統制的な軍事経済を復活しているが、成長率の落ち込みは深刻だ。人口の高齢化が急速に進み、所得は下落している。街頭での抗議行動は軍隊の介入によって制圧されたが、新憲法が最終的にどのような内容に落ち着くのか、タイのビジネスマンたちは財布のひもが固く模様眺めの日々が続く。当然、投資は停滞し、建設プロジェクトも中断したままだ。過去数年間、家計が積極的に借り入れを増やしたことから、債務の伸びが経済成長を大きく上回った。タイは中国とトルコを除くと、最悪の過剰債務問題に直面している。今後しばらくの間は、タイの成長は低迷が避けられないだろう。

中国は最低ランク

さらに衝撃的な「落第」の事例が、東アジアで起こりつつある。東アジアはかつて奇跡の発展を成し遂げた伝説の地域だ。台風の目は中国だ。中国では共産党政権が「供給サイドの改革」という当を得た言葉を使って、高成長時代に積み上がった過剰投資を削減する方針を打ち出したが、調整に伴う短期的な痛みに耐えようとする意欲が感じられない。ましてや中国のような中低所得国は成長が次第に低下するのが普通だが、その受け入れさえも拒否しているように見える。

中国の1人当たり平均所得が1万ドルに近づこうとしている中で、指導層は2016年の成長目標を6・5%に引き下げた。しかし2008年の金融危機以降では、この成長目標は低所得国でさえ高すぎると言わざるをえない。２０１５年末、地方幹部が成長目標を達成するために数字を改竄したことを認めた。中国の経済改革で最優先課題は、成長目標を廃止することだ。高めの成長目標があるからこそ、地方幹部たちは無駄な借金を重ねざるをえない。

中国の生産年齢人口はすでにピークを過ぎている。２０１５年には、国連が１９５０年に記録を開始して以来、初めて縮小に転じた。このような中国にとって、６％以上の成長目標はきわめて過大だと言わざるをえない。戦後では生産年齢人口が縮小をたどった主要国の平均成長率は１・５％であり、６％以上を持続した例はない。中国がこうした人口減少の逆風を跳ね返すのはほとんど不可能と言えるだろう。

過剰債務の評価基準では、鮮やかな赤色の警告ランプが点滅を続けている。中国がこれまで経験した大規模な債務バブルは常に景気減速ばかりでなく、金融危機を何度も引き起こしてきた。開発途上国では、２００８年以降の中国のように猛スピードで債務が積み上がった例がなく、中国の債務はいまもＧＤＰの2倍の速さで拡大し続けている。債務の大半は生産性の低い投資へ向けられ、その規模は対ＧＤＰ比で35％を大きく上回る。この35％は、経済が安定的な成長を見込める投資比率の上限ぎりぎりである。

中国では投資の対ＧＤＰ比が１９７０年の25％未満から緩やかに上昇し、２０１３年には史上最高の47％に達した。これは中国が転機を迎えたもう一つの警告サインだ。私の研究では、投資が対ＧＤＰ比で40％以上でピークをつけると、その後の5年間は成長率が半減する。現在、中国経済に占める製造業部門の割合は異常な高さだ。２０１５年から製造業の業績は急悪化したが、２０１６年の現時点でも収縮が続いている。中国の製造業は１９７８年の対外開放以来、初めての景気後退を経験することになる。(2)

中国人の行動を見れば、別の問題も浮き彫りになってくる。中国政府は最近（訳者注＝２０１５年頃まで）、人民元の切り下げを行ってきた。製造業を復活させて輸出を伸ばし、その一方で一時的に急増した海外への資本逃避を防ぐ狙いがあった。そうした意図とは裏腹に、人民元の切り下げ幅が小幅に止まったため事態の沈静化に効果はなかった。中国人はさらに激しい勢いで資金を海外へ持ち出し始めた。２０１５年には中国から６４００億ドルの資金が流出した。資金流出はその年の後半６ヵ月に集中し、大半は輸出書類の偽装や不法な海外送金手続きなどで巧妙な隠蔽が行われていた。こうした資金流出を放置すれば、悲惨な結末を迎えることが多い。１９９０年以降の新興国では、大きな通貨危機が12件も発生した。そのうち、資本逃避を先導したのが外国人ではなく地元の人々だったケースが10件もあった。

資本逃避は、政府の危機管理能力に対する耳障りな不信任投票である。中国では資本逃避の規模があまりに巨額なため、すぐに世界中に知れ渡ってしまう。裕福な中国人は人民元高を利用して、サンフランシスコやロンドンなどあらゆる大都市で不動産を買い漁り、不動産価格をバブルの水準まで押し上げている。オーストラリアの大手不動産開発会社によれば、買い手の40％が投機家であり、その４人に３人が中国人だ。しかも彼らの一部は海外でセカンドハウスを探すためパック旅行を組んでやってくる。

中国の経済成長の軌道は階段を転げ落ちるピンポン玉に似ている。政府が新たな景気刺激策を打ち出した時だけポンと上に跳ねるが、それ以外は下の段へ次々に落ちていく。中国にとって唯一の良いサインがあるとすれば、それは世界中のメディアで中国関連のニュースが氾濫している点だ。中国経済が「ハード・ランディング」に向かっているのではないかと、メディアは問い続けている。ある推計によれば、中国の2015年の成長率は4%を下回った。この水準は、2桁成長に長い間慣れてきた中国人にとって景気後退も同然だ。この点で、中国はすでにハード・ランディングしてしまったといっても良いだろう。そこで問題になるのが、中国がある種の金融危機に向かっているかどうかだ。金融危機では、債券市場のバブルが大きく弾ける形になるかもしれないし、資本逃避が人民元の暴落につながる通貨危機の形をとるかもしれない。危機発生の有無にかかわらず、現時点での中国の将来展望は、新興国で最低の「劣等」ランクである。

「平均」に格下げ、韓国、台湾

過去10年で、中国は米国に代わる世界経済の牽引役となった。このため中国のハード・ランディングの影響は世界中に及ぶ。現在、中国が主要な輸出相手先になっている国は44ヵ国に達する。2004年から4倍に増えた。ちなみに米国が主要な輸出相手先である国は31ヵ国である。現在では、中国の成長率が1%ポイント低下するごとに、世界経済の成長率は0・5%ポイント低下する。その逆風の矢面に立つのが新興国だ。

とりわけ影響が深刻なのが、国際商品の輸出国である。それに続くのが、台湾、韓国などの近隣諸国だ。台湾、韓国は中国との貿易量が多いだけでなく、生産設備などの直接投資でも多くの金額を投じている。しかし、両国とも現在、大きな困難に直面しているわけではない。台湾は債務の伸びが安定している。銀行には預金が豊富に集まっている。韓国は製造業第一の基準で先頭を走り続け、物作りの能力を航空宇宙、新世代の半導体、あるいは医薬品の分野へと広げている。ある大財閥はバイオシミラー（バイオ後続品）など成長分野で、大量の資金を投じて世界最大の生産者になろうとしている。

しかしその他の基準も加えて総合判断すれば、韓国、台湾ともに将来展望は順風満帆とはいかない。双方ともこれまで平等主義に基づく経済発展を重視してきたが、経済格差への国民の反発は緩和に向かうどころかむしろ強まる一方だ。韓国の朴槿恵大統領は「経済民主主義」を公約に掲げて政権に就いたが、２０１５年の暮れには低賃金労働者の保護を怠り、財閥オーナーの大金持ちは甘やかしているとして、大規模な抗議行動に直面した。台湾でも格差への不満の高まり、不動産価格の上昇、前政権の中国べったりの外交姿勢などが原因となって、民主進歩党出身の蔡英文《ツァイインウェン》政権が誕生した。過去においては、民進党政権が優勢になるとマーケットでは警戒心が強まった。民進党は独立志向が強く、台湾に対する主権を主張する中国との間で衝突が起きるのではないかという不安が高まるからだ。

2014年に台北を訪問した際に、私は蔡氏に面会した。彼女はプラグマティックな改革者で、現状を大きく変更しようとする意思は持っていないように見えた。中国との貿易協定は前政権崩壊の遠因となったが、そうした論争に決着をつけてくれるのではないかという期待を持たれていたのだろう。さらに蔡氏は、TPPへの参加で貿易先を中国以外に分散したいという計画も持っていた。TPPが発効すれば、台湾は全方位の地域的な交易拠点になれるはずだった。しかし、台湾、韓国ともに生産年齢人口が減少に向かっている。世界貿易の停滞によって伝統的な成長の牽引力、つまり輸出も変調を来し始めた。そうした時に、台湾、韓国がこれからの5年間も高成長を持続できるとは想像できない。かつての奇跡の経済は現在では紛れもない「平均」フンクの位置づけとなってしまった。

日本は「劣等」から「平均」へ浮上

人口減少の悪影響がもっと顕著なのが日本だ。しかし以下の議論を読めば、少しばかり愁眉を開くことができる。2010年に中国は日本を追い抜いて世界第2位の経済大国へ躍り出た。この序列の逆転によって、政治サイクルの基準が想定しているように、日本には復活の気運が芽生えてきた。その2年後には、日本の有権者は安倍晋三を再び首相に選んだ。その時、安倍が日本経済再生の公約に掲げたのが、機動的な財政支出、大胆な金融緩和、それに市場開放と競争力向上がミックスとなった成長戦略という「三本の矢」だった。

アベノミクス（安倍政権の経済政策）の多くは、問題の核心を突いていた。政府の介入を減らし、生産年齢人口の急速な高齢化へ積極的に対応するものだ。高水準の政府債務に対しては、少なくともこれ以上増やさない覚悟だ。円相場は大幅に引き下げ、市場の開放でも聖域なき形で改革を行おうとしている。日本企業がグローバル市場で十分戦えるように、法人税を40％から32％に引き下げたが、ドイツよりも少し低い29％を目標にさらなる法人減税を行う予定だ。労働力の急速な高齢化に対処するため、安倍政権は子育て制度の抜本改革など「ウーマノミクス（働く女性への支援策）」も推進している。労働市場に参加する女性のシェアは２０１０年の60％から現在は65％に上昇している。米国の働く女性の割合は63％で停滞しているが、日本はそれを超えた。さらに安倍政権は高齢者向け介護サービスなどの分野で、外国人労働者が従来の規制にとらわれずに働くことができる特区の創設を議論している。こうした実験を見れば、日本がいかに真剣に経済移民に対して門戸を開放しようとしているかが分かる。

安倍政権は、米国と共にＴＰＰの共同提案者となった。ＴＰＰは中国に先んじて公正な貿易ルールを策定するという日米計画の核心部分である。安倍政権は以前から長い間、保護分野の市場開放に取り組んできた。たとえば、米作農家への補助金の削減だ。農民の政治力は絶大だが、生産性はきわめて低い。減税やビザ取得規制の緩和などによる観光業の振興にも意欲的に取り組んでいる。突然の円安なども重なって、多くの観光客が日本を訪問するようになった。２０１１年以降、外国人旅行者数は８００万人から２０００万人へ飛躍的に拡大した。２０１５年の１年間を見ると、旅行客の半分以上は中国人だ。成田国際空港と東京都心をつなぐ電車では最近、公共案内放送に中国語サービスを追加した。第二次世界大戦の悲惨な戦争を巡っていまだわだかまりが解けず、対抗意識むき出しの状態が続く日中両国だが、これは画期的な出来事と言える。

通貨価値の急激な変動は、大きな影響をもたらす。訪日旅行客の急増はその強力な証明だ。開発途上国で最も高い通貨の中国から、先進国で最も安い通貨の日本へ旅行客を呼び込む原動力となっている。東京は特売場と化してしまった。中国人旅行者が化粧品からトイレのハイテク便座まであらゆるものを大量に買いまくっている。「爆買い」は、日本の2015年の流行語となった。こうした旅行者が落とすお金で、国内物価は25年ぶりに下げ止まった。物価安定の基準によれば、これは健全なサインだ。日本の延々と続いた破壊的なデフレにようやく終止符が打たれようとしている。

対GDP比で390%という途方もない債務の規模に比べたら、債務の伸びの議論は枝葉末節のように見える。実際、日本の公的債務は対GDP比で220%という異常な大きさだ。先進国で2番目に政府債務の多い国はイタリアだが、その2倍の規模である。しかし、重要なシグナルは債務の「増加の速度」であることを思い出して欲しい。日本の過去5年間を見ると債務はほとんど増えていない。銀行は豊富な預金量を抱えている（現在、新規融資を行う余力は十分だ）。

日本は「変われない国だ」という昔からの批判に挑戦している。多くの基準で前進が見られるが、それはせいぜい「劣等」から「平均」へランクを引き上げる程度だ。それ以上の評価ができないのは、いくつかの決定的な弱点を抱えているからだ。日本の生産年齢人口は２０２０年まで年率約１％の割合で減少すると予想されている。これでは人口構成に関する基準で最低点しか与えられない。地理に関する基準では、日本が中国の近くに位置していることは大きな利点だが、追加の効果は限定的だ。投資は増えているが、足取りは弱い。円相場は1年以上、割安状態が続き、観光客の招致に一定の成果をあげたが、輸出全体の底上げまでにいたっていない。日本の輸出の約４分の１は中国向けであり、先進国の中で最も比率が高い。中国の需要がこれから縮小に向かえば、日本の成長にとってマイナスだ。しかし、多くの国の将来展望が悪化する中での日本の「劣等」から「平均」へのランク・アップは前進と評価できる。

オーストラリアは「優秀」から「劣等」へ

先進国の将来展望で急速に評価を落としているのがオーストラリアだ。オーストラリアはカナダとともに、国際商品市況の「呪い」が低所得国だけに限定されないことを物語っている。２０１１年以前、オーストラリアとカナダは原油、天然ガスや、それ以外の国際商品の市況高の波に乗り、債務と消費のバブルへ突き進んだ。国際商品市況が暴落した後は、両国とも困難な調整を強いられている。

地政学や産業政策の基準では、カナダはオーストラリアを少し上回っている。２０１５年、カナダでは10年ぶりに政権交代が実現し、ジャスティン・トルドーが新首相に選ばれた。彼はマーケットからは「社会主義者」と恐れられたが、カナダにとっていま必要なものは何かを理解しているように見える。彼によれば、カナダは原油依存から脱却すべきである。また貿易自由化のために、米国とともにＴＰＰに参加し、道路や工場への投資を拡大すべきである。カナダの製造業部門は相対的に大きく、競争力を失いつつあるとはいえオーストラリアの製造業に比べると症状は軽い。おそらくカナダの最大の利点は次の点だ。カナダは貿易を通じて米国との結びつきが強いが、オーストラリアの最大の貿易相手は中国だ。しかも、米国は中国ほど景気の落ち込みが深刻ではない。地理的な優位性の恩恵は、ずっと固定したままではない。隣国の経済の好不調、貿易パターンの変化によって、強まったり弱まったりする。

オーストラリアの「優秀」から「劣等」への転落は急激だった。25年も好景気が続き、景気後退は一度も経験したことがなかった。その間に大きな油断が生じた。積極的な移民受け入れ策で、人口の増加は相対的に高い伸びを維持してきた。これが大きなプラス要因だったが、これさえも怪しくなってきた。移民の数が下落しているにもかかわらず、政界では反移民感情が支配的になっている。最近では年間の移民数は総人口の０・７％程度だが、２００８年に比べると半減している。国際商品部門の停滞によって雇用機会が縮小を余儀なくされているためだ。

多くの新興国と同様に、オーストラリアも国際商品市況ブームで気の緩みが生じた。債務が積み上がると同時に、投資も大幅に増加した。しかしその中身を見ると、大半は不動産や鉄鉱石などの国際商品向けだ。生産部門の増強が最優先ではなかった。オーストラリア人は多額の借金で株式や住宅を購入したために、住宅価格は2010から2014年の間に50%以上も上昇した。先進国では最大の上昇幅だった。この住宅価格の上昇をさらに煽ったのが、不動産購入が目的の中国人のパック旅行だ。インフレの基準が示すように、消費者物価の上昇率はそれ自体が問題ではない。重要なのは、不動産価格の急上昇と景気後退の強い相関関係だ。2015年には、不動産への投資額が対GDP比で5%を突破し、過去のバブルの発生を示す水準を大きく上回った。

オーストラリアでは好況時に、オーストラリア・ドルが切り上がり、国内に残された数少ない製造業の競争力が低下した。賃金も大幅に上昇した。貧弱な製造業は対GDP比で8%にすぎず、先進国では最低の水準だ。この比率の低下はいまも続いている。2013、2014年には、フォード、GM、トヨタ自動車の3社はコスト高のために、オーストラリア国内の自動車生産を中止すると発表した。各社の計画により、2017年にオーストラリアから自動車生産は完全に姿を消す。一方、その他の地域では自動車メーカーは活発に活動している。フォードや日産自動車は、ルノーやフォルクスワーゲンに追随して、欧州、特にスペインでの生産の拡大に動いた。

ドイツは「優秀」、英国は「平均」

欧州の主要国の将来展望は、優劣が入り交じる。ドイツは「優秀」、英国は「どちらかといえば平均」、フランスは「どうしようもない劣等」である。ドイツでは2002年から開始されたハルツ改革によって労働コストが低下し、輸出競争力が高まった。その恩恵で快進撃がいまも続いている。2005年にアンゲラ・メルケルが首相に就任して以降、彼女の連立政権はその勢いを維持してきた。連邦政府の財政収支は均衡がとれ、インフレは安定している。2008年以降、ドイツでは債務バブルはほとんど発生していない。その結果、信用不安は州立銀行（ランデスバンク）の一部に見られた程度で、全体のシステム・リスクにまで波及することはなかった。不良債権も比較的少なくてすんだ。一方、投資の安定的な拡大によって、輸出部門はますますその競争力を増している。

ドイツは、東欧の低賃金労働者をうまく取り込むことで、欧州の製造業の中心へと躍進した。巨大な資産を保有する富裕層の大半は、生産性の高い成長企業の出身者だ。成長企業では良質の雇用が多数創出されるため、いくら利益をあげても政治的な反発が生じることはほとんどない。

腐敗や利権を基盤とする悪い億万長者が保有する資産は、富裕層全体の1％にすぎない。しかし、メルケルにとって最良の瞬間は永遠に巡ってこないかもしれない。2015年に欧州へ流入した難民は百万人を超える。彼女は右翼の攻撃に耐えながら、難民に対し世界のどの国よりも寛大な移民政策を維持してきた。高齢化する労働力を活性化するために、ドイツが必要としている政策であり、人間重視の基準でも前向きの措置として高く評価されている。移民の論議が混沌としてきたことで、2017年からのメルケル政権4期の可能性は少なくなってきた。しかし、これは悪いことではない。政治サイクルの基準では、長期政権のリーダーが新しいリーダーに置き換わることは一般的にプラスとされている。

ドイツは確実に英国との差を広げているが、英国はシンガポール・モデルの拡大版、つまりサービス主導経済への進化を目指しているようだ。成長を担うのは、ロンドンの金融サービス産業だ。金融サービス業は英国経済の20％を占める。製造業は英国の対ＧＤＰ比９％で先進国ではオーストラリアに次いで2番目に低く、天然資源開発による底上げ効果も期待できない。２０１6年にデービッド・キャメロン首相が英国が欧州連合から離脱すべきかどうかを問う国民投票の実施を表明したことで、英国が内向きになっているとの見方が広まった。もし離脱となれば難民にとって痛手だ。ロンドンは80人の超富裕層が本拠としており、世界で最も金持ちの密集度が高い都市だ。資産格差の拡大に対する英国民の不満によって、労働党は極左的なスタンスを取らざるをえなくなっている。保守党政権も国際的な大銀行に対する新規制の導入の検討を迫られている。

一方、英国の経済は過剰感が強まっている。不動産価格は歴史的な高値圏に達し、賃金の2倍の速度で上昇を続けている。中国やロシアの留学生が借りているロンドンの高級アパートの月当たり家賃は、英国人の平均年収よりも高いといった話は、たくさんある。消費者物価は落ち着いているが、住宅やその他の資産は深刻なインフレ状態だ。英ポンド高、ユーロ安によって、英国の輸出競争力は低下を余儀なくされている。しかし、英国が高い得点を得ている基準もある。民間の企業や家計は債務を大幅に減らした。２０１０年以降、債務の対ＧＤＰ比率は33％ポイントも低下した。貿易関連の基準の点数はきわめて高い。人間重視の基準でも比較的高得点を得ている。英国の人口は先進国の中で伸びが大きく、特に経済移民の間で人気が高いことが影響している（戦争難民には門戸を閉ざしている）。以上を総合すると、英国の将来展望は「平均」クラスと言えるだろう。

欧州の「病人」、フランス

欧州では現職の指導者に対する反発が強まり、政治は混迷の度を強めている。その結果、政府は経済への介入や国境閉鎖への圧力を受けている。極右、極左の政党の台頭が心配されているが、2015年時点ではいずれの主要国でも政権奪取まではいたっておらず、中道勢力が何とか持ちこたえている。欧州全体としては、成長率が1・5％でインフレは抑えられている。その結果、極右勢力がいつ政権を奪取してもおかしくない状況には陥っていない。英国やフランスの政権与党は選挙で少数野党の挑戦をしのいでいるが、イタリア、ポルトガル、スペインでは、ポピュリスト政党の躍進によって、競争力を高めるための構造改革が後退を余儀なくされている。

将来展望の評価で大幅な変更が生じた国が、スペインだ。2015年に、先進国のランキングで「優秀」から「平均」へダウンした。2010年に世界的な金融危機が欧州を直撃してから、スペインは過剰債務問題に苦しみ改革を余儀なくされた。債務の基準で見ると、明るい兆候も見えてきた。債務の対GDP比が大幅に下落し、次の融資主導による成長への準備が整った。2011〜2015年の5年間で、スペインの民間債務は対GDP比で30％ポイント低下、先進国では最大の下落幅だ。スペイン人が借金の返済を進めるにつれて、賃金などの労働コストも低下した。この間に、世界的な製造企業はスペイン国内の生産拠点を増強した。その結果、スペインは先進国で製品輸出の世界シェアが拡大した希少な国となった。しかし2015年に入ると、マリアーノ・ラホイ中道右派政権は大胆な改革への情熱を失い、2015年12月の総選挙で政権与党は議会での過半数を失った。新規の改革がストップした結果、スペインの成長は過去の改革の遺産だけに頼らざるをえなくなり、将来展望も格下げとなった。

フランスの将来展望も各種の基準を総合すると低下が続いている。特に政府介入の基準では大きく得点を下げた。すでにフランスの政府の規模は世界で最大であり、政府支出の対GDP比は2000年の51％から2015年には57％へ拡大している。公務員数の削減や事務手続きの簡素化など様々な改革案が政府から提案されているが、いずれも中途半端だ。たとえば、小売店に対して日曜日営業を禁じる法律を廃止する計画があるが、営業できる日曜日は年間でわずか12日だけだ。イタリアとともにフランスは国際競争力が低下し、労働コストは2010年以降5％も上昇している。2008年金融危機以降の債務の増加幅を見ると、フランスは先進国で最大である。過去5年間に民間債務の対GDP比率は16％ポイントも上昇した。

フランスには多くの外国人が生活しているが、特に都市部のイスラム系住民との間でトラブルが尽きない。2015年11月にはパリ同時多発テロ事件が発生し、複数の犯人がイスラム国の戦闘員と見られたことから、それ以降、パリ市民とイスラム系住民との関係がさらに険悪化した。

テロの恐怖や右翼民族主義政党への支持が高まるにつれて、高齢化問題への切り札だった移民受け入れの拡大は大きく後退した。今日ではフランスは欧州の新しい「病人」と見られている。ちなみに「病人」という名称は、1970年代の英国、1990年代のドイツにつけられたものと同じだ。

ポーランド、チェコ、ルーマニアは優秀

東欧に目を転じると、ポーランド、チェコ、ルーマニアは、ドイツなど豊かな西欧市場との地理的な近さを最大限に利用してきた。西側企業の中国への工場移転は下火になってきたが、東欧への進出は依然続いている。こうした国々では労働コストが比較的安く、通貨も割安なことから、自動車などドイツ大手企業による製造拠点の拡大が続いている。地域全体を通しても、輸出は好調で、経常収支は均衡圏か黒字、対外債務も低水準に止まっている。チェコの将来展望は新興国では「優秀」クラスだ。2008年金融危機の前も後も債務が過剰に積み上がることがなかった。世界的な金融バブルに巻き込まれずにすんだ。

ポーランドは直近5年の間、債務の大幅な削減に取り組んできた。ポーランドは東欧で最大の経済規模を誇るが、多くの基準での評価を総合すると、将来展望は依然「優秀」のままだ。他の新興国では企業の投資が停滞する中で、ポーランドだけは拡大が続いている。起業家マインド旺盛な大富豪たちはドイツやスイスへ積極的な進出を図っている。しかしポーランドを見るにつけ、

この世に永遠の理想郷など存在しないことが分かる。政治サイクルの基準によれば、すべてが順風満帆に見えたその瞬間に転落が始まり、やがて深刻な事態に突入する。

２０１５年10月、保守派の「法と公正の党」が選挙で勝利を収めたが、その後に転機が到来した。大統領の記者会見で同党が今後ＥＵ旗の掲揚を止めることを表明したことで、欧州全体を震撼させた。新政権は銀行への増税に踏み切り、国営メディアや司法への政治介入も強めた。銀行増税によって融資にはブレーキがかかった。最高裁の判事はすべて新規の政治任命者に入れ替えるという決定に、世界中は不安にかられた。法と公正の党が「ポーランドの民主主義を破壊する」という懸念は、やや誇張されすぎているかもしれない。同党も退職年齢の引き下げや出産手当の拡大などの選挙公約を、すぐに撤回した。しかし、耳障りなポピュリズムと便宜主義的なプラグマティズムによって、ポーランドの将来展望に陰りが生じたのは事実だ。選挙前には、ポーランドは８つの評価基準で「優秀」を得ていた。現在は６つの基準で「優秀」を維持しているが、政府の役人が経済への締め付けを強化していることから政治介入の基準では「劣等」へ降格となっている。

ポーランドの南にはルーマニアが広がる。ルーマニアは長期の停滞から見事に復活した注目すべきケースだが、まだ誰も気づいていない。ルーマニアでも２００８年以降は債務が急速に積み上がったが、その削減への意気込みは際だっていた。インドや中国の政府が不良債権の認定を巡り銀行と激しくやり合っていた時に、ルーマニアは最も厳しい「不良債権」基準を採用していたため、銀行の資産内容の実態は見た目ほどひどくはなかった。ルーマニアはまた共産党政権崩壊後、政府のダウンサイジングにも積極的に取り組んできた。最近までは国営企業の株式の過半数を市場に売り払った世界でも数少ない国の一つだった。

東欧では労働力の急速な高齢化が大きな問題になっているが、ルーマニアも例外ではない。1989年の共産党政権最後の日まで、ニコラエ・チャウシェスク大統領は少子化への対策として、1人も子供がいない25歳以上の成人に対し重税を課していた。政府が出生率を高めることがいかに難しいかを証明するかのように、ルーマニアはポーランド、チェコと並び新興国で最も早く高齢化が進む国となっている。国連の見通しでは、ルーマニアの生産年齢人口は2020年までに1・2％減少する。この減少スピードでは、あらゆる手段を使って女性や移民を労働力に呼び込んでも生産年齢人口の減少に歯止めをかけることは難しい。しかしルーマニアは多くの評価基準の改善に向けて断固たる決意で改革に取り組んでいる。将来展望は「優秀」といって良い。

ロシアは完全な劣等生

こうした旧ソ連衛星国の台頭は、モスクワの旧支配者に対する暗黙の反発の結果だ。彼らはモスクワとは全く逆の方向を志向している。次の事実ほど運命の別れをドラマチックに示したものはない。2015年、東欧は全体としてインフレ率が低下し成長率が高まった。一方、ロシアは3％のマイナス成長、15％のインフレ率というスタグフレーションに陥った。主要国の中でロシアは現在、各種の基準の総合評価で最低の得点しか獲得できていない。

ロシアのウラジーミル・プーチンは大統領・首相含めて4期目に入ったが、経済は停滞感が強まっている。中東や東欧での積極的な軍事行動で財政が逼迫し、経済改革は大きく後退してしまった。ウクライナでの領土拡張、シリアへの軍事介入などを大々的に宣伝する活動によって、プーチンの人気は圧倒的だ。景気後退によって世界中の指導者の人気が低迷する中で、彼の支持率は公式的には90%と言われている。しかし、政治サイクルの基準に従えば、指導者が経済改革者としての賞味期限を超えて、ただ漫然と権力の座に居座り続けることほど災厄をもたらすものはない。

プーチンの基本的な過ちは、ロシア経済の多角化に失敗したことだ。経済は原油依存率が高く、市況に一喜一憂する毎日が続いている。資金捻出のために政府はアエロフロートなど国営企業の株式を一部放出する議論をしているが、支配権まで手放す意思はない。ロシアの製造業には、国際的な競争力のある輸出企業がほとんど見あたらない。原油市況の暴落にもかかわらず、ロシアは他の新興国に比べ依然として富裕層の資産の比重が高い。富裕層全体の資産の67%は石油のような政治的利権絡みの産業から得たものだ。どのような基準でも、完全な劣等生を意味する「1」の評点となった国はめったにない。しかし現在のロシアは、政治、政府介入、良い億万長者・悪い億万長者、人口構成に関連する基準で「1」の評価だ。ロシアは生産年齢人口が世界で最も早く縮小している国の一つだ。一方、通貨の基準では最高得点である。通貨が下がれば自動的に点数が高くなる仕組みだが、ルーブルが原油価格と歩調を合わせて下落したことによるものだ。

原油ブームの最盛期、モスクワ市内で「石油による堕落」の光景をよく目にした。高級車のベントレーやマイバッハが路上にあふれ、どんちゃん騒ぎが夜明けまで繰り広げられた。その後18ヵ月足らずの間に原油価格が1バレル110ドルから50ドルまで下落すると、2015年暮れからは新たな現実が始まった。ルーブルが対ドルで半分以下に下落した。通貨が近年これほど割安になったことはなかった。人々は倹約生活を余儀なくされた。2015年秋にロシアを訪れたとき、私の同僚は仕事の移動に、実用的なセダンであるトヨタ・カムリを使っていた。ルーブルの下落で、ロシア人の多くは楽しみにしていた地中海旅行をキャンセルしなければならなくなった。彼らの不満を少しでもなだめようとして、観光責任者のオレグ・サフォーノフは次のようなコメントを発表した。『海の行楽』は最近の一時的な流行にすぎない。私たちの祖先の時代は、大金持ちでも海外リゾート地に大挙して遊びに行くことはなかった」。

国民に地道な生活を呼びかけることで、プーチンは経済面では慎重な舵取りに徹している。一方、政治的な宣伝ビラなどでは、自らをロシアの栄光の守護者だと自賛する。そうしたイメージを維持するためにも、ロシアは海外に弱みは見せられない。ロシア国内では借金が急増している。債務の基準では悪いサインだが、対外債務は2015年の1年間でかなり減少した。外国為替市場でルーブルを無理に買い支えて外貨準備を減らす代わりに、1年前から変動相場制へ移行してルーブルの減価を容認した。原油価格はドル建てで下落したが、現在は原油収入1ドルの価値はルーブル換算すると2倍に跳ね上がっている。これはプーチン政権の予算にとって重要だった。政府支出の削減とルーブルの下落によって、財政収支赤字の予想は大きく改善した。2014年時点では、原油価格が1バレル100ドルにならないと財政収支は均衡しないと言われていたが、現在は1バレル50ドルで十分だ。これは外国の圧力に対抗する強力な防波堤となる。特にナイジェリアやサウジアラビアなど主要な産油国では、財政収支均衡のために必要な原油価格は1バレル80ドル前後と言われている。こうした状況においては、なおさらだ。

プーチンの経済戦略の問題は、外圧からの防衛が中心であり、国内の景気刺激の視点が欠ける点だ。2008年の金融危機以降、最大の課題は借金減らしと人口減少への対応だったが、ロシアはいずれの点でも新興国で最低の得点だ。人口の高齢化が急速に進む一方で、国内の民間債務は増大し続けている。そして3番目の懸念材料は保護主義だ。2008年から2015年暮れの間にロシアは500件近い保護貿易法を成立させるなど、世界貿易にとって最大の障害だった。この保護貿易法の数はインドに次ぐ多さだ。

プーチンの側近でさえ、原油価格が暴落するずっと以前の2012年の初めにロシアの成長率が2％に低下したとき、原油収入だけで景気を下支えするのは難しいと認めていた。かつて財務省の役人が、気が滅入るグラフを見せてくれた。それによると、ロシアの投資が過去数年間一貫して低下をたどり、対GDP比で20％未満にまで落ち込んでいた。新興国では最低の水準だ。しかし、投資の低下に歯止めをかける対策は何の準備もされていない。

トルコと中東の将来は暗い

こうしたロシアと酷似しているのがトルコだ。トルコは原油などの天然資源に恵まれているわけではないが、国際商品依存の経済に特有のスタグフレーション症状を呈することが多い。レジェップ・タイイップ・エルドアンはカリスマ的な改革者として大統領に就任した。彼は当初、政府支出を削減し、ハイパー・インフレを撲滅するために何をすればよいかを、十分に理解していた。しかし政権が13年も続くと、政策のマンネリ化が目に付くようになった。彼の政権は経済統制を強め、経済学の基本も忘れてしまった。エルドアン大統領はこの数年間、中央銀行と激しく対立し、驚くべきことに高インフレへの適切な対応は金利を引き下げることだとまで主張した。彼はまた金利が下がれば、高利貸しを禁じるイスラム教の教えに銀行が違反しなくてすむとも語った。これは、宗教が経済学よりも優位に立ち始めたことを暗示している。

このようにトルコは、かつての優等生が劣等生の常連になったもう一つの例だ。トルコは現在、中国に次いで2番目に大きな債務バブルのまっただ中にある。過去5年間に民間債務の対ＧＤＰ比は35％ポイント上昇した。トルコは原油をすべて輸入に頼っているため、原油価格の暴落によって経済収支赤字は急速な改善に向かうはずだった。しかし輸出産業が弱く、経常収支の調整は緩慢だった。現在になって、経常収支赤字はようやく対ＧＤＰ比で5％未満へ下落し危険水域を脱しつつある。経済が低迷しインフレが悪化する中で、エルドアンの与党、公正発展党は２０

15年6月の選挙で議会の過半数を失った。それから5ヵ月後の再選挙では、テロ事件やイスラム国への国民の不安につけこむことでかろうじて過半数を回復できた。こうした緊迫した情勢下での勝利は、公正発展党のポピュリストや民族主義的な勢力を助長することになった。ただ労働力の高い伸びと地域的にバランスのとれた発展が続いていることから、トルコは「人口構成」と「地政学」に関する2つの基準では引き続き高得点を維持している。

中東産油国に近接しているという理由だけで、トルコはかつてのような恩恵に与ることはなくなった。特に湾岸諸国では、今後大きな紛争が発生する可能性がある。通貨の下落が政府ではなく市場によって決定されているのであれば、大歓迎だ。サウジアラビアや他の首長国の基本的な問題は、通貨の価値をドルにペグ（固定）していることだ。その結果、ロシアとは異なり、原油価格が下落しても通貨は減価せず、財政収支の改善に役に立つことはない。

政治的な混乱がアラブ世界を広く覆い続けている。湾岸諸国は自国の混乱を未然に防ぐため公共支出の大盤振る舞いを行ってきたが、それが財政問題を深刻化させている。2015年1月、サウジアラビアに新国王が誕生した。新国王は直ちに、兵士、年金生活者、政府奨学金の受給生、それにすべての公務員——合算すると全国民の半数以上に達するが——に対して、2ヵ月分の特別ボーナスなどを配給した。サウジアラビアの財政収支は2012年の最近まで対GDP比で2桁の黒字だったが、2015年には15％の赤字へ転落した。主要な新興国では最悪の数字だ。近隣の首長国の多くも同じような状況だ。湾岸地域は南アジアとは対照的に、地域全体の景気が減速する可能性の高い唯一の地域だ。

アフリカ、東部は優等生、西部は劣等生

新興国を一括りで議論するのは意味のないことだ。アフリカには54の国がある。その3分の2は人口が2000万人にも達せず、半分は年間GDPが100億ドルにも満たない。それは、米国のバーモント州の3分の1の数字である。特に南アフリカのような少数の例外を除き、アフリカ諸国は社会的な制度の未発達で、統計数字も一貫性に欠け、外部のアナリストは信頼のおける資料を得ることさえできない。そうした限られた分析においても、趨勢は悪化に向かっている。アフリカで6%以上の成長をした国は、2010年の22ヵ国から2015年には9ヵ国へ減少している。インフレ率が10%以上の国は4ヵ国から10ヵ国へ増加している。

アフリカ諸国の大半は、国際商品市況の乱高下に翻弄される日々だ。せっかく好景気に恵まれても、その利益を新産業の育成に投じることはなかった。2011年に商品市況が下落したとき、通貨も切り下がった。しかし有望な輸出産業が育っていないために、輸出はほとんど増えなかった。一方で海外からの借り入れが好況時に大きく積み上がり、その返済に窮するようになった。

南アフリカはナイジェリアに次ぐアフリカ第二の経済大国だ。金、ダイヤモンド、鉄鉱石など国際商品の主要な輸出国である。ロシアやブラジルなどの国際商品主導経済と同様に、過小投資、通貨下落、マンネリ化した政権与党、政府の過剰介入などの問題を抱えている。ジェイコブ・ズ

マ大統領は最近、1週間で財務相を2人も交代させる「離れ技」をやってのけた。彼自身の巨大プロジェクトを応援してくれる一方で、市場へのマイナスの影響は最小限に止めてくれそうな人物を拙速に求めたためだ。しかし他のアフリカ諸国と異なり、南アフリカには群を抜く財務基盤の金融機関、とりわけ経営力の高さでは定評のある大銀行が存在する。彼らは2008年の金融危機以降も融資の伸びを制御可能な範囲に止めてきた。

南アフリカの通貨ランドはインフレ調整後では大幅に急落しており、世界で最も割安な通貨となっている。ケープ・タウンの世界最高級レストランでディナーをとっても、1人当たり30ドル以下で十分楽しめる。南アフリカは他の国際商品主導の国に比べると、スタグフレーションの程度ははるかに軽い。GDPの成長率は低水準ながら、依然プラスの領域を維持している。インフレ率は1桁台に止まり、通貨下落による競争力強化をそれなりに活かすことができている。以上の議論を総合判断すると、南アフリカは「劣等」であることに変わりないが、ロシアのような国に比べれば少しましだ。

2011年にニュース雑誌が「アフリカの勃興」と大々的に持ち上げたが、南アフリカの停滞は、それ以降、アフリカ大陸に次々と再発した諸問題を象徴していた。この雑誌の記事は「優秀」「平均」「劣等」と細分化して議論を進めていくものだが、アフリカ大陸の地図をざっと眺めただけで、優等生はケニア周辺の東部、劣等生はナイジェリア周辺の西部に集中していることが分かる。

ナイジェリアでは２０１５年、ムハンマド・ブハリが世界で最も汚職のひどい国で汚職追放を公約に掲げて大統領に当選した。その時、ナイジェリアには、ほんのつかの間だが賞賛らしきものが寄せられた。ブハリの前任者であるグッドラック・ジョナサンも汚職追放の公約を掲げて当選したことから、今回は警戒する必要があると思った。ジョナサンは公約を果たすどころか、原油売買で得た利益を悪者に渡してしまった。その結果、国際商品依存経済の運営で何をやってはいけないかというケース・スタディの対象となった。そのジョナサンの前任者は、汚職で悪名高いオルシェグン・オバサンジョだ。彼は任期中に外貨準備の管理の仕組みの中に、不正な蓄財の仕掛けをうまく紛れ込ませることに成功した。２０１０年にジョナサン政権が誕生して以降、原油市況の高騰で外貨収入が増加したにもかかわらず、外貨準備は５００億ドルから３３０億ドルへ目減りしてしまった。

２０１４年に原油高騰による好景気が終わった時、ナイジェリアの外貨準備は危険水域まで減少していた。２０１５年になると主要な原油輸出国では、外貨準備や政府系ファンドで蓄積された資産残高を合算すると、少なくとも経済規模に見合う水準に達した。しかし、ナイジェリアの外貨準備残高はＧＤＰのわずか８％に減少していた。この不足は窃盗によるものだ。現在のナイジェリアの外貨準備残高は、１年超の財政赤字を辛うじてカバーできる程度にすぎない。

元将軍であるブハリの公約は、腐敗の撲滅とボコ・ハラムと呼ばれるテロリスト過激派集団の一掃だった。こうした対応は、経済への信頼と安全を取り戻すうえで不可欠だ。しかし彼は、ナイジェリアの将来に対する「原油の呪い」がいかに深刻であるかを過小評価していた。政府は財政収入の70％を原油から得ている。原油価格の暴落によって財政収支赤字は２０１５年に対ＧＤＰ比５％にまで拡大する可能性がある。原油輸出代金の減少によって、経常収支は10年ぶりの赤字に転落しそうだ。天然資源が豊富な国にとって貯蓄や投資に関するルーズな慣行や習癖は国民性とも言えるが、ナイジェリアもアフリカの他の国と同様に正していく必要がある。

一方、東部に目を転じてみよう。この10年間に成長速度が加速するチャンスに恵まれている国が、アフリカにも存在する、その数少ない国の一つがケニアだ。ケニアは原油の輸入国であるため、原油価格の下落はプラスに働く。「原油の呪い」とも無縁だ。ウフル・ケニヤッタは改革マインド旺盛な大統領であり、２０１３年の平穏な選挙によって政権の座に就いた。就任以降は、国内への投資の呼び込みに努力している。最近では中央銀行の新総裁を任命して金融システムの刷新を図り、問題銀行の整理を行った。通貨シリングは割高で、経常収支赤字はＧＤＰの５％を超えている。したがって通貨の基準ではケニアは低い評価しか得ていないが、その他の基準では改善が続いている。投資は２００９年の対ＧＤＰ比19％未満から同24％近くへ上昇し、現在では最適な水準まであと一歩のところに近づいている。新しい発電所の建設で、消費者の電力料金は半分になった。国際展開している企業や投資家はケニアを東アフリカ地域、つまり有望な地域共同市場の中核国と見なしている。ケニアは、中国によって建設中の新しい「海のシルク・ロード」の重要な中継地でもある。中国はモンバサの港から首都ナイロビの間に全長２７５マイルの新たな道路を建設している。それゆえ、ケニアは「地政学」から「産業政策」など多くの基準で高い得点を得ている。特に「人口構成」に関する基準では、大きな優位性がある。生産年齢人口は2020年まで平均年率3%で増加すると予想され、これは世界でも最大の増加率である。

「循環」が未来を支配する

2010年のスタート時点で、一部の評論家は「アフリカの世紀」が始まったと考えた。しかし好景気が終わりを告げ不透明感が世界を覆い始めると、数十年にわたる地域全体の包括的な経済予想は人気がなくなった。地球上のほとんどの国で、それまでの総楽観論が突然、総悲観論に置き換わるとすれば、それは健全なことではない。人口減少、脱グローバル化、債務返済などの加速化によって、世界中で成長率が低下する可能性は高い。そうした状況下であっても、成長を続ける国は必ず存在する。

先進国で今後も相対的に高い成長が見込める有望国は、ドイツや米国だ。中所得国では、大半の東欧諸国やメキシコだ。低所得国では、南アジア、東アフリカ、東南アジアの一部から新しいスターが誕生する可能性がある。しかし、これらは2016年3月時点での予想だ。こうした見通しは、不慮の暗殺、常識を逸脱した政策の採用、世の中を仰天させる発明や天災などによって、突然変わる。現在、懸念されている世界的な景気後退が到来すれば、今後数年間はどの国も「高い」成長を実現するのは困難になる。しかし世界不況が継続する期間はせいぜい1年程度だ。その不況もやがて終焉を迎える。ここで提示した将来展望は今後5年間通用すると見てもらって間違いない。

評価の基準を設定した目的は、こうした経済を取り巻くダイナミックな変化を的確に捉えるためである。そのために、私は定期的に評点をチェックし、更新している。またこうしたダイナミックな変化が生じるからこそ、どの国も優秀、平均、そして劣等といった評価ランクが5年以上先まで続くことはありえない。著名な心理学者で著述家のフィリップ・テトロックは、この数十年間にわたって数千件に及ぶ予測の正確性を検証してきた。著書『超予測力――不確実な時代の先を読む10カ条（*Superforecasting*）』の中で、彼は様々な根拠を示しながら、遠い未来の予測になるほど信頼性が低下し、5年を超えた先の話となればその信頼性は当てずっぽうと変わるところがない、と強調している。国の発展や衰退を探知しようとする実践的な目的のためには、時間軸をできるだけ短くするほどリアリティが増す。しかし政策の立案や計画遂行の観点からすれば、時間軸はできるだけ長い方が、都合が良い。

これからの5年間で世界経済を取り巻く環境はガラリと変わるだろう。2008年の金融危機後の時代は過ぎ去り、2020年には状況が一変している可能性がある。評価の基準によって国を格付けする手法も変化し、基準の内容も進化していることだろう。しかし基本コンセプトは変わらない。国の発展や衰退を探る場合、最も信頼のおけるやり方は、実践的な時間軸に立脚した評価の基準を活用した手法だ。

さらに高度な予測を望む人は、次のことを思い出して欲しい。何十年も安定的に発展を続けた国は世界でもきわめて珍しい。こうした優秀な国では一般的に成功の条件がすべて揃っており、評価の基準で規定された危険ゾーンに陥ってもわずか1年ほどで脱出できている。東アジアの「奇跡の成長」を成し遂げた国が、まさにそれに該当する。何十年も高成長を持続できたのは、改革を先取り的に実行し、バランスの良い成長を続け、インフレ、過剰債務、産業政策などの諸基準のスイートスポットから大きく逸脱しなかったからだ。しかし最終的には、こうした奇跡の経済も次第に色あせていく。どの国も発展と衰退を繰り返す宿命にある。永遠に発展や衰退を続ける国などありえない。盛衰のこの世界において唯一変わらないものがあるとすれば、経済や政治の循環である。これこそが未来の支配者と呼べるものだ。

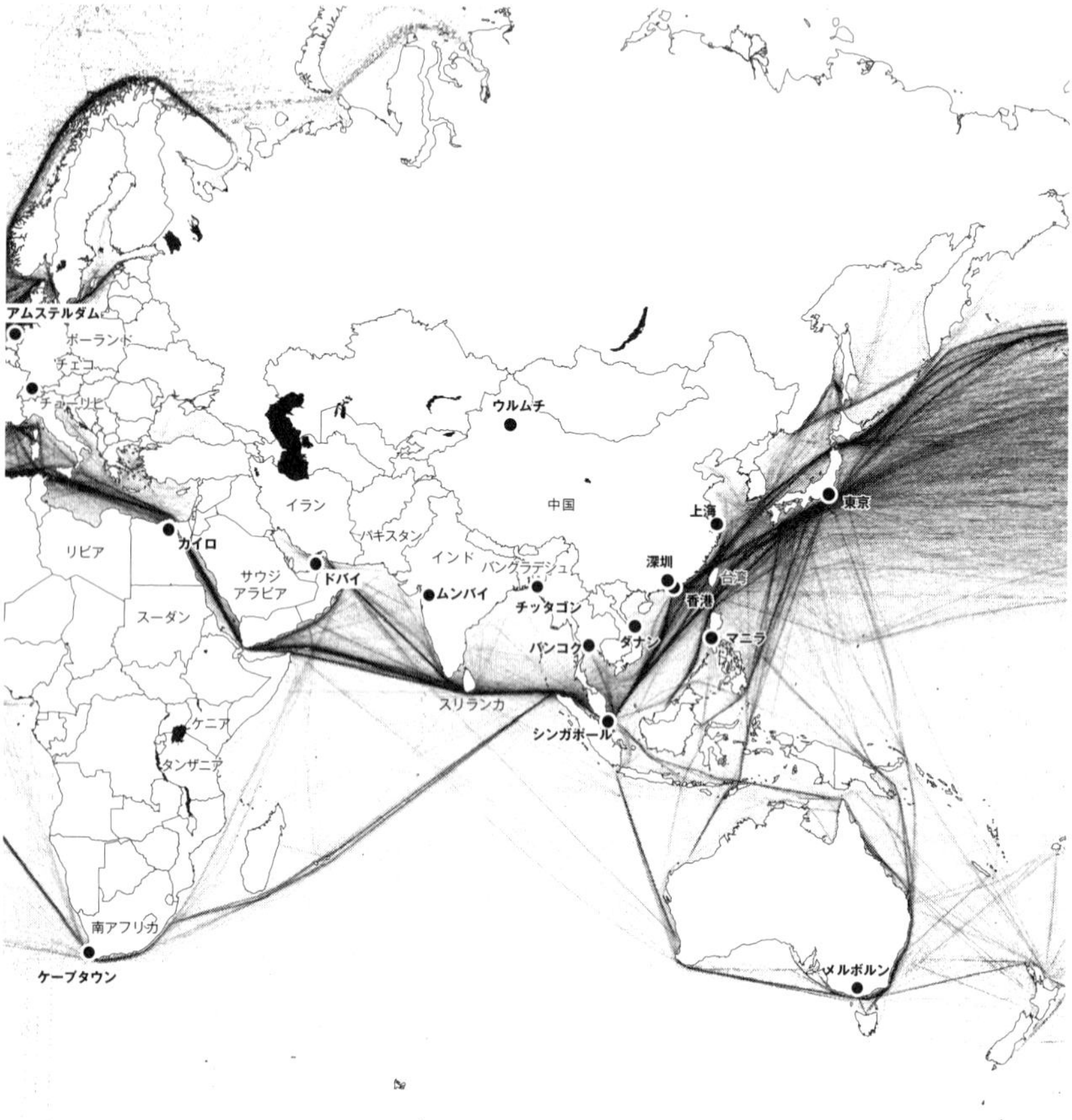

MAP: NICOLAS RAPP SOURCE: HOFSTRA UNIVERSITY DEPARTMENT OF GLOBAL STUDIES AND GEOGRAPHY

図表4　地理的なスイートスポット

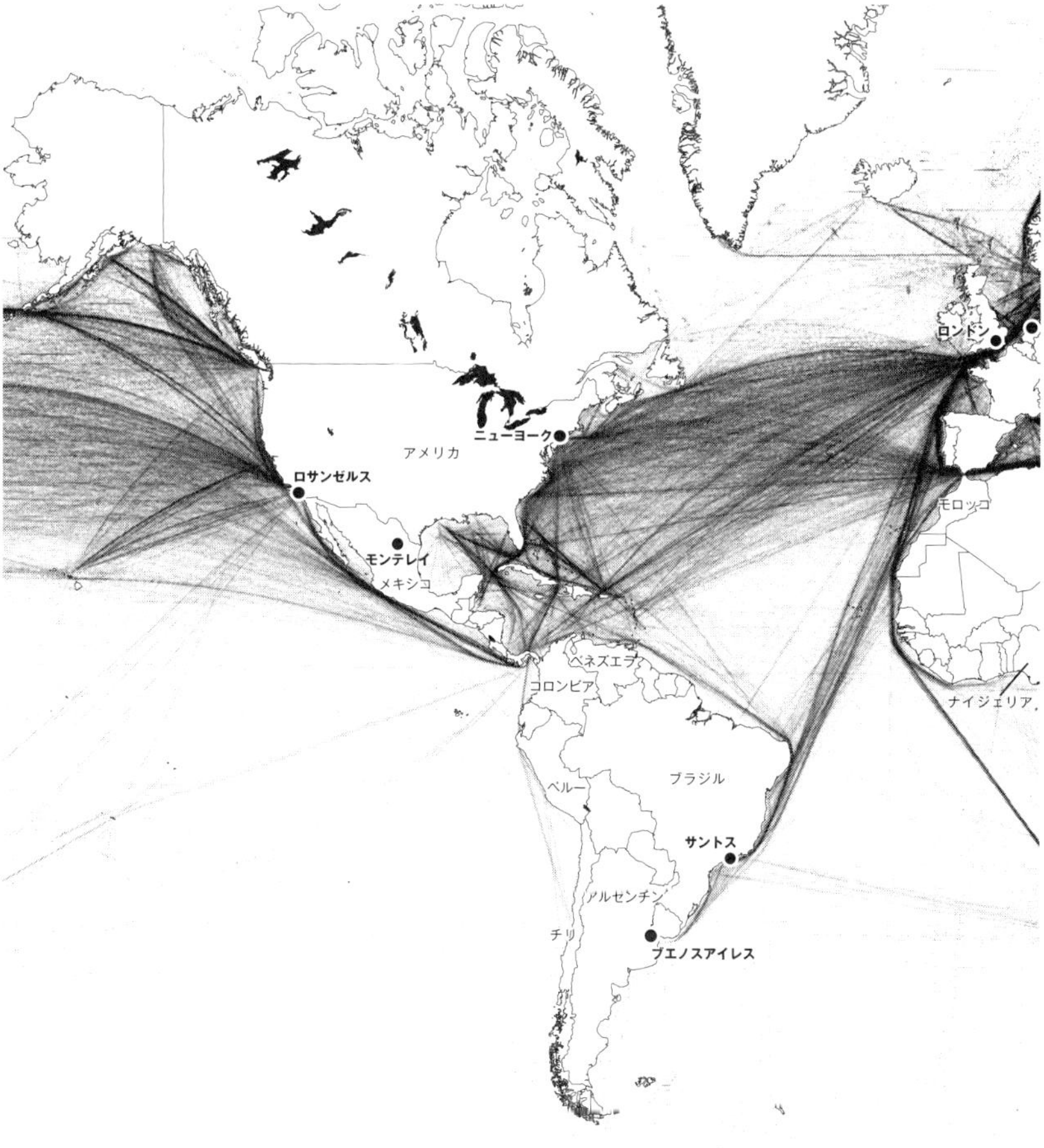

これらのラインは2015年時点の主要な国際輸送ルートを表している。

謝辞

物書きとしての仕事を始めてから20年間、私は作家クリストファー・ヒッチェンズの「誰にも自分の中に書きたい一冊の本がある。しかし多くの場合、それを実行するのはやめた方がよい」という助言に従って時間を過ごしてきた。私は新聞のコラムを書くことに十分満足していたし、本の執筆など分不相応なことのように思っていた。そうした気持ちを大きく変えてくれたのがトニー・エマーソンだった。彼は２０１０年にわざわざ『ニューズウィーク・インターナショナル』の編集者の仕事を辞めて、私の著書『ブレイクアウト・ネーションズ――大停滞を打ち破る新興諸国（*Breakout Nations*〔2012〕）』（鈴木立哉訳、早川書房、２０１３年）の執筆を手助けしてくれた。そして、いったん本の執筆への心理的な障害が取り払われるや、私は本のアイデアを自分自身の内部にとどめておくことはできなくなった。この『シャルマの未来予測』は、過去の作品と同様にトニーの助力による私の最新作である。

ジタニア・カンドハリが率いるマクロ経済調査チームは世界でおそらく最高だ。そのサポートによって、私は今後の世界経済を考察する幸運に恵まれた。私とジタニアの共同作業が始まったのは１９９８年である。彼女の経済調査に対する尽きることのないエネルギーと情熱にはただただ頭が下がる思いだった。私が何らかの指導や支援を必要としたとき、彼女はいつも快く対応してくれた。彼女への感謝の気持ちは永遠に忘れることができない。その彼女を支援しているのがスティーブン・カトリーである。私が知る限り、彼以上の博識な人物はいない。彼の興味は経済、政治の領域をはるかに超え、その型にとらわれない自由な発想は、私が世の中の理解を深めるうえで大きな助力となった。チームの一員であるソーハム・セングプタはいかなる質問に対してもたちどころに明確な答えを返してくれた。彼にも同様の感謝を表しておきたい。またポール・ウィーナーが仲間でなかったら、私は何も成しえることができなかっただろう。彼は十数年もの間、チームの補給将校として、私のすべての仕事を支えてくれた。彼の組織人としてのスキルは、ニューヨークでこの本を編集する際にも縦横の働きをしてくれた。ムンバイでは、機転が利くクリスティーン・ドゥスーザが編集面で同様の貢献をしてくれた。

1991年に文筆活動を開始して以来、私の姉妹のシュミタ・デヴェシュウォーは、いつも私の近くにいて仕事を手伝ってくれた。彼女は関連する新聞記事を切り抜いて自宅のミニ・ライブラリーの充実に協力してくれ、私が執筆した原稿にも鋭くコメントしてくれた。トニーと出会う前は、私が彼女に原稿の編集を頼むと、彼女はやりかけの仕事をすべて放り出してただちに作業に取りかかってくれた。本書の執筆でも、彼女は多くの時間を費やして文章の改善に取り組んでくれた。両親は幼少の頃から私の風変わりな言動をいつも温かく見守ってくれた。こうした両親や姉妹から得た無償の支援に対して、私は残念ながら報いるべきものが何もない。

シムラン・バルガヴァは私の親友で助言者でもある。私は彼女から長年にわたり発想や執筆の面で最も大きな影響を得てきた。小説家ラドヤード・キップリングの言葉を引用すれば、彼女は私に「周囲の人々が浮き足だっているときに、自分一人だけ冷静でいる方法」を教えてくれた。シムランは多くの時間をかけて各章の原稿を何度も読み返してくれた。彼女ならではの質問を受けるたびに、私の頭の中では新たな洞察や逸話が次々に湧き上がってきた。シムランとは、どういうわけか馬が合った。「物事を読者に分かりやすく説明できないときは、自分自身が物事の本質を理解できていない証拠だ」。この執筆の基本的な教訓を教えてくれたのも、彼女だった。

他人の本を1行ずつ丁寧に読んで、その詳細なコメントを著者にフィードバックする作業ほど、無私の行為はない。私は信じられないくらい幸運なことに、そうした作業に多くの時間を割いてくれた寛大な友人に恵まれていた。コロンビア大学のピエール・ヤレドは1週間で原稿を精読し、最も洞察力のあるコメントを返してくれた。それによって論理の展開がさらに洗練されたものになった。エイミー・オールデンバーグは本書執筆のきっかけを作ってくれたうえに、執筆期間中も一貫して支援してくれた。彼女にも感謝したい。ドラブ・ソパリワラはインドで最も驚嘆すべき緻密な分析眼を持っている研究者だ。ラウル・シャーマは第一級の編集者として多方面で活躍している。両氏にも原稿を丁寧に読んでいただき、有益な示唆を得た。私の友人のサバ・アシュラフは大局的な観点からとても重要な指摘をしてくれた。

職場の友人であるアシュトシュ・シンハ、ポール・プサイラ、ジム・アップトン、スワナンド・ケルカー、エイメイ・ハッタンガディは、貴重な時間を割いて原稿に目を通し、内容の改善に貢献してくれた。ティム・ドリンカル、エリック・カールソン、クリスティーナ・ピエドラヒタ、ガイト・アリ、ピエール・ホービラー、ビシャル・グプタ、ジョージ・チリノ、サミュエル・リー、ムニブ・マドニ、メイ・ユー、ゲリー・チュンといったチームのメンバーにも、個別の章やトピックにおいて協力してもらった。感謝の意を表しておきたい。シリル・モルバートーは私の長年の議論仲間であり、彼とのブレーンストームの中から本書の多くのアイデアが生まれた。私が知るかぎりで彼ほど優れた分析力を持っている人間はいない。本書で触れた様々なトピックに関する彼の意見にも謝意を表したい。

出版界で一、二を争う優れた編集者が本書の企画に関心を持ち、多くの時間や労力をかける価値があると感じてくれたことをとても嬉しく思う。アレン・レイン社のスチュアート・プロフィットとノートン社のブレダン・カリーの両氏が、膨大な時間を費やして文章を洗練してくれたおかげで、私は恥ずかしい思いをせずにすんだ。最後になったが、本書の出版企画の便宜を図ってくれたのは私の出版エージェントで、伝説にもなっているアンドリュー・ワイリーである。私は彼のチームの一員になれたことを誇りに思う。アンドリューのロンドン在住の協力者であるジェームズ・パレンにも大変お世話になった。

投資家兼著述家として、私は幸運にも世界中の様々な研究機関が作成するレポートに目を通し、そこで活躍するアナリストたちとも直に話をする機会に恵まれた。本書に関連して議論をさせていただいたアナリストの名前をこの場ですべて挙げることはできないが、ダン・ファインマンにはとりわけお世話になった。

ジャーナリストのファリード・ザカリアは時事問題の分野で多くの人々の創造性をかき立ててくれる人物だ。私はラッキーなことに、友人として親しくお付き合いさせていただいている。夕食をとりながら、私たちは世界の様々な問題の解決について長い時間議論をしてきた。さらに特筆すべきは、彼が私に「人の知的資本の深化」における書籍の役割や、本を執筆することの重要性を繰り返し強調してくれたことだ。ファリードの議論や激励は、本書の執筆を進めるうえで大きな励みになった。

本書の執筆でお世話になった人々を振り返る時に痛感するのは、世の中には寛大な人がたくさんいるということだ。彼らは大切な時間をわざわざ割いて、私に本の執筆という夢を叶えさせてくれた。私は彼らにいくら感謝してもし尽くせない。彼らの支援や助力の1つひとつに感謝するたびに、大学が同窓の2人のベテラン政治家の次のやり取りを思い出す。同窓会のイヤーブックに、一方が「私が現在あるのは、この学校のおかげだ」と書き込んだところ、もう一方の政治家が「もういいかげん学校の責任にするのはやめたらどうだ」と応じた。私はこの助言を踏まえて、本書が最終的に読者の意に沿えなかった場合、その責任はひとえに私自身にあることを最後に述べておきたい。

【著者紹介】
ルチル・シャルマ（Ruchir Sharma）
モルガン・スタンレー・インベストメント・マネジメントの新興市場部門・部門長、チーフ・グローバル・ストラテジスト。
モルガン・スタンレー・インベストメント・マネジメントは200億ドル以上の資産を運用する投資会社であり、著者は毎月1週間は諸外国を訪問し、地元の主要な政治家、大企業のCEO（最高経営責任者）、その他有力者などと面談を重ねている。彼の初の著書『ブレイクアウト・ネーションズ：大停滞を打ち破る新興諸国』（早川書房、2013年）はインドでいち早くナンバー・ワンのベストセラーとなり、ウォールストリート・ジャーナル紙のベストセラー書にも選ばれた。またフォーリン・ポリシー誌は2012年に同書を21冊の必読書の1冊に選出した。ウォールストリート・ジャーナル紙、フィナンシャル・タイムズ紙、タイムズ・オブ・インディア紙、フォーリン・アフェアーズ誌、タイム誌、ニューヨーク・タイムズ紙、フォーリン・ポリシー誌、フォーブス誌、ブルームバーグ・ビューなど有力な新聞・雑誌への寄稿多数。2000年代には長い間、ニューズウィーク誌の編集者を務め、「グローバル・インベスター」というタイトルの定期コラムを執筆した。2015年10月、ブルームバーグより世界で最も影響力のある人物50人の1人に、2012年、フォーリン・ポリシー誌より最高の世界的思考をする人の1人に選出された。また2007年にはダボスの世界経済フォーラムより世界で最も優れた若手リーダーの1人に選出されている。

【訳者紹介】
川島睦保（かわしま　むつほ）
ジャーナリスト、翻訳家。
福岡県生まれ。1979年横浜国立大学経済学部卒業後、東洋経済新報社入社。『会社四季報』産業記者、『週刊東洋経済』臨時増刊、投資雑誌、金融雑誌の編集などを経て、『週刊東洋経済』編集長、取締役出版局長を務める。1991〜92年にフルブライト留学生として米国ハーバード大学経済学部に短期留学。2017年に退社後はフリーのジャーナリスト、翻訳家として活動。

シャルマの未来予測　これから成長する国　沈む国

2018年4月19日　第1刷発行
2018年6月15日　第2刷発行

著　者——ルチル・シャルマ
訳　者——川島睦保
発行者——駒橋憲一
発行所——東洋経済新報社
〒103-8345　東京都中央区日本橋本石町 1-2-1
電話＝東洋経済コールセンター　03(5605)7021
https://toyokeizai.net/

装　丁……………………吉住郷司
本文レイアウト・ＤＴＰ……アイシーエム
印　刷……………………東港出版印刷
製　本……………………積信堂
編集協力…………………パプリカ商店
編集担当…………………岡田光司
Printed in Japan　　ISBN 978-4-492-37121-3

人名索引

さ

た

や

ら

わ

事項索引

た

な

わ

参考文献

序章　有為転変

Anderson, Jonathan. "The Globalization Collection." EM Advisers Group, May 8, 2015.

Baweja, Bhanu. "The Tricks of Trade: A Structural Change?" UBS Research, November 13, 2013.

Booth, Robert. "Education and Skills Have Long-Term Effect on Cities' Economic Well Being." *Guardian*, July 12, 2012.

Burton, Katherine. "Hedge Funds Shut at Fastest Pace Since 2009 on Poor Performance." *Bloomberg News*, December 2, 2014.

Cates, Andrew, Bhanu Baweja, and Sophie Constable. "Globalization's Challenges." UBS Research, July 22, 2015.

Clark, David. "The Forward March of Democracy Halted? World Politics and the Rise of Authoritarianism." Henry Jackson Society, 2015.

Cookson, Clive, and Tyler Shendruk. "Animal Energetics: The Price of the Hunt." *Financial Times*, October 10, 2014.

Davis, Ned. "Using Crowd Psychology and the Stock Market to Call the Economy." Ned Davis Research, November 14, 2014.

Donnan, Shawn. "IMF and World Bank Warn of 'Peak Trade.'" *Financial Times*, November 18, 2014.

———. "Peak Trade and China's Role in Five Charts." *Financial Times*, November 19, 2014.

"Economics Needs to Reflect a Post-Crisis World." *Financial Times*, September 25, 2014.

Fayad, Ghada, and Roberto Perrelli. "Growth Surprises and Synchronized Slowdowns in Emerging Markets—An Empirical Investigation." International Monetary Fund, Working Paper no. 14/173, September 17, 2014.

Fordham, Tina M. "Taking It to the Street." Citigroup Research, May 2014.

Galston, William. "Modern Autocrats Are on the March." *Wall Street Journal*, June 23, 2015.

Garman, Christopher, and Jonathan Dill. "Reform Tracker." Eurasia Group, October 2014.

Grene, Sophia. "Nouriel Roubini: Dr. Doom Condemns Cute Investment Labels." *Financial Times*, July 26, 2015.

Hanushek, Eric A., and Ludger Woessmann. "Education and Economic Growth." *Economics of Education*. Amsterdam: Elsevier, 2010.

Ignatius, David. "Hope for Democracy in the Arab World." *Washington Post*, August 9, 2013.

"The Increasing Importance of Developing Countries in the Global Economy." *World Trade Report*, 2014.

Jerven, Morten, and Magnus Ebo Duncan. "Revising GDP Estimates in Sub-Saharan Africa: Lessons from Ghana." *African Statistical Journal* 15 (August 2012).

Kaletsky, Anatole. "Wrong, INET?" *The Economist*, November 22, 2010.

Kennedy, Robert. "Is a 'Human Population Bomb' Ticking?" Al Jazeera, June 12, 2012.

Kurlantzick, Joshua. "The Great Deglobalizing." *Boston Globe*, February 1, 2015.

Lagon, Mark P. and Arch Puddington. "Democracy Takes a Global Hit." *Wall Street Journal*, January 27, 2016.

Lu, Ming, Zhao Chen, Yongqin Wang, Yan Zhang, Yuan Zhang, and Changyuan Lao. *China's Economic Development: Institutions, Growth and Imbalances*. Northampton, MA: Edward Elgar Publishing, 2013.

Lund, Susan, et al. "Financial Globalization: Retreat or Reset?" McKinsey Global Institute, March 2013.

Manyika, James, et al. "Global Growth: Can Productivity Save the Day in an Ag-

ing World?" McKinsey Global Institute, January 2015.

Mauboussin, Michael J., and Dan Callahan. "Learning from Freestyle Chess." Credit Suisse Research, September 10, 2014.

Miller, Arthur. "The Year It Came Apart." *New York Magazine*, Dececember 30, 1974.

O'Neill, Jim. "Building Better Global Economic BRICs." Goldman Sachs Global Economics Paper no. 66, November 30, 2001.

Peters, Heiko, and Stefan Schneider. "Sluggish Global Trade—Cyclical or Structural?" Deutsche Bank Research, November 25, 2014.

"Picking Apart the Productivity Paradox," Goldman Sachs Research, October 5, 2015.

Schofield, Mark. "Global Strategy and Macro Group Theme Book." Citigroup Research, April 2015.

Sharma, Ruchir. "Going in for the Big Kill." *Newsweek*, October 2, 2006.

———. "Can India Still Be a Breakout Nation." *Economic Times*, December 10, 2012.

———. "The Ever-Emerging Markets: Why Economic Forecasts Fail." *Foreign Affairs* 93, no. 1 (2014).

———. "China's Stock Plunge Is Scarier Than Greece." *Wall Street Journal*, July 7, 2015.

Studwell, Joe. *How Asia Works: Success and Failure in the Worlds Most Dynamic Region*. New York: Grove, 2013.

Surowiecki, James. *The Wisdom of Crowds: Why the Many Are Smarter Than the Few and How Collective Wisdom Shapes Business, Economies, Societies, and Nations*. New York: Doubleday, 2004.（ジェームズ・スロウィッキー『群衆の智慧』小髙尚子訳，KADOKAWA，2014年；『「みんなの意見」は案外正しい』2009年刊より改題）

Tilton, Andrew. "Still Wading Through 'Great Stagnations.'" Goldman Sachs Global Investment Research, September 17, 2014.

———. "Growth Recovery and Trade Stagnation Evidence from New Data." Goldman Sachs Global Investment Research, June 5, 2015.

Vogel, Ezra. *Japan as Number One: Lessons for America*. New York: Harper & Row, 1979.

"What Is the Trade Slowdown Telling Us?" Gavekal Research, September 30, 2015.

Wu, Harry. "China's Growth and Productivity Performance Debate Revisited—Accounting for China's Sources of Growth with a New Data Set." The Conference Board, Report no. EPWP1401, February 2014.

Zurayk, Rami. "Use Your Loaf: Why Food Prices Are Crucial in the Arab Spring." *The Guardian*, July 16, 2011: n. pag. Print.

第1章 【人口構成】生産年齢人口が増えているか

Abramson, David. "Accelerating Wage Growth—Should We Be Worried?" BCA Research, May 11, 2015.

Acemoglu, Daron, and David Autor. "What Does Human Capital Do?" *Journal of Economic Literature* 50, no. 2 (2012): 426–63.

Adams, Tim. "And the Pulitzer Goes to ... a Computer." *Guardian*, June 28, 2015.

Aghion, Philippe, Alberto Alesina, and Francesco Trebbi. "Democracy, Technology, and Growth." National Bureau of Economic Research, Working Paper no. 13180, June 2007.

Alderman, Liz. "In Europe, Fake Jobs Can Have Real Benefits." *New York Times*, May 29, 2015.

Anderson, Jonathan. "Institutional Winners and Losers." EM Advisers Group, December 18, 2014.

———. "How to Think About China." EM Advisers Group, February 5, 2015.

Anderson, Thomas M., and Hans-Peter Kohler. "Demographic Transition Revisited: Low Fertility, Socioeconomic Development, and Gender Equity." Pop-

ed: Low Fertility, Socioeconomic Development, and Gender Equity." Population Studies Center, Working Paper, May 15, 2015.
Andreessen, Marc. "This Is Probably a Good Time to Say That I Don't Believe Robots Will Eat All the Jobs." Blog.pmarca.com, June 13, 2014.
Andrews, Nick. "Being Polish." Gavekal Dragoomics, July 17, 2014.
Aoki, Dajia. "Can Japan Overcome Decline in Labor Force." UBS Research, August 6, 2015.
"Asia's New Family Values." *Economist*, August 22, 2015.
Bandhari, Pranjal. "The Camel, the Tent and Reforms." *Live Mint*, October 7, 2015.
Berezin, Peter. "The End of Europe's Welfare State." BCA Research, June 26, 2015.
Bernstein, Jared. "Before Blaming the Robots, Let's Get the Policy Right." *New York Times*, February 17, 2014.
Brooks, Rob. "China's Biggest Problem? Too Many Men." CNN, March 4, 2013.
Butler, William. "Women in the Economy: Global Growth Generators." Citigroup Research, May 2015.
Cates, Andrew, Bhanu Baweja, and Sophie Constable. "Globalization's Challenges." UBS Research, July 21, 2015.
Chatterji, Aaron, Edward Glaeser, and William Kerr. "Clusters of Entrepreneurship and Innovation." National Bureau of Economic Research, Working Paper no. 19013, May 2013.
Chaudhary, Latika, Aldo Musacchio, Steven Nafziger, and Se Yan. "Big BRICs, Weak Foundations: The Beginning of Public Elementary Education in Brazil, Russia, India, and China." National Bureau of Economic Research, Working Paper no. 17852, February 2012.
Credit Suisse Demographic Research, n.d.
Czaika, Mathias, and Christopher Parsons. "The Gravity of High-Skilled Migra-

tion Policies." International Migration Institute, May 21, 2015.
"Dominant and Dangerous." *Economist*, October 3, 2015.
Eberstadt, Nicholas. "The Demographic Future: What Population Growth—and Decline—Means for the Economy." *Foreign Affairs*, November 1, 2010.
Elekdag, Selim, et al. "Corporate Leverage in Emerging Markets—A Concern?" International Monetary Fund, October 2015.
Fatima, Ambreen, and Humera Sultana. "Tracing Out the U-Shape Relationship Between Female Labor Force Participation Rate and Economic Development for Pakistan." *International Journal of Social Economics* 36, nos. 1–2 (2009): 182–98.
Fernandes, Sharon. "India, Second Biggest Loser of Rich Citizens." *Times of India*, July 14, 2015.
Ford, Martin. *Rise of the Robots: Technology and the Threat of a Jobless Future*. Basic Books, 2015.（マーチン・フォード『ロボットの脅威——人の仕事がなくなる日』松本剛史訳，日本経済新聞出版社，2015 年）
Frey, Carl Benedikt, and Michael Osborne. "The Future of Employment: How Susceptible Are Jobs to Compensation." Oxford Martin School, September 17, 2013.
Fulwood, Alice, and Edward Teather. "Malaysia by the Numbers." UBS Research, October 2015.
Garland, Kris. "Demographics Matter." Strategas, September 22, 2015.
"Gary Marcus on the Future of Artificial Intelligence and the Brain." Hosted by Russ Roberts. Library of Economics and Liberty, December 15, 2014.
Gibbs, Richard. "The Momentum of Migration." Macquarie Research, December 3, 2014.
——— "Global Intuition: Maximizing Migration Trends." Macquarie Research, March 5, 2015.
Gladstone, Rick. "India Will Be Most Populous Country Sooner Than Thought."

New York Times, July 29, 2015.
"Global Demographics and Labor Force Trends, Global Value, Earnings Quality, MBS, Construction Activity." Ned Davis Research, November 19, 2015.
Golub, Jonathan. "Demographics to Drive Slower Growth, Higher Stocks." RBC Capital Markets Research, July 27, 2015.
Gonzales, Christian, et al. "Fair Play: More Equal Laws Boost Female Labor Force Participation." International Monetary Fund, February 23, 2015.
Goodhart, Charles. "Latin America: What Your Peers Are Reading." Morgan Stanley Research, September 15, 2015.
Grey, C. G. P. *Humans Need Not Apply* (film). 2014.
Grindal, Alejandra, and Patrick Ayers. "Why Demographics Matter." Ned Davis Research, July 23, 2015.
Gupta, Shekhar. "Modi and the Art of the Sell." *Indian Express*, December 18, 2012.
Haberman, Clyde. "The Unrealized Horrors of Population Explosion." *New York Times*, May 31, 2015.
Harari, Yuval Noah, and Daniel Kahneman. "Death Is Optional." *Edge*, November 25, 2015.
Hausmann, Ricardo. "The Tacit-Knowledge Economy." *Project Syndicate*, October 30, 2013.
Hessler, Peter. "Learning to Speak Lingerie." *New Yorker*, August 10, 2015.
Hokenson, Richard F. "Retiring the Current Model of Retirement." Hokenson Research, March 2004.
———. "Rethinking Old Age Economic Security." Evercore ISI Research, July 30, 2015.
———. "Long Term Unemployment: A Global Perspective." Evercore ISI Research, August 18, 2015.
———. "The European Refugee Predicament." Evercore ISI Research, Septem-

ber 17, 2015.
Hopper, Tristin. “A History of the Baby Bonus: Tories Now Tout Benefits of Program They Once Axed.” *National Post*, July 13, 2015.
Ip, Greg. “Economy’s Supply Side Sputters.” *Wall Street Journal*, February 18, 2015.
Jain, Tanvee Gupta. “Thank You, Overseas Indians.” Macquarie Research, December 2, 2013.
Kapur, Ajay Singh. “China—Accumulating Risks, Caveat Emptor.” Bank of America Research, May 27, 2015.
Kennedy, Robert. “Is a Human Population Bomb Ticking?” Al Jazeera, June 12, 2012.
Khosla, Vinod. “How to Win at Leapfrog.” McKinsey & Company, December 2013.
Kim, Jim Young. “CNBC Excerpts: CNBC’s Sara Eisen Speaks with World Bank Group President Jim Yong Kim on CNBC’s ‘Squawk Alley’ Today.” サラ・エイセンによるインタビューのトランスクリプト．CNBC, October 1, 2015.
Kochhar, Kalpana, et al. *India’s Pattern of Development: What Happened, What Follows?* International Monetary Fund, 2006.
Last, Jonathan V. “America’s Baby Bust.” *Wall Street Journal*, February 12, 2013.
———. *What to Expect When No One’s Expecting: America’s Coming Demographic Disaster*. New York: Encounter Books, 2013.
Lau, Kinger. “Why Korea Will Continue to Outperform Taiwan.” Goldman Sachs Global Investment Research, September 10, 2012.
Laurent, Clint. “India—The Young and the Restless.” Macquarie Research, September 18, 2015.
Lawson, Nigel. “Apocalypse Later.” *Wall Street Journal*, July 27, 2015.
Lochner, Lance. “Non-Production Benefits of Education: Crime, Health, and

Good Citizenship." National Bureau of Economic Research, Working Paper no. 16722, January 2011.

Lubas, Amy, and Veneta Dmitrova. "Is Dwindling Productivity Here to Stay?" Ned Davis Research, May 14, 2015.

Mackie, David. "Euro Area Population, Participation, and Slack." JP Morgan Research, November 21, 2014.

Magaziner, Daniel, and Sean Jacobs. "South Africa Turns on Its Immigrants." *New York Times*, April 24, 2015.

"Malaysia's Misguided Immigration Policy." Foreign Policy Associations, 2011.

Markoff, John. "The Next Wave." *Edge*, July 16, 2015.

Markus, Andrew. "Attitudes to Immigration and Cultural Diversity in Australia." *Journal of Sociology* 50, no. 1 (2014): 10–22.

Mason, Andrew. "Demographic Transition and Demographic Dividends in Developing and Developed Countries." United Nations Expert Group Meeting on Social and Economic Implications of Changing Population Age Structures, August 31–September 2, 2005.

Meeker, Mary. "Internet Trends: Morgan Stanley Executive Women's Conference." Kleiner Perkins Caufield Byers, October 1, 2013.

Minder, Raphael. "Car Factories Offer Hope for Spanish Industry and Workers." *New York Times*, December 27, 2012.

Nair, Prashant. "Indian Pharma in a Global Context." Citigroup Research, August 14, 2013.

Ninan, T. N. "Only 'Above Average.'" *Business Standard*, July 25, 2014.

"No Country for Old Men." *Economist*, January 10, 2015.

Noronha, João. "Brazil Strategy: Navigating Turbulent Times." Santander Research, August 12, 2015.

O'Hare, Maureen. "Danish Moms Urged to Send Their Kids on Baby-making Vacations." *CNN*, October 1, 2015.

Ozden, Caglar, and Mathis Warner. "Immigrants versus Natives? Displacement and Job Creation." World Bank, 2014.

Patel, Raj. "The End of Plenty Review." *New York Times*, July 24, 2015.

Pathiparampil, Bino. "India-Pharma: US Market Remains a Great Opportunity." IIFL Institutional Equities, 2013.

Pearson, Charles. *On the Cusp: From Population Boom to Bust*. New York: Oxford University Press, 2015.

"Picking Apart the Productivity Paradox." Goldman Sachs, Global Macro Research, October 5, 2015.

"PISA Scores: Why Would You Invest in Greece Instead of Poland?" Renaissance Capital, December 4, 2013.

Redenius, Jeremy. "The Challenges to Feeding the World May Not Be So Challenging After All." Bernstein Research, December 6, 2013.

Redman, Alex. "Latin America in 2015: The Most Challenged Emerging Market Region." Credit Suisse Research, March 9, 2015.

Roberts, Russ. *Gary Marcus on the Future of Artificial Intelligence and the Brain*. Library of Economics and Liberty, 2014.

Robertson, Charles. "What's Wrong with Russia." Renaissance Capital, January 24, 2013.

Rotman, David. "How Technology Is Destroying Jobs." *MIT Technology Review*, June 12, 2013.

Roy, Amlan. "Indonesia: Are Good Demographics Adequate for Growth and Investments?" Credit Suisse Demographics Research, March 9, 2015.

———. "A Perspective on Migration: Past to Present." Credit Suisse Demographic Research, September 30, 2015.

Salsman, Richard M. "Social Security Is Much Worse Than a Ponzi Scheme—and Here's How to End It." *Forbes*, September 27, 2011.

Saltar, Daniel. "The Focal Point: New Russia—New Focus." Renaissance Capital,

October 21, 2013.

Schneider, Jim, et al. "Fortnightly Answers Questions: Where Is Everybody Going?" Goldman Sachs Research, September 3, 2015.

Shedlock, Michael. "47% of Chinese Billionaires Want to Leave China Within 5 Years." *Financial Sense*, September 5, 2014.

Stephen, Craig. "Rich Chinese Line Up to Leave China." *Market Watch*, February 9, 2014.

Stephens, Bret. "Nobels and National Greatness." *Wall Street Journal*, October 14, 2013.

Tabuchi, Hiroko. "Sony's Bread and Butter? It's Not Electronics." *New York Times*, May 27, 2013.

Tiglao, Rigoberto. "PH Has Highest Fertility Rate in Our Region." *Manila Times*, April 8, 2014.

Toohey, Tim, and Andrew Boak. "Population: Cutting Potential Growth; Forecasting Housing Surplus." Goldman Sachs Global Investment Research, April 15, 2015.

Verme, Paolo. "Economic Development and Female Labor Participation in the Middle East and North Africa: A Test of the U-Shape Hypothesis." World Bank, 2014.

Wan, Fan Cheuk, and Alexander Redman. "Asian Family Business Report 2011." Credit Suisse Research, October 2011.

Weafer, Chris, and Mark Adomanis. "Special Report—Demographics." *Macro-Advisory*, January 2015.

Weir, Fred. "Russia Needs Immigrants, But Can It Accept Them?" *Christian Science Monitor*, October 27, 2013.

"Women, Business, and the Law 2014." World Bank, n.d.

Yadav, Gaurav. "Indonesia's Industrialization." Bank of America Research, January 21, 2015.

Yeoh, Brenda, and Weigan Lin. "Rapid Growth in Singapore's Immigrant Population Brings Policy Challenges." *Migration Policy*, 2007.

Yin, David. "Singapore Needs Immigrants, Says Jim Rogers." *Forbes Asia*, June 6, 2013.

第2章 【政治】政治サイクル

"2014 EM Elections Update." Morgan Stanley Research, December 2013.

Acemoglu, Daron. "Development Won't Ensure Democracy in Turkey." *New York Times*, June 2013.

Acemoglu, Daron, and James Robinson. "Economics Versus Politics: Pitfalls of Policy Advice." National Bureau of Economic Research, Working Paper no. 18921, March 2013.

Aghion, Philippe, Alberto Alessina, and Francesco Trebbi. "Democracy, Technology, and Growth." National Bureau of Economic Research, Working Paper no. 13180, June 2007.

Alexiadou, Despina, and Hakan Gunaydin. "The Politics of Economic Adjustment: Technocratic Appointments and Representation in Economically Advanced Parliamentary Democracies." EPSA Conference, University of Pittsburgh, 2013.

Anderson, Jonathan. "One Hell of an Argentina Rally." EM Advisors Group, April 2015.

"Argentina's Economy: The Austerity Diet." *Economist*, August 23, 2001.

Baweja, Bhanu. "The Weakest Link in EM." UBS Research, December 2014.

Burke, Paul, and Andrew Leigh. "Do Output Contracts Trigger Democratic Change?" Institute for the Study of Labor, 2010.

Cardoso, Eliana, and Vladimir Kuhl Teles. "A Brief History of Brazil's Growth." Getulio Vargas Foundation, 2010.

Crockett, David. "*The Contemporary Presidency*: 'An Excess of Refinement':

Lame Duck Presidents in Constitutional and Historical Context." *Presidential Studies Quarterly* 38, no. 4 (2008): 707–21.

Dell, Melissa, Nathan Lane, and Pablo Querubin. "State Capacity, Local Governance, and Economic Development in Vietnam." National Bureau of Economic Research, March 2015.

Dhune, Sadanand. "Don't Bet on India to Elect the Thatcherite." *Wall Street Journal*, June 2, 2013.

———. "India's Modi and the Market." *Wall Street Journal*, November 21, 2013.

Diamond, Larry. "Facing Up the Democratic Recession." *Journal of Democracy* 26, no. 1 (2015): 141–55.

Dill, Jonathan, and Christopher Garman. "Emerging Markets Reform Tracker." Eurasia Group, October 2014.

"Directional Economics: The Problem with Political Longevity." Renaissance Capital, August 2013.

Easterly, William. "Benevolent Autocrats." National Bureau of Economic Research Working Paper, May 2011.

———. *The Tyranny of Experts*. New York: Basic Books, 2014.

"Elections in Brazil, India, Indonesia and South Africa in 2014: Potential Catalysts for Market Turnarounds." Morgan Stanley Research, October 2013.

"EM Monthly: New Voices vs. Old Leaders." Eurasia Group, July 2013.

"Emerging Markets: New Phase of Politics Will Lead to More Divergence." Eurasia Group, November 2012.

Fayad, Ghada, Robert Bates, and Anke Hoeffler. "Income and Democracy: Lipset's Law Revised." International Monetary Fund, 2012.

Feteha, Ahmed. "Welcome to Egypt's Fake Weddings: Get High, Leave Lots of Cash." *Bloomberg News*, June 23, 2015.

Freeland, Chrystia. "Some Cracks in the Cult of Technocrats." *New York Times*, May 23, 2013.

Friedman, Thomas. "The Other Arab Awakening." *New York Times*, November 30, 2013.

Fry, Richard, and Rakesh Kochhar. "America's Wealth Gap between Middle-Income and Upper-Income Families Is Widest on Record." Pew Research Center, December 17, 2014.

Fukuyama, Francis. "The Middle Class Revolution." *Wall Street Journal*, June 22, 2013.

———. "At the 'End of History' Still Stands Democracy." *Wall Street Journal*, June 6, 2014.

Garman, Christopher. "New Voices vs. Old Leaders: How the Middle Class Is Reshaping EM Politics." Eurasia Group, July 2013.

———. "Emerging Markets Strategy." Eurasia Group, November 2014.

Giuliano, Paola, Prachi Mishra, and Antonio Spilimbergo. "Democracy and Reforms: Evidence from a New Dataset." International Monetary Fund Working Paper, July 2010.

Global Emerging Markets Equity Team. "Tales from the Emerging World: The Myths of Middle-Class Revolution." Morgan Stanley Investment Management, July 16, 2013.

Goldstone, Jack. "Understanding the Revolutions of 2011." *Foreign Affairs*, May–June 2011.

Greenspan, Alan. "Never Saw It Coming." *Foreign Affairs*, November–December 2013.

Guha, Ramachandra. "A Strongman Is Not the Solution to India's Troubles." *Financial Times*, November 17, 2013.

Hellevig, Jon. "Aware Group Research on the Effects of Putin's Tax Reforms." Awara Group Research, April 2014.

Iyigun, Murat, and Dani Rodrik. "On the Efficacy of Reforms: Policy Tinkering, Institutional Change, and Entrepreneurship." National Bureau of Econom-

ic Research, Working Paper no. 10455, April 2004.
Klein, Ezra. “The Protests in Turkey, Brazil, and Egypt Shouldn’t Surprise You.” *Washington Post*, July 2, 2013.
Lagon, Mark P., and Arch Puddington. “Democracy Takes a Global Hit.” *Wall Street Journal*, January 27, 2016.
Laidler, Ben. “LatAm Strategy—Interesting Charts.” HSBC Research, June 2014.
Lansberg-Rodriguez, Daniel. “Latin America Is a Region Plagued by Incumbents.” *Financial Times*, October 15, 2014.
Matekja, Mislav. “Europe Year Ahead 2013.” JP Morgan Research, December 3, 2012.
Mian, Atif R., Amir Sufi, and Francesco Trebbi. “Resolving Debt Overhang: Political Constraints in the Aftermath of Financial Crisis.” National Bureau of Economic Research, Working Paper no. 17831, February 2012.
Mithcell, Daniel. “Russia’s Flat Tax Miracle.” Heritage Foundation, March 2003.
Mousavizadeh, Nader. “The Presence of Leadership.” *New York Times*, March 2, 2013.
Naqvi, Saeed. “A Little Left of Self Interest.” *Friday Times*, June 26, 2015.
Page, Jeremy. “China Spins New Lessons from Soviet Union’s Fall.” *Wall Street Journal*, December 10, 2013.
Perkins, Dario. “No Italian Renaissance.” Lombard Street Reseach, June 2014.
“Peru’s Roaring Economy: Hold On Tight.” *Economist*, February 2, 2013.
Pilling, David. “China and the Post-Tsunami Spirit Have Revived Japan.” *Financial Times*, May 8, 2013.
———. “India’s Modi Fills a Void of Congress Party’s Making.” *Financial Times*, September 25, 2013.
Polan, Magdalena. “EM Markets: EM Macro Daily.” Goldman Sachs Research, September 12, 2013.
Putin, Vladimir. “Answers to Questions for Participants in the Russian Meetings.”

インタビュー, World Economic Forum, 2001.
"The Quest for Prosperity." *Economist*, May 15, 2007.
Rapoza, Kenneth. "Why Lula Was Better for Brazil than Dilma." *Forbes*, December 9, 2013.
Rosenberg, Mark. "African Frontiers: Diverging Political Trajectories Highlight Varying Growth Paths in 2014." Eurasia Group, 2014.
"Russia: A Smooth Political Transition." Goldman Sachs Research, October 2007.
Sharma, Ruchir. "Booms, Busts, and Protests—Normal Life in Emerging Countries." *Financial Times*, July 1, 2013.
———. "India's Cycle of Recklessness and Reform." *Wall Street Journal*, February 28, 2013.
Smith, Tony. "In Brazil, Chafing at Economic Restraints." *New York Times*, March 17, 2004.
"A Strongman Cometh." JP Morgan Research, November 2012.
Summers, Lawrence. "Second-Term Presidents Cost America 40 Lost Years." *Financial Times*, August 10, 2014.
———. "Bold Reform Is the Only Answer to Secular Stagnation." *Financial Times*, September 7, 2014.
"Technocrats—Minds Like Machines." *Economist*, November 19, 2011.
"Turkey: Business Climate Will Gradually Erode with Erdogan Presidency." Eurasia Group, July 2014.
"Turkey's Delight: A Growing Economy." *Bloomberg News*, August 31, 2003.
"Turkish PM's Top Aide Says Erdoğan One of Only Two World Leaders." *Today's Zaman*, August 29, 2013.
Wang, Zhengxu. "China's Leadership Succession: New Faces and New Rules of the Game." European Institute for Security Studies, 2012.
Wolf, Martin. "Legitimate Business Unlocks Mexico's Growth." *Financial Times*, June 3, 2014.

"World of Work Report 2013: Repairing the Economic and Social Fabric." International Labor Organization, 2013.

Wyatt, Caroline. "Bush and Putin: Best of Friends." BBC News, June 16, 2001.

第３章 【格差】良い億万長者，悪い億万長者

Alderson, Arthur, and Kevin Doran. "How Has Income Inequality Grown." Indiana University, 2010.

"All Men Are Created Unequal." *Economist*, January 7, 2014.

Allegretto, Sylvia A. "The State of Working America's Wealth." Economic Policy Institute, 2011.

Anderson, Jon Lee. "The Comandante's Canal." *New Yorker*, March 10, 2014.

Berg, Andrew G., and Jonathan Ostry. "Inequality and Unsustainable Growth: Two Sides of the Same Coin?" International Monetary Fund, 2011.

Chilkoti, Avantika. "India's Wealthy and How They Spend It." *Financial Times*, July 14, 2014.

Da Costa, Pedro Nicolaci. "Stiglitz: Fed's Zero Rate Policy Boosts Inequality." *Wall Street Journal*, June 4, 2015.

Dehejia, Vivek. "Is India's Rising Billionaire Wealth Bad for the Country?" Reuters, October 30, 2012.

Dhume, Sadanand. "India's Gilded Distraction." *Wall Street Journal*, November 29, 2012.

Donovan, Paul. "Inequality in a Time of Crisis." UBS Research, October 9, 2013.

Ferranti, David De, et al. *Inequality in Latin America and the Caribbean: Breaking with History?* World Bank, 2003.

"Forecasting Inflation: Temporary and Structural Changes Interact." Citigroup Research, May 14, 2015.

Freeland, Chrystia. *Plutocrats: The Rise of the New Global Super-Rich and the Fall of Everyone Else*. Penguin Press, 2012.（クリスティア・フリーラ

ンド『グローバル・スーパーリッチ——超格差の時代』中島由華訳，早川書房，2013 年）
Fry, Richard, and Rakesh Kochhar. “America’s Wealth Gap between Middle-Income and Upper-Income Families Is Widest on Record.” Pew Research Center, December 17, 2014.
Galor, Oded. “Inequality, Human Capital Formation and the Process of Development.” National Bureau of Economic Research, Working Paper no. 17058, May 2011.
Glaeser, Edward, and Claudia Goldin. “Corruption and Reform: An Introduction.” National Bureau of Economic Research, Working Paper no. 10775, September 2004.
“Global Wealth Report.” Credit Suisse, 2015.
Grant, Will. “Chavez Boosts Food Price Controls.” BBC News, March 4, 2009.
Hatzius, Jan. “Better Times for Middle Incomes.” Goldman Sachs Global Investment Research, March 27, 2015.
Jain, Samir. “For the Rich, Investing in Hotels Reap Intangible Gains.” *Times Group*, January 6, 2015.
“Juan Velasco Alvarado.” *Encyclopaedia Britannica*.
Lee, Hyun-Hoon, Minsoo Lee, and Donghyun Park. “Growth Policy and Inequality in Developing Asia: Lessons from Korea.” ERIA Discussion Paper 2012–12, July 2012.
Leibbrandt, Murray, Ingrid Woolard, and Arden Finn. “Describing and Decomposing Post-Apartheid Income Inequality in South Africa.” University of Cape Town, 2012.
“Luis Echeverría Alvarez.” *Encyclopaedia Britannica*.
Malpass, David. “How Big Government Drives Inequality.” *Wall Street Journal*, January 15, 2014.
Nuzzo, Carmen, Elga Bartsch, Paul Campbell Roberts, and Jessica Alsford. “Sus-

tainable Economics: Mind the Inequality Gap." Morgan Stanley Research, 2015.

Pani, Marco. "Hold Your Nose and Vote: Why Do Some Democracies Tolerate Corruption?" International Monetary Fund, 2009.

Parks, Ken. "Argentina Moves to Trim Costly Utility Subsidies." *Wall Street Journal*, March 27, 2014.

Pikkety, Thomas. *Capital in the Twenty-First Century*. Cambridge, MA: Harvard University Press, 2013. (原題：Le capital au XXIe siècle)（トマ・ピケティ『21 世紀の資本』山形浩生・守岡桜・森本正史訳，みすず書房，2014 年）

"Putin Publicly Humiliates Business Tycoons Solving Social Crisis in Russian Town." *Pravda*, June 5, 2009.

Robertson, Charles. "Will Anti-Corruption Legislation Prolong Corruption?" Renaissance Capital, December 5, 2012.

Sharma, Ruchir. "For True Stimulus, Fed Should Drop QE3." *Financial Times*, September 10, 2012.

———. "Liberals Love the 'One Percent.'" *Wall Street Journal*, July 30, 2014.

———. "What the Billionaires List Tells Us." *Forbes*, March 13, 2013.

Stand, D. W. "Why Inequality Keeps Rising: Inequality in Emerging Economies." Organization for Economic Cooperation and Development, 2011.

Swanson, Ana. "Why Some Billionaires Are Bad for Growth, and Others Aren't." *Washington Post*, August 20, 2015.

Thornhill, John. "Vladimir Putin and His Tsar Quality." *Financial Times*, February 6, 2015.

"To Those That Have." *Economist*, April 18, 2015.

"Upgrading Long Term Trajectory from Negative to Neutral on Credible Signals of Policy Moderation." Eurasia Group, July 14, 2015.

West, Darrell M. *Billionaires: Reflections on the Upper Crust*. Brookings Institu-

tion Press, 2014.

第4章　【政府介入】国家による災い

Acemoglu, Daron, Ufuk Akcigit, Nicholas Bloom, and William Kerr. "Innovation, Reallocation, and Growth." National Bureau of Economic Research, Working Paper no. 18993, April 2013.

Acemoglu, Daron, James Robinson, and Thierry Verdier. "Can't We All Be More Like Scandinavians?" National Bureau of Economic Research, Working Paper no. 18441, October 2012.

Altman, Roger. "Blame Bond Markets, Not Politicians, For Austerity." *Financial Times*, May 8, 2013.

Anderlini, Jamil. "China Has Wasted 6.8 Trillion Dollars in Investment." Reuters, November 27, 2014.

Anderson, Jonathan. "No North African Renaissance." EM Advisers Group, May 1, 2015.

Aslund, Anders. "How Russia Mismanaged the Financial Crisis." *Moscow Times*, February 27, 2013.

Batson, Andrew. "China: Can Reforms Revitalize the Private Sector?" Gavekal Dragonomics, October 16, 2014.

Chang, Ha Joon. "State Owned Enterprise Reform." United Nations, Department of Economic and Social Affairs, 2007.

Coase, Ronald, and Ning Wang, *How China Became Capitalist*. London: Palgrave Macmillan, 2012.（ロナルド・コース，王寧『中国共産党と資本主義』栗原百代訳，日経 BP 社，2013 年）

D'Souza, Juliet, William Megginson, and Robert Nash. "The Effects of Changes in Corporate Governance and Restructuring on Operating Performance: Evidence from Privatizations." *Global Finance Journal*, 2005.

Ezdi, Asif. "Dealing with Dual Nationality." *News International*, November 14,

2014.

Feteha, Ahmed. "Welcome to Egypt's Fake Weddings: Get High, Leave Lots of Cash." *Bloomberg*, June 23, 2015.

Gonzalez-Garcia, Jesus, and Francesco Grigoli. "State Owned Banks and Fiscal Discipline." International Monetary Fund, October 2013.

"Greek Deal Maybe Yes, End-June, But Fundamentals Are Looking Worse Than Ever." Renaissance Capital, June 15, 2015.

Ha, Eunyoung, and Myung-koo Kang. "Government Responses to Financial Crises: Identifying Patterns and Policy Origins." World Development, 2014.

Hammer, Joshua. " 'The Full Catastrophe' by James Angelos." *New York Times*, June 19, 2015.

Hassan, Mirza, and Wilson Prichard. "The Political Economy of Tax Reform in Bangladesh: Political Settlements, Informal Institutions, and the Negotiations of Reform." International Center for Tax and Development, 2013.

"How to Raise China's Return on Capital." Dragonomics, December 2013.

Jones, Randall, and Satoshi Urasawa. "Sustaining Korea's Convergence to the Highest Income Countries." Organization for Economic Cooperation and Development, 2012.

Joshi, Sandeep. "Wiser by Vodafone Verdict, Pranab to Tax Overseas Transactions." *The Hindu*, March 17, 2012.

Li, Amy. "Premier Li Keqiang Makes Case for Deeper Economic Reforms over Stimulus." *South China Morning Post*, May 1, 2014.

Jun Ma, Audrey Shi, and Shan Lan. "Deregulation and Private Sector Growth." Deutsche Bank Research Report, September 13, 2013.

Matthew, Liz. "Manmohan Singh Should Have Put Foot Down, Cancelled 2G Licenses." *Indian Express*, November 8, 2014.

Naím, Moisés. "In Brazil, Turkey, and Chile, Protests Follow Economic Success." *Bloomberg Businessweek*, June 27, 2013.

"New Mediocre." Lombard Street Research, November 6, 2014.

"The $9 Trillion Sale." *Economist*, January 11, 2014.

Osnos, Evan. *Age of Ambition: Chasing Fortune, Truth, and Faith in the New China*. Farrar Straus & Giroux, 2014.（エヴァン・オズノス『ネオ・チャイナ——富，真実，心のよりどころを求める 13 億人の野望』笠井亮平訳，白水社，2015 年）

"'Overkill' by Institutions Has Hampered Growth: Jaitley." *Business Standard*, April 27, 2015.

Palaiologos, Yannis. "Syriza Must Let Markets and Meritocracy Rule." *Financial Times*, May 12, 2015.

Poddar, Tushar. "How to Reduce Fiscal Deficit." *Economic Times*, February 10, 2015.

Sharma, Ruchir. "Time for Slash and Burn to Rejuvenate Markets." *Times of India*, February 14, 2011.

———. "How Emerging Markets Lost Their Mojo." *Wall Street Journal*, June 26, 2013.

———. "China's Illusory Growth Numbers." *Wall Street Journal*, October 30, 2013.

Steinberg, Chad, and Masato Nakane. "Can Women Save Japan?" International Monetary Fund, 2012.

Studwell, Joe. *How Asia Works: Success and Failure in the World's Most Dynamic Region*. New York: Grove, 2013.

Weatley, Jonathan. "Brazil's Leader Blames White People for Crisis." *Financial Times*, March 27, 2009.

Yepes, Concepcion, Pete Pedoni, and Xingwei Hu. "Crime and the Economy in Mexican States: Heterogeneous Panel Estimates (1993–2012)." International Monetary Fund, 2015.

第５章 【地政学】地理的なスイートスポット

Abhluwalia, Montek. "Regional Balance in Indian Planning." Planning Commission, 2013.

Alegado, Siegfrid O. "BPO Companies Turning to Cebu." *GMA News*, November 5, 2013.

Anderson, Jonathan. "How to Think About Emerging Markets (Part 2)." Emerging Advisers Group, September 4, 2012.

———. "A Bit of Cold Water on Brazil Reform Euphoria." EM Advisers Group, September 19, 2014.

———. "Myths and Realities of Mexican Competitiveness." September 29, 2014.

———. "Things Look Better in East Africa." EM Advisers Group, May 4, 2015.

"ASEAN and China: Strengthening Economic Links." HSBC Economics, August 5, 2014.

"Bangladesh: Getting Back to Business." HSBC Research, June 29, 2015.

Boudreau, John. "The Biggest Winner from TPP Trade Deal May Be Vietnam." *Bloomberg News*, October 8, 2015.

"China's Foreign Ports: The New Masters and Commanders." *Economist*, June 8, 2013.

Cowan, David. "Thinking about North Africa in 2015–2016." Citigroup Research, April 27, 2015.

Crabtree, James. "Sri Lanka Sees Benefits of China's Maritime Silk Road Plan." *Financial Times*, September 17, 2014.

Davis, Bob. "The U.S–China Disconnect on Trade Deals." *Wall Street Journal*, May 3, 2015.

"End of an Era for Oil and the Middle East." BCA Research, April 9, 2015.

Essien, Victor. "Regional Trade Agreements in Africa: A Historical and Bibliographic Account of ECOWAS and CEMAC." NYU Global, 2006.

"Fortnightly Thoughts: Brighter Lights, Bigger Cities." Goldman Sachs Global

Investment Research, November 21, 2013.

Fujita, Masahisa, and Paul Krugman. "The New Economic Geography: Past, Present, and the Future." *Papers in Regional Science* 83 (2004): 139–64.

Glaeser, Edward L., and Albert Saiz. "The Rise of the Skilled City." National Bureau of Economic Research, Working Paper no. 10191, December 2003.

Guha, Ramachandra. "Ideas of Public Service." *Telegraph*, July 11, 2015.

Holland, Robert. "Why Hasn't Globalization Killed Manufacturing Clusters." Harvard Business School, 2015.

Johnson, Antonia Ax:son, and Stefan Persson. "Do Not Fight Free Trade—It Makes Countries Richer." *Financial Times*, July 23, 2015.

Kapur, Devesh. "Western Anti-capitalists Take Too Much for Granted." *Financial Times*, July 23, 2014.

Khanna, Parag. "The End of the Nation-State?" *New York Times*, October 12, 2013.

Kroeber, Arthur. "Four Shades of Latin America." GK Research, March 12, 2013.

Lissovolik, Yaroslav. "Discerning Russia's Regional Potential." Deutsche Bank Research, October 4, 2013.

Manohar, Sumana, Hugo Scott-Gall, and Megha Chaturvedi. "Small Dots, Big Picture: Is Trade Set to Fade?" Goldman Sachs Investment Research, September 24, 2015.

Maughan, Tim. "The Dystopian Lake Filled by the World's Tech Lust." BBC News, April 2, 2015.

"Mercosur RIP?" *Economist*, June 14, 2012.

Naím, Moisés. "The Most Important Alliance You've Never Heard Of." *Atlantic*, February 17, 2014.

"New Frontiers." *Economist*, January 11, 2014.

"The New Masters and Commanders." *Economist*, June 8, 2013.

"The Nuclear Deal's Other Winner." *Economist*, July 25, 2015.

Rickards, James. *Currency Wars: The Making of the Next Global Crisis*. New York: Portfolio/Penguin, 2012.（ジェームズ・リカーズ『通貨戦争——崩壊への最悪シナリオが動き出した！』藤井清美訳，朝日新聞出版，2012 年）

"Russia Equity Strategy—Discerning Russia's Regional Potential." Deutsche Bank Research, October 4, 2013.

Shapiro, Jesse. "Smart Cities: Quality of Life, Productivity, and the Growth Effects of Human Capital." National Bureau of Economic Research, Working Paper no. 11615, September 2005.

Sharma, Ruchir. "Europe's Flying Geese." *Economic Times*, November 19, 2007.

"The Tricks of Trade: A Structural Change?" UBS Investment Research, November 13, 2013.

Zakaria, Fareed. "America's Prospects Are Promising Indeed." *Washington Post*, November 20, 2014.

Zeihan, Peter. *The Accidental Superpower: The Next Generation of American Preeminence and the Coming Global Disorder*. New York: Twelve, 2014.（ピーター・ゼイハン『地政学で読む世界覇権 2030』木村高子訳，東洋経済新報社，2016 年）

第 6 章　【産業政策】製造業第一主義

Anderlini, Jamil. "Property Bubble Is a 'Major Risk to China.'" *Financial Times*, August 25, 2014.

Anderson, Jonathan. "The EM Agricultural Investment Boom." EM Advisers Group, October 31, 2014.

———. "Still Happy with Disinflation." EM Advisers Group, May 14, 2015.

Bradsher, Keith. "China's Housing Resists Efforts to Spur Market." *New York Times*, December 18, 2014.

Burgis, Tom. *The Looting Machine: Warlords, Oligarchs, Corporations, and the*

Theft of Africa's Wealth. New York: PublicAffairs, 2015.（トム・バージェス『喰い尽くされるアフリカ――欧米の資源略奪システムを中国が乗っ取る日』山田美明訳，集英社，2016 年）

———. "Nigeria Unraveled." *Financial Times*, February 14, 2015.

Carroll, Christopher. "Precautionary Saving and the Marginal Propensity to Consume Out of Permanent Income." National Bureau of Economic Research, Working Paper no. 8233, April 2001.

Carroll, Christopher, Jody Overland, and David Weil. "Saving and Growth with Habit Formation." *American Economic Review* 90, no. 3 (2000): 341–55.

Chen, Nan-Kuang. "Asset Price Fluctuations in Taiwan: Evidence from Stock and Real Estate Prices 1973 to 1992." *Journal of Asian Economics* 12, no. 2 (2001): 215–32.

"China's Ghost City Index Holds the Future." China Investment Network, October 13, 2014.

Crooks, Ed. "US Shale Oil Industry Hit by $30bn Outflows." *Financial Times*, September 6, 2015.

"The Daily—A Better Class of Bubble." Gavekal Dragonomics, December 1, 2014.

DeBusschere, Dennis, and Brian Herlihy. "Disruptive Technologies and Their Impact on the Economy." ISI Group, May 9, 2014.

Evans-Pritchard, Ambrose. "Devaluation by China Is the Next Great Risk for a Deflationary World." *Telegraph*, February 4, 2015.

Flowers, Andrew. "If a Computer Can Diagnose Cancer, Will Doctors Become Obsolete?" FiveThirtyEight, August 22, 2014.

Garchitorena, Rafael, and Carissa Mangubat. "Manufacturing: A New Growth Driver?" Deutsche Bank, September 24, 2012.

Ghani, Ejaz, and Stephen O'Connell. "Can Service Be a Growth Escalator in Low-Income Countries?" World Bank Policy Research Working Paper,

July 1, 2014.
Ghani, Ejaz, William Robert Kerr, and Alex Segura. "Informal Tradables and the Employment Growth of Indian Manufacturing," World Bank Policy Research Working Paper no. WPS7206, March 2, 2015.
Haussman, Ricardo, et al. *The Atlas of Economic Complexity*. Cambridge, MA: Harvard University Press, 2012.
Krane, Jim, and Mark Agerton. "The U.S. Shale Boom Takes a Break." *Foreign Affairs*, May 26, 2015.
Li, Cao. "Under Xi, China's Wave of 'Weird Architecture' May Have Peaked." *New York Times*, December 19, 2014.
Lubas, Amy, and Veneta Dimitrova. "Is Dwindling Productivity Here to Stay?" Ned Davis Research Group, May 14, 2015.
Meyer, Gregory. "Harsh Realities Finally Push US Champions of Shale Oil into Retreat." *Financial Times*, November 1, 2015.
Moskvitch, Katia. "How Israel Turned Itself into a High-Tech Hub." BBC News, November 21, 2011.
Nanda, Ramana, and Matthew Rhodes-Kropf. "Investment Cycles and Startup Innovation." *Journal of Finance Economics* 110, no. 2 (2013): 403–18.
"Nigeria: Looking Down the Abyss." BCA Research, January 28, 2015.
Pilling, David. "China May Be in Much Better Shape than It Looks." *Financial Times*, October 16, 2013.
Rao, Jaithirth. "How They Killed Our Factories." *Indian Express*, January 20, 2014.
Rodrik, Dani. "The Future of Economic Convergence." National Bureau of Economic Research, Working Paper no. 17400, September 2011.
———. "No More Growth Miracles." *Project Syndicate*, August 8, 2012.
Rowden, Rick. "The Myth of Africa's Rise: Why the Rumors of Africa's Explosive Growth Have Been Greatly Exaggerated." *Foreign Policy*, January 4,

2013.

Saeed, Saquib. "A Pakistani's Perspective: Why Bangladesh Is Doing Better than Pakistan." *Tribune*, June 2, 2014.

Schofield, Mark. "Citi Macro Views: Global Strategy and Macro Group Theme Book." Citigroup Research, January 2015.

Scott, Margaret. "The World According to Japan: From a Faux Holland to Petite Pyramids, the Japanese Indulge in the Exotic—in the Safety of Their Own Back Yard." *Los Angeles Times*, November 21, 1993.

"The Service Elevator." *Economist*, May 19, 2011.

Spense, Michael. "Labor's Digital Displacement." *Project Syndicate*, May 22, 2014.

Tandiyono, Felicia. "ASEAN Infrastructure: Indonesia vs Thailand." JP Morgan Research, November 5, 2014.

Technion. *100 Years of Science and Technology*. 2011.

Timmons, Heather, and J. Adam Huggins. "New York Manhole Covers, Forged Barefoot in India." *New York Times*, November 26, 2007.

Titon, Andrew. "How India Can Become the Next Korea." Goldman Sachs Global Investment Research, April 11, 2014.

———. "Growth Recovery and Trade Stagnation—Evidence from New Data." Goldman Sachs Global Investment Research, June 5, 2015.

"US Shale: Calm Before the Storm." *Financial Times*, December 3, 2015.

"What Next for the Start-up Nation?" *Economist*, January 21, 2012.

"Why Africa Is Becoming Less Dependent on Commodities." *Economist*, January 11, 2015.

第７章　【インフレ】物価上昇を侮るな

Anderson, Jonathan. "OK, Seriously, What Will It Take to Get Brazilian Inflation Down?" EM Advisers Group, March 1, 2014.

———. "The Food Glut Charts (2014 Edition)." EM Advisers Group, October 31, 2014.

Bellemare, Marc. "Rising Food Prices, Food Price Volatility, and Social Unrest." *American Journal of Agricultural Economics*, June 26, 2014.

Bergen, Mark. "Line of Credit." *Caravan Magazine*, October 1, 2013.

Berger, Helge, and Mark Spoerer, "Economic Crises and the European Revolutions of 1848." *The Journal of Economic History* 61, no. 2 (June 2001): 293–326.

Bloom, Nick, Stephen Bond, and John Van Reenen. "Uncertainty and Investment Dynamics." *Review of Economic Studies* 74, no. 2 (2006): 391–415.

Borio, Claudio, Magdalena Erdem, Andrew Filardo, and Boris Hofmann. "The Costs of Deflations: A Historical Perspective." Bank of International Settlements, 2015.

Cesa-Bianchi, Ambrogio, Luis Cespedes, and Alessandro Rebucci. "Global Liquidity, House Prices and the Macroeconomy: Evidence from Advanced and Emerging Economies." Bank of England Working Papers, 2015.

Cochrane, John H. "Who's Afraid of a Little Deflation?" *Wall Street Journal*, November 17, 2014.

Druckenmiller, Stanley, and Kevin Ward. "The Asset-Rich, Income-Poor Economy." *Wall Street Journal*, June 19, 2014.

"Falling Prices Are Good for Workers." Lombard Street Research, January 23, 2015.

Fischer, David Hackett. *The Great Wave: Price Revolutions and the Rhythm of History*. New York: Oxford University Press, 1996.

Fisher, Irving. "The Debt Deflation Theory of Great Depression." St. Louis Federal Reserve, n.d.

Gavae, Charles. "Back to MV=PQ." GK Research, January 9, 2014.

Hatiuz, Jan. "Revisiting the Risk of Another Bus." Goldman Sachs Global Invest-

ment Research, November 3, 2014.
Irwin, Neil. "Of Kiwis and Currencies: How a 2% Inflation Target Became Global Economic Gospel." *New York Times*, December 19, 2014.
Kay, John. "History Is the Antidote to Fear of Falling Prices." *Financial Times*, January 27, 2015.
Lubin, David, Guillermo Mondino, and Johanna Chua. "Emerging Markets Macro and Strategy Outlook: Can EM Grow If World Trade Doesn't?" Citi Research, February 27, 2015.
Luhnor, David. "The Two Latin Americas." *Wall Street Journal*, January 3, 2014.
Maheshwari, Vivek, Nimish Joshi, Bravesh Shah, and Rohit Kadam. "Taste of India: E-Tailing, A Virtual Reality." CLSA Research, January 10, 2014.
Minack, Gerard. "The Wrong Soft of Inlation." Minack Advisors, August 22, 2014.
"Mission Impossible: 2% Inflation." BCA Research, August 20, 2015.
Mohanty, Deepak, A. B. Chakraborty, Abhiman Das, and Joice John. "Inflation Threshold in India: An Empirical Investigation." RBI Working Paper Series, 2011.
"OPEC Annual Statistical Bulletin 2015." 2015.
Paldam, Martin. "Inflation and Political Instability in Eight Latin American Countries 1946–83." *Public Choice* 52, no. 2 (1987): 143–68.
Redenius, Jeremy, Catherine Tubb, and Noelle Guo. "The Challenges to Feeding the World May Not Be So Challenging After All." Bernstein Research, December 6, 2013.
Reid, Jim, Nick Burns, and Seb Barker, "Long-Term Asset Return Study: Bonds: The Final Bubble Frontier?" Deutsche Bank Markets Research Report, September 10, 2014.
Schofield, Mark. "Challenging the Consensus on Inflation." Citigroup Research, June 29, 2015.

Scott, David. "Deflationary Boom—Some Random Thoughts and Questions." Cha-Am Advisors, March 2, 2015.

Sharma, Ruchir. "The Oil Shock with No Pain." *Newsweek*, October 31, 2005.

———. "Cracking Inflation Should Be India's Priority." *Financial Times*, December 8, 2013.

Stephens, Bret. "Book Review: 'The Myth of America's Decline,' by Josef Joffe." *Wall Street Journal*, November 6, 2013.

Ward, Justin. "Commodity Super Cycle Analysis." Wells Fargo Research, January 15, 2015.

Warsh, Kevin, and Stanley Druckenmiller. "The Asset-Rich, Income-Poor Economy." *Wall Street Journal*, June 19, 2014.

Wilson, Dominican. "Emerging Markets: EM Macro Daily—Who in EM Can Live the Australian Dream?" Goldman Sachs Global Investment Research, February 26, 2014.

"World Bank Tackles Food Emergency." BBC News, April 14, 2008.

第８章 【通貨】通貨安は天使か，悪魔か

Ahmed, Shaghil, and Andrei Zlate. "Capital Flows to Emerging Market Economies: A Brave New World." Federal Reserve, June 2013.

Basri, M. Chatib, and Hal Hill. "Ideas, Interests, and Oil Prices: The Political Economy of Trade Reform During Soeharto's Indonesia." University of Indonesia and Australian National University, 2004.

Davidson, Paul. "IMF Chief Says Global Growth Still Too Weak." *USA Today*, April 2, 2014.

"Don't Catch Falling Knives." BCA Research, July 29, 2015.

"EM Macro Daily: China Capital Outflow Risk—The Curious Case of the Missing $300 Billions." Goldman Sachs Global Investment Research, January 13, 2015.

Forbes, Kristin. "Financial 'Deglobalization'?: Capital Flows, Banks, and the Beatles." Bank of England, 2014.

Freund, Caroline. "Current Account Adjustment in Industrialized Countries." International Finance Discussion Papers, 2000.

"Global Macro Jottings: Financial Deglobalization." VTB Capital, November 20, 2014.

Harvey, Oliver, and Robin Winkler. "Dark Matter: The Hidden Capital Flows That Drive G10 Exchange Rates." Deutsche Bank Markets Research, March 6, 2015.

Hyman, Ed. "Bond Yields Up But S&P Advances." Evercore ISI, February 18, 2015.

"Is That a Kleptocrat in Your Balance of Payments?" *Financial Times Alphaville*, March 10, 2015.

Kaminsky, Graciela, Saul Lizondo, and Carmen Reinhart. "Leading Indicators of Currency Crises." International Monetary Fund, 1998.

Keohane, David. "China, When a Hot Money Outflow Threatens to Become a Torrent." *Financial Times Alphaville*, May 13, 2015.

Lowther, Ed. "A Short History of the Pound." BBC News, February 14, 2014.

"NRIs Sent Home $65 Billion in Past Six Months: Lord Swraj Paul." *Press Trust of India*, April 22, 2015.

"Pushing the Limits of International Trade Policy." World Bank, 2014.

Sanyal, Sanjeev. "The Random Walk: Mapping the World's Prices 2015." Deutsche Bank Research, April 14, 2015.

Sharma, Ruchir. "And Then There Were None." *Economic Times*, September 5, 2000.

———. "Why Europe Will Bounce Back in 2013." *Financial Times*, December 18, 2012.

———. "Don't Expect Emerging Markets to Be Flooded in Cheap Money." *Finan-*

cial Times, May 20, 2013.
Singh, Shweta. "Mexico Has a Competitive Edge." Lombard Street Research, August 1, 2014.

第9章 【過剰債務】禁断の債務バブル

Abiad, Abdul, Giovanni Dell'Arrica, and Bin Li. "Creditless Recoveries." International Monetary Fund, 2011.
Akarli, Ahmet, and Michael Hinds. "Turkey's Dormant Fault Line." Goldman Sachs Research, May 10, 2013.
Alessi, Lucia, and Carsten Detken. "Quasi Real Time Early Warning Indicators for Costly Asset Price Boom/Bust Cycles: A Role for Global Liquidity." *Economic Journal of Political Economy* 27, no. 3 (2011).
Anderlini, Jamil. "China: Overborrowed and Overbuilt." *Financial Times*, January 29, 2015.
Anderson, Jonathan. "Back on the Wrong Track." EM Advisers Group, September 11, 2013.
———. "The Auto Theory of Central Europe." EM Advisers Group, April 9, 2014.
Biggs, Michael, Thomas Mayer, and Andreas Pick. "Credit and Economic Recovery: Demistifying Phoenix Miracles." DNB Working Paper, 2009.
"Boomophobia." CLSA Research, 2007.
Borio, Claudio, and Mathias Drehmann. "Assessing the Risk of Banking Crises—Revisited." *Bank for International Settlements Quarterly Review*, March 2, 2009.
Broda, Christian, and Stanley Druckenmiller. "The Fed's Faulty 1937 Excuse." *Wall Street Journal*, April 15, 2015.
Buttiglone, Luigi, Philip Lane, and Lucrezia Reichlin. "Deleveraging? What Deleveraging?" Center for Economic Policy Research, 2014.
Caballero, Ricardo J., Takeo Hoshi, and Anil Kashyap. "Zombie Lending and De-

pressed Restructuring in Japan." *American Economic Review* 98, no. 5 (2008): 1943–77.

Calderón, César, and Megumi Kubota. "Gross Inflows Gone Wild: Gross Capital Inflows, Credit Booms and Crises." World Bank Policy Research Working Paper, 2012.

Calvo, Guillermo, Alejandro Izquierdo, and Ernesto Talvi. "Phoenix Miracles in Emerging Markets: Recovering without Credit from Systemic Financial Crises." National Bureau of Economic Research, Working Paper no. 12101, March 2006.

Caprio, Gerard, Daniela Klingebiel, Luc Laeven, and Guillermo Noguera. "Banking Crisis Database." World Bank, 2003.

Chancellor, Edward, and Mike Monnelly. "Feeding the Dragon: Why China's Credit System Looks Vulnerable." *GMO*, January 2013.

"China Faces the Kiss of Debt." Dev Kar デフ・カー宛のメール, May 13, 2015.

"China's Property Problems." Goldman Sachs Global Investment Research, October 21, 2014.

"China's Rigged IPOs." *Wall Street Journal*, December 2, 2015.

Dell'Arriccia, Giovanni, Deniz Igan, Luc Laeven, and Hui Tong. "Policies for Macrofinancial Stability: How to Deal with Credit Booms." International Monetary Fund Staff Discussion Note no. 12/06, June 7, 2012.

Demirgüç-Kunt, Asli, and Enrica Detragiache. "The Determinants of Banking Crises." *International Monetary Fund Staff Papers* 45, no. 1 (March 1998).

Dobbs, Richard, Susan Lund, Jonathan Woetzel, and Mina Mutafchieva. "Debt and Not Much Deleveraging." McKinsey Global Institute, 2015.

Dumas, Charlie. "Eurozone Needs a Debt Relief Conference." Lombard Street Research, December 22, 2014.

"82nd Annual Report: Rebalancing Growth." Bank for International Settlements,

June 24, 2012.
"The Elephant in the Room." JP Morgan Research, September 2, 2015.
"The Future History of China's Deleveraging." Gavekal Dragonomics, July 2014.
"Global Financial Stability Report: The Quest for Lasting Stability." International Monetary Fund, April 2011.
Goldsmith, Raymond W. "Financial Structure and Development." National Bureau of Economic Research, 1969.
He, Dong, and Robert Neil McCauley. "Transmitting Global Liquidity to East Asia: Policy Rates, Bond Yields, Currencies and Dollar Credit." Bank for International Settlements, Working Paper no. 431, October 2013.
Hensley, David, David Mackie, and Zina Bushra Sajid. "Special Report: Hazard Ahead: The EM Credit Cycle Has Turned Down." JP Morgan Research, November 7, 2015.
Jordà, Òscar, Moritz Schularick, and Alan Taylor. "The Great Mortgaging: Housing Finance, Crises, and Business Cycles." National Bureau of Economic Research, Working Paper no. 20501, September 2014.
———. "Leveraged Bubbles." National Bureau of Economic Research, Working Paper no. 21486, August 2015.
Kaplan, Robert. "China's Perilous Tangle of Military and Economic Fortunes." *Financial Times*, July 27, 2014.
Kindleberger, Charles, and Robert Z. Aliber. *Manias, Panics, and Crashes: A History of Financial Crises*. 6th ed. London: Palgrave Macmillan, 2011.（C・P・キンドルバーガー，R・Z・アリバー『熱狂，恐慌，崩壊——金融危機の歴史』高遠裕子訳，日本経済新聞出版社，2014 年）
Laeven, Luc, and Fabián Valencia. "Systemic Banking Crises Database: An Update." International Monetary Fund, Working Paper no. 12/163, June 2012.
Laponte, Pierre, and Alex Bellefleur. "When the Music Stops Playing for Chinese Credit." *Pavilion*, October 2, 2014.

Lowenstein, Matthew. "China's Shadow Currency." *Diplomat*, December 12, 2013.

Lund-Jensen, Kasper. "Monitoring Systemic Risk Based on Dynamic Thresholds." International Monetary Fund, Working Paper no. 12/159, June 2012.

McKinnon, Ronald. *Money and Capital in Economic Development*. Washington, DC: Brookings Institution Press, 1973.

Mendoza, Enrique G., and Marco E. Terrones. "An Anatomy of Credit Booms: Evidence from Macro Aggregates and Firm Level Data." International Monetary Fund, Working Paper no. 08/226, April 6, 2008.

Mian, Atif, and Amir Sufi. *House of Debt: How They (And You) Caused the Great Recession, and How We Can Prevent It from Happening Again*. Chicago: University of Chicago Press, 2014.（アティフ・ミアン，アミール・サフィ『ハウス・オブ・デット』岩本千晴訳，東洋経済新報社，2015年）

Murphy, David, and Lei Chen. "Default at the Gate." CLSA, September 29, 2014.

"New Mediocre." Lombard Street Research, November 6, 2014.

Peek, Joe, and Eric S. Rosengren. "Unnatural Selection: Perverse Incetives and the Misallocation of Credit in Japan." National Bureau of Economic Research, Working Paper no. 9643, April 2003.

Pettis, Michael. *Avoiding the Fall: China's Economic Restructuring*. Washington, DC: Carnegie Endowment for International Peace, 2013.

Reinhart, Carmen M., and Kenneth S. Rogoff. "Banking Crises: An Equal Opportunity Menace." National Bureau of Economic Research, Working Paper no. 14587, December 2008.

———. "From Financial Crash to Debt Crisis." National Bureau of Economic Research, Working Paper no. 15795, March 2010.

———. "Financial and Sovereign Debt Crises: Some Lessons Learned and Those Forgotten." International Monetary Fund, December 24, 2013.

———. *This Time Is Different: Eight Centuries of Financial Folly*. Princeton University Press, 2009.（カーメン・ラインハート，ケネス・ロゴフ『国家は破綻する——金融危機の 800 年』村井章子訳，日経 BP 社，2011 年）

"Risks to Growth from Build Ups in Public Debt." Goldman Sachs Global Investment Research, March 7, 2012.

Rodrik, Dani. *One Economics, Many Recipes: Globalization, Institutions, and Economic Growth*. Princeton, NJ: Princeton University Press, 2007.

Savary, Mathieu. "Give Credit Where Credit Is Due." BCA Research, November 27, 2015.

Schularick, Moritz, and Alan Taylor. "Credit Booms Gone Bust: Monetary Policy, Leverage Cycles, and Financial Crises 1870–2008." National Bureau of Economic Research, Working Paper no. 15512, November 2009.

"Shanghai Surprises." *Wall Street Journal*, December 10, 2014.

Sharma, Ruchir. "China Has Its Own Debt Bomb." *Wall Street Journal*, February 26, 2013.

———. "China's Debt Fueled Boom." *Financial Times*, January 27, 2014.

Strom, Stephanie. "Clouds Hanging Over Sogo Bankruptcy Lift a Bit in Japan." *New York Times*, July 15, 2000.

Taylor, Alan M. "Credit, Financial Stability, and the Macroeconomy." National Bureau of Economic Research, Working Paper no. 21039, March 2015.

———. "The Great Leveraging: Five Facts and Five Lessons for Policymakers." *Bank for International Settlements*, July 2012.

Timmons, Heather. "The Secret Factor in China's Housing Bubble? Mistresses." *Aeon Magazine*, October 14, 2013.

Wolf, Martin. "Credit Cannot Outgrow GDP Forever, Even in China." *Financial Times*, April 1, 2014.

———. "We Are Trapped in a Cycle of Credit Booms." *Financial Times*, October

7, 2014.

Zhang, Joe. "China's Economy Is Choking on a Surfeit of Stimulus." *Financial Times*, November 10, 2014.

Zhao, Longying. "Chinese Housing: Tough Comparisons." Empirical Research Partners, July 9, 2014.

第10章 【メディア】「過剰な報道」の裏に道あり

Acemoglu, Daron. "Constitutions, Politics, and Economics." National Bureau of Economic Research, Working Paper no. 11235, March 2005.

Agenor, Pierre-Richard, Otaviano Canuto, and Michael Jelenic. "Avoiding Middle-Income Growth Traps." The World Bank: Economic Premise, November 2012.

"America's Future." *Economist*, July 9, 2009.

Anderson, Jonathan. "Hard Thinking on China's Traps, Reforms, and the Plenum." EM Advisers Group, November 4, 2013.

———. "The Inexorable End of Africa." EM Advisers Group, April 3, 2014.

Birrell, Ian. "Africa Is Refuting the Usual Economic Pessimism." *Wall Street Journal*, April 16, 2014.

Cevik, Serhan, and Mohammad Rahmati. "Breaking the Curse of Sisyphus: An Empircal Analysis of Post-Conflict Economic Transitions." International Monetary Fund, 2013.

Chung, Young-lob. *South Korea in the Fast Lane: Economic Development and Capital Formation*. New York: Oxford University Press, 2007.

Commission on Growth and Development. "The Growth Report: Strategies for Sustained Growth and Inclusive Development," World Bank, 2008.

Copper, John F. *Historical Dictionary of Taiwan (Republic of China)*, 4th ed. Lanham, MD: Rowman and Littlefield, 2015.

Cowen, Tyler. "Why Texas Is Our Future." *Time*, October 28, 2013.

Dennis, Geoffrey. "Emerging Markets: The Earnings Challenge in 2013." Citigroup Research, January 4, 2013.

"Do Poor Countries Really Get Richer?" *Economist*, September 19, 2014.

Dornbusch, Rudi. 『フロントライン』によるインタビュー, PBS, n.d.

Eichengreen, Barry, Donghyun Park, and Kwanho Shin. "When Fast Growing Economies Slow Down: International Evidence and Implications for China." National Bureau of Economic Research, Working Paper no. 16919, March 2011.

———. "Growth Slowdowns Redux: New Evidence on the Middle-Income Trap." National Bureau of Economic Research, Working Paper no. 18673, January 2013.

Felipe, Jesus, Utsav Kumar, and Reynold Galope. "Middle-Income Transitions: Trap or Myth?" ADB Economic Working Paper Series, 2014.

Fernandez, Dave. "Myanmar: Clouds Begin to Lift." JP Morgan Research, May 18, 2012.

Gill, Indermit, and Homi Kharas. "An East Asian Renaissance." World Bank, 2007.

"Growth US Tight Oil Production Will Present New Challenges Both in North America and Globally." Eurasia Group, November 28, 2012.

Hillenbrand, Barry. "America in the Mind of Japan." *Time*, February 10, 1992.

Ho, Giang, and Paolo Mauro. "Growth: Now and Forever." International Monetary Fund, 2014.

Im, Fernando Gabril, and David Rosenblatt. "Middle Income Traps A Conceptual and Empirical Survey." World Bank Operations and Strategy Unit, Working Paper no. 6594, September 2013.

Joffe, Josef. "China's Coming Economic Slowdown." *Wall Street Journal*, October 25, 2013.

Kraay, Aart, and David McKenzie. "Do Poverty Traps Exist? Assessing the Evi-

dence." *Journal of Economic Perspectives* 28, no. 3 (2014): 127–48.

Lomax, John, and Wietse Nijenhuis. "Not in a (Middle-Income) Trap." HSBC Research, 2013.

Magnus, George. "Hitting a BRIC Wall: The Risk of the Middle Income Trap." UBS Investment Research, January 21, 2013.

Mahbubani, Kishore. "Why Singapore Is the World's Most Successful Society." *Huffington Post*, August 4, 2015.

"A Mean Feat," *Economist*, January 9, 2016.

Mondino, Guillermo, and Fernando Diaz. "When Do Recessions Turn into Depressions? A Note on Growth Mean-Reversion in EM." Citi Research, February 18, 2016.

Moore, Elaine. "'Supranationals' Borrow at Record Levels." *Financial Times*, September 24, 2014.

O'Neill, Jim. "Why China Will Disappoint the Pessimists Yet Again." *Bloomberg News*, September 25, 2013.

———. "Who You Calling a BRIC?" *Bloomberg News*, November 12, 2013.

Partlow, Joshuya, and Gabriela Martinez. "Mexican President's Popularity Slips Despite Legislative Wins." *Washington Post*, September 3, 2014.

Pritchett, Lant, and Lawrence Summers. "Asiaphoria Meets Regression to the Mean." National Bureau of Economic Research, Working Paper no. 20573, October 2014.

Raiser, Martin. "Relaunching the European Convergence Machine." *Globalist*, January 29, 2013.

Rodrik, Dani. "No More Growth Miracles." *Project Syndicate*, 2012.

Roy, Nilanjana S. "Of Indian Elections, Onions and Salt." *New York Times*, November 20, 2013.

Ruhashyankiko, J. F. "Africa Knocking at IMF's Door." Goldman Sachs Global Investment Research, September 10, 2014.

"Russian President Vladimir Putin Tops Forbes' 2015 Ranking of the World's Most Powerful People." *Forbes*, November 4, 2015.

Sharma, Ruchir. "The Third Coming." *Economic Times*, October 3, 2012.

———. "The Oil and Gold Booms Are Over." *Bloomberg News*, May 5, 2013.

Subramaniam, Arvin. "Too Soon to Mourn Emerging Markets." *Financial Times*, October 7, 2013.

"Timeline: Reforms in Burma." BBC News, April 22, 2013.

Wolf, Martin. "Why China's Economy Might Topple." *Financial Times*, April 3, 2013.

Yap, Cecilia, Siegfrid Alegado, and Karl Lester. "Philippine Growth Rises for Best Three Years Since Mid-1950s." *Bloomberg News*, January 28, 2015.

Zakaria, Fareed. *The Post-American World and the Rise of the Rest*. New York: Norton, 2008.

第11章　優秀，平均，そして劣等

Tetlock, Phillip E., and Dan Gardner. *Superforecasting: The Art and Science of Prediction.* Crown, 2015（フィリップ・E・テトロック，ダン・ガードナー『超予測力——不確実な時代の先を読む10カ条』土方奈美訳，早川書房，2016年）

注

分析方法について

本書のGDP成長率の分析では、分析の対象期間によってデータの出所が異なっている。たとえば、分析期間が1980年代まで遡る場合は、1年に2回更新され、学術研究では一般的に利用されているIMFのWEO(ワールド・エコノミック・アウトルック)データベースを使用した。さらに年代を遡る分析では、1960年代までのデータが収録されている世界銀行のデータセットを使用した。「所得の収斂」の議論で取り上げた実質1人当たり所得の伸び率は、1950年までのデータが収録されているペン・ワールド・データ・テーブルを使用した。1950年以前のGDPデータについてはマディソン・データベースを使用した。また本書で使用した債務の対GDP比は、重複を避けるために金融部門を除いた数字である。

序章　有為転変

1 Mark P. Lagon and Arch Puddington, "Democracy Takes a Global Hit," *Wall Street Journal*, January 27, 2016.

2 Arthur Miller, "The Year It Came Apart," *New York Magazine*, December 30, 1974.

3 Harry Wu, "China's Growth and Productivity Performance Debate Revisited—Accounting for China's Sources of Growth with a New Data Set," The Conference Board, Report no. EPWP1401, February 2014.

4 Ghada Fayad and Roberto Perrelli, "Growth Surprises and Synchronized Slowdowns in Emerging Markets: An Empirical Investigation," International Monetary Fund, 2014.

5 Lant Pritchett and Lawrence Summers, "Asiaphoria Meets Regression to the Mean," National Bureau of Economic Research, Working Paper no. 20573,

October 2014.

6 "Goodhart's Law," BusinessDictionary.com.

7 James Surowiecki, *The Wisdom of Crowds: Why the Many Are Smarter Than the Few and How Collective Wisdom Shapes Business, Economies, Societies, and Nations* (New York: Doubleday, 2004).（ジェームズ・スロウィッキー『群衆の智慧（改題：「みんなの意見」は案外正しい）』小高尚子訳, KADOKAWA, 2014 年）

8 Ned Davis, Ned's Insights, November 14, 2014.

9 "Picking Apart the Productivity Paradox," Goldman Sachs Research, October 5, 2015.

第 1 章 【人口構成】生産年齢人口が増えているか

1 Rick Gladstone, "India Will Be Most Populous Country Sooner Than Thought," *New York Times*, July 29, 2015.

2 Charles S. Pearson, *On the Cusp: From Population Boom to Bust* (New York: Oxford University Press, 2015).

3 Tristin Hopper, "A History of the Baby Bonus: Tories Now Tout Benefits of Program They Once Axed," *National Post*, July 13, 2015.

4 Richard F. Hokenson, "Retiring the Current Model of Retirement," Hokenson Research, March 2004.

5 Andrew Mason, "Demographic Transition and Demographic Dividends in Developing and Developed Countries," United Nations Expert Group Meeting on Social and Economic Implications of Changing Population Age Structures, August 31–September 2, 2005.

6 "Women, Business, and the Law 2014," World Bank, 2013.

7 Peter Hessler, "Learning to Speak Lingerie," *New Yorker*, August 10, 2015.

8 "Fair Play: More Equal Laws Boost Female Labor Force Participation," International Monetary Fund, 2015.

9 Jim Yong Kim, "CNBC Excerpts: CNBC's Sara Eisen Speaks with World Bank Group President Jim Yong Kim on CNBC's 'Squawk Alley' Today," サラ・エイセンによるインタビューのトランスクリプト, CNBC, October 1, 2015.

10 Caglar Ozden and Mathis Warner, "Immigrants versus Natives? Displacement and Job Creation," World Bank, 2014.

11 BCA Research, "The End of Europe's Welfare State," Weekly Report, June 26, 2015.

12 Carl Benedikt Frey and Michael Osborne, "The Future of Employment: How Susceptible Are Jobs to Computerisation?," Oxford University Programme on the Impacts of Future Technology, September 17, 2013.

13 David Rotman, "How Technology Is Destroying Jobs," MIT Technology Review, June 12, 2013.

14 John Markoff, "The Next Wave," *Edge*, July 16, 2015.

第２章 【政治】政治サイクル

1 Fareed Zakaria, *The Post-American World and the Rise of the Rest* (New York: Norton, 2008).

2 Jonathan Wheatley, "Brazil's Leader Blames White People for Crisis," *Financial Times*, March 27, 2009.

3 Global Emerging Markets Equity Team, "Tales from the Emerging World: The Myths of Middle-Class Revolution," Morgan Stanley Investment Management, July 16, 2013.

4 "The Quest for Prosperity," *Economist*, May 15, 2007.

5 Saeed Naqvi, "A Little Left of Self Interest," *The Friday Times*, June 26, 2015.

6 William Easterly, *The Tyranny of Experts: Economists, Dictators, and the Forgotten Rights of the Poor* (New York: Basic Books, 2014).

第3章 【格差】良い億万長者、悪い億万長者

1 "Global Wealth Report 2014," Credit Suisse Research Institute, 2014.

2 Richard Fry and Rakesh Kochhar, "America's Wealth Gap between Middle-Income and Upper-Income Families Is Widest on Record," Pew Research Center, December 17, 2014.

3 "The World's Billionaires," *Forbes*, 2015.

4 Andrew Berg and Jonathan Ostry, "Inequality and Unsustainable Growth: Two Sides of the Same Coin?" IMF Staff Discussion Note, 2011.

5 Bradford Johnson, "Retail: The Wal-Mart Effect; Information Technology Isn't the Whole Story Behind Productivity," *McKinsey Quarterly* (Winter 2002).

6 Robert Peston, "Inequality Is Bad for Growth, Says OECD," BBC News, May 21, 2015.

第4章 【政府介入】国家による災い

1 Roger Altman, "Blame Bond Markets, Not Politicians, for Austerity," *Financial Times*, May 8, 2013.

2 Ahmed Feteha, "Welcome to Egypt's Fake Weddings: Get High, Leave Lots of Cash," *Bloomberg News*, June 23, 2015.

3 Ronald Coase and Ning Wang, *How China Became Capitalist* (London: Palgrave Macmillan, 2013).（ロナルド・コース，王寧『中国共産党と資本主義』栗原百代訳，日経BP社，2013年）

4 Jun Ma, Audrey Shi, and Shan Lan, "Deregulation and Private Sector Growth," Deutsche Bank Research Report, September 13, 2013.

5 Anders Aslund, "How Russia Mismanaged the Financial Crisis," *Moscow Times*, February 27, 2013.

6 Amy Li, "Premier Li Keqiang Makes Case for Deeper Economic Reforms over Stimulus," *South China Morning Post*, May 1, 2014.

7　Liz Matthew, "Manmohan Singh Should Have Put Foot Down, Cancelled 2G Licences," *Indian Express*, November 8, 2014.
8　Yannis Palaiologos, "Syriza Must Let Markets and Meritocracy Rule," *Financial Times*, May 12, 2015.

第5章　【地政学】地理的なスイートスポット

1　James Rickards, *Currency Wars: The Making of the Next Global Crisis* (New York: Portfolio/Penguin, 2012).（ジェームズ・リカーズ『通貨戦争――崩壊への最悪シナリオが動き出した！』藤井清美訳，朝日新聞出版，2012 年）
2　Antonia Ax:son Johnson and Stefan Persson, "Do Not Fight Free Trade—It Makes Countries Richer," *Financial Times*, July 23, 2015.
3　Daron Acemoglu, Simon Johnson, and James Robinson, "The Rise of Europe: Atlantic Trade, Institutional Change, and Economic Growth," *American Economic Review* 95, no. 3 (2005): 546–79.
4　John Boudreau, "The Biggest Winner from TPP Trade Deal May Be Vietnam," *Bloomberg News*, October 8, 2015; Eurasia, July 2015.
5　Victor Essien, "Regional Trade Agreements in Africa: A Historical and Bibliographic Account of ECOWAS and CEMAC," *NYU Global*, 2006.
6　Moisés Naím, "The Most Important Alliance You've Never Heard Of," *Atlantic*, February 17, 2014.
7　Ibid.
8　Peter Zeihan, *The Accidental Superpower: The Next Generation of American Preeminence and the Coming Global Disorder* (New York: Twelve, 2014).（ピーター・ゼイハン『地政学で読む世界覇権 2030』木村高子訳，東洋経済新報社，2016 年）
9　Sumana Manohar, Hugo Scott-Gall, and Megha Chaturvedi, "Small Dots, Big Picture: Is Trade Set to Fade?," Goldman Sachs Research, September 24,

2015.

第6章 【産業政策】製造業第一主義

1 Dani Rodrik, "The Perils of Premature Deindustrialization," *Project Syndicate*, 2013.

2 Ejaz Ghani, William Robert Kerr, and Alex Segura, "Informal Tradables and the Employment Growth of Indian Manufacturing," World Bank Policy Research Working Paper no. 7206, March 2, 2015.

3 Jaithirth Rao, "How They Killed Our Factories," *Indian Express*, January 20, 2014.

4 Ejaz Ghani and Stephen D. O'Connell, "Can Service Be a Growth Escalator in Low-Income Countries?," World Bank Policy Research Working Paper, 2014.

5 Ramana Nanda and Matthew Rhodes-Kropf, "Investment Cycles and Startup Innovation," *Journal of Finance Economics* 110, no. 2 (2013): 403–18.

6 Ebrahim Rahbari, Willem Buiter, Joe Seydl, and George Friedlander, "Poor Productivity, Poor Data, and Plenty of Polarisation," Citi Research, August 12, 2015.

7 Tom Burgis, *The Looting Machine: Warlords, Oligarchs, Corporations, Smugglers, and the Theft of Africa's Wealth* (New York: PublicAffairs, 2015).（トム・バージェス『喰い尽くされるアフリカ――欧米の資源略奪システムを中国が乗っ取る日』山田美明訳，集英社，2016 年）

第7章 【インフレ】物価上昇を侮るな

1 Helge Berger and Mark Spoerer, "Economic Crises and the European Revolutions of 1848," *Journal of Economic History* 61, no. 2 (June 2001): 293–326.

2 Martin Paldam, "Inflation and Political Instability in Eight Latin American Countries," *Public Choice* 52, no. 2 (1987): 143–68.

3 Marc Bellemare, "Rising Food Prices, Food Price Volatility, and Social Unrest," *American Journal of Agricultural Economics*, June 26, 2014.

4 "World Bank Tackles Food Emergency," BBC News, April 14, 2008.

5 Neil Irwin, "Of Kiwis and Currencies: How a 2% Inflation Target Became Global Economic Gospel," *New York Times*, December 19, 2014.

6 Jim Reid, Nick Burns, and Seb Barker, "Long-Term Asset Return Study-Bonds: The Final Bubble Frontier?," Deutsche Bank Markets Research Report, September 10, 2014.

7 Irving Fisher, "The Debt Deflation Theory of Great Depression," *St. Louis Federal Reserve*, n.d.

8 David Hackett Fischer, *The Great Wave: Price Revolutions and the Rhythm of History* (New York: Oxford University Press, 1996).

9 Claudioo Bordio, Magdalena Erdem, and Andrew Filardo, "The Costs of Deflations: A Historical Perspective," Bank of International Settlements, 2015.

10 "Toward Operationalizing Macroprudential Policies: When to Act?" chapter 3 in *Global Financial Stability Report* (International Monetary Fund, September 2011).

11 Òscar Jordà, Moritz Schularick, and Alan Taylor, "Leveraged Bubbles," National Bureau of Economic Research, Working Paper no. 21486, August 2015.

第8章 【通貨】通貨安は天使か、悪魔か

1 Ed Lowther, "A Short History of the Pound," BBC News, February 14, 2014.

2 Caroline Freund, "Current Account Adjustment in Industrialized Countries," *International Finance Discussion Papers* (U.S. Federal Reserve, 2000).

3 Rudi Dornbusch, interview by *Frontline*, PBS, 1995.

4 Paul Davidson, "IMF Chief Says Global Growth Still Too Weak," *USA Today*, April 2, 2014.

5 Oliver Harvey and Robin Winkler, "Dark Matter: Hidden Capital Flows

That Drive G10 Exchange Rates," Deutsche Bank Markets Research Report, March 6, 2015.

6 "EM Macro Daily: China Capital Outflow Risk—The Curious Case of the Missing $300 Billions," Goldman Sachs Global Investment Research, January 13, 2015.

7 Muhamad Chatib Basri and Hal Hill, "Ideas, Interests, and Oil Prices: The Political Economy of Trade Reform During Soeharto's Indonesia," *World Economy* 27, no. 5 (2004): 633–55.

第９章　【過剰債務】禁断の債務バブル

1 "China's Rigged IPOs," *Wall Street Journal*, December 2, 2015.

2 Tim Congdon, "The Debt Threat," *Economic Affairs* 9, no. 2 (January 1989): 42–44.

3 Michael Goldstein, Laura Dix, and Alfredo Pinel, "Post Crisis Blues: The Second Half Improves," Empirical Research Partners, November 2011.

第 10 章　【メディア】「過剰な報道」の裏に道あり

1 Barry Hillenbrand, "America in the Mind of Japan," *Time*, February 10, 1992.

2 John F. Copper, *Historical Dictionary of Taiwan (Republic of China)*, 4th ed. (Lanham, MD: Rowman and Littlefield).

3 Young-lob Chung, *South Korea in the Fast Lane: Economic Development and Capital Formation* (New York: Oxford University Press, 2007).

4 Lant Pritchett and Lawrence Summers, "Asiaphoria Meets Regression to the Mean," National Bureau of Economic Research, Working Paper no. 20573, October 2014.

5 Giang Ho and Paolo Mauro, "Growth: Now and Forever?," IMF, Working Paper no. 14/117, July 2014.

6 "A Mean Feat," *Economist*, January 9, 2016.

7 Commission on Growth and Development, "The Growth Report: Strategies for Sustained Growth and Inclusive Development," World Bank, 2008.

8 "Russian President Vladimir Putin Tops Forbes' 2015 Ranking of the World's Most Powerful People," *Forbes*, November 4, 2015.

9 Fernando Gabril Im and David Rosenblatt, "Middle Income Traps: A Conceptual and Empirical Survey." World Bank Operations and Strategy Unit, Working Paper no. 6594, September 2013.

第11章　優秀、平均、そして劣等

1 Simon J. Evenett and Johannes Fritz, "The Tide Turns? Trade, Protectionism, and Slowing Global Growth," Centre for Economic Policy Research, November 2015.

2 Charlene Chu, "China Roadmap—Something's Gotta Give," Autonomous Research, January 4, 2016.